여러분을 **합격**으로 이끄는
해커스공무원만의 **특별 혜택**

KB084139

FREE 공무원 한국사 **특강**

해커스공무원(gosi.Hackers.com) 접속 후 로그인 ▶ 상단의 [무료강좌] 클릭 ▶ [교재 무료특강] 클릭 후 이용

 해커스공무원 온라인 단과강의 **20% 할인쿠폰**

E74757C4F4F47AED

해커스공무원(gosi.Hackers.com) 접속 후 로그인 ▶ 상단의 [나의 강의실] 클릭 ▶
좌측의 [쿠폰등록] 클릭 ▶ 위 쿠폰번호 입력 후 이용

* 등록 후 7일간 사용 가능(ID당 1회에 한해 등록 가능)

합격예측 **온라인 모의고사 응시권 + 해설강의 수강권**

C466A3E5345FFDA9

해커스공무원(gosi.Hackers.com) 접속 후 로그인 ▶ 상단의 [나의 강의실] 클릭 ▶
좌측의 [쿠폰등록] 클릭 ▶ 위 쿠폰번호 입력 후 이용

* ID당 1회에 한해 등록 가능

쿠폰 이용 관련 문의 1588-4055

단기 합격을 위한
해커스공무원 커리큘럼

입문

탄탄한 기본기와 핵심 개념 완성!
누구나 이해하기 쉬운 개념 설명과 풍부한 예시로 부담없이 쌩기초 다지기

TIP 베이스가 있다면 **기본 단계**부터!

▼

기본+심화

필수 개념 학습으로 이론 완성!
반드시 알아야 할 기본 개념과 문제풀이 전략을 학습하고
심화 개념 학습으로 고득점을 위한 응용력 다지기

▼

기출+예상 문제풀이

문제풀이로 집중 학습하고 실력 업그레이드!
기출문제의 유형과 출제 의도를 이해하고 최신 출제 경향을 반영한
예상문제를 풀어보며 본인의 취약영역을 파악 및 보완하기

▼

동형문제풀이

동형모의고사로 실전력 강화!
실제 시험과 같은 형태의 실전모의고사를 풀어보며 실전감각 극대화

▼

최종 마무리

시험 직전 실전 시뮬레이션!
각 과목별 시험에 출제되는 내용들을 최종 점검하며 실전 완성

PASS

* 커리큘럼 및 세부 일정은 상이할 수 있으며,
자세한 사항은 해커스공무원 사이트에서 확인하세요.

단계별 교재 확인 및
수강신청은 여기서!

gosi.Hackers.com

해커스공무원

이명호 한국사

기출로 적중 1

제2의 기본서와 같은 상세한 해설 기출문제집

이 기출문제집을 출간한 이후, 많은 수험생들로부터 감사의 인사를 받았습니다. 해설이 상세한 것뿐만이 아니라 문제마다 어떻게 다음을 준비할지를 지시해 준 것들이 고맙다고 했습니다. 제 입장에서는 부끄럽기는 하지만 수험생들이 그렇게 짚어준 이 책의 특징들을 설명드리고자 합니다.

1. 수록된 기출문제의 범위가 넓다

이 책에는 그동안 출제되었던 국가직 9급・7급, 지방직 9급・7급, 경찰, 소방, 법원직, 사회복지직, 기상직 문제뿐만이 아니라, 수능 문제 중 공무원 시험에 적합한 문제들도 선택하여 수록하였습니다. 가급적이면 최근에 출제된 문제들로 구성하려고 했지만, 오래 전에 출제된 문제라 할지라도 다시 출제될 가능성이 있다고 판단되면 넣어 놓았습니다. 그리고 그런 판단들은 대부분 '적중'으로 나타났습니다.

2. 문제 해설이 풍부하다

이 책은 다른 어떤 기출문제집보다도 더 상세하고 더 풍부한 해설을 담고 있습니다. 그러므로 문제를 푸는 것에만 급급해하지 마시고, 반드시 해설을 꼼꼼하게 읽고 밑줄을 쳐가며 '해설까지' 외워 두시기 바랍니다. 해설의 문장도 가급적이면 '기출 문장'으로 구성하려고 했습니다. 그리고 자주 출제되는 문제들의 경우 그 전체 경향을 분석하여 한군데에 정답(또는 정답과 오답)을 모아 놓았습니다. 예를 들면 '상감청자'의 경우 "상감청자의 시험 포인트는 ⑴ 시기, ⑵ 제작 방식, ⑶ 생산지이다. 이와 관련된 기출 문장들을 확인해두기 바란다."고 하여 정답과 오답의 포인트를 정리해 놓았습니다.

3. 문제 해결 방식을 알려준다

이 책은 문제에 대한 설명뿐만이 아니라 '어떻게 문제를 풀어야 하는지?'에 대해서도 알려줍니다. 기출문제 분석을 통해 다음에 출제될 문제들이 무엇인지를 미리 예상해 볼 수 있도록 구성하였습니다.

4. 사료의 '원문'이 풍부하게 수록되어 있다

이 책에는 시험에 출제된 짧은 사료뿐만이 아니라, 그 사료의 원문 자체를 복원하여 해설에 추가하였습니다. 시험에 출제되는 자료는 '일부'입니다. 그러므로 그 '일부 출제된 앞과 뒤'에 어떤 문장들이 놓여져 있었는지를 함께 검토하는 것이 중요합니다. 해설에 있는 자료들도 숙지해주시기 바랍니다. 올해에도 작년에도 그 해설의 자료들이 많이 출제되었습니다.

기출문제는 '선생님'이며, '또 하나의 기본서'이며, 앞으로 나아갈 방향을 정해주는 '이정표'입니다. 하나의 기출문제가 전달하는 풍부한 메시지를 충분히 받아들이는 기출문제 학습이 되기 바랍니다. 이 책으로 공부할 때, 이 책을 교재로 하는 기출문제 해설 강의를 들으며 학습하시면 문제의 포인트를 파악하는 데 시간이 많이 줄어들 것입니다.

이 책이 한국사 실력을 놀랍게 성장시키는 좋은 도구가 되기 바랍니다.

2024년 8월 노량진 연구실에서

이명호

제1편 **한국 고대사**

제2편 **한국 중세사**

CONTENTS

제3편 **한국 근세사**

이명호
한국사

제2의 기본서와 같은 상세한 해설

이명호 **한국사** 기출로 적중

한국 고대사

제2의 기본서와 같은 상세한 해설
이명호 **한국사** 기출로 적중

01 선사시대와 초기 국가

이명호 **한국사** 기출로 적중

01 석기 시대

01 (가) 시기의 생활상에 대한 설명으로 옳은 것은?

[2020 국가직 9급]

> 1935년 두만강 가의 함경북도 종성군 동관진에서 한반도 최초로 ⎡(가)⎤ 시대 유물인 석기와 골각기 등이 발견되었다. 발견 당시 일본에서는 ⎡(가)⎤ 시대 유물이 출토되지 않은 상황이었다.

① 반달 돌칼을 이용하여 벼를 수확하였다.

② 넓적한 돌 갈판에 옥수수를 갈아서 먹었다.

③ 사냥이나 물고기잡이 등을 통해 식량을 얻었다.

④ 영혼 숭배 사상이 있어 사람이 죽으면 흙 그릇 안에 매장하였다.

[해설]   정답 ③

함경북도 종성군 동관진 유적은 일제강점기에 발견된 구석기 시대 유적지로, '한반도 최초 발견된 구석기 시대 유적지'라는 타이틀을 가지게 되었다. 그러나 발견 당시 일본에서는 아직 구석기 시대 유적이 발견되지 않은 상태여서, 일제는 이 유적지를 신석기 시대 유적지로 발표하기도 하였다. 그러나 1960년대에 이르러 구석기 유적으로 인정되었다.

③ 구석기 시대에는 수렵(사냥), 어로(물고기잡이), 채집 등으로 식량을 얻었다.

① 반달 돌칼을 이용하여 벼를 수확한 시기는 청동기 시대이다.

② 돌 갈판이 사용되기 시작한 시기는 신석기 시대이다.

④ '매장' 풍습은 구석기 시대부터 있었으나, 무엇인가를 '숭배'하는 사상이 생긴 시기는 신석기 시대이다.

02 1960년대 전반 남북한에서 각기 조사 발굴되어 한국사에서 구석기 시대의 존재를 확인시켜 준 유적들을 바르게 짝지은 것은?

[2014 국가직 9급]

	남 한	북 한
①	제주 빌레못 유적	상원 검은모루 유적
②	공주 석장리 유적	웅기 굴포리 유적
③	단양 상시리 유적	덕천 승리산 유적
④	연천 전곡리 유적	평양 만달리 유적

📑**해설** 정답 ②

광복 이후 북한과 남한에서 각각 함북 웅기 굴포리 유적과 공주 석장리 유적이 발견되었다.

구석기 유적	의의
함경도 종성 동관진	한반도 최초 발견(1935년 발견)
함북 웅기 굴포리	광복 이후 최초 발견(1963년 발견)
공주 석장리	남한 최초 발견(1964년 발견)

03 밑줄 친 '주먹도끼'가 사용된 시대에 대한 설명으로 옳은 것은? [2023 지방직 9급]

> 이 유적은 경기도 연천군 한탄강 언저리에 넓게 위치하고 있다. 이곳에서 아슐리안 계통의 <u>주먹도끼</u>가 다량으로 출토되어 더욱 많은 관심이 집중되었다. 이곳에서 발견된 <u>주먹도끼</u>는 그 존재 유무로 유럽과 동아시아 문화가 나뉘어진다고 한 모비우스의 학설을 무너뜨리는 결정적 증거가 되었다.

① 동굴이나 바위 그늘, 강가의 막집 등에서 살았다.
② 내부에 화덕이 있는 움집이 일반적인 주거 형태였다.
③ 토기를 만들어 음식을 조리하거나 식량을 저장하였다.
④ 구릉에 마을을 형성하고 그 주변에 도랑을 파고 목책을 둘렀다.

📑**해설** 정답 ①

구석기 시대에는 동굴(상원 검은모루 동굴)이나 바위그늘(단양 상시리)에서 살거나 강가에 막집(공주 석장리)을 짓고 살았다.

② '내부에 화덕이 있는 움집이 일반적인 주거 형태'는 신석기 시대에 나타났다. 특히 신석기 시대의 움집에는 '중앙에 화덕'이 위치하였다.

③ '토기를 만들어 음식을 조리하거나 식량을 저장'하기 시작한 시대는 신석기 시대이다.

④ '구릉에 마을을 형성하고 그 주변에 도랑을 파고 목책을 둘렀다'는 청동기 시대의 특징이다. 청동기 시대에는 농경과 방어에 유리한 구릉(언덕)에 주거를 형성하였고, 정복활동이 활발했던 이 시대에는 도랑(환호)과 목책을 만들어서 방어하였다.

04 한국의 선사시대에 대한 설명으로 가장 적절하지 않은 것은? [2020 경찰]

① 중기구석기 시대에는 몸돌에서 떼어 낸 돌조각인 격지를 잔솔질하여 석기를 만들었다.

② 신석기 시대에는 제주 고산리나 양양 오산리 등에서 목책, 환호 등의 시설이 만들어졌다.

③ 신석기 시대에는 백두산이나 일본에서 유입된 것으로 보이는 흑요석이 사용되었다.

④ 청동기 시대에는 어로 활동이나 조개 채집의 비중이 줄어들어 패총이 많이 발견되지 않는다.

해설 정답 ②

제주 고산리와 양양 오산리 유적은 신석기 시대의 유적이다. 그러나 '목책, 환호 등의 시설', 즉 방어시설은 청동기 시대의 특징이다.

① 구석기 시대는 석기를 다듬는 수법에 따라 전기, 중기, 후기의 세 시기로 구분된다. 구석기 전기에는 한 개의 뗀석기를 여러 용도로 사용하였다. 구석기 중기에는 한 개의 석기가 하나의 용도로 사용되어 '용도가 뚜렷'해졌으며, 큰 몸돌에서 떼어 낸 돌조각인 격지들을 가지고 잔손질을 하여 석기를 만들었다. ○ 2020 경찰, 2017 경찰

구석기 전기	구석기 중기	구석기 후기
70~10만년 전	10~4만년 전	4~1만년 전
한 개의 석기 → 여러 용도	한 개의 석기 → 하나의 용도	같은 형태의 여러 개의 돌날격지 제작(쐐기 사용)

③ 신석기 시대에는 백두산이나 일본에서 유입된 것으로 보이는 흑요석이 사용되었다. 이런 흑요석의 출토 사례로 보아 원거리 교류나 교역이 있었음을 알 수 있다. ○ 2015 국가직 9급

④ 신석기 시대 사람들은 조개류를 많이 먹었으며, 때로는 장식으로 이용하기도 하였다. ○ 2017 지방직 9급 그 결과 신석기 시대에는 조개무지(패총)를 많이 남겼다. ○ 2018 지방직 9급 특히 동삼동 패총에서는 조개껍데기(조가비) 가면이 출토되어 신석기 시대 사람들의 예술 활동을 알려준다. ○ 2019 경찰 조개껍데기 가면은 제의를 행할 때 주술과 관련된 의기로 사용되었을 것으로 보여진다. ○ 2013 경찰 그러나 청동기 시대에 이르러서는 어로 활동이나 조개 채집의 비중이 줄어들어 패총이 많이 발견되지 않는다.

05 우리나라에서 화석 인골이 출토된 구석기 유적에 대한 설명으로 옳은 것은? [2021 경찰간부]

① 덕천 승리산 동굴에서 용곡인이 출토되었다.

② 청원 두루봉 동굴에서 두루봉인이 출토되었다.

③ 평양 대현동 유적에서 역포인이 출토되었다.

④ 제천 점말 동굴에서 흥수 아이가 출토되었다.

해설 정답 ③

'평양 대현동 유적'이란 평양 역포리 대현동 동굴 유적을 말한다. 이 유적에서는 역포인이라 불리는 구석기 시대 아이의 뼈가 발견되었다. 제천 점말 동굴에서는 인골은 발견되지 않았고, 사람 얼굴을 새긴 코뿔소(털고뿔이) 뼈가 발견되었다.

유적 명칭	발견된 화석 인골
단양 상시리 바위그늘	상시인
덕천 승리산 동굴 ○ 2021 해경간부, 2015 국가직 7급	승리산인, 덕천인
평양 역포리 대현동 동굴	역포인
평양 만달리	만달인
청원 두루봉 동굴 ○ 2021 해경간부	흥수 아이

06 선사시대에 대한 설명으로 옳지 않은 것은?

[2010 국가직 9급]

① 구석기 시대에는 무리 중에서 경험이 많고 지혜로운 사람이 지도자가 되었으나 권력을 가지지는 못하였다.

② 신석기 시대의 대표적인 토기는 빗살무늬토기이지만 이보다 앞선 시기의 토기도 발견되고 있다.

③ 신석기 시대의 부족은 혈연을 바탕으로 한 씨족을 기본 구성단위로 하였다.

④ 구석기 시대의 대표적인 사냥 도구로는 긁개, 밀개 등이 있다.

해설   정답 ④

주먹도끼, 찍개, 팔매돌 등은 사냥도구이고 긁개, 밀개 등은 대표적인 조리 도구이다. **⊙ 2012 경찰간부** 구석기 시대 유물은 그 용도를 구분하여야 한다.

용도	유물
사냥 도구	주먹도끼, 찍개, 팔매돌, 찌르개, 슴베찌르개
조리 도구	긁개, 밀개, 자르개
공구	새기개

① 무리 중에서 경험이 많고 지혜로운 사람이 지도자가 되었으나, 그 지도자가 권력을 가지지는 못하였다. 구석기 시대는 평등 사회였다.

② 신석기 시대는 사용하였던 토기의 종류에 따라 전기, 중기, 후기로 구분된다. 신석기 전기에는 무늬가 없는 '이른 민무늬 토기', 무늬가 양각인 '덧무늬 토기', 무늬가 음각인 '눌러찍기 무늬 토기'가 만들어졌다. 신석기 중기에는 '빗살무늬토기'가 만들어졌다. 즉, 빗살무늬토기 이전에 이미 만들어졌던 토기들이 있었다.

③ 신석기 시대 사람들은 씨족별로 대략 20~30명씩 무리를 이루어 사냥과 고기잡이, 채집 등을 행하며, 공동체적인 삶을 영위하였다. 이렇게 신석기 시대에 들어서면서 등장하는 단어가 '씨족'이다. 씨족은 '같은 핏줄' 즉 혈연을 바탕으로 구성된 공동체이다. 씨족과 씨족이 모이면 '부족'이 된다.

구석기, 신석기	청동기, 철기
평등 사회	계급 사회
재산 공유	재산 사유
(가족 단위 또는 씨족 단위의) 무리 생활	국가 등장

 명호샘의 한마디!!

경험이 많은 사람, 지혜로운 사람, 연장자 등이 지도자가 되었으나 그 지도자가 권력을 가지지는 못하였다면, 이것은 구석기 시대와 신석기 시대이다.

구석기 시대	무리 중에서 경험이 많고 지혜로운 사람이 지도자가 되었으나, 권력을 가지지는 못하였다. 무리 중에서 연장자가 지도자가 되었으나 권력을 가지지는 못했다. **⊙ 2018 경찰간부**
신석기 시대	연장자나 경험이 많은 자가 자기 부족을 이끌어 나가는 평등사회였다. **⊙ 2017 경찰**

07 선사시대에 대한 다음 설명 중 옳지 않은 것은?

[2012 서울시 9급]

① 구석기 시대에는 뗀석기를 사용하였다. 처음에는 찍개, 주먹도끼 등과 같이 하나의 도구를 여러 용도로 사용했으나 점차 자르개, 밀개, 찌르개 등 쓰임새가 정해진 도구를 만들어 사용하였다.

② 신석기 시대에 사람들은 돌을 갈아 다양한 모양의 간석기를 만들고, 조리나 식량 저장에 사용할 수 있는 토기를 만들었다.

③ 신석기인들부터는 도구를 사용하였을 뿐만 아니라 불을 이용하고, 언어를 구사하였다.

④ 청동기 시대에는 일부 지역에서 벼농사가 시작되는 등 농경이 더욱 발달하였다. 농경의 발달에 따라 토지와 생산물에 대한 사유재산 개념이 발생하여 빈부의 차가 생기고 계급이 분화되었다.

⑤ 청동 무기의 보급으로 정복 활동이 활발해지면서 점차 계급 분화가 뚜렷해지고, 막강한 권력과 경제력을 가진 지배자인 군장이 등장하였다.

해설   정답 ③

'도구', '불', '언어'를 처음 사용한 것은 구석기 시대부터이다. 구석기 시대에 뗀석기와 뼈도구를 사용하였다는 것은 '도구'를 사용하였다는 것이다. 공주 석장리 유적, 대전 용호동 유적 ● 2017 국가직 9급(하반기)에서 화덕 자리(불 땐 자리)가 발견된 것은 '불'을 사용하였다는 증거이다. '언어'를 사용한 것과 '문자'를 사용한 것은 구분하여야 한다. 인류가 출현한 이후 어떤 형태로든 의사소통을 하였을 것이므로 언어 사용은 구석기 시대부터 있었을 것이지만, '문자'의 사용은 우리나라의 경우 철기 시대 이후에 이루어진 것으로 본다.

 명호샘의 한마디!!

'구석기 시대부터' 사용하였거나 있었다고 하면, 그것은 사람이 살면서부터 생겨난 기본적인 것들을 말한다. 구석기 시대부터 생겨난 것들은 다음과 같다.

구 분	확인 가능한 유적
도 구	• 여러 유적에서 발견된 주먹도끼, 찌르개, 찍개 등의 뗀석기 • 여러 유적에서 발견된 동물의 뿔이나 뼈로 만든 뼈도구 • 단양 수양개의 석기 제작소
집	공주 석장리의 주거지(막집 자리)
불	공주 석장리의 화덕 자리(불 땐 자리)
예 술	• 공주 석장리의 개 모양의 석상 • 단양 수양개의 사람 얼굴 예술품, 고래와 물고기 조각 • 제천 점말 동굴의 사람 얼굴을 새긴 코뿔소 뼈
시체의 매장	청원 두루봉 동굴의 흥수 아이
언 어	여러 유적에서 발견된 무리 생활의 증거(무리 안에서 의사소통을 하기 위하여 언어를 사용한 것으로 추정함)

08 신석기 시대 유적과 유물을 바르게 연결한 것만을 모두 고르면?

[2021 국가직 9급]

> ㄱ. 양양 오산리 유적 – 덧무늬 토기
>
> ㄴ. 서울 암사동 유적 – 빗살무늬 토기
>
> ㄷ. 공주 석장리 유적 – 미송리식 토기
>
> ㄹ. 부산 동삼동 유적 – 아슐리안형 주먹도끼

① ㄱ, ㄴ   ② ㄱ, ㄹ

③ ㄴ, ㄷ   ④ ㄷ, ㄹ

해설   정답 ①

이 문제는 신석기 시대의 유적과 토기를 연결시키는 문제이다. '토기'는 모든 유적에 전반적으로 출토되는 유물이므로, 토기를 통해 각 유적이 어느 시대에 귀속되는지 묻는 문제이다.

① 양양 오산리 유적과 서울 암사동 유적은 '신석기 시대'의 유적지이다. 여기에서 신석기 시대의 토기인 '덧무늬 토기'와 '빗살무늬 토기'가 발견되었다.

ㄷ. 공주 석장리 유적은 구석기 시대의 유적지이므로, 여기에서는 청동기 시대의 토기인 '미송리식 토기'가 발견될 수 없다.

ㄹ. 부산 동삼동 유적(패총)은 신석기 시대의 유적지이며, 아슐리안형 주먹 도끼는 구석기 시대의 유물이다. <u>동아시아에서 처음으로 아슐리안형 주먹도끼가 발굴된 유적은 '연천 전곡리 유적'</u>이다. ◑ 2021 경찰, 2018 서울시 7급

 명호샘의 한마디!!

빗살무늬 토기(신석기 시대 대표 토기)

(빗살무늬 토기)는 팽이처럼 밑이 뾰족하거나 둥글고, 표면에 빗살처럼 생긴 무늬가 새겨져 있다. 곡식을 담는 데 많이 이용된 이 토기는 전국 각지에서 출토되고 있는데, 대표적 유적지는 서울 암사동, 봉산 지탑리 등이다.

◑ 2019 서울시 9급, 2016 지방직 9급, 2014 서울시 9급

시대별 토기의 변천

신석기 시대	청동기 시대	철기 시대
이른 민무늬 토기 ◑ 2020 서울시 지방직 9급, 2019 지방직 7급 덧무늬 토기 ◑ 2021 경찰, 2021 국가직 9급, 2020 해경, 2020 서울시 지방직 9급 눌러찍기무늬 토기 ◑ 2020 서울시 지방직 9급 빗살무늬 토기 ◑ 2021 국가직 9급, 2020 소방간부, 2020 국가직 7급, 2020 서울시 지방직 9급, 2019 서울시 9급(보훈청) 채문 토기(번개 무늬 토기, 물결 무늬 토기)	덧띠 새김무늬 토기 민무늬 토기 ◑ 2021 해경간부 미송리식 토기 ◑ 2021 해경간부 붉은 간 토기 ◑ 2021 해경간부, 2018 지방직 9급, 2021 경찰 가지무늬 토기 팽이형 토기 ◑ 2021 해경간부, 2018 경찰	민무늬 토기 검은 간 토기 덧띠 토기

09 신석기 시대의 사회상에 대한 설명으로 옳지 않은 것은?　　　　　　[2016 지방직 7급]

① 독무덤과 널무덤이 유행하였다.

② 방추차를 이용하여 옷감을 짜서 입었다.

③ 이른 민무늬 토기, 덧무늬 토기 등을 사용하였다.

④ 영혼숭배와 조상숭배가 나타났다.

해설　　　　　　　　　　　　　　　　　　　　　　　　　　　　　　　　　정답 ①

'독무덤과 널무덤'은 철기 시대의 대표적인 무덤이다. 청동기 시대의 무덤 중 '고인돌과 돌널무덤'
이 늘 붙어 다니는 것처럼, 철기 시대의 무덤 중 '독무덤과 널무덤'도 그렇게 늘 붙어 다닌다. <u>독무덤</u>
<u>이 주로 제작된 시기에는 '철제 농기구를 사용하였다'.</u> ◐ 2017 기상직 9급　　　　독무덤(철기 시대)

이 문제는 신석기 시대의 사회상을 묻고 있는데, 이런 '신석기 시대' 문제에서는 어떤 무덤 양식이
나와도 모두 오답이 된다. 왜냐하면 무덤 양식, 즉 묘제가 나타나는 시대는 청동기 시대이기 때문이다.

② 방추차(紡錘車)의 방(紡)은 실을 뽑는다는 의미이다. 방추차는 '가락바퀴'의 한자식 표현이다.

> • 가락바퀴와 뼈바늘로 옷감을 짜서 입었다.
> • 방추차와 골침으로 직조하였다.
> • 방추를 이용하여 옷감을 짜서 입을 줄 알게 되었다. ◐ 2017 해경간부

③ 이른 민무늬 토기, 덧무늬 토기, 눌러찍기무늬 토기, 빗살무늬 토기는 신석기 시대의 토기이다.

④ <u>영혼숭배와 조상숭배</u>는 신석기 시대에 등장하였다. ◐ 2018 경찰간부 신석기 시대에는 다음과 같은 모습으로 원시 신앙이
출현하였다. ◐ 2016 기상직 9급

> • 태양, 물 등의 자연물이나 자연 현상에 정령이 있다고 믿었다.
> • 특정 동식물을 부족의 수호신으로 섬겼으며, 무당과 그 주술을 믿었다.
> • 사람은 죽어도 영혼은 없어지지 않는다고 생각하여 영혼과 조상을 숭배하였다.

02 청동기와 철기

01 청동기 시대의 생활상에 대한 설명으로 옳은 것은? [2016 국가직 7급]

① 정교하고 날카로운 간돌검을 사용하였다.

② 빗살무늬토기에 도토리 등을 저장하였다.

③ 유적으로는 상원 검은모루, 공주 석장리 등이 있다.

④ 주먹도끼, 찍개 등 돌로 된 사냥 도구를 만들었다.

 해설

간돌검은 돌을 갈아서 만든 단검으로, 청동기 시대의 석기이다. 마제석검(磨製石劍)이라고도 한다. 만주나 시베리아 지역에서는 발견되지 않고, 한반도에서 주로 발견되어 한국의 청동기 문화를 이해하는 데 중요한 유물이다. 간돌검이 한반도와 일본에서 주로 발견되는 것을 볼 때, 한국의 청동기 문화가 일본에 영향을 주었음을 알 수 있다.

② 토기는 저장과 조리를 위하여 만들었다. 이 중 빗살무늬토기는 신석기 시대의 대표적인 토기이다.

③ 많은 동물뼈가 발견된 상원 검은모루 동굴 유적과 집자리·화덕자리·개 모양의 석상 등이 발견된 공주 석장리 유적은 구석기 시대의 대표적인 유적지이다.

④ 주먹도끼, 찍개, 찌르개 등은 사냥 도구이고, 긁개, 밀개, 자르개 등은 조리 도구이다. 이것들은 구석기 시대의 유물이다.

정답 ①

👨 **명호샘의 한마디!!**

청동기 시대에 '청동 공구, 청동 무기, 청동 의기'를 사용하였음은 당연한 일이다. 오히려 청동기 시대에는 '돌'을 사용하였던(때론 숭배하였던) 흔적들이 시험에서 중요하게 다루어진다. 청동기 시대의 대표적인 '돌' 유물은 다음과 같다.

1. 농기구 : 반달돌칼   2. 무기 : 간돌검

3. 공구 : 돌도끼   4. 움집 구조물 : 주춧돌

5. 무덤 : 고인돌, 돌널무덤, 돌무지무덤   6. 숭배 대상 : 선돌(거석)

02 선사시대의 생활상과 문화에 대한 설명으로 가장 적절하지 않은 것은? [2016 경찰]

① 슴베찌르개는 주로 구석기 시대 후기에 사용하였는데, 이것은 창의 기능을 하였다.

② 황해도 봉산 지탑리와 평양 남경의 유적에서는 탄화된 좁쌀이 발견되는 것으로 보아 신석기 시대에 잡곡류를 경작하였음을 알 수 있다.

③ 신석기 시대의 집터는 대개 움집 자리로, 바닥은 원형이나 모서리가 둥근 사각형이며, 움집의 중앙에 화덕이 위치하였다.

④ 청동기 시대의 토기로는 미송리식 토기, 이른 민무늬 토기, 덧무늬 토기가 대표적이다.

해설

정답 ④

미송리식 토기는 청동기 시대의 토기이지만, 이른 민무늬 토기와 덧무늬 토기는 신석기 시대의 토기이다.

① 슴베찌르개는 1) 구석기 시대 후기, 2) 창의 기능을 하는 도구이다.

② 황해도 봉산 지탑리와 평양 남경에서는 탄화된 좁쌀이 발견되었다.

슴베찌르개

구 분	탄화된 좁쌀	탄화된 쌀
유물의 의미	농경의 시작(잡곡류 농사)	벼농사의 시작
유적지	1) 황해도 봉산 지탑리 2) 평양 남경	1) 여주 흔암리 2) 부여 송국리
시 대	신석기 시대	청동기 시대

③ 신석기 시대의 움집은 그 바닥이 원형이나 모서리가 둥근 사각형이고, 움집의 중앙에 화덕이 있었다.

 명호샘의 한마디!!

움집 바닥 모양이 '원형 또는 모서리가 둥근 사각형'이면 신석기 시대, '사각형'이면 청동기 시대이다. 움집의 바닥 모양은 시대를 구분하는 매우 중요한 기준이 된다.

신석기 시대에는 도구가 발달하고 농경이 시작되면서 주거 생활도 개선되어 갔다. 집터는 대개 움집 자리로, 바닥은 원형이거나 모서리가 둥근 사각형이었다. 움집의 중앙에는 불씨를 보관하거나 취사와 난방을 하기 위한 화덕이 위치하였다. 집터의 규모는 4~5명 정도의 한 가족이 살기에 알맞은 크기였다. ● 2013 지방직 9급

청동기 시대의 집터의 형태는 대체로 직사각형의 움집이며, 점차 지상 가옥으로 바뀌어 갔다. 움집 중앙에 있던 화덕은 한쪽 벽으로 옮겨졌고, 저장 구덩이도 따로 설치하거나 한쪽 벽면을 밖으로 돌출시켜 만들었다. 창고 같은 독립된 저장 시설을 집 밖에 따로 만들기도 하였고, 움집을 세우는 데 주춧돌을 이용하기도 하였다.

● 2009 서울시 9급

03 다음의 설명에 대한 유적으로 옳은 것은?

[2012 경찰간부]

ㄱ. 국보 제285호로 지정된 암각화이다.

ㄴ. 최근 이 유적의 보존문제가 사회문제로 대두되고 있다.

ㄷ. 사슴, 고래, 거북, 물고기, 호랑이, 멧돼지, 곰, 성기를 노출한 사람의 모습 등과 함께 배와 어부의 모습, 사냥하는 장면 등 많은 그림이 그려져 있다.

① 울주 천전리 암각화

② 울주 대곡리(반구대) 암각화

③ 고령 양전리 암각화

④ 영일 칠포리 암각화

해설

정답 ②

국보 제285호인 울주 반구대 바위그림 유적이 사연댐으로 인해 훼손이 심화될 위기에 처해 있다. 이에 따라 학계와 당국의 관심이 높아지면서 유적 보존을 위한 다양한 방안이 강구되고 있다. 반구대 암각화에는 '바다 고기(고래)'가 그려져 있는데, 이것을 통해 당시에 <u>어로(漁撈, 고기잡이)</u>를 하였음을 알 수 있다.

명호샘의 한마디!!

울주 대곡리 반구대 바위그림과 고령 양전동 알터 바위그림을 구분할 수 있어야 한다.

반구대 바위그림	양전동 알터 바위그림

1. 사슴, 고래, 거북, 물고기, 호랑이, 멧돼지, 곰, 성기를 노출한 사람의 모습 등과 함께 배와 어부의 모습, 사냥하는 장면 등 많은 그림이 그려져 있다. (○) ➡ 2012 경찰간부 2. 울주 반구대에는 사각형 또는 방패 모양의 그림이 주로 새겨져 있다. (×) ➡ 2017 사회복지직	(이 유적이 형성된 시기에) 사유재산과 계급이 발생하였다. (○) ➡ 2018 법원직 9급

04 다음 설명에 해당하는 토기와 같은 시대에 사용된 유물들을 [보기]에서 모든 고른 것은?

[2013 국가직 7급 변형]

> 밑이 납작한 항아리 양쪽 옆으로 손잡이가 하나씩 달리고 목이 넓게 올라가서 다시 안으로 오므라들고, 표면에 집선(集線)무늬가 있는 것이 특징이다. 주로 청천강 이북, 요령성과 길림성 일대에 분포한다. 이 토기는 고인돌, 거친무늬거울, 비파형동검과 함께 고조선의 특징적인 유물로 간주된다.

[보기]
㉠ 반달돌칼 ㉡ 비파형동검
㉢ 세형동검 ㉣ 거친무늬 거울
㉤ 잔무늬 거울

① ㉠, ㉡, ㉣ ② ㉠, ㉢, ㉤
③ ㉡, ㉣ ④ ㉢, ㉤

해설 정답 ①

자료는 미송리식 토기이다. 의주 미송리에서 처음 발견된 미송리식 토기는 청천강 이북에서 발견되고 있다. 이것은 청동기 시대의 유물이므로, 반달돌칼, 비파형동검, 거친무늬 거울 등과 함께 발견된다.

명호샘의 한마디!!

비파형동검(요령식 동검)은 청동기 시대의 유물이고, 세형동검(한국식 동검)은 초기 철기 시대의 유물이다. 그런 데 비파형동검에서 세형동검으로 바뀐 시기는 '청동기 시대 후기'이므로, 세형동검은 '청동기 시대~초기 철기 시 대'로 그 적용 범위를 넓혀서 풀어도 된다.

• 청동기 시대 후기에 이르면서 한반도 내에서는 비파형동검이 세형동검으로, 거친무늬 거울이 잔무늬 거울로 바 뀌었다. (○) ➲ 2018 경찰

---

05 다음 유물이 사용된 시대에 대한 설명으로 옳은 것은? [2023 국가직 9급]

> 미송리식 토기, 팽이형 토기, 붉은 간 토기

① 비파형 동검이 사용되었다.

② 오수전 등의 화폐가 사용되었다.

③ 아슐리안형 주먹도끼가 사용되었다.

④ 철이 많이 생산되어 낙랑과 왜에 수출되었다.

해설 정답 ①

미송리식 토기, 팽이형 토기, 붉은 간 토기는 모두 청동기 시대의 유물이다. 청동기 시대에는 비파형 동검 뿐만이 아니라, 거친무늬 거울, 반달돌칼을 사용했으며, 군장이 죽으면 그의 권력을 상징하는 고인돌을 만들었다. ➲ 2024 지방직 9급

② 오수전, 명도전, 반량전 등의 화폐가 사용된 시대는 철기 시대이다.

③ 아슐리안형 주먹도끼와 동아시아 찍개가 사용된 시대는 구석기 시대이다.

④ 철이 많이 생산되어 낙랑과 왜에 수출된 시대는 철기 시대이며, 해당 국가는 삼한이다.

---

06 우리나라 청동기 문화에 대한 설명으로 옳지 않은 것은? [2021 국회직 9급]

① 청동기로 의례용 도구를 만들었다.

② 비파형동검과 민무늬 토기를 제작하였다.

③ 반달돌칼을 사용하여 벼를 수확하였다.

④ 철제 무기와 공구를 청동기와 함께 사용하였다.

⑤ 청동제 농기구가 보급되어 농업이 발전하였다.

해설 　　　　　　　　　　　　　　　　　　　　　　　　　　　정답 ⑤

청동기 '문화'라고 묻는 것은 단순히 청동기 '시대'만을 묻는 것이 아니라, 청동기 문화가 존재했던 '청동기 시대'와 '철기 시대'를 모두 묻는 문제이다.

⑤ 청동으로 된 도끼 등의 공구가 출토되었지만 농구는 발견되지 않았다. ➡ 2010 서울시 9급 청동기 시대에 청동제 무기와 공구는 제작되어 출토까지 되었지만, '청동제 농기구'는 발견되지 않았다는 말이다. 신석기 시대와 청동기 시대에는 '석제 농기구'와 '목제 농기구'를 사용하다가, 철기 시대에 들어 철제 보습과 같은 '철제 농기구'가 제작되었다.

① 청동기 시대부터 청동으로 '의례용 도구'를 만들었다. 철기 시대에 들어 철제 무기와 도구가 사용되면서 청동기는 주로 '의례용 도구(의식용 도구)'로 변하게 되었다. 이것을 '청동기의 의기화'라고 부르는데, 청동 방울이나 청동제 마구(馬具)와 멍에 등의 거여구(車輿具)가 그 증거이다.

② 청동기 시대에는 거친무늬 거울, 미송리식 토기, 북방식 고인돌과 함께 비파형동검(요령식 동검)이 제작되었다. 비파형동 검이 더욱 세련되게 개량되어 기원전 4세기경에는 구리에 아연이 합금된 우수하고 가느다란 칼로 변했는데, 이를 세형동 검(한국식 동검)이라 한다. 비파형동검은 청동기 시대의 대표적인 동검으로 '고조선의 세력 범위'를 알려주고, 세형동검 은 철기 시대의 대표적인 동검으로 '청동기 문화가 한반도에서 독자적인 발전을 이루었음'을 알려준다.
청동기 시대의 대표적인 토기는 '민무늬 토기'이다. 청동기 시대에는 '덧띠 새김무늬 토기, 민무늬 토기, 미송리식 토기, 붉은 간 토기, 가지무늬 토기'를 제작하였고, 철기 시대에는 '민무늬 토기, 덧띠 토기, 검은 간 토기'를 제작하였다.

③ 청동기 시대에는 '반달돌칼'이라는 추수용 도구로 벼 이삭을 잘랐다.

④ 초기에는 청동기만 사용하였으나, 철기 시대에 들어 철제 무기와 공구를 청동기와 함께 사용하였다.

 명호쌤의 한마디!!

'농기구'와 관련된 기출 문장을 정리한다.

맞는 말	1) 신석기 시대에는 농경생활이 시작되었고, 돌괭이, 돌삽, 돌보습, 돌낫 등의 농기구를 사용하였다. (ㅇ) ➡ 2015 경찰
	2) 청동으로 된 도끼 등의 공구가 출토되었지만 농구는 발견되지 않았다. (ㅇ) ➡ 2010 서울시 9급
	3) '미송리식 토기, 민무늬 토기, 붉은 간 토기'가 사용되었던 시대에 농기구는 주로 석기로 만들어졌는데, 반달돌칼, 바퀴날, 홈자귀 등이 사용되었다. (ㅇ) ➡ 2015 경찰
	4) 철기 시대에는 철제 농기구를 사용하면서 농업이 크게 발달하였다. (ㅇ) ➡ 2017 경찰
	5) 위만 조선은 철기 문화를 본격적으로 수용하여 철제 무기와 농기구가 제작되었다. (ㅇ) ➡ 2016 정보통신 경찰
	6) '큰 세력은 신지, 그 다음은 읍차'라 했던 국가는 철제 농기구를 사용하였고, 벼농사를 지었다. (ㅇ) ➡ 2014 국가직 7급
	7) 신라에서는 4~5세기를 지나면서 철제 농기구가 점차 보급되었다. (ㅇ) ➡ 2014 경찰
대표적인 오답	1) 청동기 시대에는 청동제 농기구가 보급되어 농업이 발전하였다. (×) ➡ 2021 국회직 9급
	2) 청동기 시대부터 청동제 농기구를 본격적으로 사용함에 따라 농경이 더욱 발전하였다. (×) ➡ 2018 해양경찰

 명호쌤의 한마디!!

돌삽, 돌보습, 돌낫, 돌괭이는 신석기 시대에 처음 사용된 농기구들이다. 또한 이 시대에 는 갈돌과 갈판을 이용해 석기를 갈아서 사용하였다. ➡ 2020 경찰 '돌' + 농기구 명칭, '갈' + 판, 돌의 형식을 취하면 신석기 시대의 도구로 풀면 된다.

갈판, 갈돌
➡ 2017 법원직 9급

07 다음 중 청동기 시대에 대한 설명으로 옳은 것은?

[2010 서울시 9급]

① 청동으로 된 도끼 등의 공구가 출토되었지만 농구는 발견되지 않았다.

② 움집의 구조는 장방에서 둥근 모양으로 변천되었다.

③ 비파형동검은 만주 지방에서만 발견되었다.

④ 웅기 서포항 유적에서 발견된 호신부를 통해 당시 주술 신앙에 대해 알 수 있다.

⑤ 돌곽무덤과 움무덤을 사용하였다.

해설

정답 ①

청동기 시대에는 1) 목제 농기구, 2) 석제 농기구를 사용하였다. 즉 청동제 농기구는 발견되지 않았다. 다만, 청동으로 된 도끼 등 청동제 '공구'는 출토되었다.

② 신석기 시대의 움집은 원형(둥근 모양, 모서리가 둥근 사각형, 말각방형)이고, 청동기 시대의 움집은 직사각형(장방형)이다.

③ 비파형동검은 요령, 장춘, 길림뿐만이 아니라, 한반도에서도 발견되었다.

④ 호신부와 치레걸이 등이 출토된 함북 웅기 굴포리 서포항은 신석기 시대의 대표적인 유적이다.

⑤ 돌곽무덤(돌덧널무덤)과 움무덤(널무덤)은 철기 시대의 묘제(고분 양식)이다. 청동기 시대에는 고인돌, 돌널무덤, 돌무지무덤 등이 만들어졌다.

 명호샘의 한마디!!

시체를 넣는 관을 '널'이라 하지만, 한자식 표현은 '관(棺)'이다. 관을 넣기 위해 관 외부에 설치한 시설을 '덧널'이라 하지만, 한자식 표현은 '곽(槨)'이다. '돌무지'는 돌을 쌓아놓은 형태이므로, 한자식 표현은 '적석(積石)'이다. 예를 들어 '돌+덧널+무덤'은 '석+곽+묘'가 된다. 신라에서만 발견되는 '돌무지+덧널+무덤'은 '적석+목곽+묘'이다.

최근 표현	과거의 표현(한자식 표현)
고인돌	지석묘
돌널무덤	석관묘
돌덧널무덤	석곽묘, 돌곽무덤
널무덤	목관묘, 움무덤
독무덤	옹관묘
덧널무덤	목곽묘
돌무지무덤	적석총
돌무지덧널무덤	적석목곽묘
굴식 돌방무덤	횡혈식 석실분
벽돌무덤	전축분

08 한국사 선사시대에 대한 설명으로 옳지 않은 것은?

[2017 지방직 9급]

① 구석기시대 전기에는 주먹도끼와 슴베찌르개 등이 사용되었다.

② 신석기시대 집터는 대부분 움집으로 바닥은 원형이나 모서리가 둥근 사각형이다.

③ 신석기시대 사람들은 조개류를 많이 먹었으며, 때로는 장식으로 이용하기도 하였다.

④ 청동기시대의 전형적인 유물로는 비파형동검·붉은간토기·반달돌칼·홈자귀 등이 있다.

해설 　　　　　　　　　　　　　　　　　　　　　　　　　　　　　　　　　정답 ①

구석기 시대는 뗀석기를 사용한 시대로서, 석기를 다듬는 수법에 따라 전기, 중기, 후기의 세 시기로 나누어진다. '주먹도끼'는 구석기 시대 전기부터 사용한 도구이다. 그러나 '슴베찌르개'는 구석기 시대 후기의 대표적인 석기이다.

② 신석기 시대 움집의 바닥은 원형이나 모서리가 둥근 사각형이고, 청동기 시대 움집의 바닥은 직사각형이다.

③ 신석기 시대 사람들은 조개류를 많이 먹었으며, 때로는 장식으로 이용하기도 하였다. 그 결과 신석기 시대 사람들은 조개무지(패총)를 많이 남겼다. ◐ 2018 서울시 9급 이 사실은 부산 동삼동의 조개더미[패총, 貝塚]와 여기에서 발견된 조개껍데기 가면[패면, 貝面]을 통해 알 수 있다.

④ 청동기 시대의 동검은 비파형동검(요령식 동검)이고, 대표적인 토기는 붉은간토기·민무늬토기이며, 대표적인 석제 농기구는 반달돌칼·홈자귀(유구석부)이다.

09 한국 철기 시대의 주거 양상에 대한 설명으로 옳지 않은 것은?

[2011 지방직 9급]

① 부뚜막이 등장하였다.

② 지상식 주거가 등장하였다.

③ 원형의 송국리형 주거가 등장하였다.

④ 출입구 시설이 붙은 '여(呂)'자형 주거가 등장하였다.

해설 　　　　　　　　　　　　　　　　　　　　　　　　　　　　　　　　　정답 ③

원형의 송국리형 주거가 등장한 것은 청동기 시대이다. 원형의 움집터라면 신석기 시대라고 이해하기 쉽지만, 송국리형 주거는 원형만 있는 것이 아니라 타원형, 장방형(직사각형)의 것도 있다. 부여 송국리 유적의 원형 집터의 경우, 집터의 바닥 중앙에 구덩이를 파고 그 양쪽 끝에 2개의 기둥을 세운 특징이 있다. ◐ 2017 경찰특공대

① 녹이 슨 철제 부뚜막이 발견되어, 철기 시대에 부뚜막을 사용한 것을 알 수 있게 되었다.

② 철기 시대에는 '지상식 주거'가 등장하였다. 청동기 시대에 움집의 구덩이 높이가 낮아져 '지상 가옥화'되는 과정과 비교하여야 한다.

④ 출입구 시설이 붙은 '여(呂)'자형 주거 또는 '철(凸)'자형 주거가 등장한 것은 철기 시대이다.

02 고조선과 여러나라의 성장

이명호 **한국사** 기출로 적중

01 고조선

01 다음 밑줄 친 '이 나라'의 세력범위를 짐작할 수 있는 유물을 [보기]에서 모두 고르면?

[2017 기상직 7급]

> 진(秦)이 천하를 병합하고 장성을 쌓아 요동에 이르렀을 때, <u>이 나라</u>에서는 '부'가 왕으로 즉위하였다. …(중략)… '부'가 죽자, 그 아들 '준'이 즉위하였다. ○ 위략

[보기]

㉠ 조개껍데기 가면 ㉡ 거친무늬 거울
㉢ 비파형동검 ㉣ 미송리식 토기

① ㉠, ㉡ ② ㉡, ㉢
③ ㉠, ㉡, ㉢ ④ ㉡, ㉢, ㉣

해설 정답 ④

진(秦)은 중국 주(周)나라 때 제후국의 하나였다가 중국 최초로 통일을 완성한 국가(BC 221~BC 206)이다. '진이 천하를 병합'하였던 기원전 3세기에 '부'라는 이름의 왕과 '준'이라는 이름의 왕이 있었던 나라는 '고조선'이다. 거친무늬 거울, 미송리식 토기, 고인돌(탁자식, 탁상식, 북방식), 비파형동검, 팽이형 토기의 분포 지역을 통해 '고조선의 세력 범위'가 '요령에서 대동강 유역까지'라는 사실을 알 수 있다. (고조선이 요령 지방을 중심으로 성장하여 점차 한반도까지 발전하였음을 알 수 있다.)

유물	시대	의미
1) 거친무늬 거울 2) 미송리식 토기 3) 북방식 고인돌 4) 비파형동검	청동기 시대	고조선의 세력 범위
1) 잔무늬 거울 2) 세형동검 3) 거푸집	초기 철기 시대	청동기 문화의 독자적 발전

㉠ 조개 껍데기 가면은 부산 동삼동(패총)에서 발견된 신석기 시대의 유물이다.

02 다음 역사적 사건을 발생한 순서대로 가장 적절하게 나열한 것은?

[2017 경찰]

> ㉠ 우거왕이 살해되고, 왕검성이 함락되었다.
>
> ㉡ 위만이 고조선의 준왕을 축출하고 스스로 왕이 되었다.
>
> ㉢ 한(漢)은 고조선 영토에 네 개의 군현을 설치하였다.
>
> ㉣ 예(濊)의 남려가 28만여 명의 주민을 이끌고 한(漢)에 투항하였다.
>
> ㉤ 고조선이 군대를 보내 요동도위 섭하를 살해하였다.

① ㉡ → ㉠ → ㉤ → ㉣ → ㉢

② ㉡ → ㉣ → ㉤ → ㉠ → ㉢

③ ㉡ → ㉤ → ㉣ → ㉠ → ㉢

④ ㉤ → ㉡ → ㉢ → ㉠ → ㉣

해설

정답 ②

㉡ 위만이 망명하였을 때 준왕은 위만을 신임하여 박사(博士)라는 관직을 주고 서쪽 1백리 땅을 통치하게 하였다. 그러나 위만은 준왕을 축출하고 스스로 왕이 되었다(BC 194). 쫓겨 난 준왕은 한반도 남부로 가서 한왕(韓王)이 되었다.

㉣ 위만의 손자 우거왕 때는 남쪽의 진국(辰國)을 비롯한 여러 나라가 한(漢)과 직접 통교하는 것을 가로막고 중계무역의 이익을 독점하였다. 이에 불만을 느낀 예(濊)의 남려(南閭) 세력은 한(漢)에 투항하였다(BC 128).

㉤ 고조선의 세력이 커지자 한무제는 섭하(涉河)를 사신으로 보내 복속을 요구했지만 우거왕은 이를 거절하였다. 섭하를 돌려보낼 때 동행하였던 패왕(稗王) 장(長)이 섭하에 의해 살해당하자, 우거왕도 군대를 보내 요동도위로 임명된 섭하를 죽였다(BC 109).

㉠ 한(漢)과의 전쟁이 장기화되면서 고조선의 지배층 내부가 분열하여 이탈하였다. 조선상(朝鮮相) 역계경은 자신의 무리 2천여 호를 이끌고 남쪽의 진국으로 갔으며, 조선상 노인 등은 왕검성에 나와 항복하였다. 이런 내분 속에서 삼(參)에 의해 우거왕이 살해되었고, 대신(大臣) 성기가 항전하였으나 결국 왕검성은 함락되었다(BC 108).

㉢ 한(漢)은 고조선 영토에 낙랑군, 진번군, 임둔군, 현도군의 네 개 군현을 설치하였다(BC 108).

 명호샘의 한마디!!

고조선은 실재(實在)하였던 나라이므로, 실제 있었던 사건들을 시간 순서대로 배열하는 문제가 많이 출제되고 있다.

시 기	사 건
BC 2333	단군 조선 건국
BC 12세기	기자 조선 성립
BC 5세기	철기 수용
BC 4세기	연과 대등
BC 3세기	• 강력한 왕의 등장(부왕, 준왕) • 연의 진개 침입
BC 2세기	• 위만 조선 성립(BC 194) • '예' 남려 세력의 '한' 투항(BC 128) • 창해군 설치(BC 128) • 섭하 살해(BC 109) • 왕검성 함락(BC 108) • 한군현 설치(BC 108) • 8조법이 60여 조로 증가(풍속 각박)
……	
AD 4세기	낙랑 멸망(313)

03 (가)와 (나) 시기 고조선에 대한 [보기]의 설명으로 옳은 것만을 고른 것은? [2016 국가직 9급]

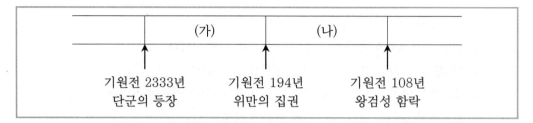

[보기]
ⓐ (가) – 왕 아래 대부, 박사 등의 직책이 있었다.
ⓑ (가) – 고조선 지역에 한(漢)의 창해군이 설치되었다.
ⓒ (나) – 철기 문화를 본격적으로 수용하며, 중계 무역의 이득을 취하였다.
ⓓ (나) – 비파형동검과 고인돌의 분포를 통하여 통치 지역을 알 수 있다.

① ⓐ, ⓒ   ② ⓐ, ⓓ
③ ⓑ, ⓒ   ④ ⓑ, ⓓ

해설 정답 ①

(가)는 단군 조선, (나)는 위만 조선이다.

ⓐ 단군조선 시기에 이미 왕이 등장하여, 그 아래에 상, 대부, 박사, 장군 등의 관직을 두었다. 이 중 '상'은 왕 밑에서 국무를 관장하던 관직이었다. ➡ 2020 법원직 9급 → (가)

ⓑ 창해군(蒼海郡)은 기원전 2세기에 한(漢)이 예맥 지역에 설치한 군이다. 위만 조선 시기에 한이 한반도 지역 진출을 위해 설치하였으나, 한의 재정 문제로 인하여 2년 만에 폐지되었다. 창해군은 한4군이 설치되기 전에 한반도 진출을 위해 설치되었던 군이라는 역사적 의의를 가지고 있으나, 창해군이 있었던 정확한 지역은 알 수 없다. → (나)

ⓒ 위만 조선은 철기 문화를 '본격적으로 수용'하였고, 정복사업을 활발히 전개하였으며, 한과 진 사이에서 중계 무역의 이득을 취하였다. → (나)

ⓓ 단군 조선 시기에 이미 요령 지방부터 대동강 유역까지 세력 범위가 확장되었다. 그 세력 범위는 비파형동검, 북방식 고인돌, 거친무늬 거울, 미송리식 토기 등으로 알 수 있다. → (가)

04 (가), (나) 사이의 시기에 고조선에서 있었던 사실로 가장 옳은 것은?

[2016 법원직 9급]

> (가) 노관이 한을 배반하고 흉노로 도망한 뒤, 연나라 사람 위만도 망명하여 오랑캐 복장을 하고 동쪽으로 패수를 건너 준에게 항복하였다.   ● 위략
>
> (나) 원봉 3년 여름(BC 108), 니계상 삼이 사람을 시켜서 조선왕 우거를 죽이고 항복했다. …… 이로써 드디어 조선을 평정하고 사군을 삼았다.   ● 사기 조선전

① 비파형동검이 제작되기 시작하였다.

② 중국 연(燕)의 침략으로 요서 지역을 잃었다.

③ 8조에 불과하던 법 조항이 60여 조로 늘어났다.

④ 중국의 한과 한반도 남부의 진국 사이에서 중계 무역을 하였다.

해설   정답 ④

(가) 진·한 교체기에 위만은 오랑캐 복장을 하고 동쪽으로 패수를 건너 준왕에게 항복하였다. 그러나 곧 왕검성에 쳐들어가 준왕을 몰아내고, 위만왕조를 세웠다.

(나) 우거왕(右渠王)은 위만의 손자로, 고조선(위만 조선)의 마지막 왕이다. BC 109년 한 무제가 침입하였을 때, 고조선은 지배층의 분열로 세력이 약화되었고 우거왕은 BC 108년 주화파인 니계상 삼(參)이 보낸 자객에게 살해되었다. 이로써 고조선이 멸망하였다.

즉 (가), (나) 사이란 '위만 조선'을 말한다. 위만 조선은 한과 진 사이에서 중계무역을 하여 이익을 독점하였다.

① 비파형동검은 청동기 시대(전기 고조선 시대)에 이미 제작되기 시작하였다.

② 기원전 3세기 초, 연(燕)의 진개가 침입하여 요서 지역(서쪽 영토 2천여리)을 빼앗겼다.

③ 8조에 불과하던 법 조항이 60여 조로 늘어난 시기는 한4군(한군현)이 설치된 이후이다.

05 다음 고조선에 대한 설명으로 가장 적절하지 않은 것은?

[2014 경찰]

① 위만은 고조선으로 들어올 때 상투를 틀고 오랑캐의 옷을 입었다.

②「동국통감」의 기록에 의하면 단군왕검이 고조선을 건국하였다.

③ 기원전 194년 위만은 우거왕을 몰아내고 스스로 왕이 되었다.

④ 위만조선은 한의 침략에 맞서 1차 접전(패수)에서 대승을 거두기도 했다.

해설   정답 ③

기원전 194년 위만이 스스로 왕이 되기 위하여 몰아낸 왕은 '준왕'이다. 동쪽으로 패수를 건너 준왕에게 항복하였던 위만은, 곧 왕검성을 쳐들어가 준왕을 몰아내고 위만 왕조를 세웠다. '우거왕'은 위만의 손자로, 고조선의 마지막 왕이다.

① 위만은 고조선으로 들어올 때 상투를 틀고 오랑캐의 옷[胡服(호복), 夷服(이복), 조선인의 옷, 흰 옷]을 입었다.

②「삼국사절요」,「동국통감」,「해동역사」 등에 '고조선의 역사'가 기록되어 있다. 물론 이것이 '단군 신화'를 수록하고 있다는 뜻은 아니다.

④ 위만 조선은 중앙 정치 조직을 정비하고, 정복 사업을 활발히 전개하여 중국의 한(漢)과 대립할 정도로 강력한 국가로 성장하였다. 한이 침략하였을 때 1차 접전(패수)에서 대승을 거두기도 하였지만, 결국 지배층의 분열로 약 1년간의 장기 전쟁 끝에 멸망하고 말았다.

06 다음과 같은 법이 있었던 국가에 대한 설명으로 옳지 않은 것은? [2024 지방직 9급]

> ○ 사람을 죽이면 즉시 사형에 처한다.
> ○ 남에게 상처를 입히면 곡식으로 배상한다.
> ○ 남의 물건을 훔친 자는 그 집의 노비로 삼는데, 스스로 죄를 면제받고자 하는 자는 50만을 내야 한다.

① 동맹이라는 제천 행사가 있었다.
② 상, 대부, 장군 등의 관직을 두었다.
③ 위만이 준왕을 몰아내고 왕이 되었다.
④ 중국의 한과 한반도 남부 사이에서 중계무역을 하였다.

해설   정답 ①

제시된 자료는 고조선의 8조법(8조금법) 중 일부이다. 고조선은 상, 대부, 박사, 장군 등의 관직을 두었는데 이를 통해 고조선에 관료 조직이 있었음을 알 수 있다. 고조선은 단군 조선과 위만 조선으로 구분된다. 기원전 2세기에 위만이 준왕을 몰아내고 왕이 되면서 세운 왕조를 위만 조선이라고 한다. 위만 조선은 중국의 한과 한반도 남부 사이에 중계무역을 해서 그 이익을 독점하였다.
① 동맹이라는 제천행사가 있었던 나라는 고구려이다.

07 다음 중 고조선 단군 신화가 수록된 '문헌–저자–저술시기' 연결이 바르게 된 것은 모두 몇 개인가? [2020 해경간부]

문헌	저자	저술 시기
㉠ 삼국유사	일연	고려 충렬왕
㉡ 제왕운기	이승휴	고려 성종
㉢ 세종실록지리지	춘추관	조선 단종
㉣ 응제시주	권람	조선 세조
㉤ 동국여지승람	노사신	조선 성종

① 2개   ② 3개
③ 4개   ④ 5개

정답 ③

옳은 것은 ㉠, ㉢, ㉣, ㉤이다. 「제왕운기」의 저술 시기는 '고려 충렬왕' 때이다.

문헌	저자	저술 시기
㉠ 삼국유사	일연	고려 충렬왕
㉡ 제왕운기	이승휴	고려 충렬왕
㉢ 세종실록지리지	춘추관 (변계량, 맹사성, 권진 등)	조선 단종
㉣ 응제시주	권람	조선 세조
㉤ 동국여지승람	노사신	조선 성종

08 다음 자료에서 설명하는 나라의 사실로 옳지 않은 것은?

[2012 지방직 9급 변형]

> 서로 죽이면 그때에 곧 죽인다. 서로 상하게 하면 곡식으로 배상하게 한다. 도둑질 한 자는 남자는 그 집의 가노(家奴)로 삼고 여자는 비(婢)로 삼는다. 노비에서 벗어나기를 원하는 자는 50만전을 내야 하는데 비록 면하여 민의 신분이 되어도 사람들이 이를 부끄럽게 여겨 장가들고자 하여도 결혼할 사람이 없다. 이런 까닭에 그 백성들이 끝내 서로 도둑질하지 않았고 문을 닫는 사람이 없었다. 부인들은 단정하여 음란한 일이 없었다.
>
> ● 「한서」 지리지

① 「삼국사기」에 따르면 요임금 때 건국되었다.
② 건국 사실이 「제왕운기」에도 기술되어 있다.
③ 사람의 생명과 사유재산을 보호하는 사회였다.
④ 중국 측 기록인 「관자」나 「산해경」 등에는 이 나라에 대한 기록이 등장한다.

정답 ①

「삼국유사」 기이편(紀異篇)에는 다음과 같이 기록되어 있다. 밑줄 친 '당고'는 요임금을 가리킨다. 즉 고조선은 요임금 때 건국된 것은 맞는 말이지만, 그 근거는 「삼국사기」가 아닌 「삼국유사」이다.

> 왕검이 당고(唐高) 즉위 50년 뒤인 경인년(庚寅年)에 평양성에 도읍을 정하고 비로소 조선이라 일컬었다. 이어서 도읍을 백악산(白岳山)의 아사달(阿斯達)로 옮겼는데 그곳을 궁홀산(弓忽山) 또는 금미달(今彌達)이라고도 했다. 단군은 1,500년 동안 나라를 다스리고 주(周)의 호왕(虎王)이 즉위한 기묘년에 기자를 조선왕에 봉하고, 자신은 장당경(藏唐京)으로 옮겼다가 뒤에 아사달에 돌아와 숨어서 산신이 되니 나이가 1,908세였다.

④ 단군신화에 대한 최초의 기록은 「삼국유사」이지만, '고조선'에 대한 최초의 기록은 기원전 7세기 초의 「관자(管子)」이다. 중국 측 기록인 「관자」나 「산해경」 등에는 고조선과 관련된 기록이 등장한다. ● 2017 사회복지직

> 조선은 열양 동에 있고 바다 북쪽 산의 남쪽에 있다. 열양은 연에 속한다. (朝鮮在列陽東 海北山南 列陽屬燕)
>
> ● 「산해경」

09 밑줄 친 '법'을 시행한 나라에 대한 설명으로 가장 옳은 것은? [2023 법원직 9급]

> 백성들에게 금하는 법 8조를 만들었다. 사람을 죽인 자는 즉시 죽이고, 남에게 상처를 입힌
> 자는 곡식으로 갚는다. 도둑질한 자는 노비로 삼는다. …… 용서받고자 하는 자는 한 사람마다
> 50만 전을 내야 한다. …… 여자들은 모두 정숙하여 음란하고 편벽된 짓을 하지 않았다.
>
> ◐『한서』

① 서옥제라는 혼인 풍습이 있었다.

② 해마다 영고라는 제천행사를 열었다.

③ 목지국의 지배자가 왕으로 추대되었다.

④ 한 무제가 보낸 군대의 침공으로 멸망하였다.

해설   정답 ④

'백성들에게 금하는 법 8조(범금 8조)'를 만든 나라는 고조선이다. 제시문은 「한서」 지리지의 8조법에 대한 내용이다.

④ 기원전 129년 한 무제가 고조선을 침공하였다. 장기간의 전쟁 끝에 기원전 128년 고조선이 멸망하였고, 한나라는 고조
    선 땅에 한군현을 설치하였다.

① 서옥제라는 혼인 풍습이 있었던 나라는 고구려이다.

② 해마다 12월에 영고라는 제천행사를 열었던 나라는 부여이다.

③ 목지국의 지배자가 왕으로 추대되었던 나라는 마한이다. 목지국의 지배자는 마한왕 또는 진왕으로 추대되어 삼한 전체를
    다스렸다.

02 | 부여, 고구려, 옥저, 동예, 삼한

01 다음 글이 가리키고 있는 초기 국가에 대한 설명으로 가장 옳지 않은 것은? [2017 경찰간부]

> 이 나라는 구릉과 넓은 못이 많아서 동이(東夷)지역 가운데서 가장 넓고 평탄한 곳이다. 토질은 오곡을 가꾸기에는 알맞지만 다섯 과일은 생산되지 않았다. 사람들 체격이 매우 크고 성품이 강직 용맹하며 근엄하고 후덕하여 다른 나라를 쳐들어가거나 노략질하지 않았다.

① 1세기 초부터 왕호를 사용하였고, 중국과 외교 관계를 맺는 등 발전된 국가의 모습을 보였다.
② 10월에는 왕과 신하들이 국동대혈에 모여 함께 제사를 지냈다.
③ 마가, 우가, 저가, 구가가 사출도를 다스렸다.
④ 왕이 죽으면 순장을 하였으며, 소를 죽여 그 굽으로 국가의 길흉을 점치기도 하였다.

해설 정답 ②

「삼국지」위서(魏書) 동이전에서 구릉과 넓은 못이 많으며 토질은 오곡을 가꾸기에 알맞은 '좋은 자연환경'을 가지고 있고, 사람들은 체격이 크고 성품이 좋다고 평가하고 있는 국가는 부여(夫餘)이다. 다음과 같이 부여와 고구려는 상반되는 평가로 기록되어 있다. ➡ 2010 서울시 9급

부여	구릉과 넓은 못이 많아서 동이 지역 가운데서 가장 넓고 평탄한 곳이다. 토질은 오곡을 가꾸기에는 알맞지만 과일은 생산되지 않았다. 사람들의 체격이 매우 크고 성품이 강직 용맹하며 근엄하고 후덕하여 다른 나라를 노략질하지 않았다.
고구려	큰 산과 깊은 골짜기가 많고 평원과 연못이 없어서 계곡을 따라 살며 골짜기 물을 식수로 마셨다. 좋은 밭이 없어서 힘들여 일구어도 배를 채우기는 부족하였다. 사람들의 성품은 흉악하고 급해서 노략질하기를 좋아하였다.

①, ③, ④ 부여는 1세기 초부터 왕호를 사용하였으며, 중국과 외교 관계를 맺어 중국의 역법(은력)을 사용하는 등 발전된 모습을 보였다. 부여의 마가, 우가, 저가, 구가는 사출도를 다스렸다. 부여에는 순장의 풍습이 있었으며, 소를 죽여 그 굽으로 길흉을 점치는 우제점법의 풍습이 있었다.

> 부여는 장성의 북쪽에 있는데, 현토에서 천 리쯤 떨어져 있다. 남쪽은 고구려와 동쪽은 읍루, 서쪽은 선비와 접해 있고, 북쪽에는 약수가 있다. 사방 2천 리가 되며 호수는 8만이다. ➡ 「삼국지」동이전 ➡ 2018 경찰간부

② 10월에 동맹이라는 제천행사를 열 때 왕과 신하들이 국동대혈에 모여 함께 제사를 지냈던 나라는 '고구려'이다.

02 다음 풍속이 있었던 나라의 사회상으로 옳은 것은? [2023 계리직 9급]

> 은나라 달력으로 정월이 되면 하늘에 제사를 지낸다. 온 나라 사람들이 모여서 연일 먹고 마시고 노래하고 춤을 춘다. … (중략) … 이때는 형옥을 판단하고, 가두었던 죄수들을 풀어준다.
> ▶『삼국지』

① 무덤은 돌을 쌓아 만들고, 소나무나 잣나무로 둘러쳤다.

② 남녀가 간음하거나 부인이 투기가 심하면 사형에 처하였다.

③ 국읍마다 천군이 있었고, 별읍에는 소도라는 신성 구역이 설치되었다.

④ 산천의 경계를 중시하여, 함부로 침범하면 우마 등으로 배상하게 하였다.

해설 정답 ②

'은나라 달력으로 정월'은 12월이다. 12월에 '영고'라는 제사를 지내는 나라는 부여이다. 부여는 남녀가 간음하거나 부인이 투기가 심하면 사형에 처하였는데, 이것은 부여의 4조목 중의 하나이다. 부여의 4조목은 다음과 같다.

> (부여의) 형벌은 엄격하고 각박하여 사람을 죽인 자는 사형에 처하고, 그 가족은 적몰(籍沒)하여 노비로 삼았다. 도둑질을 하면 (도둑질한 물건의) 12배를 배상하게 했다. 남녀 간에 음란한 짓을 하거나 부인이 투기하면 모두 죽였다. 투기하는 것을 더욱 미워하여 죽이고 나서 그 시체를 나라의 남산에 버려서 썩게 하였다. 친정집에서 (그 부인의 시체를) 가져가려면 소와 말을 바쳐야 하였다. ▶『삼국지』위지 동이전 ▶2012 경찰

① 무덤은 돌을 쌓아 만들고, 소나무나 잣나무로 둘러친 나라는 고구려이다.
③ 국읍마다 천군이 있었고, 별읍에는 소도라는 신성 구역이 설치되었던 나라는 삼한이다.
④ 산천의 경계를 중시하여, 함부로 침범하면 우마 등으로 배상하게 한 나라는 동예이다.

03 다음 자료의 나라에 대한 설명으로 가장 옳은 것은? [2017 법원직 9급]

> 그 나라 안의 대가들은 농사를 짓지 않으며 좌식자(坐食者)가 만여 명이나 된다. 하호는 식량과 고기와 소금을 멀리서 져다 이들에게 공급하고 있다. 10월에 하늘에 제사 지내는데, 온 나라가 대회를 가지므로 이를 동맹(同盟)이라 한다. ▶『삼국지』위지 동이전

① 여러 가(加)들이 사출도를 다스렸다.

② 철이 많이 생산되어 왜에 수출하였다.

③ 집집마다 부경이라는 작은 창고가 있었다.

④ 사회 질서 유지를 위해 법금 8조를 만들었다.

해설 정답 ③

농사를 짓지 않고 앉아서 음식을 받아 먹는 '좌식자(坐食者)가 만여 명'이나 되고, '동맹'이라는 제천행사를 열었던 나라는 고구려이다. 고구려에는 집집마다 곡식 등을 저장하는 작은 창고를 두었는데, 이 창고를 부경(桴京)이라고 하였다.
① 부여, ② 삼한(변한), ④ 고조선

04 **(가), (나)의 사실로 알 수 있는 나라의 풍속에 대한 설명으로 가장 적절한 것은?** [2019 계리직]

> (가) 국왕이 죽으면 옥갑(玉匣)을 사용하여 장례를 치렀다.
> (나) 성책(城柵)을 둥글게 만들었는데 그 모양이 마치 감옥과 비슷하였다.
>
> ◐ 『삼국지』

① 머리 폭이 좁으며 남녀 모두 몸에 문신(文身)을 하였다.
② 전쟁을 할 경우에는 소[牛]를 잡아 그 발굽을 살펴 길흉을 점쳤다.
③ 10월에 나라 동쪽의 수혈(隧穴)에서 수신(隧神)을 모셔다 제사를 지냈다.
④ 옹기솥에 쌀을 담아서 목곽 무덤의 한 편에 매달아 두는 매장 풍습이 있었다.

▣ 해설 　　　　　　　　　　　　　　　　　　　　　　　　　　　　　　정답 ②

(가) '부여'에서는 왕이 죽으면 옥갑(玉匣)을 사용하고 많은 사람을 순장하였다. ◐ 2021 경찰, 2020 해경간부, 2017 국가직 7급

> 한(漢)나라 때에는 부여왕의 장례에 옥갑을 사용하였으므로, 언제나 [옥갑을] 현토군에 미리 갖다 두었다가 왕이 죽으면 그것을 가져다 장사지냈다.　　　　　　　　　　　　　◐『삼국지』 위서 동이전

(나) 성책을 둥글게 만들었는데, 그 모양이 감옥과 비슷했던 나라는 '부여'이다. 고구려에는 감옥이 없었다.
② 전쟁을 할 경우 소를 잡아 그 발굽으로 길흉을 점치는 '우제점법'은 부여의 풍습이다. (고구려에도 우제점법이 있었다.)
① 문신이 유행한 나라는 '삼한'이다.
③ 10월에 '국동대혈'에서 제사를 지냈던 나라는 '고구려'이다.
④ '옹기솥에 쌀을 담아서 목곽 무덤의 한 편에 매달아 두는 매장 풍습'이란 '옥저'의 가족 공동 무덤의 풍습을 말한다.

05 **다음 자료와 관련된 나라에 대한 설명으로 가장 옳지 않은 것은?** [2016 서울시 9급]

> • 풍속에 장마와 가뭄이 연이어 오곡이 익지 않을 때, 그때마다 왕에게 허물을 돌려 왕을 마땅히 바꾸어야 한다, 라거나 혹은 왕은 마땅히 죽어야 한다, 라고 하였다.
> • 정월에 지내는 제천 행사는 국중 대회로 날마다 마시고 먹고 노래하고 춤추는데 그 이름은 영고라 한다.　　　　　　　　　　　　　　　　◐「삼국지」 위서 동이전

① 쑹화 강 유역의 평야 지대에서 성장하였다.
② 왕 아래 가축의 이름을 딴 여러 가(加)들이 있었다.
③ 왕이 죽으면 노비 등을 함께 묻는 순장의 풍습이 있었다.
④ 국력이 쇠퇴하여 광개토대왕 때 고구려에 완전 병합되었다.

▣ 해설 　　　　　　　　　　　　　　　　　　　　　　　　　　　　　　정답 ④

흉년이 들었을 때 왕에게 책임을 물어 폐위시키거나 죽였으며, 영고라는 제천행사를 행했던 나라는 '부여'이다. 부여는 쑹화 강(송화강) 유역의 평야 지대를 중심으로 성장하였다. 부여에는 왕 아래에 가축의 이름을 딴 마가, 우가, 저가, 구가 등의 가(加)들이 있었으며, 대사, 대사자, 사자 등의 관리가 있었다. 부여에는 왕이나 귀족이 죽으면, 신하나 노비를 껴묻거리와 함께 묻는 순장(殉葬)의 풍습이 있었다.
④ 부여는 3세기 말에 선비족의 침략을 받아 크게 쇠퇴하였고, 결국은 고구려 문자왕 때(494) 고구려에 편입되었다. 국력이 쇠퇴하여 광개토대왕 때 고구려에 병합된 나라는 동예이다.

06 (가), (나)의 특징을 가진 국가에 대한 설명으로 옳은 것은? [2017 지방직 9급]

> (가) 옷은 흰색을 숭상하며, 흰 베로 만든 큰 소매 달린 도포와 바지를 입고 가죽신을 신는다.
> (나) 부여의 별종(別種)이라 하는데, 말이나 풍속 따위는 부여와 많이 같지만 기질이나 옷차림
> 이 다르다. ➤「삼국지」위서 동이전

① (가) - 혼인풍속으로 민며느리제가 있었다.
② (나) - 제사장인 천군이 다스리는 소도가 있었다.
③ (가) - 남의 물건을 훔쳤을 때에는 12배로 배상하게 하였다.
④ (나) - 단궁이라는 활과 과하마·반어피 등이 유행하였다.

해설 정답 ③
(가) '흰 옷을 즐겨 입고, 흰 베로 만든 큰 소매 달린 도포와 바지를 입고 가죽신을 신는' 나라는 '부여'이다.
(나) 부여족은 부여뿐만이 아니라, 고구려·옥저·동예도 만들었다. 특히「삼국지」위서 동이전에 '부여의 별종(別種)'으로 기록된 나라는 고구려이다. 이 책에서는 고구려를 '예부터 동이에서 전하는 말에 따라 부여와 다른 종[별종]이라고 여겨진다. 언어와 풍속은 대부분 부여와 같지만 성정, 기질, 의복은 다르다.'고 묘사한다.
③ 부여와 고구려는 남의 물건을 훔쳤을 때에 12배로 배상하게 하였다(1책 12법).
① 옥저에는 혼인풍속으로 민며느리제가 있었다.
② 삼한에는 제사장인 천군이 다스리는 소도가 있었다.
④ 동예에서는 단궁이라는 활과 과하마·반어피 등이 유행하였다.

07 다음에 해당하는 나라에 대한 설명으로 옳은 것은? [2020 지방직 7급]

> 큰 산과 깊은 골짜기가 많고 평원과 연못이 없다. 사람들이 계곡을 따라 사는데 골짜기 물을
> 식수로 마셨다. 좋은 농경지가 없어서 부지런히 농사를 지어도 배를 채우기가 부족하다. 사람
> 들의 성품은 흉악하고 급하며 노략질하기를 좋아하였다. ➤「삼국지」

① 민며느리제라는 독특한 혼인 풍습이 있었다.
② 왕 아래에 가축의 이름을 딴 마가, 우가, 저가 등의 관리가 있었다.
③ 10월에 제천행사를 성대하게 치르고, 국동대혈에 모여 제사를 지냈다.
④ 다른 부족의 생활권을 침범하면, 책화라 하여 노비와 소, 말로 변상하게 하였다.

해설 정답 ③
환경이 좋지 않고(큰 산과 깊은 골짜기가 많고 평원과 연못이 없는 등), 사람들의 성품이 좋지 않은(성품은 흉악하고, 급하고, 노략질하기를 좋아하는 등) 나라는 고구려이다. 고구려는 10월에 '동맹'이라는 제천행사를 열었다. 그리고 나라의 동쪽에 있는 큰 굴, 즉 '국동대혈'에서 제사를 지냈다.
① 옥저, ② 부여, ④ 동예

08 다음과 같은 풍속이 행해진 국가의 사회모습에 대한 설명으로 옳지 않은 것은?

[2014 국가직 9급]

> 그 풍속에 혼인을 할 때 구두로 이미 정해지면 여자의 집에는 대옥(大屋) 뒤에 소옥(小屋)을 만드는데, 이를 서옥(婿屋)이라고 한다. 저녁에 사위가 여자의 집에 이르러 문밖에서 자신의 이름을 말하고 꿇어 앉아 절하면서 여자와 동숙하게 해줄 것을 애걸한다. 이렇게 두세 차례 하면 여자의 부모가 듣고는 소옥에 나아가 자게 한다. 그리고 옆에는 전백(錢帛)을 놓아둔다.
>
> ◐ 「삼국지」 위서 동이전

① 고국천왕 사후, 왕비인 우씨와 왕의 동생인 산상왕과의 결합은 취수혼의 실례를 보여준다.

② 계루부 고씨의 왕위계승권이 확립된 이후 연나부 명림씨 출신의 왕비를 맞이하는 관례가 있었다.

③ 관나부인(貫那夫人)이 왕비를 모함하여 죽이려다가 도리어 자기가 질투죄로 사형을 받았다.

④ 김흠운의 딸을 왕비로 맞이하는 과정은 국왕이 중국식 혼인 제도를 수용했다는 사실을 알려주고 있다.

해설 정답 ④

'대옥' 뒤에 지은 '소옥'을 서옥이라 한다. 이것은 '고구려'의 혼인 풍속이다.

구 분	서옥제	민며느리제
해당 국가	고구려	옥저
차이점	매매혼 아님	매매혼
공통점	노동력 중시	

④ 김흠돌(신문왕의 장인)의 반란으로 왕비였던 김흠돌의 딸이 쫓겨났다. 그래서 신문왕은 김흠운의 딸을 새 왕비로 맞이하였다. 즉 '김흠돌의 딸'이나 '김흠운의 딸'이 언급되는 나라는 '신라'이다.

① <u>형사취수제는 고구려와 부여의 공통적인 풍속이다.</u> ◐ 2018 경찰 고국천왕 사후 그 왕비와 왕의 동생의 결혼은 '형사취수'의 대표적인 사례이다.

② 계루부는 고구려의 5부 중 하나이다. 처음에는 5부족 중 소노부가 가장 강하였으나 점차 계루부가 강해져 왕족을 이루었다. 1세기 후반 태조왕 때부터는 계루부 고씨가 왕위를 독점적으로 세습하였다. 관례적으로 왕비는 연나부(절노부)에서 나왔다.

③ 장발미인(長髮美人)으로 유명한 관나부인(貫那夫人)이 왕비를 모함하여 죽이려고 하다가 도리어 자신이 사형을 받은 것은 '고구려의 질투죄 처벌'의 한 예이다.

09 다음 국가의 장례 풍속에 대한 설명으로 옳지 않은 것은?

[2021 경찰]

① 부여: 왕이 죽으면 옥갑(玉匣)을 사용하고 많은 사람을 순장하였다.

② 고구려: 돌무지무덤을 조성하고 그 앞에 소나무와 잣나무를 심었다.

③ 옥저: 시체를 가매장하였다가 **뼈만** 추려 가족 공동 무덤에 안치하였다.

④ 동예: 무덤 양식으로 돌무지덧널무덤이 유행하였다.

해설   정답 ④

돌무지덧널무덤은 삼국 시대 신라에서만 발견되는 무덤 양식이다.

명호샘의 한마디!!

초기 국가에서는 영혼의 불멸을 믿고, 장례를 후하게 치렀다. 초기 국가의 장례 풍습은 「삼국지」 위서 동이전에서 확인할 수 있다.

부여	보통 사람이 죽은 뒤 5개월이 지나야 장례를 치렀으며, 되도록 오래 유지하는 것을 영광으로 여겼으므로 여름에는 얼음을 써서 시체의 부패를 막았다. 많은 물건을 부장하였고, 심지어 사람을 함께 묻는 순장(殉葬)까지 하였는데, 순장되는 인원이 많을 때에는 100명에 달하였다. 왕이 죽으면 옥갑(玉匣)을 사용하였다.
옥저	장례를 치를 때 큰 나무로 외곽을 만든다. 그 길이는 10여 장이나 되고, 한 쪽을 열어 입구로 삼는다. 방금 죽은 자는 임시로 시체를 가릴 정도로 흙을 덮어 놓았다가 피부와 살이 전부 썩으면 뼈를 거두어 외곽에 안치한다. 한 가족의 뼈는 모두 같은 외곽에 넣고, 살아 있을 때의 모습처럼 나무를 깎아 만드는데, 죽은 자의 수에 따라 그 형상의 수를 정한다. 또 흙을 빚어 만든 세 발 달린 솥에 쌀을 넣고 새끼줄로 이어 외곽 입구에 매달아 둔다.
고구려	남녀가 결혼을 하면 장례를 위한 옷을 조금씩 만들어 둔다. 고구려 사람들은 장례를 성대하게 치르는데, 장례를 위해 금, 은, 재화를 모두 사용한다. 돌을 쌓아 봉분을 만들고, 소나무와 잣나무를 줄을 세워 심는다.

10 (가) 국가에 대한 설명으로 가장 옳은 것은?   [2022 법원직 9급]

__(가)__ 에서는 본래 소노부에서 왕이 나왔으나 점점 미약해져서 지금은 계루부에서 왕위를 차지하고 있다. 절노부는 대대로 왕실과 혼인을 하였으므로 그 대인은 고추가(古鄒加)의 칭호를 더하였다. 모든 대가(大加)들은 스스로 사자·조의·선인을 두었는데, 그 명단을 모두 왕에게 보고하여야 한다. …… 감옥은 없고 범죄자가 있으면 제가들이 모여서 평의하여 사형에 처하고 처자는 몰수하여 노비로 삼는다.
〇 『삼국지』, 위서 동이전

① 혼인 풍속으로 서옥제가 있었다.

② 신성 지역인 소도가 존재하였다.

③ 영고라고 하는 제천 행사를 개최하였다.

④ 읍락의 경계를 중시하여 책화라는 풍습이 있었다.

해설   정답 ①

『삼국지』, 위서 동이전에서 출제되었다면, 부여·초기 고구려·옥저·동예·삼한 등의 초기 국가 문제이다. '본래 소노부에서 왕이 나왔으나'(처음에는 소노부가 강하였으나), '지금은 계루부에서 왕위를 차지'하고 있는 나라는 고구려이다. 소노부, 계루부, 절노부 등의 5부 명칭과 고추가라는 대가의 명칭과 사자·조의·선인이라는 관리 명칭이 언급된 것을 보면 이 나라는 확실히 고구려이다. 특히 '감옥'이 없는 나라는 고구려이다. 고구려의 혼인 풍속은 데릴사위제의 일종인 서옥제이다.

② 삼한, ③ 부여, ④ 동예

11 다음과 같이 기록된 나라에 대한 설명으로 옳은 것은? [2012 법원직 9급]

> 토질은 비옥하며, 산을 등지고 바다를 향해 있어 오곡이 잘 자라며 농사짓기에 적합하다. 그들은 장사 지낼 적에는 큰 나무 곽을 만드는데, 길이가 10여 척이나 되며 한쪽 머리를 열어 놓아 문을 만든다. 사람이 죽으면 시체는 모두 가매장을 하되 겨우 형체만 덮일 만큼 묻었다가 가죽과 살이 다 썩은 다음에 뼈만 추려 곽 속에 안치한다. ➲「삼국지」 위서 동이전

① 신지, 읍차 등의 지배자가 사람들을 다스렸다.
② 일종의 매매혼인 민며느리제의 풍속이 있었다.
③ 특산물로 단궁이라는 활과 과하마, 반어피가 유명하였다.
④ 남의 물건을 훔치면 물건 값의 12배를 배상하게 하였다.

해설 정답 ②

제시된 자료는 '옥저'의 가족 공동 무덤에 대한 기록이다. 옥저에는 여자가 어렸을 때 남자 집에 가서 성장한 후에 남자가 예물을 치르고 혼인하는 일종의 매매혼인 민며느리제가 있었다.
① 신지, 견지, 읍차, 부례 등은 삼한의 지배자(군장)의 명칭이다.
③ 단궁(활), 과하마(키 작은 말), 반어피(바다표범의 가죽)는 동예의 특산물이다.
④ 1책 12법은 부여와 고구려의 공통점이다.

12 다음 자료와 관련 있는 국가에 대한 설명으로 옳은 것은? [2016 사회복지직]

> 지형이 동북은 좁고 서남은 길어서 1,000리 정도나 된다. 북쪽은 읍루 · 부여, 남쪽은 예맥과 맞닿아 있다. …(중략)… 나라가 작아서 큰 나라 틈바구니에서 핍박받다가 결국 고구려에 복속되었다. …(중략)… 땅은 기름지며 산을 등지고 바다를 향해 있어 오곡이 잘 자라며, 농사짓기에 적합하다. ➲「삼국지」

① 형사취수혼과 서옥제가 행해졌다.
② 해산물이 풍부하였으며, 민며느리제가 있었다.
③ 철이 많이 생산되어 낙랑, 왜 등에 수출하였다.
④ 12월에 제천행사가 열렸으며, 1세기 초에 왕호를 사용하였다.

해설 정답 ②

제시된 자료는 「삼국지」 위서 동이전의 옥저(沃沮) 부분이다. 옥저는 어물과 소금 등 해산물이 풍부하였다. 옥저에는 장래에 혼인할 것을 약속하면, 여자가 어렸을 때에 남자 집에 가서 성장한 후에 남자가 예물을 치르고 혼인을 하는 민며느리제가 있었다.

동옥저는 고구려 개마대산(蓋馬大山) 동쪽에 위치하며, 대해(大海)의 해안에 주거를 정하고 있다. 그 지형은 동북쪽이 좁고, 서남쪽이 길어 약 1,000리쯤 되고, 북쪽은 읍루와 부여, 남쪽은 예맥과 접해 있다. 5,000호가 있고 통일된 군왕은 없으며 대대로 마을마다 지도자가 있다. 그들의 언어는 고구려와 대체로 같은데, 때때로 약간 다른 부분도 있었다. 한나라 초, 연에서 도망친 위만이 조선에 나라를 세워 왕이 되면서 옥저는 그의 지배 아래 놓이게 되었다. …… 옥저의 각 마을의 지도자들이 모두 자칭 삼로(三老)라고 하였으니 옛날 한나라 지배 아래에서 행한 현국(顯國)의 제도이다. 옥저는 나라는 작고, 큰 나라 사이에서 압박을 받다가 결국 고구려에 신(臣)으로 귀속되었다. …… 옥저의 토지는 비옥하고 산을 등지고 바다를 향하고 있어 오곡이 자라기에 적당하며 농경에 알맞다. …… 장례를 치를 때는 큰 나무로 외곽을 만든다. 그 길이는 10여 장이나 되고, 한쪽을 열어 입구로 삼는다. 방금 죽은 자는 임시로 시체를 가릴 정도로 흙으로 덮어 놓았다가 피부와 살이 전부 썩으면 뼈를 거두어 외곽에 안치한다. 한 가족의 뼈는 모두 같은 외곽에 넣고, 살아 있을 때의 모습처럼 나무를 깎아 만드는데, 죽은 자의 수에 따라 그 형상의 수를 정한다. 또 흙을 빚어 만든 세 발 달린 솥에 쌀을 넣고 새끼줄로 이어 외곽 입구에 매달아 둔다.

　　　　　　　　　　　　　　　　　　　　　　　　　　　　 ◑「삼국지」 위서 동이전

① 고구려, ③ 삼한, ④ 부여

---

13 밑줄 친 '그 나라'에 대한 설명으로 옳은 것은?

[2017 국가직 9급, 2012 지방직 9급]

그 나라는 대군장이 없고 한(漢) 시대 이래로 후(侯)·읍군(邑君)·삼로라는 관직이 있어 하호(下戶)를 다스렸다. … (중략) … 해마다 10월이면 하늘에 제사를 지내는데 밤낮으로 술 마시며 노래 부르고 춤추니 이를 무천(舞天)이라고 한다. ◑「삼국지」 위서 동이전

① 영고라는 제천행사를 하였는데 수렵 사회의 유풍으로 전국민적인 축제였다.

② 아이가 출생하면 돌로 머리를 눌러 납작하게 하는 풍습이 있었다.

③ 다른 부족의 생활권을 침범하면 책화라고 하여 노비, 소, 말로 변상하게 하였다.

④ 사람이 죽으면 가매장한 다음 뼈만 추려 목곽에 안치하였다.

📖해설

정답 ③

'읍군, 삼로'라는 관직이 있고, '10월에 무천'이라는 제천행사를 지냈던 나라는 동예이다. 동예에는 책화(責禍)라는 제도가 있었다. 산천을 중요시하여 산과 강마다 각각 구분이 있었고, 함부로 들어가지 않았다. 다른 부족의 생활권을 침범하면 노비, 소, 말로 변상하게 하였다.

해마다 10월이면 하늘에 제사를 지내는데, 밤낮으로 술을 마시고 노래 부르며 춤을 추니 이를 무천이라 한다. 또 호랑이를 신(神)으로 여겨 제사지낸다. 읍락을 함부로 침범하면 노비와 소, 말로 변상하는데, 이를 책화라 한다.

　　　　　　　　　　　　　　　　　　　　　　　　　　　　 ◑ 2010 국가직 9급

① 부여에는 '수렵 사회의 유풍'으로 은력 정월에 열리는 '영고'라는 제천행사가 있었다.

② 변한에서는 아이가 태어나면 곧 돌로 그 머리를 눌러서 납작하게 만드는 편두(褊頭)의 풍속이 있었다. 왜(倭)와 가까우므로 남녀가 문신(文身)을 하기도 하였다.

④ 옥저에는 '가매장'하였다가 '목곽'에 안치하는 가족공동무덤(세골장)이 있었다.

14 (가), (나) 국가에 대한 설명으로 옳은 것은?

[2019 지방직 9급]

> (가) 그 나라의 혼인풍속에 여자의 나이가 열 살이 되면 서로 혼인을 약속하고, 신랑 집에서는 (그 여자를) 맞이하여 장성하도록 길러 아내로 삼는다. (여자가) 성인이 되면 다시 친정으로 돌아가게 한다. 여자의 친정에서는 돈을 요구하는데, (신랑 집에서) 돈을 지불한 후 다시 신랑 집으로 돌아온다.
>
> (나) 은력(殷曆) 정월에 하늘에 제사를 지내며 나라에서 대회를 열어 연일 마시고 먹고 노래하고 춤추는데, 영고(迎鼓)라고 한다. 이때 형옥(刑獄)을 중단하여 죄수를 풀어 주었다.

① (가) – 무천이라는 제천행사가 있었다.

② (가) – 계루부집단이 권력을 장악하였다.

③ (나) – 사출도라는 구역이 있었다.

④ (나) – 철이 많이 생산되어 낙랑과 왜에 수출하였다.

해설

정답 ③

(가) 이 사료는 『삼국지(三國志)』 동이전(東夷傳)의 일부로, 옥저의 혼인 풍속인 민며느리제에 관하여 설명하고 있다.

(나) 이 사료도 『삼국지』 동이전의 일부로, 부여의 제천행사인 영고(迎鼓)에 관하여 설명하고 있다.

③ 여러 가(加)들이 별도로 사출도(四出道)를 주관하였던 나라는 부여이다. 사출도에서 도(道)란 왕이 있는 도성(都城)에서 사방, 즉 동·서·남·북으로 통하는 길 또는 그 주변에 있는 마을을 가리킨다.

> 나라에는 임금이 있었다. 모두 여섯 가지 가축 이름으로 관직명을 정하였는데, 마가(馬加)·우가(牛加)·저가(豬加)·구가(狗加)·대사(大使)·대사자(大使者)·사자(使者)였다. …… (중략) …… 이 여러 가는 별도로 사출도(四出道)를 다스렸는데, 큰 곳은 수천 집, 작은 곳은 수백 집이었다.
>
> ◐ 『삼국지』 권30, 「위서」 30 오환선비동이전

① 무천이라는 제천행사가 있었던 나라는 동예이다.

② 처음에는 소노부가 강하였으나 점차 계루부 집단이 권력을 장악한 나라는 고구려이다.

④ 철이 많이 생산되어 낙랑과 왜에 수출한 나라는 삼한이다.

15 (가), (나)의 나라에 대한 설명으로 옳은 것만을 [보기]에서 모두 고르면?

[2014 지방직 9급]

(가) 살인자는 사형에 처하고 그 가족은 노비로 삼았다. 도둑질을 하면 12배로 변상케 했다. 남녀 간에 음란한 짓을 하거나 부인이 투기하면 모두 죽였다. 투기하는 것을 더욱 미워하여, 죽이고 나서 시체를 산 위에 버려서 썩게 했다. 친정에서 시체를 가져가려면 소와 말을 바쳐야 했다.

(나) 귀신을 믿기 때문에 국읍에 각각 한 사람씩 세워 천신에 대한 제사를 주관하게 했다. 이를 천군이라 했다. 여러 국(國)에는 각각 소도라고 하는 별읍이 있었다. 큰 나무를 세우고 방울과 북을 매달아 놓고 귀신을 섬겼다. 다른 지역에서 거기로 도망쳐 온 사람은 누구든 돌려보내지 않았다.

◉「삼국지」

[보기]

㉠ (가) - 왕 아래에는 상가, 고추가 등의 대가가 있었다.

㉡ (가) - 농사가 흉년이 들면 국왕을 바꾸거나 죽이기도 하였다.

㉢ (나) - 제천 행사는 5월과 10월의 계절제로 구성되어 있었다.

㉣ (나) - 동이(東夷) 지역에서 가장 넓고 평탄한 곳이라 기록되어 있었다.

① ㉠, ㉡

② ㉠, ㉣

③ ㉡, ㉢

④ ㉢, ㉣

📖**해설**

정답 ③

(가)에는 네 가지 형벌이 나온다. 1) 살인자는 '사형 + 가족은 노비', 2) 절도는 12배 배상, 3) 음란은 사형, 4) 투기도 사형이다. 이것을 부여의 4조목이라 한다.

(나) 천군이 다스리는 '소도(蘇塗)라는 별읍'이 있었던 나라는 삼한이다.

㉠ 왕 아래 '상가, 고추가 등'이 있으면 고구려이고, 왕 아래에 '마가, 우가, 저가, 구가' 등이 있으면 부여이다. 가(加)들의 명칭을 구분해야 한다.

㉡ 부여에서는 가(加)들이 왕을 추대하기도 하고, 수해나 한해를 입어 오곡이 잘 익지 않으면(흉년이 들면) 그 책임을 왕에게 물어 국왕을 바꾸거나 죽이기도 하였다. 여기에서 왕이 있으나 왕권은 강하지 못하였던 연맹왕국의 모습을 확인할 수 있다.

㉢ 5월과 10월에 계절제를 열었던 나라는 삼한이다.

㉣ 부여는 '구릉과 넓은 못이 많아서 동이 지역 가운데서 가장 넓고 평탄한 곳'이다. 「삼국지」 위서 동이전의 표현 그대로를 많이 외워두면 초기 국가 문제가 쉬워진다.

16 (가) 국가에 대한 설명으로 가장 옳은 것은?

[2024 법원직 9급]

> __(가)__ 에는 각각 우두머리가 있어서 세력이 강대한 사람은 스스로 신지라 하고, 그 다음은 읍차라 하였다. … 귀신을 믿기 때문에 국읍에 각각 한 사람씩 세워 천신의 제사를 주관하게 하는데, 이를 천군이라 부른다.
> 　　　　　　　　　　　　　　　　　　　　　　　　　　◉ 『삼국지』「위서 동이전」

① 무천이라는 제천행사가 있었다.

② 화백회의에서 중요한 일을 결정하였다.

③ 여러 개의 소국으로 구성된 연맹체였다.

④ 사출도라 불리는 독자적인 영역이 있었다.

해설　　　　　　　　　　　　　　　　　　　　　　　　　　　　정답 ③

'신지, 읍차' 등의 군장이 있고, 제사장의 명칭이 '천군'인 나라는 삼한(마한, 진한, 변한)이다. 마한은 54개의 소국으로 이루어졌고, 모두 10만여 호였다. 변한과 진한은 각기 12개국으로 이루어졌고, 모두 4만~5만호였다. 즉 삼한은 여러 개의 소국으로 구성된 연맹체였다.

① 동예, ② 신라, ④ 부여

03 삼국 시대

01 고대 국가의 발전

01 (가)~(라) 국가에 대한 설명으로 옳은 것은?

[2017 기상직 9급]

> (가)에는 감옥이 없다. 범죄가 있으면 제가들이 의논하여 죽이며 처자는 노비가 되게 한다.
>
> (나)는 남으로 신라와 접하고 있다. 사방이 2천 리이며, 십여만 호가 살고, 병사가 수만 명이다. 풍속은 고구려, 거란과 같고, 문자 및 서책도 발달했다.
>
> (다)의 관직은 17등급이 있다. 문자와 군사는 중국과 같다. 건장한 남자는 모두 뽑아 군대에 편입시켰으며, 군영마다 대열이 조직되어 있다.
>
> (라)에는 여덟 씨족의 대성이 있는데 사씨, 연씨, 협씨, 해씨, 정씨, 국씨, 목씨, 백씨이다. 나라의 서남쪽에 사람이 살고 있는 섬이 15군데 있다.

① (가)는 국호를 '남부여'라고 개칭하였다.

② (나)에는 '무천'이라는 제천 행사가 있었다.

③ (다)에는 '골품제'라는 신분제가 존재하였다.

④ (라)는 김해의 금관가야를 중심으로 번영하였다.

해설

정답 ③

(가) 감옥이 없고, (중대한) 범죄가 있으면 제가회의를 통해 사형에 처하고 처자를 노비로 삼는 나라는 '고구려'이다. 이 자료는 「삼국지(三國志)」 '위서 동이전'에 수록된 고구려의 풍속에 관한 것이다.

(나) (땅이 영주 동쪽 2천리 밖에 있으며) 남쪽은 신라와 접하고 있고, (월희말갈에서 동북으로는 흑수말갈에 이르는데) 사방이 2천 리이고, 십여만 호가 살고, 병사가 수만 명이고, 풍속은 고구려 및 거란과 같고, 문자 및 서책(전적)도 발달한 나라는 '발해'이다. 이 자료는 「구당서(舊唐書)」 '발해말갈전'에 수록된 발해의 강역에 관한 것이다.

(다) 17관등이 있고, (1등급은 이벌간, 그 다음은 이척간, 영간, 파미간 …… 소오, 조위 순이고, 지방에는 군과 현이 있으며) 문자와 군사(갑병)는 중국과 같고, 건장한 남자는 모두 뽑아 군대에 편입시켜 (봉수, 변술, 순라로 삼았으며) 군영(둔영)마다 대열이 조직되어 있는 나라는 '신라'이다. 이 자료는 「북사(北史)」 '신라전'에 수록된 신라에 관한 개략적인 소개이다.

(라) 나라 안에 큰 성(姓) 여덟이 있는데, 사씨, 연씨, 협씨, 해씨, 정씨, 국씨, 목씨, 백씨이고, (혼인 지내는 예법은 대략 중국과 같고 초상 치르는 제도는 고구려와 같고, 오곡이 있고 ……) 나라의 서남쪽에 사람이 살고 있는 섬이 15군데 있는 나라는 '백제'이다. 이 자료는 「수서(隋書)」 '동이전 백제'에 수록된 백제에 관한 개략적인 소개이다.

① 6세기 성왕 때 국호를 '남부여'로 개칭한 나라는 '백제'이다.

② '무천'이라는 제천행사가 있었던 나라는 '동예'이다.

③ 골품제라는 신분제가 있었던 나라는 '신라'이다.

④ 김해의 금관가야를 중심으로 번영한 나라는 '가야'이다.

02 다음 시가를 지은 왕의 재위 기간에 있었던 사실은?　　　　　　　　　[2021 국가직 9급]

> 펄펄 나는 저 꾀꼬리
> 암수 서로 정답구나
> 외로울사 이 내 몸은
> 뉘와 더불어 돌아가랴

① 진대법을 시행하였다.
② 낙랑군을 축출하였다.
③ 졸본에서 국내성으로 천도하였다.
④ 율령을 반포하여 중앙 집권 체제를 강화하였다.

해설　　　　　　　　　　　　　　　　　　　　　　　　　　　　　　정답 ③

제시된 자료는 고구려 제2대 왕인 유리왕(기원전 19~기원후 18)이 지은 황조가(黃鳥歌)이다. 현재 「삼국사기」 고구려본기 유리왕조에 기록되어 전해지고 있다. "翩翩黃鳥(편편황조) 雌雄相依(자웅상의) 念我之獨(염아지독) 誰其與歸(수기여귀)" 이와 같은 한역시를 번역한 것이 제시된 자료이다.
③ 유리왕이 동가강 유역의 졸본(홀본)에서 압록강 유역의 국내성으로 천도하였다(기원후 3년).
① 고국천왕, ② 미천왕, ④ 소수림왕

03 밑줄 친 '왕'에 대한 설명으로 옳은 것은?　　　　　　　　　　　[2023 국가직 9급]

> 16년 겨울 10월, 왕이 질양(質陽)으로 사냥을 갔다가 길에 앉아 우는 자를 보았다. 왕이 말하기를 "아! 내가 백성의 부모가 되어 백성들이 이 지경에 이르게 하였으니 나의 죄로다." …
> (중략) … 그리고 관리들에게 명하여 매년 봄 3월부터 가을 7월까지 관청의 곡식을 내어 백성들의 식구 수에 따라 차등 있게 빌려주었다가, 10월에 이르러 상환하게 하는 것을 법규로 정하였다.
> 　　　　　　　　　　　　　　　　　　　　　　　　　　○ 「삼국사기」

① 낙랑군을 축출하였다.
② 「진대법」을 시행하였다.
③ 백제의 침입으로 전사하였다.
④ 영락이라는 독자적인 연호를 사용하였다.

해설　　　　　　　　　　　　　　　　　　　　　　　　　　　　　　정답 ②

'16년 겨울 10월'은 194년 겨울이다. '질양'에 사냥을 나갔다가 곤궁한 백성을 보고는 돌아와 시행한 제도는 진대법이다. 밑줄 친 왕이란 고국천왕(179~197)이다. '매년 봄 … 관청의 곡식을 내어 … 빌려주었다가 … 10월에 이르러 상환하게 하는 것'이 바로 진대법이다.
① 고구려의 미천왕은 낙랑군과 대방군을 축출하고 대동강 유역을 확보하여, 고구려가 남쪽으로 진출할 수 있는 발판을 마련하였다.
③ '백제의 침입으로 전사하였다'는 것은 백제 근초고왕의 침입으로 고구려의 고국원왕이 전사한 평양성 전투(371)를 말한다.
④ 영락이라는 독자적인 연호를 사용한 왕은 광개토 대왕이다.

04 밑줄 친 '왕' 때의 사실로 옳은 것은?

[2016 국가직 9급]

> • 왕 재위 2년에 전진 국왕 부견이 사신과 승려 순도를 보내며 불상과 경문을 전해왔다. (이에 우리) 왕께서 사신을 보내 사례하며 토산물을 보냈다.
> • 왕 재위 5년에 비로소 초문사를 창건하고 순도를 머물게 하였다. 또 이불란사를 창건하고 아도를 머물게 하였다. 이것이 해동 불법(佛法)의 시작이었다. ○「삼국사기」

① 역사서인 「신집」을 편찬하였다.

② 진휼 제도로 진대법을 도입하였다.

③ 유학 교육 기관인 태학을 설치하였다.

④ 왜에 종이와 먹의 제작 방법을 전해 주었다.

해설   정답 ③

제시된 자료는 전진의 왕 부견이 승려 순도를 통해 고구려에 불교를 전파하는 내용으로, 자료의 밑줄 친 '왕'은 소수림왕(371~384)이다. 아버지였던 고국원왕이 평양성 전투에서 전사한 상황에서 왕위에 오른 소수림왕은 국가 체제 정비에 나섰다. '재위 2년'인 372년에 전진으로부터 불교를 받아들였고, 같은 해에 유학 교육 기관인 태학(太學)을 설립하였다.

① 「신집」은 영양왕 때(600) 이문진이 편찬한 역사서이다. 소수림왕 때 편찬한 것으로 추정되는 역사서는 「유기(留記)」이다. 이문진은 이 「유기」 100권을 간추려 「신집」 5권으로 편찬하였다.

② '관원에게 명하여 매년 3월부터 7월까지 관곡(官穀)을 풀어 가구(家口)의 많고 적음으로써 차이를 두어 곡식을 대여하였다가 10월에 이르러 갚도록 하는 것을 상식(常式)으로 삼게 한' 왕, 즉 진대법을 실시한 왕은 고국천왕이다.

④ 왜에 종이와 먹의 제작 방법을 전해 준 승려는 담징이다. 「일본서기」에 의하면 담징은 영양왕 때(610) 일본에 건너가 종이·먹의 제조법을 알려주었을 뿐만이 아니라, 오경(五經)을 가르치고, 호류사의 금당 벽화를 그렸다.

05 (가)와 (나)의 사건 사이에 발생한 일로 옳은 것은?

[2012 계리직]

> (가) (왕) 41년 10월에 백제왕이 군사 3만 명을 거느리고 평양성을 공격해 왔다. 왕은 군대를 내어 막다가 화살에 맞아 죽었다. 고국의 들에 장사지냈다.
> (나) 즉위년 7월에 남쪽으로 백제를 정벌하여 10성을 함락시켰다. 10월에는 백제의 관미성을 쳐서 함락시켰다. ○「삼국사기」

① 국내성에서 평양으로 수도를 옮겼다.

② 낙랑군과 대방군을 한반도 밖으로 쫓아냈다.

③ 불교를 공인하고, 율령을 반포하였다.

④ 빈민 구제를 위해 진대법을 처음 시행하였다.

해설 정답 ③

(가) '백제왕' 근초고왕의 침입으로 평양성 전투에서 전사한 고국원왕(331~371)에 대한 자료이다. 고국원왕 때 전연의 모용황의 침입을 받아 궁궐이 불타고, 남녀 5만여 명이 포로로 잡혀갔다(342). ➲ 2017 경찰 고국원왕은 백제 근초고왕의 침입으로 371년 전사하였다. 근초고왕 입장에서 기록된 '평양성 전투'의 사료도 확인하기 바란다.

> 겨울에 왕(근초고왕)이 태자와 함께 정예 군사 3만 명을 거느리고 고구려에 쳐들어가 평양성을 공격하였다. 고구려 왕 사유(고국원왕)가 힘을 다해 싸워 막다가 빗나간 화살에 맞아 죽었다. ➲ 「삼국사기」 백제 본기

(나) 즉위년 7월에 백제를 정벌한 왕은 고구려의 광개토대왕(391~413)이다. 제시된 자료는 즉위년인 391년의 사건을 요약한 것이고, 「삼국사기」에 수록된 내용은 다음과 같다.

> 광개토왕의 이름은 담덕(談德)이고 고국양왕의 아들이다. 나면서부터 기개가 웅대하고 활달한 뜻이 있었다. 고국양왕이 재위 3년에 태자로 삼았고, 8년에 왕이 죽자 태자가 즉위하였다. 가을 7월에 남쪽으로 백제를 정벌하여 10성을 함락시켰다. 9월에 북쪽으로 거란을 정벌하고 남녀 500명을 사로잡았으며, 또 (거란에) 잡혀갔던 본국 백성 1만 명을 불러 타일러 데리고 돌아왔다. 겨울 10월에 백제 관미성(關彌城)을 쳐서 함락시켰다. 그 성은 사면이 깎은 듯 가파르고 바닷물에 둘러싸여 있었으므로, 왕은 군사를 일곱 방향으로 나누어 공격한 지 20일만에야 함락시켰다. ➲ 「삼국사기」 고구려 본기

④ 진대법(고국천왕) ② 낙랑군, 대방군 축출(미천왕)
● 평양성 전투(371)
③ 태학 설립(372) ➲ 2019 지방직, 불교 공인(372), 율령 반포(373) (소수림왕)
● 광개토대왕 즉위(391)
① 평양 천도(장수왕)

06 [보기]는 백제 어느 왕대의 사실이다. 백제의 이 왕과 대립하였던 고구려의 왕은?

[2022 서울시 9급]

> [보기]
> 겨울 11월에 왕이 돌아가셨다. 옛 기록[古記]에 다음과 같이 전한다. "백제는 나라를 연 이래 문자로 일을 기록한 적이 없는데 이때에 이르러 박사(博士) 고흥(高興)을 얻어 『서기(書記)』를 갖추게 되었다."

① 동천왕 ② 장수왕
③ 문자명왕 ④ 고국원왕

해설 정답 ④

박사 고흥에게 『서기(書記)』를 편찬하게 한 백제 왕은 근초고왕(재위 346~375)이다. 근초고왕과 대립한 고구려의 왕은 고국원왕(재위 331~371)이다. 평양성 전투에서 근초고왕이 고국원왕을 제거하였다(371).

07 밑줄 친 '왕'에 대한 설명으로 가장 옳은 것은?   [2024 법원직 9급]

> 신라가 사신을 보내 <u>왕</u>에게 말하기를 "왜인이 그 국경에 가득 차 성을 부수었으니, 노객은 백성된 자로서 왕에게 귀의하여 분부를 청합니다."라고 하였다. … 10년(400)에 보병과 기병 5만을 보내(신라를) 구원하게 하였다.

① 태학을 설립하고 율령을 반포하였다.

② 마한을 병합하고 평양을 공격하였다.

③ 마립간이라는 왕호를 처음 사용하였다.

④ 요동을 포함한 만주 일대를 장악하였다.

해설   정답 ④

'신라'의 왕은 내물 마립간이며, '왕'은 고구려의 광개토대왕(391~413)이다. 광개토대왕이 신라에 침입한 왜구를 격퇴하여 신라를 구원한다는 내용의 사료이다. '10년'이란 '영락 10년'을 말한다. <u>광개토대왕은 '영락'이라는 독자적인 연호를 사용하였다.</u> ● 2013 법원직 9급 광개토대왕은 후연을 격파하여 요동을 확보하였고, 거란을 공격하여 만주 일대를 장악하였다.

① 태학을 설립하고 율령을 반포한 고구려의 왕은 소수림왕(371~384)이다.

② 마한을 병합하고 평양을 공격하여 고구려의 고국원왕을 죽인 백제의 왕은 근초고왕(346~375)이다.

③ 신라의 왕호는 거서간, 차차웅, 이사금, 마립간, 왕의 순서로 변천하였다. 마립간이라는 왕호를 처음 사용한 왕은 내물마립간(356~402)이다.

08 (가), (나) 사이의 시기에 있었던 사실로 가장 옳지 않은 것은?   [2024 법원직 9급]

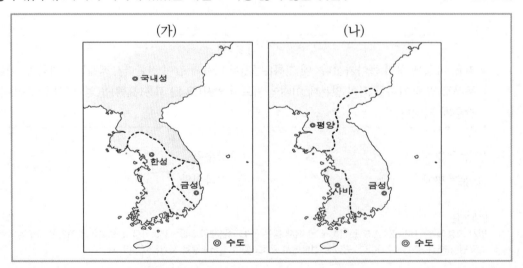

① 태조왕이 옥저를 복속하였다.

② 진흥왕이 화랑도를 개편하였다.

③ 장수왕이 남진 정책을 추진하였다.

④ 지증왕이 국호를 '신라'로 정하였다.

해설   정답 ①

(가) 백제가 북으로 황해도 지역을 놓고 고구려와 대결한 시기는 백제의 전성기인 근초고왕(346~375) 때이다. 즉, 4세기이다.
(나) 신라가 고구려의 지배 아래에 있던 한강 유역을 빼앗고 함경도 지역까지 진출하였으며, 남쪽으로는 대가야를 정복하여
     낙동강 서쪽을 장악한 시기는 신라의 전성기 중의 하나인 진흥왕(540~576) 때이다. 즉, 6세기이다.
② 진흥왕(540~576)이 화랑도를 개편한 시기는 6세기(진흥왕 재위 기간)이다.
③ 장수왕(413~491)이 남진 정책을 추진한 시기는 5세기이다.
④ 지증왕(500~514)이 국호를 '신라'로 정한 시기는 6세기(진흥왕 전)이다.
① 태조왕(53~146)이 옥저를 복속한 시기는 기원후 1~2세기이다. 이 시기는 (가) 이전 시기이다.

09 밑줄 친 '이 왕'에 대한 설명으로 옳은 것은?

[2022 국가직 9급]

> 백제 개로왕은 장기와 바둑을 좋아하였는데, 도림이 고하기를 "제가 젊어서부터 바둑을 배워
> 꽤 묘한 수를 알게 되었으니 개로왕께 알려드리기를 원합니다."라고 하였다. …(중략)… 개로
> 왕이 (도림의 말을 듣고) 나라 사람을 징발하여 흙을 쪄서 성(城)을 쌓고 그 안에는 궁실,
> 누각, 정자를 지으니 모두가 웅장하고 화려하였다. 이로 말미암아 창고가 비고 백성이 곤궁하
> 니, 나라의 위태로움이 알을 쌓아 놓은 것보다 더 심하게 되었다. 그제야 도림이 도망을 쳐
> 와서 그 실정을 고하니 이 왕이 기뻐하여 백제를 치려고 장수에게 군사를 나누어 주었다.
>
> ◯『삼국사기』

① 평양으로 도읍을 천도하였다.
② 진대법을 처음으로 시행하였다.
③ 낙랑군을 점령하고 한 군현 세력을 몰아내었다.
④ 신라에 침입한 왜군을 낙동강 유역에서 물리쳤다.

해설   정답 ①

'개로왕'에게 '도림'을 첩자로 보내 백제의 '실정'을 보고 받은 왕은 장수왕(재위 413~491)이다. 장수왕은 평양으로 도읍을
천도하였다(427).
② 진대법을 처음으로 시행한 왕은 고국천왕이다.
③ 낙랑군을 점령하고 한 군현 세력을 몰아낸 왕은 미천왕이다.
④ 신라에 침입한 왜군을 낙동강 유역에서 물리친 왕은 광개토대왕이다.

10 (가)~(라) 시기에 해당하는 백제 역사에 대한 설명으로 옳은 것을 [보기]에서 고른 것은?

[2017 지방직 교행]

260년	371년	475년	554년	660년
	(가)	(나)	(다)	(라)
관등 제정	평양성 공격	웅진 천도	관산성 전투	사비성 함락

[보기]

ㄱ. (가) – 마라난타가 불교를 전하였다.

ㄴ. (나) – 신라의 눌지왕과 동맹을 맺었다.

ㄷ. (다) – 지방의 22담로에 왕족을 파견하였다.

ㄹ. (라) – 국호가 남부여로 개칭되었다.

① ㄱ, ㄴ   ② ㄱ, ㄹ

③ ㄴ, ㄷ   ④ ㄷ, ㄹ

해설   정답 ③

ㄱ. 마라난타가 불교를 전한 때는 백제 침류왕 재위 기간인 384년이다. → (나)

ㄴ. 신라의 눌지왕(눌지마립간)과 동맹을 맺은 왕은 백제 비유왕이다. 나 · 제 동맹은 433년에 체결되었다. → (나)

ㄷ. 지방의 22담로에 왕족을 파견한 왕은 '웅진 시대'의 무령왕이다. → (다)

한성(위례성, 서울)		웅진(공주)		사비(부여)
BC 18~AD 475	⇒	475~538	⇒	538~660
고이왕, 근초고왕, 침류왕, 아신왕, 비유왕, 개로왕		문주왕, 동성왕, 무령왕		성왕, 무왕, 의자왕

ㄹ. 사비로 천도하고, 국호를 남부여로 개칭한 왕은 '사비 시대'를 연 성왕이다. 성왕은 538년에 남부여로 개칭하고, 554년에 관산성 전투에서 죽었다. → (다)

 명호쌤의 한마디!!

475년부터 538년까지 '웅진 시대'의 백제의 왕은 문주왕, 삼근왕, 동성왕, 무령왕, (성왕 초기)이다. 웅진 시대의 주요 사건은 다음과 같다. 가장 중요한 사건(출제가능성이 높은 사건)은 1) 결혼 동맹, 2) 22담로, 3) 벽돌무덤 축조 이다.

왕	사 건
문주왕(475~477)	웅진 천도
삼근왕(477~479)	
동성왕(479~501)	• 신라 소지 마립간과 결혼 동맹(493) • 탐라국 복속(498)
무령왕(501~523)	• 22담로 설치 • 중국 남조 양과 수교 • 벽돌무덤 축조(523)

11 다음과 같은 업적을 남긴 왕의 재위 기간에 있었던 사실로 옳은 것은? [2018 기상직 9급]

> 내신좌평을 두어 왕명 출납을, 내두좌평은 물자와 창고를, 내법좌평은 예법과 의식을, 위사좌평은 숙위 병사를, 조정좌평은 형벌과 송사를, 병관좌평은 지방의 군사에 관한 일을 각각 맡게 하였다.
> ◯삼국사기

① 한강 유역을 장악하고 한 군현과 대립하였다.
② 동진과 국교를 맺고 요서 지방에 진출하였다.
③ 광개토대왕의 도움을 받아 가야와 왜의 연합군을 물리쳤다.
④ 낙랑군을 공격하여 중국 세력을 영토에서 완전히 쫓아냈다.

🔖**해설**　　　　　　　　　　　　　　　　　　　　　　정답 ①
내신좌평 등 6좌평을 둔 백제 왕은 고이왕(234~286)이다. 고이왕은 북쪽의 한군현(낙랑군, 대방군)과 싸우고 남쪽의 목지국을 정복하여 한강 유역을 완전히 장악하였다.
② 근초고왕, ③ 내물 마립간, ④ 미천왕

12 다음 자료에 나타난 시기에 백제왕의 활동으로 옳은 것은? [2016 지방직 7급]

> 진(晉)나라 때에 구려(句麗)가 이미 요동을 차지하니, 백제 역시 요서, 진평의 두 군을 차지하였다.
> ◯「통전」

① 평양성을 공격하여 고국원왕을 전사케 하였다.
② 미륵사를 창건하였다.
③ 웅진으로 도읍을 옮긴 후 신라와 동맹을 강화하였다.
④ 중국 남조와 활발하게 교류하고 일본에 불교를 전하였다.

🔖**해설**　　　　　　　　　　　　　　　　　　　　　　정답 ①
백제가 '요서', '진평'을 차지한 시기는 근초고왕 재위 기간이다. 근초고왕은 태자와 함께 정예 군사 3만 명을 거느리고 평양성을 공격하였고, 고국원왕은 유시(流矢)에 맞아 전사하였다(371).
② 7세기 초, 백제 무왕(600~641)은 전라북도 익산에 미륵사(彌勒寺)를 창건하였다. 현재 그 절터에는 미륵사지 석탑과 미륵사지 당간지주가 있다.
③ 5세기 후반, 백제 문주왕(475~477)은 웅진으로 도읍을 옮긴 후 신라와 동맹을 강화하였다.
④ 6세기 초, 백제 무령왕(501~523)은 고구려를 견제하기 위해 중국 남조의 양(梁)과 외교 관계를 강화하였다. 6세기 전반, 무령왕의 아들인 성왕(523~554)은 중국 남조의 양(梁)과 우호관계를 유지하며 여전히 '활발하게 교류'하였고, 노리사치계를 사신으로 보내 '일본에 불교를 전하였다.'

13 백제 근초고왕의 업적에 대한 다음의 설명 중 옳지 않은 것은? [2014 서울시 9급]

① 남쪽으로는 마한을 멸하여 전라남도 해안까지 확보하였다.

② 북쪽으로는 고구려의 평양성까지 쳐들어가 고국천왕을 전사시켰다.

③ 중국의 동진, 일본과 무역활동을 전개하였다.

④ 왕위의 부자상속을 확립하였다.

⑤ 박사 고흥으로 하여금 백제의 역사서인 「書記(서기)」를 편찬하게 하였다.

해설   정답 ②

371년에 근초고왕이 '태자와 함께 정예 군사 3만 명을 거느리고' 고구려를 쳐들어간 것이 '평양성 전투'이다. 이때 전사한 고구려의 왕은 고국천왕이 아니라 (원한이 많았던) '고국원왕'이다.

14 (가)~(라)의 시기에 해당하는 백제 역사에 대한 설명으로 옳지 않은 것은? [2016 국가직 9급]

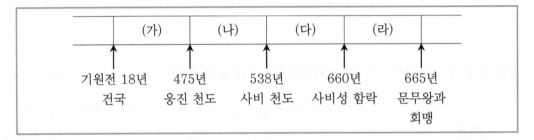

① (가) – 관등제를 정비하고 공복제를 도입하는 등 국가 통치 체제의 근간을 마련하였다.

② (나) – 남쪽의 마한 잔여 세력을 정복하고, 수군을 정비하여 요서 지방까지 진출하였다.

③ (다) – 신라와 연합하여 한강 유역 일부 지역을 수복했으나 얼마 후 신라에게 빼앗겼다.

④ (라) – 복신과 도침 등이 주류성에서 군사를 일으켜 사비성의 당나라 군대를 공격하였다.

해설   정답 ②

'남쪽의 마한 잔여 세력'이란 '영산강 유역에 남아 있던 마한 세력'을 의미하는 것으로, 마한 잔여 세력을 정복한 왕은 근초고왕이다. 수군을 이끌고 요서(진평)까지 진출한 왕도 역시 근초고왕이다. 근초고왕(346~375)은 한성 시대의 군주로서, (가)에 해당한다.

① 고이왕(234~286)은 국가의 통치 체제를 정비하여 중앙 집권 국가로서의 백제의 기반을 닦아 놓은 왕이다. 고이왕은 6좌평, 16관등제를 완비하고, 공복제를 도입하였다. → (가)

③ 성왕(523~554)은 신라와 연합하여 고구려가 차지하고 있던 한강 유역 일부 지역을 수복했다. 그러나 진흥왕의 배신으로 다시 이 지역을 신라에게 빼앗겼다. → (다)

④ 660년 사비성이 나당연합군에게 함락되자, 복신과 도침은 주류성에서, 흑치상지는 임존성에서 군사를 일으켜 저항하였다. ○ 2017 경찰간부 특히 복신과 도침은 부여풍(扶餘豊)을 왕으로 추대하고, 일본에 구원병을 요청하는 한편, 사비성까지 쳐들어가기도 했다. 그러나 복신이 도침을 죽이고, 부여풍이 복신을 죽이면서 백제 부흥운동은 좌절되고 말았다. 백제 부흥운동은 660년부터 663년까지 전개된 것으로 보고, 문제를 풀면 충분하다. → (라)

15 ㉠~㉣ 시기에 있었던 역사적 사실로 옳은 것은?

[2015 서울시 7급]

475년	532년	612년	654년	668년
㉠	㉡	㉢	㉣	
백제 웅진 천도	금관가야 멸망	살수 대첩	무열왕 즉위	고구려 멸망

① ㉠ – 고구려가 도읍을 평양으로 옮겼다.

② ㉡ – 백제가 역사서인 「서기」를 편찬하였다.

③ ㉢ – 황룡사 9층탑이 건립되었다.

④ ㉣ – 상대등 비담이 반란을 일으켰다.

해설

정답 ③

「삼국유사」에 따르면 당나라에서 유학을 마치고 귀국한 자장이 선덕여왕에게 건의하여 황룡사 9층 목탑을 지었다고 한다. 645년 짓기 시작하여 그 다음해에 완성하였다. 목탑의 9개 층은 신라 주변의 9개 국가, 곧 1층은 일본(日本), 2층은 중화(中華), 3층은 오월(吳越), 4층은 탁라(托羅), 5층은 응유(鷹遊), 6층은 말갈(靺鞨), 7층은 거란(丹國), 8층은 여적(女狄), 9층은 예맥(穢貊)을 가리킨다.

> 신인이 나타나서 말했다. "황룡사의 호법룡(護法龍)은 바로 나의 맏아들이오. 범왕(梵王)의 명을 받고 가서 그 절을 보호하고 있소이다. 고국에 돌아가거든 절 안에 9층탑을 세우시오. 그러면 이웃나라들이 항복할 것이고 구한(九韓)이 와서 조공할 것이며 왕업이 길이 편안할 것이오. 탑을 세운 후에는 팔관회를 열고 죄인을 용서하여 풀어주면, 외적이 해를 끼치지 못할 것이오. 그리고 나를 위해 서울 인근 남쪽 언덕에 절 하나를 지어 내 복을 빌어준다면, 나 또한 그 은덕을 보답할 것이오."
>
> ◑ 「삼국유사」

① 장수왕 즉위 후 15년째 되던 해인 427년에 고구려는 도읍을 국내성에서 평양성으로 옮겼다. 평양 천도 후 고구려의 남진 정책이 본격화되었고, 그 결과 '나제동맹, 백제의 웅진천도' 등이 이루어졌다. → ㉠ 앞(웅진 천도 이전)

② 근초고왕 때 박사 고흥이 「서기(書記)」를 편찬하였다. → ㉠ 앞(웅진 천도 이전)

④ 비담(毗曇)은 선덕여왕 때 상대등이 되었다(645). 왕권에 욕심을 내어 반란을 일으켰으나 토벌군에 의해 진압되었다. 반란 중에 선덕여왕이 죽고, 진덕여왕이 즉위하면서 반란군은 모두 죽임을 당했다(647). 이 '비담의 반란'을 김유신과 함께 진압하였던 '김춘추'는 진덕여왕이 죽은 후 상대등 알천(閼川)과의 경쟁에서 이기고 태종무열왕이 되었다. → ㉢

16 다음 문화재의 소재 지역이 백제의 수도였을 때 일어난 사실로 가장 옳은 것은?

[2016 법원직 9급]

① 불교를 공인하였다.

② 지방에 22담로를 설치하였다.

③ 칠지도를 제작하여 일본에 전해 주었다.

④ 신라와 연합하여 한강 유역을 회복하였다.

해설   정답 ④

왼쪽 사진은 '부여 정림사지 5층 석탑'이다. 미륵사지 석탑을 계승한 목탑 양식의 석탑이다. 오른쪽 사진은 '백제 금동 대향로'이다. 부여 능산리 절터에서 발견된 불교 공양구이다. 두 문화재 모두 본래 소재지는 충청남도 부여군이다. 부여(사비)가 수도였을 때(538~660)의 왕은 성왕, 창왕(위덕왕), 혜왕, 법왕, 무왕, 의자왕이다. 이 중 성왕은 신라와 연합하여 한강 유역을 회복하였다(553). 그러나 진흥왕의 배신에 분개하여 신라를 공격하였으나 관산성 전투에서 전사하였다(554).

① 침류왕, ② 무령왕, ③ 근초고왕

명호샘의 한마디!!

시험에 출제되고 있는 '사비 시대'의 대표적인 유물은 다음과 같다.

1. 금동대향로

2. 창왕명석조사리감

3. 미륵사지 석탑

4. 정림사지 5층 석탑

5. 사택지적비

17 (가)와 (나) 사이의 시기에 있었던 사실로 옳은 것은?

[2013 지방직 9급]

> (가) 동성왕은 신라에 사신을 보내 혼인을 청하였는데, 신라의 왕이 이벌찬(伊伐湌) 비지(比智)의 딸을 시집보냈다.
>
> (나) 왕은 신라를 습격하기 위하여 친히 보병과 기병 50명을 거느리고 밤에 구천(狗川)에 이르렀는데, 신라의 복병이 나타나 그들과 싸우다가 살해되었다.

① 도읍을 금강 유역의 웅진으로 옮겼다.

② 장수왕의 공격을 받아 한성이 함락되었다.

③ 국호를 남부여로 고치고 중흥을 꾀하였다.

④ 동진으로부터 불교를 수용하여 공인하였다.

해설

정답 ③

(가) 백제의 동성왕과 신라의 소지 마립간 사이에 결혼동맹이 맺어진 때는 493년이다.

(나) 백제의 성왕이 신라를 공격하였다가 오히려 진흥왕의 부하에 의해 살해된 때는 554년이다. 이것을 관산성 전투라고 한다. 삼국사기에서 다루고 있는 관산성 전투의 두 사료를 비교하여 숙지하기 바란다.

신라 본기	(진흥왕) 15년(554) 백제 왕 명농(明禯)이 침공하니 군주 각간 우덕(于德)과 이찬 탐지(耽知) 등이 나가 싸우다 …… 신주(新州) 군주 김무력이 주의 군대를 이끌고 나아가 교전하던 중 비장인 삼년산군 고간(高干) 도도(都刀)가 백제왕을 공격하여 죽였다. 이에 모든 군사가 승세를 타고 크게 이겨, 좌평(佐平) 네 명과 군사 2만 9,600명을 목베었다. 백제로는 단 한 마리의 말도 돌아가지 못했다.
백제 본기	(성왕) 32년(554) 가을 7월에 왕은 신라를 습격하고자 하여 친히 보병과 기병[步騎] 50명을 거느리고 밤에 구천(狗川)에 이르렀다. 신라의 복병(伏兵)이 일어나자 더불어 싸웠으나 난병(亂兵)에게 해침을 당하여 죽었다. 시호(諡號)를 성(聖)이라 하였다.

①, ② 개로왕 때 장수왕의 공격을 받아 한성이 함락되자(장수왕의 한강 유역 차지), 그 다음 왕인 문주왕 때 웅진으로 수도를 옮겨야 했다(475).

③ 국호를 남부여로 고치고, 사비로 천도한 것은 성왕 때이다(538). 그러므로 '사비 천도'가 (가)와 (나) 사이에 들어갈 수 있는 사건이다.

④ 침류왕 때 동진에서 온 마라난타를 통해 불교가 전래되었다(384). ⊙ 2016 경찰

18 **(가), (나) 시기 사이에 있었던 사실로 가장 옳은 것은?**

[2022 법원직 9급]

> (가) 왕 41년 겨울 10월, 백제왕이 군사 3만 명을 거느리고 평양성을 공격하였다. 왕이 군사를 이끌고 방어하다가 화살에 맞았다. 23일에 왕이 죽었다. 고국 언덕에 장사 지냈다.
>
> ○ 『삼국사기』, 고구려본기
>
> (나) 왕 32년 가을 7월, 왕이 신라를 습격하기 위하여 직접 보병과 기병 50명을 거느리고 밤에 구천에 이르렀는데, 신라의 복병이 나타나 그들과 싸우다가 왕이 난병들에게 살해되었다. 시호를 성이라 하였다.
>
> ○ 『삼국사기』, 백제본기

① 수가 고구려를 침입하였다.

② 고구려가 평양으로 천도하였다.

③ 백제가 나당 연합군의 공격을 받았다.

④ 당이 매소성 전투에서 신라에 패하였다.

해설   정답 ②

(가) 평양성 전투(371): 백제왕은 근초고왕이고, 화살에 맞아 죽은 고구려 왕은 고국원왕이다.

(나) 관산성 전투(554): 신라를 습격하다가 포위되어 죽은 백제 왕은 성왕이다.

크게 보면 (가)는 4세기, (나)는 6세기에 있었던 일이다. 그러므로 (가), (나) 사이 시기란 '5세기'일 가능성이 높다. 5세기에 고구려 장수왕은 평양으로 천도하였다(427).

① 수는 네 차례에 걸쳐 고구려를 침입하였다(수문제 1회, 수양제 3회). 수양제는 1차 침입 때 살수에서 크게 패배하였다(612).

③ 백제는 나·당 연합군의 공격을 받아 멸망하였다(660).

④ 당은 매소성 전투에서 신라에 패하였다(675).

---

19 **(가), (나) 시기 사이에 있었던 사실로 가장 옳은 것은?**

[2023 법원직 9급]

> (가) 영락 5년 왕은 패려(稗麗)가 …… 하지 않는다고 생각하고 친히 군사를 이끌고 가서 토벌하였다. 부산(富山)·부산(負山)을 지나 염수(鹽水) 가에 이르렀다. 600~700영(營)을 격파하니, 노획한 소·말·양의 수가 헤아릴 수 없이 많았다.
>
> (나) 고구려왕 거련(巨璉)이 병사 3만 명을 거느리고 한성을 포위하였다. 고구려 사람들이 병사를 네 방면의 길로 나누어 협공하고 또 바람을 이용해서 불을 질러 성문을 태우니, 성 밖으로 나가 항복하려는 자도 있었다. 임금은 기병 수십 명을 거느리고 성문을 나가 서쪽으로 달아났는데, 고구려 병사에게 살해되었다.

① 신라에 병부가 설치되었다.

② 고구려가 평양으로 천도하였다.

③ 고이왕이 좌평과 관등제의 기본 골격을 마련하였다.

④ 백제군의 공격으로 고국원왕이 전사하였다.

해설

정답 ②

(가) '영락 5년'은 395년으로, 광개토대왕 때이다. 광개토대왕은 패려(비려)를 토벌하였다.

(나) '거련'은 장수왕이다. 고구려 병사에게 살해된 '임금'은 개로왕이다. 475년의 일이다.

② (가)와 (나) 사이에 고구려 장수왕이 평양으로 천도하였다. 427의 일이다. 평양 천도(427)와 웅진 천도(475)의 시기를 기억하라는 문제이다.

① 법흥왕은 처음으로 병부를 설치하여 군권을 장악하였다(517).

③ 고이왕은 중앙에 6개의 좌평을 두어 업무를 분장시키고, 16품의 관등제와 백관의 관복제(공복제)를 도입하였다. 고이왕 (234~284)은 3세기의 왕이다.

④ 백제군의 공격으로 고국원왕이 평양성 전투에서 전사하였다(371).

---

20 (가)와 (나) 사건 사이에 있었던 사실로 옳은 것은?

[2022 소방]

> (가) 고구려 왕 거련이 군사 3만 명을 이끌고 와서 왕도인 한성을 포위하였다. 고구려 군대가 군사를 네 방향으로 나누어 협공하였고, 바람을 타고 불을 놓아 성문을 불태웠다.
>
> (나) 왕이 신라를 습격하기 위하여 직접 보병과 기병 50명을 거느리고 밤에 구천에 이르렀는데, 신라의 복병이 나타나 그들과 싸우다가 난병들에게 살해되었다. 시호를 성(聖)이라 하였다.
>
> ○『삼국사기』

① 신라가 대가야를 병합하였다.

② 백제가 22담로에 왕족을 파견하였다.

③ 고구려가 국내성으로 수도를 옮겼다.

④ 백제가 마한의 잔여 세력을 복속하였다.

해설

정답 ②

(가) '고구려 왕 거련'은 장수왕이다. 장수왕은 백제의 수도인 '한성을 포위'하여 개로왕을 죽였다(475).

> 고구려 왕 거련(巨璉)이 군사 3만을 거느리고 왕도(王都) 한성을 포위하였다. 왕은 성문을 닫고 능히 나가 싸우지를 못하였다. 고구려병이 군사를 4갈래로 나누어 협공하고 바람을 이용하여 성문을 불태우니 사람들이 두려워하여 나아가 항복하려는 자도 있었다. 왕(개로왕)은 어찌할 바를 몰라 수십 기를 거느리고 성문을 나서 서쪽으로 달아나매 고구려인이 쫓아가 살해하였다.
> ○『삼국사기』백제본기, 개로왕 21년

(나) '구천'은 지금의 관산성이다. '보병과 기병 50명'을 거느리고 관산성에 이르러 죽은 백제의 왕은 성왕이다(554).

> 왕 32년 가을 7월, 왕이 신라를 습격하기 위하여 직접 보병과 기병 50명을 거느리고 밤에 구천에 이르렀는데, 신라의 복병이 나타나 그들과 싸우다가 왕이 난병들에게 살해되었다. 시호를 성이라 하였다.
> ○『삼국사기』백제본기, 성왕 32년

② 475년과 554년 사이에 들어갈 수 있는 고구려 왕은 문자왕(491~519), 백제 왕은 무령왕(501~523)과 성왕(523~554), 신라 왕은 소지마립간(479~500), 지증왕(500~514) 정도이다. 백제 무령왕은 22담로에 왕족을 파견하였다.

① 신라 진흥왕은 대가야를 병합하였다(562).

③ 고구려 유리왕은 졸본에서 국내성으로 수도를 옮겼다(3). 장수왕은 국내성에서 평양으로 수도를 옮겼다(427).

④ 백제 근초고왕은 영산강 유역에 남아있던 마한의 잔여 세력을 복속하였다(369).

21 신라에서 '마립간'이라는 왕호를 사용하던 시대에 있었던 역사적 사실로 옳은 것은?

[2011 기상직 9급]

① 병부의 설치와 율령의 반포, 공복의 제정 등을 통하여 통치 질서를 확립하였다.

② 왜를 물리치는 과정에서 고구려의 군대가 신라의 영토 내에 머무르기도 하였다.

③ 수도와 지방의 행정구역을 정리하였고, 대외적으로는 우산국을 복속시켰다.

④ 진골 귀족에 의한 왕위 계승권이 확립되었다.

해설　　　　　　　　　　　　　　　　　　　　　　　　　　　　　　　　　　정답 ②

내물 마립간 때 신라에 왜구가 침입하자, 광개토대왕이 내물 마립간을 도와 격퇴하였다. 왜구 격퇴 후 고구려의 군대가 신라의 영토 내에 머물러 이후 신라는 고구려의 직접적인 정치적 영향을 받게 되었다.

기 간	왕 호	의 미	최초 사용
BC 57~AD 4년	거서간	족장, 군장, 간(干)들의 수장, 우두머리	혁거세 거서간
4~24년	차차웅	무당, 종교적 제사장	남해 차차웅
24~356년	이사금	계승자, 연장자, 후계자, 박·석·김 3부족의 연맹장	유리 이사금
356~500년	마립간	정치적 대군장(大君長)	내물 마립간
500년 이후	왕	중국식 왕호	지증왕

① 최초의 중앙 행정 관부인 병부를 설치하고, 율령을 반포하였으며 관리의 공복을 제정한 왕은 법흥왕이다.

③ '수도와 지방의 행정구역을 정리'하였다는 것은 주군제(州郡制)를 정비하였다는 의미이다. 주군제 정비와 우산국 복속은 지증왕 때이다.

④ 최초로 진골 귀족 출신이 왕이 된 것은 무열왕 때이다.

22 밑줄 친 (　　)의 재위 기간에 있었던 사실로 옳은 것은?

[2022 계리직 9급]

> (　　) 9년 3월에 사방(四方)의 우역(郵驛)을 비로소 설치하고, 담당 관리에게 명하여 관도(官道)를 수리하게 하였다. ◐『삼국사기』

① 처음으로 수도에 시장을 열어 사방의 물자를 유통시켰다.

② 중앙관서를 22부로 정비하고 수도를 5부로 편제하였다.

③ 우산국으로 불리던 울릉도를 정복하여 영토로 편입하였다.

④ 9주와 5소경을 설치하여 지방행정을 새롭게 정비하였다.

해설　　　　　　　　　　　　　　　　　　　　　　　　　　　　　　　　　　정답 ①

우역(郵驛)을 설치하고, 관도(官道)를 수리한 왕은 소지 마립간(재위 479~500)이다. 소지 마립간은 처음으로 수도에 시장을 열었다.

② 중앙관서를 22부로 정비하고 수도를 5부로 지방을 5방으로 편제한 왕은 백제 성왕이다.

③ 우산국으로 불리던 울릉도를 정복하여 영토로 편입한 왕은 신라 지증왕이다.

④ 9주와 5소경을 설치하여 지방행정을 새롭게 정비한 왕은 신라 신문왕이다.

23 다음 사건이 있었던 시기의 신라 국왕에 대한 설명으로 옳은 것은?
[2022 지방직 9급]

> 이찬 이사부가 하슬라주 군주가 되어, '우산국 사람이 우매하고 사나워서 위엄으로 복종시키기는 어려우니 계책을 써서 굴복시키는 것이 좋겠다.'라고 생각하였다. 이에 나무로 사자 모형을 많이 만들어 배에 나누어 싣고 우산국 해안에 이르러, 속임수로 통고하기를 "만약에 너희가 항복하지 않는다면 곧바로 이 맹수들을 풀어 너희를 짓밟아 죽이겠다."라고 하였다. 그 나라 사람이 두려워 즉시 항복하였다.

① 독서삼품과를 실시하였다.

② 국호를 '신라'로 확정하였다.

③ 관료전을 지급하고 녹읍을 폐지하였다.

④ 장문휴를 보내 당의 등주를 공격하였다.

해설   정답 ②

지증왕은 512년 이사부로 하여금 우산국을 복속시켜 영토로 편입하였다. 이때 이사부는 '나무로 사자 모형을 많이 만들어' 배에 싣고 가서 우산국 사람을 속여 항복을 받아냈다. 지증왕은 사로국이라는 국호를 신라(新羅)로 바꾼 왕이기도 하다.

> 여러 신하들이 아뢰기를 "시조께서 나라를 세우신 이래 국호(國號)를 정하지 않아 사라(斯羅)라고도 하고 혹은 사로(斯盧) 또는 신라(新羅)라고도 칭하였습니다. 신들의 생각으로는 신(新)은 '덕업이 날로 새로워진다.'는 뜻이고 나(羅)는 '사방을 망라한다.'는 뜻이므로, 이를 국호로 삼는 것이 마땅하다고 여겨집니다. …… 이제 뭇 신하들이 한 마음으로 삼가 신라국왕이라는 칭호를 올립니다."라고 하니, 왕이 이에 따랐다. ● 「삼국사기」 ● 2016 경찰

① 원성왕. ③ 신문왕. ④ 발해 무왕

24 [보기]의 밑줄 친 '왕' 대에 이루어진 내용을 옳게 고른 것은?
[2019 서울시 9급]

> **[보기]**
>
> 재위 19년에는 금관국주인 김구해가 비와 세 아들을 데리고 와 항복하자 **왕**은 예로써 대접하고 상등(上等)의 벼슬을 주었으며, 23년에는 처음으로 연호를 칭하여 건원(建元) 원년이라 하였다.

> ㉠ 국호를 사로국에서 '신라'로, 왕호를 마립간에서 '왕'으로 고쳤다.
>
> ㉡ 왕은 연호를 고쳐 '개국(開國)'이라 하였으며 국사를 편찬토록 하였다.
>
> ㉢ 왕호를 '성법흥대왕'이라 쓰기도 하였다.
>
> ㉣ '신라육부'가 새겨진 울진봉평신라비가 세워졌다.
>
> ㉤ 연호를 '인평(仁平)'으로 고쳤으며 분황사와 영묘사를 창건하였다.

① ㉠, ㉡   ② ㉡, ㉢

③ ㉢, ㉣   ④ ㉣, ㉤

해설
정답 ③

금관국주(금관가야의 왕) 김구해의 항복을 받았으며, 건원(建元)이라는 연호를 처음 사용한 왕은 법흥왕(514~540, 성법흥대왕)이다. 법흥왕은 지증왕의 장남이고, 갈문왕 입종의 형이며, 본명은 모즉지(牟卽智)이다. 법흥왕 때 신라육부(신라 6부) 및 왕의 소속부 명칭이 새겨진 울진봉평신라비가 세워졌다.

㉠ 국호를 사로국에서 '신라'로, 왕호를 마립간에서 '왕'으로 고친 왕은 '지증왕'이다.

㉡ 왕은 연호를 고쳐 '개국(開國)'이라 하였으며 국사를 편찬토록 한 왕은 '진흥왕'이다.

㉢ 연호를 '인평(仁平)'으로 고쳤으며 분황사와 영묘사를 창건한 왕은 '선덕여왕'이다.

 명호샘의 한마디!!

「삼국사기」의 법흥왕 연보를 보면서, 기출 문장을 확인하자.

- 법흥왕 4년(517)에 병부를 설치하여 군사권을 장악하였다. ➡ 2021 계리직, 2017 경찰
- 법흥왕 7년(520)에 율령을 반포하고, 처음으로 백관의 공복을 제정하였다.
  ➡ 2021 법원직 9급, 2020 서울시 9급 보훈청, 2018 지방직 교행
- 법흥왕 15년(528)에 이차돈의 순교를 계기로 불교를 공인하였다.
  ➡ 2022 법원직 9급, 2021 국가직 9급, 2020 서울시 9급 보훈청, 2019 경찰
- 법흥왕 18년(531)에 상대등이라는 관직을 설치하였다. ➡ 2022 법원직 9급, 2017 경찰
- 법흥왕 19년(532)에 금관가야를 병합하였다. ➡ 2019 국회직 9급, 2019 경찰, 2017 국회직 9급
- 법흥왕 23년(536)에 처음으로 독자적인 연호를 정하여 건원 원년이라 하였다.
  ➡ 2020 서울시 9급, 2019 서울시 9급

25 밑줄 친 '국왕'에 대한 설명으로 옳은 것은?
[2016 사회복지직]

> 국왕은 병부를 설치하여 직접 병권을 장악하였고, 건원이라는 독자적인 연호를 사용하였다. 또한 영토 확장에 힘을 기울여 금관가야를 정복하였다.

① 자장의 권유로 황룡사 9층탑을 건립하였다.

② 율령을 공포하고, 백관의 공복을 제정하였다.

③ 청소년 조직인 화랑도를 국가적인 조직으로 개편하였다.

④ 원광에게 수나라에 군사를 청하는 걸사표를 짓게 하였다.

해설
정답 ②

14부 중 처음으로 병부를 설치하고, 신라에서는 처음으로 독자적인 연호를 사용하였으며, 금관가야를 정복한 왕은 법흥왕(514~540)이다. 법흥왕은 통치체제를 정비하기 위해 율령을 공포(반포)하고, 백관의 공복을 제정하였다.

① 자장의 권유(건의)로 황룡사 9층탑을 건립한 왕은 선덕여왕(632~647)이다.

③ 화랑도를 국가적인 조직으로 개편(화랑도를 공인)한 왕은 진흥왕(540~576)이다.

④ 원광에게 수나라에 군사를 청하는 걸사표를 짓게 하여(608) 살수대첩의 원인을 제공하기도 한 왕은 진평왕(579~632)이다.

명호쌤의 한마디!!

신라의 중앙 관부는 법흥왕 때 '병부'가 설치되면서 정비되기 시작하였다. 이후 진평왕 때 위화부, 조부, 예부 등이 설치되었으며, 그 이후의 왕대에도 줄곧 새로운 관부가 생성되었다. 통일 후 중앙 관제는 집사부를 중심으로 운영되었지만, 새로이 우이방부, 예작부 등의 관부가 설치되고 기존의 각 관부에도 관원이 확대되었다. 통일신라의 주요 관부 및 그 담당 업무는 다음과 같다.

관부명	관장사무	관부명	관장사무
집사부	국가기밀	사정부	관리감찰
병부	군사	예작부	토목영선
예부	의례	선부	선박
창부	재정	영객부	외빈 접대
조부	공부	위화부	관리 관등(인사)
승부	마정(말)	좌우이방부	형률(법률)
공장부	수공업	사록관	녹봉

26 밑줄 친 '왕'의 재위 기간에 있었던 사실로 옳은 것은?

[2016 기상직 9급]

> 이차돈은 왕의 얼굴을 쳐다보고 심정을 눈치 채어 왕에게 아뢰었다. … "일체를 버리기 어려운 것은 자기 목숨입니다." … 옥리(獄吏)가 목을 베니 허연 젖이 한 길이나 솟았다.
>
> ➡ 「삼국유사」 권3

① 최초의 진골 출신 왕이 즉위하였다.

② 고구려가 국내성에서 평양으로 천도하였다.

③ '신라국왕'이라는 칭호를 처음 사용하였다.

④ 나·제 동맹으로 고구려를 견제하고 있었다.

해설 정답 ④

이차돈의 순교를 계기로 불교를 공인한 왕은 법흥왕(514~540)이다. 눌지 마립간 때 맺은 나·제 동맹은 진흥왕이 백제를 배신하면서 결렬되었다. 그러므로 나·제 동맹이 유지되었던 기간은 눌지 마립간, 자비 마립간, 소지 마립간, 지증왕, 법흥왕 재위 기간과 진흥왕 초기인 433년부터 554년(관산성 전투 기준)까지이다.

① 최초의 진골 출신 왕인 태종무열왕이 즉위한 해는 654년이다. 이것이 곧 신라 중대의 시작이다.

② 장수왕이 평양 천도를 한 해는 427년이다.

③ 지증왕이 국호를 신라(新羅)로 통일하고, 마립간이라는 왕호 대신 신라국왕(新羅國王)이라는 호칭을 사용하기 시작한 해는 503년이다.

27 (가), (나) 사이의 시기에 있었던 사실로 옳은 것은?

[2015 지방직 9급]

> (가) 국호를 신라로 바꾸고, 왕의 칭호도 마립간에서 왕으로 고쳤다. 대외적으로는 우산국을 복속시켰다.
>
> (나) 한강 유역을 빼앗고, 고령 지역의 대가야를 정복하였다. 북쪽으로는 함경도 지역까지 진출하였다.

① 백제 동성왕과 혼인 동맹을 맺었다.

② 김씨에 의한 왕위 계승권이 확립되었다.

③ 진골 귀족 세력의 반발로 녹읍이 부활되었다.

④ 병부를 설치하고, 백관의 공복을 제정하였다.

해설   정답 ④

(가) 지증왕(500~514) : 국호를 한자식 표현인 신라(新羅)로 바꾸고, 왕호를 중국식 왕호인 왕(王)으로 바꾸었다. 또 이사부를 파견하여 우산국(울릉도)을 복속시켰다(512).

(나) 진흥왕(540~576) : 백제 성왕과 연합하여 고구려로부터 한강을 빼앗고, 이사부로 하여금 대가야를 정복하게 하였다. 북쪽으로는 함경도 지역까지 진출하여 황초령비와 마운령비를 세웠다.

(가)와 (나) 사이의 왕이라면 법흥왕(514~540)이다. 법흥왕 때 처음으로 병부를 설치하여 왕이 군권을 장악하였으며, 백관의 공복을 제정하였다.

① 소지 마립간, ② 내물 마립간, ③ 경덕왕

28 밑줄 친 '왕'이 재위했던 시기의 역사적 사실로 가장 적절한 것은?

[2017 경찰 변형]

> "대가야가 모반하였다. 왕은 이사부로 하여금 그들을 토벌케 하고, 사다함으로 하여금 이사부를 돕게 하였다. … 이사부가 군사를 인솔하고 그곳에 도착하니, 그들이 일시에 모두 항복하였다. 공로를 평가하는데 사다함이 으뜸이었기에 왕이 좋은 밭과 포로 2백 명을 상으로 주었다."

① 이사부로 하여금 우산국(于山國)을 정벌케 하였다.

② 이차돈의 순교를 계기로 불교를 공인하였다.

③ 개국(開國), 대창(大昌), 홍제(鴻濟)라는 연호를 사용하였다.

④ 김씨 왕위 계승 체제가 확립되었다.

해설   정답 ③

제시된 자료는 「삼국사기」 신라본기 '진흥왕 23년(562년)'의 기록이다. ➡ 2020 경찰

③ 대가야를 정복한 진흥왕의 연호는 '개국, 대창, 홍제'였다.

① 지증왕은 이사부로 하여금 우산국(于山國)을 정벌케 하였다(512).

② 불교를 공인한 왕은 법흥왕이다.

④ 내물 마립간 때, 박, 석, 김씨의 3성이 교대로 왕위에 오르던 시대가 끝나고, 김씨 왕위 계승 체제가 확립되었다.

29 (가), (나)에 들어갈 왕의 업적으로 옳은 것은?

> 삼국의 역사서로는 고구려에 『유기』가 있었는데, 영양왕 때 이문진이 이를 간추려 『신집』 5권을 편찬하였다. 백제에서는 ___(가)___ 시기에 고흥이 『서기』를, 신라에서는 ___(나)___ 시기에 거칠부가 『국사』를 편찬하였다.

① (가) – 국호를 남부여로 바꾸었다.
② (가) – 동진으로부터 불교를 받아들여 공인하였다.
③ (나) – 화랑도를 국가적 조직으로 개편하였다.
④ (나) – 병부를 처음으로 설치하여 군권을 장악하였다.

해설　　　　　　　　　　　　　　　　　　　　　　　　　　　정답 ③

(가)에 들어갈 왕은 근초고왕이고, (나)에 들어갈 왕은 진흥왕이다.
③ 진흥왕은 화랑도를 국가적 조직으로 개편하였다.
① 국호를 남부여로 바꾼 왕은 백제 성왕이다.
② 동진으로부터 불교를 받아들여 공인한 왕은 백제 침류왕이다.
④ 병부를 처음으로 설치하여 군권을 장악한 왕은 법흥왕이다.

30 (가), (나) 시기 사이에 있었던 사실로 가장 옳은 것은?

> (가) 진흥왕이 이사부에게 토벌을 명하고 사다함에 보좌하게 하였다. …… 이사부가 군사를 이끌고 다다르자, 대가야가 모두 항복하였다. ▶『삼국사기』
>
> (나) 백제군 한 사람이 1,000명을 당해냈다. 신라군은 이에 퇴각하였다. 이와 같이 진격하고 퇴각하길 네 차례에 이르러, 계백은 힘이 다하여 죽었다. ▶『삼국사기』

① 백제가 웅진으로 천도하였다.
② 소수림왕이 불교를 수용하였다.
③ 신라가 기벌포에서 당군을 물리쳤다.
④ 고구려가 수나라 군대를 살수에서 격퇴하였다.

해설　　　　　　　　　　　　　　　　　　　　　　　　　　　정답 ④

(가)는 신라의 대가야 정복(562)이고, (나)는 백제 계백의 죽음(황산벌 전투, 660)이다. (가), (나) 시기 사이에 살수대첩(612)이 발생하였다.
① 백제 문주왕이 웅진으로 천도하였다(475).
② 고구려 소수림왕이 전진으로부터 불교를 받아들였다(372).
③ 신라 문무왕이 기벌포에서 당군을 물리쳤다(676).

31 밑줄 친 '대왕'이 재위하던 시기의 사실로 옳은 것은?

[2016 국가직 7급]

> 우리 왕후께서는 좌평 사택적덕의 따님으로 …(중략)… 기해년 정월 29일에 사리를 받들어 맞이하셨다. 원하오니, 우리 대왕의 수명을 산악과 같이 견고하게 하시고 치세는 천지와 함께 영구하게 하소서.

① 사비의 왕흥사가 낙성되었다.

② 22담로에 왕족을 보냈다.

③ 박사 고흥이 「서기」를 편찬하였다.

④ 노리사치계가 왜에 불상과 불경을 전하였다.

해설

정답 ①

「삼국유사」에 따르면 신라 진평왕의 딸 선화공주가 백제 무왕의 부인이 되어, 미륵사를 지었다고 한다.

> 어렸을 때 이름을 서동이라고 하였고 도량이 커서 헤아리기 어려웠다. …… 신라 진평왕의 셋째 공주 선화가 더없이 아름답다고 듣고, 머리를 깎고 (신라의) 서울로 왔다. 마로써 마을의 뭇 아이들을 먹이니 아이들이 그를 따랐다. 이에 노래를 지어 뭇 아이들을 꼬여 부르게 하니, "선화 공주님은 남 몰래 정을 통해 두고 서동방을 밤에 몰래 안고 간다."라고 하였다. …… 서동은 이로 인해 인심을 얻어 왕위에 올랐다. 하루는 왕이 부인과 함께 사자사로 가려고 용화산 아래 큰 못가에 이르자 미륵삼존이 못 가운데서 나타나므로 수레를 멈추고 경배하였다. 부인이 왕께 이르기를, "이 곳에 큰 가람을 세우는 것이 진실로 바라는 바입니다."라고 하니 왕이 이를 허락하였다. …… 절 이름을 미륵사라고 하였다.
> ◐ 「삼국유사」

그러나 2009년 미륵사지 석탑 해체 과정에서 사리호와 사리봉안기가 발견되었는데, 이 사리봉안기에는 미륵사를 지은 인물이 '좌평 사택적덕의 딸'로 기록되어 있다. 즉 미륵사의 창건 주체가 백제 무왕과 그의 왕비 선화공주가 아니라, 백제 최고 관직인 좌평의 딸이라는 점이 밝혀졌다. 그리고 미륵사의 정확한 창건 연대도 무왕 재위 시대인 639년(무왕 40년)이라는 사실도 확인되었다. 이 문제에서 제시된 자료는 사리봉안기의 일부이다.

> 우리 왕후께서는 좌평 사택적덕의 딸로서 오랜 세월동안 선인을 심어 현생에 뛰어난 과보를 받으셨다. 왕후께서는 만민을 어루만져 기르시고 삼보의 동량이 되셨기에 능히 정재를 희사하여 가람을 세우고 기해년 정월 29일에 사리를 받들어 맞이하셨다.
> ◐ 미륵사지 석탑 사리봉안기

「삼국사기」에 따르면 왕흥사(王興寺)는 백제 무왕 때 낙성되었다. 즉 이 문제는 무왕 때 익산에 지어진 '미륵사' 관련 자료를 보고 무왕 때 사비에 지어진 '왕흥사'를 고르는 문제이다.

② 무령왕, ③ 근초고왕, ④ 성왕

32 다음 불탑을 건립한 왕의 재위 기간 중에 일어난 역사적 사건으로 옳은 것은? [2021 국회직 9급]

> 이 탑을 건립한 목적은 이웃 나라들의 침략을 막고 나라가 태평해지기를 빌기 위한 것이었다.
> 이 탑은 금동 장육존상, 천사옥대와 함께 나라의 세 가지 보물로 인식되었다.

① 대야성 상실로 신라가 위기를 맞이하였다.

② 불국토의 이상을 표현한 불국사를 세웠다.

③ 견훤이 경주를 습격하여 경애왕을 살해하였다.

④ 거란과 세 차례에 걸친 전쟁을 겪었다.

⑤ 몽골이 침략하자 강화도로 천도하였다.

해설   정답 ①

이웃 나라들의 침략을 막고 나라가 태평해지기를 빌기 위하여 만든 '이 탑'은 황룡사 9층 목탑이다. 금동 장육존상(丈六尊像)은 키가 1장 6척의 불상이다. 천사옥대(天賜玉帶)는 진평왕 때 천사가 궁중에 내려와 왕에게 주었다는 옥대이다. 황룡사 9층 목탑과 장육존상, 천사옥대를 신라 3보(寶), 즉 세 가지 보물이라고 한다. 문제에서 '다음 불탑을 건립한 왕'이란 황룡사 9층 목탑을 조성한 선덕여왕(632~647)을 말한다.

① 선덕여왕 때 의자왕의 공격으로 대야성을 잃었다(642).

② 경덕왕 때 불국사를 창건하여, 혜공왕 때 완성하였다.

③ 견훤이 포석정에서 경애왕에게 자살을 강요하여, 결국 경애왕은 죽고 말았다(927). 이 사건 직후에 왕건과 견훤이 공산 전투를 벌였으나 견훤이 이겼다(927).

④ 고려는 거란과 세 차례에 걸친 전쟁을 겪었다. 성종 때 거란의 1차 침입이 있었으며, 현종 때 2차 침입과 3차 침입이 있었다.

⑤ 몽골이 침략하자 고려 정부는 강화도로 천도하였다(1232). 고종 때의 일이고, 당시 무신의 최고 권력자는 최우였다.

33 (가)~(라)에 해당하는 사실로 옳지 않은 것은?   [2020 국가직 9급]

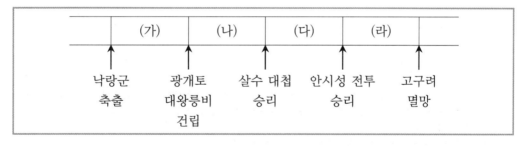

① (가) – 백제 침류왕이 불교를 받아들였다.

② (나) – 고구려 영양왕이 요서 지방을 선제 공격하였다.

③ (다) – 백제가 신라 대야성을 공격하여 함락시켰다.

④ (라) – 신라가 매소성에서 당군을 격파하였다.

해설   정답 ④

제시된 사건들의 순서는 다음과 같다. 매소성 전투(675)는 고구려 멸망(668) 이후의 사건이므로 ④는 (라)에 들어갈 수 없다.
주의할 점은 '고구려의 요서 지방 선제 공격'이 원인이 되어 '살수 대첩'이 일어났다는 사실이다.

사 건	때
낙랑군 축출	313년(미천왕)
① 백제의 불교 수용(마라난타)	384년(침류왕)
광개토대왕릉비 건립	414년(장수왕)
② 고구려의 요서 지방 선제 공격	598년(영양왕)
살수 대첩 승리	612년(영양왕)
③ 백제의 대야성 공격	642년(의자왕)
안시성 전투 승리	645년(보장왕)
고구려 멸망	668년(보장왕)
④ 매소성 전투	675년(문무왕)

34 밑줄 친 '고구려 왕'의 재위 기간에 고구려에서 볼 수 있었던 모습으로 옳은 것은?

[2017 기상직 9급]

> 눌지왕 3년 고구려 왕이 사신을 보내 와서 "우리 임금님께서 대왕의 아우 보해가 지혜와 재주
> 를 갖추었다는 소식을 듣고 서로 가깝게 지내기를 원하여 특별히 소신을 보내어 간청하기에
> 이르렀습니다."라 하였다. 이에 왕은 매우 다행스럽게 생각하여 화친을 맺기로 하고 아우
> 보해를 고구려로 보냈다.   ◐ 「삼국유사」

① 전연 모용황의 침입으로 어려움을 겪었다.

② 율령을 반포하였다.

③ 수도를 평양으로 천도하였다.

④ 부여가 고구려에 항복하며 멸망하였다.

해설   정답 ③

제시된 자료에서 보해(寶海)는 내물 마립간의 아들이며, 눌지 마립간의 동생인데, 「삼국유사」에서는 '보해'라 하고, 「삼국사
기」에서는 복호(卜好)라고 한다. 장수왕 때 고구려에 볼모로 보내졌던 인물이다. 그러므로 자료에서 '고구려 왕'은 장수왕이
다. 장수왕은 수도를 평양으로 천도하였다(427).

① 고국원왕은 전연 모용황의 침입으로 어려움을 겪었다(342).

② 소수림왕은 율령을 반포하였다(373).

④ (북)부여가 고구려 문자왕에 항복하며 멸망하였다(494).

35 삼국 통일 과정의 역사적 사실들을 일어난 순서대로 바르게 나열한 것은?

[2016 사회복지직]

> ㉠ 나·당 연합군의 공격으로 사비성이 함락되자 웅진에 있던 의자왕이 항복하였다.
>
> ㉡ 나·당 연합군의 공격으로 평양성을 지키던 연개소문의 아들인 남산이 항복하였다.
>
> ㉢ 신라는 사비성을 탈환하고 웅진 도독부를 대신하여 소부리주를 설치하였다.
>
> ㉣ 신라군이 당나라 군대 20만 명을 매소성에서 크게 물리쳤다.

① ㉠ → ㉡ → ㉢ → ㉣   ② ㉠ → ㉢ → ㉡ → ㉣

③ ㉡ → ㉠ → ㉣ → ㉢   ④ ㉡ → ㉣ → ㉠ → ㉢

해설   정답 ①

㉠ 나·당 연합군의 공격으로 사비성이 함락되자 의자왕이 항복하였다(660).

㉡ 남산(男産, 639~701)은 연개소문의 셋째 아들이다. 연개소문이 죽고 연개소문의 맏아들 남생이 대막리지가 되어 국정을 주도하자, 남산은 둘째 아들인 남건과 함께 정변을 일으켜 정권을 장악하였다. 나·당연합군이 평양성을 포위하자, 성문을 열고 나와 항복하였다(668).

㉢ 나·당연합군이 백제의 사비성을 점령한 후, 이곳에 웅진 도독부가 설치되었다(660). 그리고 왕문도, 유인궤, 부여융을 차례대로 도독으로 삼았다. 당이 이 지역의 지배권을 독점하려 하자, 신라가 사비성을 탈환하고, 웅진 도독부를 대신하여 소부리주(所夫里州)를 설치하였다(671). (이곳에서 676년에 사찬 시득이 당의 설인귀를 물리치는데, 이것이 기벌포 전투이다.)

㉣ 매소성(매초성)은 경기도 연천의 한 지역이다. 신라군이 당나라 장수 이근행이 이끈 20만 대군을 매소성에서 크게 물리쳤다(675).

36 다음 사실들을 시기 순으로 바르게 나열한 것은?

[2016 지방직 9급]

> ㉠ 고구려 – 살수에서 수 양제의 군대를 격파하였다.
>
> ㉡ 백제 – 사비로 도읍을 옮기고 국호를 남부여로 고쳤다.
>
> ㉢ 신라 – 율령을 반포하고 백관의 공복을 제정하였다.
>
> ㉣ 가야 – 고령 지역의 대가야가 신라의 공격으로 멸망하였다.

① ㉡ → ㉢ → ㉣ → ㉠   ② ㉡ → ㉣ → ㉢ → ㉠

③ ㉢ → ㉡ → ㉣ → ㉠   ④ ㉢ → ㉣ → ㉠ → ㉡

해설   정답 ③

㉢ 신라 법흥왕 때, 율령을 반포하고 관복(공복)을 제정하였다(520).

㉡ 백제 성왕 때, 도읍을 대외 진출이 쉬운 사비(부여)로 옮기고, 국호를 남부여로 고쳤다(538).

㉣ 신라 진흥왕의 공격으로 대가야가 멸망하였다(562).

㉠ 고구려 영양왕 때, 을지문덕이 살수에서 수 양제의 군대를 크게 격파하였다(612).

37 고구려와 관련된 [보기]의 사건을 시간순으로 바르게 나열한 것은? [2018 서울시 9급]

[보기]

ⓘ 평양 천도   ⓛ 관구검과의 전쟁

ⓒ 고국원왕의 전사   ⓔ 광개토왕릉비 건립

① ⓒ － ⓘ － ⓔ － ⓛ   ② ⓘ － ⓒ － ⓛ － ⓔ

③ ⓛ － ⓒ － ⓔ － ⓘ   ④ ⓔ － ⓛ － ⓘ － ⓒ

해설   정답 ③

ⓛ 동천왕은 서안평을 공격하였다가(242), 위(魏) 장수 '관구검'의 반격으로 환도성(국내성)이 함락되는 고초를 겪기도 하였다(244).

ⓒ 고국원왕은 북진 정책을 펴고 있던 근초고왕의 공격을 받아 평양성 전투에서 전사하였다(371).

ⓔ 장수왕은 광개토대왕의 업적을 기리기 위해 광개토왕릉비를 건립하였다(414).

ⓘ 장수왕은 평양으로 도읍을 옮겼다(427).

38 다음 사건을 시기순으로 바르게 나열한 것은? [2023 국가직 9급]

(가) 신라의 우산국 복속   (나) 고구려의 서안평 점령

(다) 백제의 대야성 점령   (라) 신라의 금관가야 병합

① (가) → (나) → (다) → (라)   ② (가) → (라) → (나) → (다)

③ (나) → (가) → (라) → (다)   ④ (나) → (다) → (가) → (라)

해설   정답 ③

(나) 고구려의 서안평 점령(미천왕, 4세기)

(가) 신라의 우산국 복속(지증왕, 6세기)

(라) 신라의 금관가야 병합(법흥왕, 6세기)

(다) 백제의 대야성 점령(의자왕, 7세기)

39 [보기]의 사건들을 시간순으로 옳게 나열한 것은?

> **[보기]**
>
> ㄱ. 이사부가 이끄는 신라군이 대가야를 멸망시켰다.
>
> ㄴ. 백제군의 평양성 공격으로 고국원왕이 전사하였다.
>
> ㄷ. 고구려군이 백제 한성을 함락하고 개로왕을 죽였다.
>
> ㄹ. 신라를 침탈하던 왜병이 고구려군에게 격멸당하였다.

① ㄴ - ㄷ - ㄹ - ㄱ

② ㄴ - ㄹ - ㄷ - ㄱ

③ ㄹ - ㄴ - ㄱ - ㄷ

④ ㄹ - ㄷ - ㄴ - ㄱ

해설 　　　　　　　　　　　　　　　　　　　　　　　　　　정답 ②

ㄴ. 평양성 전투(371) → ㄹ. 고구려의 왜구 격퇴(400) → ㄷ. 고구려의 한성 함락(475) → ㄱ. 대가야 멸망(562)

---

02 | 삼국의 대외관계

01 다음 국제 관계가 형성되었던 시기에 있었던 사실로 옳은 것은?

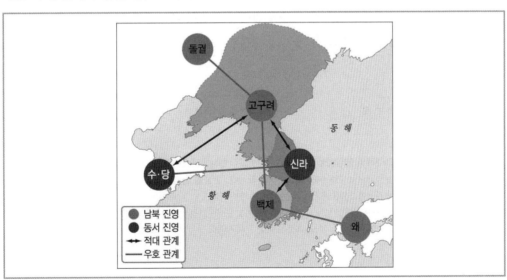

① 고구려는 수의 공격을 막기 위해 천리장성을 쌓았다.

② 왜와 백제가 고구려를 구원하기 위해 백강 전투에 참전하였다.

③ 신라는 선덕여왕 때 황룡사 9층 목탑을 지어 나라를 지키고자 하였다.

④ 5세기에 신라가 한강을 차지하여 강성해지자 고구려와 백제가 신라를 공격하였다.

해설

수(581~618)는 589년에 중국을 통일하였다. 수가 멸망하고, 당(618~907)이 중국의 새로운 주인이 되었다. 그러므로 '수·당'이 있던 시기는 6세기 말부터 10세기 초까지이다. 백제는 660년에 멸망하였고, 고구려는 668년에 멸망하였으므로, 수·당과 백제, 고구려가 모두 공존할 수 있는 시기는 6세기 말부터 7세기 후반까지이다. 이 시기의 고구려, 백제, 신라의 왕은 다음과 같다.

구 분	왕
고구려	영양왕(590~618), 영류왕(618~642), 보장왕(642~668)
백제	위덕왕(창왕, 554~598), 혜왕(598~599), 법왕(599~600), 무왕(600~641), 의자왕(641~660)
신라	진평왕(579~632), 선덕여왕(632~647), 진덕여왕(647~654), 무열왕(654~661)

③ 신라는 선덕여왕 때 황룡사 9층 목탑을 조영하였다(645).

① 고구려는 '당'의 공격을 막기 위해 부여성에서 비사성에 이르는 천리장성을 쌓았다(631~647, 영류왕~보장왕).

② '왜가 백제 부흥군을 구원하기 위해' 백강 전투에 참전하였다(663). 이 사건은 백제 멸망 이후이므로, 제시된 기간에 포함되지 않는다.

④ 5세기에 '고구려'가 한강을 차지하여 강성해지자, 6세기에 '백제와 신라'가 '고구려'를 공격하였다. 6세기 진흥왕 때 신라가 백제를 배신하고 한강을 차지한 후 신주(新州)를 설치한 때가 553년이므로, 이 또한 제시된 기간에 포함되지 않는다.

02 삼국의 항쟁을 시기 순으로 바르게 나열한 것은? [2013 국가직 9급]

> ㉠ 백제가 신라의 대야성을 비롯한 40여 성을 빼앗았다.
> ㉡ 백제가 고구려의 평양성을 공격하여 고국원왕이 전사하였다.
> ㉢ 신라가 대가야를 정복하면서 가야 연맹이 완전히 해체되었다.
> ㉣ 고구려가 평양으로 도읍을 옮기고 백제의 수도 한성을 함락하였다.

① ㉡ → ㉢ → ㉣ → ㉠
② ㉡ → ㉣ → ㉢ → ㉠
③ ㉣ → ㉠ → ㉡ → ㉢
④ ㉣ → ㉡ → ㉠ → ㉢

해설

㉡ 백제 근초고왕이 고구려의 평양성을 공격(371)하여 고국원왕을 죽인 때는 4세기 후반이다.

㉣ 고구려의 장수왕이 평양으로 천도(427)하고, 백제의 수도 한성을 함락시킨 때는 5세기이다.

㉢ 신라의 진흥왕이 대가야를 정복(562)한 때는 6세기 후반이다.

㉠ 백제 장군 윤충이 신라의 대야성을 공격하여 빼앗고 도독인 김품석과 그의 부인인 김춘추의 딸을 죽이고(642),

  ➡ 2018 경찰간부 대야성 등 40여 성을 빼앗은 때는 7세기이다.

03 삼국 간의 경쟁 과정에서 일어난 사건을 순서대로 바르게 나열한 것은? [2016 서울시 9급]

> (가) 백제 성왕이 관산성 전투에서 전사하였다.
> (나) 백제 의자왕은 신라의 대야성을 함락시켰다.
> (다) 고구려 광개토대왕은 신라 지역으로 쳐들어온 왜구의 침략을 격퇴하였다.
> (라) 백제는 고구려의 침략으로 말미암아 수도를 웅진으로 옮겼다.

① (나) – (다) – (라) – (가)
② (다) – (가) – (라) – (나)
③ (다) – (라) – (가) – (나)
④ (라) – (다) – (나) – (가)

해설 정답 ③

삼국 시대의 대외 관계를 세기별로 구분하여 나열하는 문제이다. 이 문제는 '세기'만으로도 충분히 풀 수 있지만, 좀 더 어려운 문제를 대비하기 위해 '연도'를 암기하길 권고한다.

(다) 고구려 광개토대왕이 신라 지역으로 쳐들어온 왜구의 침략을 격퇴하기 위하여 5만 보병과 기병을 출병한 때는 400년이다.

(라) 백제가 수도를 웅진으로 옮긴 때는 문주왕 재위기인 475년이다.

(가) 백제 성왕이 관산성 전투에서 전사한 때는 554년이다.

(나) 백제 의자왕이 신라의 대야성을 함락시킨 때는 642년이다.

04 (가)~(다)는 고구려의 발전 과정을 시기 순으로 나열한 것이다. (나)에 들어갈 내용으로 옳은 것만을 [보기]에서 모두 고른 것은? [2017 국가직 9급]

> (가) 낙랑군을 차지하여 한반도로 진출하는 발판을 마련하였다.
> (나) _____.
> (다) 평양으로 도읍을 옮기고, 백제의 수도인 한성을 함락하였다.

[보기]

㉠ 태학을 설립하였다.
㉡ 진대법을 도입하였다.
㉢ 천리장성을 축조하였다.
㉣ 신라를 도와 왜를 격퇴하였다.

① ㉠, ㉡
② ㉠, ㉣
③ ㉡, ㉢
④ ㉢, ㉣

해설   정답 ②

(가) 미천왕, (다) 장수왕 사이에 발생한 사실을 고르는 문제이다.

	고국천왕	ⓛ 진대법을 도입하였다(194).
(가)	미천왕	낙랑군을 차지하여 한반도로 진출하는 발판을 마련하였다(313).
(나)	소수림왕	⊙ 태학을 설립하였다(372).
	광개토대왕	ⓔ 신라를 도와 왜를 격퇴하였다(400).
(다)	장수왕	평양으로 도읍을 옮기고(427), 백제의 수도인 한성을 함락하였다(475).
	영류왕~보장왕	ⓒ 천리장성을 축조하였다(631~647).

---

05 다음 내용과 관련된 전쟁에 대한 설명으로 가장 적절하지 않은 것은?   [2018 경찰]

> 을지문덕이 장수 우중문에게 보낸 시이다. "신비로운 계책은 하늘의 이치를 헤아리고/ 기묘한 꾀는 땅의 이치를 꿰뚫는구나./ 싸움에서 이긴 공이 이미 높으니/ 족한 줄 알고 그만하기를 바라노라."

① 6세기 후반 남북조로 분열되었던 중국을 통일한 수나라가 고구려에게 굴복을 요구하였다.

② 고구려는 천리장성을 쌓아 이에 대비하였다.

③ 고구려가 요서지방을 먼저 공격하였다.

④ 수는 4차례에 걸쳐 고구려를 침략하였으나 실패하였다.

해설   정답 ②

'을지문덕이 장수 우중문에게 보낸 시'와 관련된 전쟁은 살수대첩(612)이다.

① 남조(송, 제, 양, 진)와 북조(동위, 북제, 서위, 북주)가 흥망성쇠하던 시기를 '남북조 시대'라 한다. 6세기 후반 수(隋) 나라가 남북조로 분열되었던 중국을 통일하였다(589). 그리고 수나라는 고구려에게 굴복을 요구하였다.

③ 수의 세력이 확대되자, 고구려가 요서 지방을 선제공격하였다.

④ 수 문제가 고구려를 침공했으나 별 성과없이 물러났고, 그 뒤에 수 양제가 백만이 넘는 대군을 이끌고 침략해 왔다. 수는 4차례에 걸쳐 고구려를 침략했으나 실패하였다. 이로 인하여 국력이 약해진 수는 결국 멸망하였다(618).

② 고구려가 부여성에서 비사성에 이르는 천리장성을 쌓은 것은 '당' 나라의 침략을 대비하기 위해서였다.

06 다음 (가), (나) 사이의 시기에 있었던 사실로 가장 옳은 것은? [2017 법원직 9급]

> (가) 대업 9년(613년) 양제가 다시 친히 정벌하였다. 이때는 모든 군대에 상황에 맞게 적절히 대응하라고 하였다. 여러 장수가 길을 나누어 성을 공격하니 적의 군세가 날로 위축되었다. ◐ 수서
>
> (나) 당태종이 다시 고구려를 정벌하려 했으나, 조정에서 의논하기를 "고구려가 산에 의지하여 성을 만들어 갑자기 함락할 수 없습니다. …… 지금 소부대를 자주 보내어 그 지방을 피곤하게 하고 쟁기를 놓고 보루에 들어가게 하여 1,000리가 쓸쓸해지면 인심이 저절로 떠나 압록강 이북은 싸우지 않고도 얻을 수 있습니다."하니 이에 따랐다. ◐ 삼국사기

① 영양왕이 요서지방을 선제 공격하였다.
② 을지문덕이 살수에서 수나라 군대를 물리쳤다.
③ 광개토대왕이 신라에 쳐들어 온 왜군을 물리쳤다.
④ 당 태종이 이끈 당군의 침략을 안시성에서 물리쳤다.

해설 정답 ④

(가)는 '양제가 다시 친히 정벌'하였던 수양제의 2차 고구려 침입이다(613). (나)는 '당태종이 다시 고구려를 정벌'하려 하였던 당태종의 2차 고구려 침입이다(647). (가)와 (나) 사이에 안시성 전투(645)가 있었다.

①, ② 수나라는 중국을 통일한 후 고구려에 수나라 중심의 국제질서를 강요하였다. 고구려의 압박 수위가 높아지자 598년(영양왕 9년) 요서 지역에 대한 선제 공격을 감행하였다. 이에 수문제가 30만의 병력을 동원해 고구려를 공격했으나 실패하고 회군하였다. 이후 612년 수양제가 112만 명이라는 역사상 최대의 규모의 병력으로 고구려를 침공하여 전쟁이 시작되었다. 을지문덕의 살수대첩으로 고구려가 승리하였으나(612), 수양제는 613년과 614년에 고구려를 다시 공격하였다.

③ 광개토대왕이 신라에 쳐들어 온 왜군을 물리친 때는 영락 10년(400년)이다.

④ 618년 수나라의 멸망으로 중원 지역은 혼란에 휩싸였지만, 곧이어 당나라가 건국되어 이를 수습하였다. 당나라는 640년대부터 내정이 안정되고, 643년 신라의 구원 요청을 받자, 645년(보장왕 4년) 당태종이 친히 대규모 군사를 이끌고 고구려를 공격하였다. 당나라는 토산(土山)을 축조해 안시성을 압박하고 충차(衝車)와 포석(礮石)과 같은 공성(攻城) 무기를 동원하여 공격하였다. 그러나 안시성은 무너지지 않았다. 1차 공격에서 패퇴한 당은 '소부대를 자주 보내어 그 지방을 피곤하게' 하는 소규모 단위의 기습공격으로 전환하여 다시 고구려를 공격하였다.

03 고대 금석문

01 4세기 후반에서 5세기 전반까지 신라와 고구려의 관계를 알려주는 유물로 가장 적절한 것은?

ㄱ	ㄴ	ㄷ	ㄹ
임신서기석	호우총 호우명 그릇	창녕 신라 진흥왕척경비	연가 7년명 금동여래입상

① ㄱ
② ㄴ
③ ㄷ
④ ㄹ

해설   정답 ②

4세기 후반에서 5세기 전반까지 '신라'의 왕은 내물 마립간(재위 356~402), 눌지 마립간(재위 417~458)이고, '고구려'의 왕은 소수림왕(재위 371~384), 광개토대왕(재위 391~412), 장수왕(재위 413~491)이다. 이 시기에 신라는 고구려의 영향력 아래에 있었다. 이것을 알려주는 대표적인 유물은 경주 호우총에서 발굴된 호우명 그릇이다.

② 4세기 후반에서 5세기 전반의 고구려와 신라의 관계(종속적 관계, 정치적 영향을 받는 관계)를 알려주는 유물은 호우명 그릇, 광개토대왕릉비, 중원 고구려비이다.

02 다음 자료에 나타난 왕의 밑줄 친 행동으로 인해 나타난 결과로 가장 옳은 것은?

왕이 평양을 살피고자 내려오시니 신라가 사신을 보내어 말하였다. '왜인들이 가득히 몰려와 성을 부숩니다. 이 종은 왕의 백성으로 도와주시기를 바라옵니다.' …… 남거성부터 신라성까지 왜가 가득하더니 왕의 군대가 이르자 왜적이 도망을 쳤다. 도망하는 뒤를 급히 쫓아서 임나가라까지 따라가 공격을 하니 항복하였다.   ○○○ 왕비

① 신라에 병부가 설치되었다.
② 고구려가 낙랑군을 축출하였다.
③ 백제의 국호가 남부여로 바뀌었다.
④ 금관가야 중심의 전기 가야 연맹이 무너졌다.

해설 　　　　　　　　　　　　　　　　　　　　　　　　　　　　　　　정답 ④

제시된 자료의 밑줄 친 부분은 광개토대왕릉 비문의 영락 10년(400년) 기사 중 '임나가라의 종발성'에 이르렀다는 표현을 간략한 문장으로 해석한 것이다. 신라에 쳐들어온 왜구를 격퇴하다가, 가야에까지 이른 광개토대왕의 군대로 인하여 전장이 된 금관가야 지역이 쇠퇴하기 시작하였다. 이로 인해 금관가야가 맹주였던 전기 가야 연맹이 무너지게 되었다.

명호샘의 **한마디!!**

'400년(영락 10년)에 5만 군사를 보냄'은 다음과 같은 여러 가지 의미로 시험에 출제된다.

1. 고구려의 광개토대왕이 신라의 내물 마립간을 구원하였다.
2. 가야 연맹에 포함되어 있던 소국들이 이탈하여 금관가야가 크게 약화되었다. ○ 2005 대구시 9급
3. 신라 영토 내에 고구려 군대가 주둔함으로써 신라는 고구려의 정치적 영향력을 받게 되었다.
4. 고구려가 신라에 정치적 영향력을 행사하여(고구려가 신라에 내정간섭을 강화하여), 신라의 김씨 왕위 세습권이 확립되었다. ○ 2018 국가직 9급
5. (왜구 격퇴 후) 고구려와 신라의 관계를 알 수 있는 대표적인 유물은 호우명 그릇이다.

---

03 다음 ㉠~㉤ 시기에 일어난 사건으로 옳은 것을 [보기]에서 모두 고르면? 　　[2017 국회직 9급]

[보기]

단양적성비 건립	북한산비 건립	창녕비 건립	황초령비 건립

㉠	㉡	㉢	㉣	㉤

[보기]

㉠ 신라가 김해 지역의 금관가야를 정복하였다.
㉡ 백제의 왕이 관산성전투에서 전사하였다.
㉢ 신라가 고령 지역의 대가야를 정복하였다.
㉣ 고구려가 천리장성을 완공하였다.
㉤ 신라의 거칠부가 「국사」를 편찬하였다.

① ㉠, ㉡　　　　　　　　　　　　② ㉠, ㉢

③ ㉡, ㉤　　　　　　　　　　　　④ ㉢, ㉣

⑤ ㉣, ㉤

📖**해설**   정답 ①

진흥왕의 비석이 건립된 시기 뿐만이 아니라, 6세기의 주요 사건의 발생 '연도'를 암기하여야 빨리 풀 수 있는 문제이다.

	단양적성비 (551)		북한산비 (555)		창녕비 (561)		황초령비 (568)	
	↓		↓		↓		↓	
금관가야 정복(532), 거칠부 「국사」(545)	관산성 전투(554)				대가야 정복(562)		천리장성 완공(647)	

04 고구려와 신라의 관계를 다음과 같이 알려주고 있는 삼국 시대의 금석문은?   [2014 국가직 9급]

- 고구려의 군대가 신라 영토에 주둔했던 것으로 이해할 수 있는 기록이 보인다.
- 고구려가 신라의 왕을 호칭할 때 '동이 매금(東夷 寐錦)'이라고 부르고 있다.
- 고구려가 신라의 왕과 신하들에게 의복을 하사하는 의식을 거행한 것으로 보인다.

① 광개토왕비   ② 집안고구려비
③ 중원 고구려비   ④ 영일냉수리비

📖**해설**   정답 ③

중원 고구려비(충주 고구려비)에는 '신라토내당주(新羅土內幢主)'라는 표현이 있다. '당주'란 군사령관을 말하는 것으로, 신라 영토 내에 (고구려의) 군사령관이 있었다는 사실, 즉 고구려 군대가 신라 영토에 주둔하였다는 것을 알 수 있다. 중원 고구려비에는 신라를 낮추어 부르는 '동이매금'이라는 표현도 보이며, 신라의 군주인 '매금'에게 의복을 하사하는 기록도 나타나 있다.

05 삼국 시대 금석문 자료에 대한 설명으로 옳지 않은 것은?   [2014 지방직 9급]

① 호우총 출토 청동 호우의 존재를 통해 신라와 고구려 관계를 살펴볼 수 있다.
② 사택지적비를 통해 당시 백제가 도가(道家)에 대한 이해를 하고 있었음을 알 수 있다.
③ 울진 봉평리 신라비를 통해 신라가 동해안의 북쪽 방면으로 세력을 확장하였음을 알 수 있다.
④ 충주 고구려비(중원 고구려비)를 통해 신라가 고구려에게 자신을 '동이(東夷)'라고 낮추어 표현했음을 알 수 있다.

📖**해설**   정답 ④

충주 고구려비에는 '12월 23일 갑인에 동이매금(東夷寐錦)의 상하가 우벌성에 와서 교를 내렸다'고 하여 '동이'라는 표현이 명시되어 있다. 이것은 고구려가 스스로를 천하의 중심으로 보고, 신라는 동쪽 오랑캐라는 의미를 담아 쓴 말이다. 즉 고구려가 신라의 왕을 격하하여 부른 것이지, 신라가 스스로를 낮추어 표현한 것은 아니다.
① '청동 호우'란 호우명 그릇을 말한다. 이를 통해 신라와 고구려가 외교적으로 밀접한 관계에 있었음을 알 수 있다.
② 사택지적비는 백제의 마지막 왕인 의자왕 때 사택지적이라는 사람이 늙어 가는 것을 탄식하며 세운 비석이다. 불교적 요소뿐만이 아니라, 노장 사상ㆍ인생 무상의 내용이 담긴 것으로 보아 당시 백제가 도가(道家)에 대한 이해를 하고 있었음을 알 수 있다.
③ 법흥왕 때 세워진 울진 봉평 신라비를 통해 법흥왕의 율령 반포 사실, 노인법의 존재, 왕의 소속부 명칭 등 많은 정보를 알 수 있다. 특히 이것이 '울진' 지역에 세워졌다는 것은 울진 지역(동해안의 북쪽 방면)이 신라의 영토로 편입된 후 세워졌음을 알 수 있다.

06 신라 진흥왕은 신라의 국토를 크게 확장했다. 그것은 현지인들의 도움을 받았기에 가능했다. 진흥왕은 새로 정복한 지역에 5개의 비문을 남긴 것이 확인된다. 그 가운데 현지인들의 공을 치하하는 비문도 있다. 다음의 내용과 관련이 있는 비문은? [2010 경찰]

> 이때에 이곳 출신의 야이차(也爾次)에게 교(敎)하시기를 … 중에 옳은 일을 하는데 힘을 쓰다 가 죽게 되었으므로 이 까닭으로 이후 그의 처(妻)인 삼(三) … 에게는 … 이(利)를 허(許)하였 다. 랴… 교(敎)하기를 이후로부터 나라 가운데에 야이차(也爾次)와 같이 옳은 일을 하여 힘을 쓰고 다른 사람으로 하여금 일하게 한다면 만약 그가 아들을 낳건 딸을 낳건 나이가 적건 (많건) 대를 이어 포상하리라.

① 북한산비　　② 황초령비
③ 마운령비　　④ 단양적성비

해설 　　정답 ④
'야이차'는 단양 적성의 토착민으로서 진흥왕이 이 지역을 공략하였을 때, 진흥왕을 도운 공로로 포상을 받았다. 이와 관련된 비석은 단양적성비이다.

07 다음은 신라에서 세운 비석들이다. 이에 대한 설명으로 옳은 것은? [2012 경찰간부]

> ㉠ 북한산비　　㉡ 울진봉평비
> ㉢ 단양적성비　　㉣ 영일냉수리비

① ㉠은 네 비석 가운데 가장 늦게 세워졌다.
② ㉡은 진흥왕대에 동해안 방면으로 북진하면서 세운 것이다.
③ ㉢은 지방민들 사이에 벌어진 재산 분쟁에 대한 처결 내용을 적은 것이다.
④ ㉣은 인근 지역 산성에서 일어난 화재 사건의 책임자를 처벌하는 내용을 담고 있다.

해설 　　정답 ①
네 비석의 건립 순서는 ㉣ 영일냉수리비(503, 지증왕 때), ㉡ 울진봉평비(524, 법흥왕 때), ㉢ 단양적성비(551, 진흥왕 때), ㉠ 북한산비(555, 진흥왕 때)이다.
② 울진봉평비는 경상북도 울진군에서 발견된 법흥왕 때의 비석이다. 진흥왕대에 동해안 방면으로 북진하면서 세운 비석은 황초령비(568)와 마운령비(568)이다.
③ 재산 분쟁에 대한 처결(판결) 내용이 담겨 있는 비석은 포항 중성리 신라비(501, 지증왕 때)와 영일냉수리비이다.
④ 해당 지역의 중대 사건(화재 사건)의 책임자를 처벌한 기록은 울진봉평비에 나타난다.

08 다음 풍속이 행해진 나라의 중심지와 가장 가까운 곳에 위치하였던 문화유산으로 옳은 것은?

[2018 국가직 7급]

> 이곳 사람들은 시체를 가매장했다가 썩은 뒤에 다시 뼈만 추려서 큰 목곽에 넣는다. 가족들의 시신도 모두 여기에 합장했으며, 죽은 사람의 모습을 닮은 인형을 만들어 목곽 옆에 두었다.
>
> ➡『삼국지』

① 창녕비

② 황초령비

③ 사택지적비

④ 충주 고구려비

해설   정답 ②

'시체를 가매장했다가 썩은 뒤에 다시 뼈만 추려서 큰 목곽에 넣는' 가족공동무덤의 장례 풍습을 가지고 있던 나라는 옥저이다. 옥저의 위치는 다음과 같다.

> 동옥저(東沃沮)는 고구려 개마대산(蓋馬大山)의 동쪽에 있는데, 큰 바닷가에 접해 산다. 그 지형은 동북 방향은 좁고 서남 방향은 길어서 천 리 정도나 된다. 북쪽은 읍루(挹婁)・부여(夫餘), 남쪽은 예맥(濊貊)과 맞닿아 있다. 호수(戶數)는 5,000호(戶)이다. 대군왕(大君王)은 없으며 읍락(邑落)에 각각 대를 잇는 우두머리[長帥]가 있다.
>
> ➡『삼국지』 권30, 「위서」 30 오환선비동이전

『삼국지』 동이전에서 옥저는 동옥저(東沃沮)로 나온다. 사료에 기술된 것처럼 동옥저는 큰 바닷가, 즉 동해안을 중심으로 북쪽으로 읍루(挹婁)와 부여(夫餘), 남쪽으로 예맥(濊貊)과 접하면서 남북으로 길게 펼쳐져 있었다. <u>옥저는 남쪽의 함흥(咸興) 지역과 북쪽의 훈춘(琿春) 지역에 각각의 중심지가 있었다.</u>

② 황초령비는 신라 진흥왕이 568년(진흥왕 29년) 황초령(黃草嶺)에 건립한 순수비이다. 황초령비는 현재의 함경남도 함주군 하기천면 진흥리에서 발견되었는데, 1852년(철종 3년)에 당시 함경도관찰사 윤정현이 비를 보호하기 위해 황초령 정상의 원 위치에서 고개 남쪽인 중령진(中嶺鎭) 부근, 즉 하기천면 진흥리로 옮겨 비각(碑閣)을 세운 것이다. 이곳은 과거에 옥저 땅이었다.

① 창녕비는 경상남도 창녕군에 있다.

③ 사택지적비는 충청남도 부여군 부여읍 관북리 도로변에서 발견되었다.

④ 충주 고구려비(중원 고구려비)는 충청북도 충주시에 있다.

09 밑줄 친 '두 사람'이 살았던 나라의 교육문화에 대한 설명으로 적절하지 않은 것은?

[2012 지방직 9급]

> 임신년 6월 16일에 <u>두 사람</u>이 함께 맹세하여 쓴다. 지금부터 3년 후에 충도(忠道)를 지키고 허물이 없게 할 것을 하늘 앞에 맹세한다. 만일 이 서약을 어기면 하늘에 큰 죄를 짓는 것이라고 맹세한다. 또한 신미년 7월 22일에 크게 맹세한 바 있다. 곧 시경(詩經), 상서(尚書), 예기(禮記), 춘추전(春秋傳)을 3년 안에 차례로 습득하겠다고 하였다.

① 유교 경전을 통하여 유학을 공부하였다.

② 경당에서 유교와 활쏘기 등 무예를 배웠다.

③ 원광법사가 제정한 세속오계의 윤리를 배웠다.

④ 화랑도에 소속되어 산천을 돌아다니며 심신을 연마하기도 하였다.

해설 　　　　　　　　　　　　　　　　　　　　　　　　　　정답 ②

자료는 임신서기석(612, 진평왕 때)의 비문이다. 화랑으로 보이는 청년 두 사람이 유교 경전 연마와 그 실천에 관해 서약한 기록이다. 이는 세속오계 중 교우이신(交友以信)을 연상시킨다. 이 자료에서는 시경(詩經), 상서(尙書), 예기(禮記) 등 신라 국학의 중요한 유학 교과목에 대한 공부의 결의가 보인다.

② 경당은 고구려의 '지방의 사학기관'으로서, 이곳에서 평민 자제들이 한학과 무술을 배웠다.

10 다음 문화재와 이를 통해 알 수 있는 내용의 연결이 옳지 않은 것은? 　　　[2023 지방직 9급]

① 사택지적비 ─ 백제가 영산강 유역까지 영역을 확장하였다.

② 임신서기석 ─ 신라에서 청년들이 유교 경전을 공부하였다.

③ 충주 고구려비 ─ 고구려가 5세기에 남한강 유역까지 진출하였다.

④ 호우명 그릇 ─ 5세기 초 고구려와 신라가 밀접한 관계를 맺고 있었다.

해설 　　　　　　　　　　　　　　　　　　　　　　　　　　정답 ①

사택지적비는 백제 의자왕 때의 귀족 사택지적이 사람이 늙어 가는 것을 탄식하며, 불교에 귀의하고 불당을 건립하였다는 내용의 비석이다.

② 임신서기석은 화랑으로 보이는 청년 두 사람의 유교 경전 연마와 그 실천에 관한 서약(공부와 인격 도야에 관한 맹세)을 새긴 비석이다. 이를 통해 신라에서 청년들이 유교 경전을 공부하였음을 알 수 있다.

③ 충주 고구려비(중원 고구려비)는 고구려의 장수왕이 남한강 유역까지 진출하였음을 보여준다. 장수왕은 죽령 일대에서 남양만(아산만)을 연결하는 선까지 그 판도를 넓혔다.

④ 호우명 그릇은 경주 호우총에서 발견된 유물로서, 이를 통해 고구려와 신라가 밀접한 관계를 맺고 있었음을 알 수 있다.

04 가야

01 (가) 국가에 대한 설명으로 가장 옳지 않은 것은?

[2024 법원직 9급]

> 김해 · 고령 등 __(가)__ 고분군 7곳, 유네스코 세계 문화 유산 됐다.
>
> 유네스코 "고대 문명의 주요 증거"
>
> 한반도 남부에 남아 있는 유적 7곳을 묶은 고분군이 유네스코 세계 문화 유산 됐다. …
> __(가)__ 은/는 기원 전후부터 562년까지 주로 낙동강 유역을 중심으로 번성한 작은 나라들의
> 총칭이다.
>
> ▶ 20××. 9. 18. □□ 일보

① 낙동강 하류의 변한 지역에서 성장하였다.

② 철기를 활발히 생산하여 주변국에 수출하였다.

③ 골품에 따라 관등이나 관직 승진에 제한이 있었다.

④ 금관가야를 중심으로 전기 가야 연맹이 결성되었다.

해설 정답 ③

김해, 고령 등의 고분군이 유네스코 세계 문화유산으로 등재되었고, 기원 전후부터 562년까지 낙동강 유역을 중심으로 번성한 (가) 국가는 '가야'이다.

① 기원후 42년, 김해를 중심으로 한 낙동강 유역 일대에 김수로에 의해 금관가야가 건국되었다. 철기 문화와 농경이 발달한 낙동강 하류의 옛 변한 지역에서 성장한 여러 소국들은 3세기경 금관가야를 중심으로 연맹 왕국을 이루었다. 가야의 여러 나라들은 주로 낙동강 하류 및 그 지류인 남강 주변에 위치하여 수상교통을 활발히 이용하였다.

②, ④ 금관가야를 중심으로 하는 전기 가야 연맹 시기에는 풍부한 철 생산과 해상 교통을 이용하여 낙랑과 왜의 규슈 지방을 연결하는 중계무역이 발달하였다. 가야는 철기를 활발히 생산하여 철제 무기와 갑옷 등을 만들었으며, 덩이쇠를 일본에 수출하기도 하였다.

③ 골품에 따라 관등이나 관직 승진에 제한이 있었던 나라는 신라이다.

02 [보기]에서 밑줄 친 '이 나라'에 대한 설명으로 가장 옳은 것은?

> **[보기]**
>
> 천지가 개벽한 뒤로 이곳에는 아직 나라가 없고 또한 왕과 신하도 없었다. 단지 아홉 추장이 각기 백성을 거느리고 농사를 지으며 살았다. …… 아홉 추장과 사람들이 노래하고 춤추면서 하늘을 보니 얼마 뒤 자주색 줄이 하늘로부터 내려와서 땅에 닿았다. 줄 끝을 찾아보니 붉은 보자기에 금빛 상자가 싸여 있었다. 상자를 열어 보니 황금색 알 여섯 개가 있었다. …… 열 사흘째 날 아침에 다시 모여 상자를 열어 보니 여섯 알이 어린아이가 되어 있었다. 용모가 뛰어나고 바로 앉았다. 아이들이 나날이 자라 십수 일이 지나니 키가 9척이나 되었다. 얼굴은 한고조, 눈썹은 당의 요임금, 눈동자는 우의 순임금과 같았다. 그달 보름에 맏이를 왕위에 추대하였는데, 그가 곧 <u>이 나라</u>의 왕이다.
>
> ◑ 『삼국유사』

① 중국 동진으로부터 불교를 받아들여 왕실의 권위를 높였다.

② 재상을 뽑을 때 정사암에 후보 이름을 써서 넣은 상자를 봉해두었다.

③ 큰일이 있을 때에는 반드시 화백제도를 통해 여러 사람의 의견을 따랐다.

④ 철기를 만들 때 사용하는 덩이쇠를 화폐와 같은 교환 수단으로 이용하기도 하였다.

해설

정답 ④

제시된 자료는 『삼국유사』「가락국기(駕洛國記)」의 김수로왕 신화이다. "아홉 추장"이란 아도간(我刀干)·여도간(汝刀干)·피도간(彼刀干)·오도간(五刀干)·유수간(留水干)·유천간(留天干)·신천간(神天干)·오천간(五天干)·신귀간(神鬼干) 등 아홉 간(干)을 말한다. 이 9간이 발견한 '황금색 알 여섯 개'가 어린 아이가 되어 있었는데, 그 중 맏이가 수로(首露)였다. 즉 '이 나라'는 '가야'이다.

④ 가야는 <u>덩이쇠를 화폐로 사용하였고</u>, ◑ 2015 기상직 9급, 2014 서울지방직 한국문화사 <u>해상 교역을 통해 우수한 철을 수출하였다.</u> ◑ 2021 지방직 9급

① 백제는 중국 동진으로부터 불교를 받아들여 왕실의 권위를 높였다.

② 백제는 재상을 뽑을 때 정사암에 후보 이름을 써서 넣은 상자를 봉해두었다.

> '백제'의 호암사에는 정사암이란 바위가 있다. 나라에서 장차 재상을 의논할 때에 뽑을 후보 서너 명의 이름을 써서 상자에 넣고 봉해서 바위 위에 두었다. 얼마 후에 열어 보고 이름 위에 도장이 찍힌 자국이 있는 사람을 재상으로 삼았다. 이런 까닭에 정사암이라 했다. ◑ 『삼국유사』 ◑ 2024 지방직 9급

③ 신라는 큰일이 있을 때에는 반드시 화백제도를 통해 여러 사람의 의견을 따랐다.

03 밑줄 친 '이 나라'에 대한 설명으로 옳지 않은 것은?

[2017 국가직 7급]

> 시조는 이진아시왕이다. 그로부터 도설지왕까지 대략 16대 520년이다. 최치원이 지은 「석이
> 정전」을 살펴보면, 가야산신 정견모주가 천신 이비가지에게 감응되어 이 나라 왕 뇌질주일과
> 금관국왕 뇌질청예 두 사람을 낳았는데, 뇌질주일은 곧 이진아시왕의 별칭이고 뇌질청예는
> 수로왕의 별칭이라고 한다.
> ❯ 「신증동국여지승람」

① 5세기 후반부터 급성장해 가야의 주도 세력이 되었다.

② 고령의 지산동 고분군을 대표적 문화유산으로 남겼다.

③ 시조는 아유타국에서 온 공주와 혼인을 하였다고 전한다.

④ 전성기에는 지금의 전라북도 일부 지역까지 세력을 확장하였다.

🔍 **해설** 　　　　　　　　　　　　　　　　　　　　　　　　　　　　정답 ③

가야의 건국 신화는 두 종류가 있는데, 고려 문종 때 금관지주사가 찬술한 「가락국기」에 김해 가락국 수로왕(首露王) 신화가
전하고, 신라 말기 최치원이 찬술한 「석이정전」에 고령 대가야국 이진아시왕(伊珍阿鼓王) 신화가 전하고 있다. 제시된 자료
는 「석이정전」의 가야신화에 대한 설명으로, '이 나라'는 '대가야'를 말한다.

① 대가야는 5세기 후반부터 급성장해 가야의 주도 세력이 되었다. 고령의 대가야 중심으로 재편된 이 시기의 가야를 후기
가야 연맹이라 한다.

② 대가야의 중심 지역은 '고령'이다. 대가야의 유적으로는 고령 지산동 유적, 고령 지산동 유적이 있는데, 이 중 고령 지산동
은 고분군은 대표적 문화유산으로 손꼽힌다. 2012년 경찰간부 시험에서는 '이 나라(대가야)'의 '왕릉급 고분이 밀집된
고분군의 이름'을 물었고, 답은 역시 '고령 지산동 고분군'이었다.

④ 대가야는 전기 가야 연맹 시기에도 있었으나, 후기 가야 연맹에 들어 가야 연맹의 '맹주'가 되었으므로, 대가야의 '전성기'
란 후기 가야 연맹이 시작된 5세기 후반 이후로 보면 되겠다. 대가야는 후기 가야 연맹의 맹주가 된 이후 소백산맥 서쪽까
지 진출하여 전라북도 일부 지역까지 세력을 확장하였다.

③ 「가락국기(駕洛國記)」에 "동한(東漢) 건무(建武) 24년에 가락의 허 황후(許皇后)가 아유타국(阿踰陀國)으로부터 바다
를 건너올 때에 붉은 돛과 진홍색 깃발이 북쪽을 가리켰다. 수로왕이 궁궐 서쪽에 휘장으로 된 임시 궁궐을 설치하고
기다렸다. 황후가 도착하자 맞이하여 함께 수레를 타고 궁궐에 들어가서 황후에 봉하였다."는 기록이 있다. 여기에서
'아유타국'이란 지금의 인도를 말한다. '아유타국에서 온 공주'는 수로왕과 결혼한 허황후이므로, 이것은 '금관가야'에
대한 설명이다.

> "저는 아유타국의 공주로 성은 허이고 이름은 황옥이며 나이는 16살입니다. 본국에 있을 때 금년 5월에 부왕과
> 모후께서 저에게 말씀하시기를, '우리가 어젯밤 꿈에 함께 황천을 뵈었는데 , 황천은 가락국의 왕 수로라는 자
> 는 하늘이 내려 보내서 왕위에 오르게 하였으니 곧 신령스럽고 성스러운 것이 이 사람이다. 또 나라를 새로 다스
> 림에 있어 아직 배필을 정하지 못했으니 경들은 공주를 보내서 그 배필을 삼게 하라 하고, 말을 마치자 하늘로
> 올라갔다. 꿈을 깬 뒤에도 황천의 말이 아직도 귓가에 그대로 남아 있으니, 너는 이 자리에서 곧 부모를 작별하
> 고 그곳을 향해 떠나라'라고 하였습니다. 저는 배를 타고 멀리 증조를 찾고, 하늘로 가서 반도를 찾아 이제 아름
> 다운 모습으로 용안을 가까이하게 되었습니다."
> ❯ 2019 기상직 9급

04 밑줄 친 '인물'과 관련된 나라에 대한 설명으로 옳은 것은? [2021 경찰간부]

> <u>김구해</u>가 왕비와 세 아들과 함께 나라 창고의 보물을 가지고 투항하였다. 왕이 그를 예로 대우하여 상등의 위를 주고 본국을 식읍으로 삼게 했다. ◐「삼국사기」

> 가. 중국 남조와 교류하였다.
> 나. 진흥왕대에 신라로 병합되었다.
> 다. 광개토대왕의 공격으로 큰 타격을 입었다.
> 라. 이 나라의 지배층 무덤으로 지산동 고분군이 유명하다.
> 마. 5세기 말에는 전라북도 일부 지역까지 세력을 확장하였다.

① 0개 ② 1개
③ 2개 ④ 3개

해설 정답 ②

'김구해'는 금관가야(금관국)의 왕으로, 법흥왕에게 투항하였다. 이것이 금관가야 멸망이다(532). 금관가야는 신라에 쳐들어온 왜구를 격퇴한 '광개토대왕의 공격으로 큰 타격'을 입었다. 옳은 설명은 '다' 뿐이다.

가. 중국 남조와 교류하였다. → 백제(무령왕, 성왕)
나. 진흥왕대에 신라로 병합되었다. → 대가야
라. 이 나라의 지배층 무덤으로 지산동 고분군이 유명하다. → 대가야
마. 5세기 말에는 전라북도 일부 지역까지 세력을 확장하였다. → 대가야

구 분	금관가야	대가야
의 의	전기가야 연맹의 맹주	후기가야 연맹의 맹주
특 징	• 수상교통·해상교통(중계무역) • 김수로(뇌질청예) • 허왕후(아유타국 공주) • 구지봉 전설(구지가)	• 신라 법흥왕과 결혼동맹(522) • 소백산맥 서쪽까지 진출(전북까지 확장) • 이진아시왕(뇌질주일)
대표 유적지	김해 대성동	고령 지산동, 고령 고아동
쇠퇴 배경	광개토대왕의 공격	−
멸 망	신라 법흥왕 때(532) − 김구해 항복	신라 진흥왕 때(562) − 이사부 공격

05 밑줄 친 '가라(가야)국'에 대한 설명으로 옳은 것은? [2017 지방직 7급]

> 진흥왕이 이찬 이사부에게 명하여 <u>가라(가야라고도 한다)국</u>을 공격하도록 하였다. 이때 사다
> 함은 나이 15, 6세였음에도 종군하기를 청하였다. 왕이 나이가 아직 어리다 하여 허락하지
> 않았으나, 여러 번 진심으로 청하고 뜻이 확고하였으므로 드디어 귀당 비장으로 삼았다. …
> 그 나라 사람들이 뜻밖에 군사가 쳐들어오는 것을 보고 놀라 막지 못하였으므로 대군이 승세
> 를 타고 마침내 그 나라를 멸망시켰다.   ◐「삼국사기」

① 시조는 수로왕이며 구지봉 전설이 있다.

② 나라가 망할 즈음 우륵이 가야금을 가지고 신라로 들어갔다.

③ 낙동강 하류에 도읍하고 해상 교역을 중계하였다.

④ 국주(國主) 김구해가 항복하자 신라왕이 본국을 식읍으로 주었다.

해설   정답 ②

진흥왕의 명령에 따라 이찬 이사부가 공격하고 사다함이 도와서 정복한 '가야국'은 대가야이다. '가야'라는 명칭을 직접적으
로 제시하였지만 '가야' 전체에 대한 문제가 아니라, 금관가야와 대가야를 구분하라는 문제이다.

② <u>가야 출신의 우륵에 의해 가야금이 신라에 전파되었다.</u> ◐ 2019 지방직 9급 우륵은 대가야의 음악가로서 가야 음악 12곡
을 지었는데, 대가야가 멸망하기 직전인 신라 진흥왕 때 가야금을 가지고 신라에 투항하였다. 그는 국원소경(충주)에서
여러 제자를 길러 가야의 음악을 신라에 전하는 데에 이바지하였다.

> • 진흥왕 12년, 봄 정월에 연호를 개국(開國)으로 바꾸었다. 3월에 왕이 순행하다가 성(娘城)에 이르러, 우륵과
>   그의 제자 이문이 음악을 잘한다는 말을 듣고 그들을 특별히 불렀다.
> • 진흥왕 13년, 왕이 계고, 법지, 만덕 세 사람을 시켜 우륵에게 음악을 배우게 하였다. 우륵이 계고에게 가야금
>   을, 법지에게 노래를, 만덕에게 춤을 가르쳤다.   ◐「삼국사기」

①, ③, ④ 시조가 수로왕이며, 구지봉 전설과 관련이 있고, 낙동강 하류(김해 지역)에 도읍하고, 왜와 낙랑 사이에 해상 교역
을 중계하였으며, 김구해가 항복하자 신라 법흥왕이 본국을 식읍으로 준 나라는 '금관가야'이다.

04 남북국 시대(통일신라, 발해)

이명호 한국사 기출로 적중

01 통일신라

01 삼국 통일

01 (가) 시기에 해당되는 사실로 옳은 것만을 [보기]에서 모두 고르면?

[2018 지방직 9급]

```
┌─────────────────────────────────────────┐
│        문무왕이 왕위에 올랐다.              │
└─────────────────────────────────────────┘
                    ↓
┌─────────────────────────────────────────┐
│                 (가)                      │
└─────────────────────────────────────────┘
                    ↓
┌─────────────────────────────────────────┐
│    신라가 기벌포에서 당의 수군을 격파하였다.  │
└─────────────────────────────────────────┘
```

```
┌─────────────────────────────────────────┐
│                 [보기]                    │
│ ㉠ 신라가 안승을 고구려왕에 봉했다.          │
│ ㉡ 당나라가 신라를 계림대도독부로 삼았다.     │
│ ㉢ 신라가 황산벌 전투에서 백제군을 무찔렀다.   │
│ ㉣ 보장왕이 요동 지역에서 고구려 부흥을 꾀했다. │
└─────────────────────────────────────────┘
```

① ㉠, ㉡   ② ㉠, ㉢

③ ㉡, ㉣   ④ ㉢, ㉣

해설

정답 ①

당이 한반도에 설치한 웅진 도독부(660), 계림 대도독부(663), 안동 도호부(668)의 연도 및 문무왕의 재위 기간(661~681)도 명확히 알아두기 바란다.

- ㉢ 김유신이 이끄는 신라군은 황산벌 전투에서 계백이 이끄는 백제군을 무찔렀다(660). ● 2018 계리직 9급 이때 신라의 관창이 전사하였다. ● 2018 경찰간부 이로 인해 백제가 멸망하고 당은 이 지역에 웅진 도독부를 설치하였다(660).

↓

- 문무왕이 왕위에 올랐다(661).

↓

> • ⓒ 당나라가 신라를 계림대도독부로 삼고(663), 문무왕을 계림주 대도독으로 삼았다.
> • 고구려 멸망 직후 당은 평양에 안동 도호부를 설치하였다(668).
> • ⓒ 신라가 안승을 고구려왕에 봉했고(670), 이후 보덕왕으로 다시 봉하였다(674). 고구려 부흥 운동으로 인해 당은 안동 도호부를 요동 지역으로 옮겨야 했다.

↓

> • 신라가 기벌포에서 당의 수군을 격파하였다(676). 이로 인해 당군을 축출하였다.

↓

> • 당은 안동 도호부가 있는 요동 지역에서 보장왕을 요동 도독으로 삼아 고구려인들의 자치를 허용하였다. ⓒ 보장왕은 이 틈을 타 요동 지역에서 고구려 부흥을 꾀했다(677).

02 ㉠, ㉡에 들어갈 사건이 옳게 연결된 것은?

[2021 경찰]

① ㉠ – 웅진 도독부 설치　　㉡ – 백강 전투
② ㉠ – 계림 도독부 설치　　㉡ – 안동 도호부 설치
③ ㉠ – 황산벌 전투　　　　㉡ – 안승 보덕국왕에 임명
④ ㉠ – 천리장성 완공　　　㉡ – 연개소문 사망

해설

정답 ①

문제에서 언급된 사건을 순서대로 나열하면 다음과 같다.

• 연개소문이 부여성에서 비사성에 이르는 천리장성을 축조하였다(631~647).	
• 진덕여왕 때 나·당 동맹이 체결되었다(648).	
㉠	황산벌에서 백제군은 신라군에게 크게 패배하였다(660).
	나·당 동맹(연합군)이 사비성을 점령한 후, 그 자리에 웅진 도독부를 설치하였다(660).
• 백제 멸망에 큰 공을 세운 법민(法敏), 즉 문무왕이 즉위하였다(661).	
㉡	당나라가 신라에 계림 도독부를 설치하고, 문무왕을 계림주 대도독으로 삼았다(663).
	백제 부흥군은 왜의 수군을 지원 받아 나·당 연합군과 싸웠으나 백강 전투에서 크게 패배하였다(663).
• 취리산에서 당나라의 유인원이 입회한 가운데 신라의 문무왕과 백제 왕자 부여 융 사이에 취리산 회맹이 맺어졌다(665).	
• 연개소문이 사망하였다(665/666).	
• 고구려 멸망 직후 당나라는 평양에 안동 도호부를 설치하였다(668).	
• 문무왕은 안승을 보덕국왕에 임명하였다(674).	

03 [보기 1]과 [보기 2] 사이에 일어난 사건으로 가장 옳은 것은?

[2018 서울시 7급]

[보기 1]

7월 9일 김유신 등이 황산 들판으로 진군하였다. 백제 장군 계백이 병사를 거느리고 와서 먼저 험한 곳을 차지하여 세 군데에 진을 치고 기다렸다. 유신 등이 병사를 세 길로 나누어 네 번 싸웠으나 이기지 못하였다. 장수와 병졸들의 힘이 다하자, 장군 흠순이 아들 반굴에게 말하였다. 신하에게는 충성만 한 것이 없고, 자식에게는 효도만 한 것이 없다. 이렇게 위급할 때 목숨을 바친다면 충과 효 두 가지를 다하게 된다. 반굴이 명을 받들겠습니다. 하고 곧장 적진에 뛰어들어 힘을 다해 싸우다 죽었다.

[보기 2]

고구려 대신 연정토(淵淨土)가 12성 763호 3,543명을 이끌고 투항하였다. 연정토 및 함께 온 관리 24명에게 의복과 식량과 집을 주고 서울과 주(州)·부(府)에 안주시켰다. 12성 중 8성은 온전했으므로 군사를 보내 지키도록 하였다.

---

① 고구려에서 연개소문이 정변을 일으켜 정권을 잡았다.

② 김춘추가 당에 가서 백제 정벌을 위한 군사 지원을 요청했다.

③ 당이 신라왕을 계림주 대도독으로 임명하였다.

④ 검모잠이 안승을 받들고 고구려 부흥을 도모하였다.

해설 　　　　　　　　　　　　　　　　　　　　　　　　　　　　　　정답 ③

[보기 1]은 황산벌 전투(660)이고, [보기 2]는 연정토의 투항(666)이다. [보기 1]과 [보기 2] 사이에 당이 신라의 문무왕을 계림주 대도독으로 임명하였다(663). (참고: 같은 해에 흑치상지가 당으로 건너가 관직생활을 하였으며, 백강 전투에서 나당연합군이 승리하였다.)

① 연개소문의 가문이 병권을 장악하며 세력을 키워가자 영류왕이 연개소문을 제거하려고 하였다. 이를 눈치챈 연개소문이 평양성 남쪽 성밖에서 정변을 일으켜 귀족들을 죽였다. 왕궁에 돌입하여 영류왕을 시해하고 보장왕을 세웠다(642).

② 진덕왕 2년, 김춘추가 당나라에 사신으로 가서 당나라와 군사 동맹을 맺었다(648).

④ 검모잠이 고구려 부흥을 위해 안승을 받들고 거병하여(669), 그 이듬해 초에는 평양을 점령하였다(670).

04 밑줄 친 '그'에 대한 설명으로 옳은 것은?

[2022 지방직 9급]

이날 소정방이 부총관 김인문 등과 함께 기벌포에 도착하여 백제 군사와 마주쳤다. …(중략)… 소정방이 신라군이 늦게 왔다는 이유로 군문에서 신라 독군 김문영의 목을 베고자 하니, 그가 군사들 앞에 나아가 "황산 전투를 보지도 않고 늦게 온 것을 이유로 우리를 죄주려 하는구나. 죄도 없이 치욕을 당할 수는 없으니, 결단코 먼저 당나라 군사와 결전을 한 후에 백제를 쳐야겠다."라고 말하였다.

① 살수에서 수의 군대를 물리쳤다.

② 김춘추의 신라 왕위 계승을 지원하였다.

③ 청해진을 설치하고 해상 무역을 전개하였다.

④ 대가야를 정벌하여 낙동강 유역을 확보하였다.

🖋해설 　　　　　　　　　　　　　　　　　　　　　　　　　　　정답 ②

나·당 연합군의 소정방이 기벌포에서 백제군과 싸워 백제군을 멸망시켰다(660). 신라 군대가 늦게 합류하였다고 책망하려고 했으나, 김유신은 황산벌 전투에서 계백이 이끄는 백제군을 섬멸시키고 오느라 늦었을 뿐이었다(660). '황산 전투'를 승리로 이끌었던 '그'는 김유신이다. 김유신은 김춘추가 왕위에 올라 '무열왕'이 될 수 있도록 지원하였다.

① 살수에서 수의 군대를 물리친 인물은 영양왕 때의 을지문덕이다(612).

③ 청해진을 설치하고 해상 무역을 전개한 인물은 흥덕왕 때의 장보고이다(828).

④ 대가야를 정벌하여 낙동강 유역을 확보한 인물은 진흥왕 때의 이사부이다(562).

 명호샘의 한마디!!

김유신(595~673)은 시험에서 다음과 같이 등장한다.

1. (김유신이 이끄는) 신라군은 황산벌 전투에서 계백이 이끄는 백제군을 무찔렀다. ⊙ 2018 계리직 9급
2. (김유신은) 김춘추의 신라 왕위 계승을 지원하였다. ⊙ 2022 지방직 9급
3. (김유신은) 비담, 염종 등이 일으킨 반란을 진압하였다. ⊙ 2019 기상직 9급
4. (김유신은) 금관가야 왕족의 혈통을 이어받았다. ⊙ 2014 경찰간부
5. 김유신 무덤의 호석에는 12지신상이 조각되어 있는데 이는 신라의 특색이다. ⊙ 2018 경찰간부
6. 문무왕 8년(668) 김유신에게 태대각간의 관등을 내리고 식읍 500호를 주었다. ⊙ 2012 지방직 9급
7. 『삼국사기』의 열전에는 김유신을 비롯한 신라인이 편중되었다. ⊙ 2012 지방직 9급

05 (가) 시기에 있었던 사실로 옳은 것은?

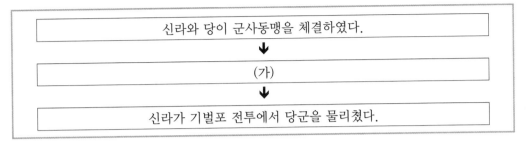

신라와 당이 군사동맹을 체결하였다.
↓
(가)
↓
신라가 기벌포 전투에서 당군을 물리쳤다.

① 진덕 여왕이 신라 고유 연호의 사용을 중단하였다.

② 법흥왕이 율령을 반포하여 백관의 공복을 제정하였다.

③ 의자왕의 군사가 김품석이 성주로 있던 대야성을 함락하였다.

④ 신문왕이 보덕국의 고구려 유민들이 일으킨 반란을 진압하였다.

해설

정답 ①

신라의 법흥왕(514~540)과 진덕여왕(647~654), 무열왕(654~661), 문무왕(661~681), 신문왕(681~692)의 재위 기간 및 백제의 의자왕(641~660) 재위 기간을 고려하여 다음과 같은 사건들의 순서를 파악하여야 한다.

① 신라는 법흥왕 23년(536)에 건원(建元)을 연호로 쓰기 시작하여 개국(開國)·대창(大昌)·홍제(鴻濟)·건복(建福)·건흥(建興)·인평(仁平) 등의 연호를 썼으며, 진덕여왕은 즉위 직후부터 태화(太和)라는 연호를 사용하였다. 그러다가 신라 사신과 당 태종과의 담판 끝에 독자적인 연호를 포기하고 중국의 연호를 쓰기로 한 때가 진덕왕 4년(650)이다. 이때부터 태화(太和)를 버리고 당나라 고종(高宗)의 연호였던 영휘(永徽)를 사용하기 시작하였다.

② 법흥왕이 율령을 반포하여 백관의 공복을 제정하였다(520).
③ 의자왕의 군사가 김품석이 성주로 있던 대야성을 함락하였다(642).

↓

백제의 공격으로 위기에 빠진 신라는 김춘추를 보내 당과 군사동맹을 체결하였다(648, 진덕여왕 2년).

↓

(가)	① 진덕 여왕이 신라 고유 연호의 사용을 중단하였다(650).

↓

신라가 기벌포 전투에서 당군을 물리쳤다(676, 문무왕 16년).

↓

④ 신문왕이 보덕국의 고구려 유민들이 일으킨 반란을 진압하였다(684).

06 (가)와 (나) 사이의 시기에 있었던 사실로 옳은 것은? [2020 국회직 9급]

> (가) 김춘추가 무릎을 꿇고 "…… 만약 폐하께서 당의 군사를 빌려주어 흉악한 것들을 잘라내지 않는다면 …… 산과 바다 건너 행하는 조회도 바랄 수 없을 것입니다."라고 하였다. 태종이 매우 옳다고 여겨서 군사의 출동을 허락하였다.
> (나) 당의 군사가 와서 매소성을 공격하니, 원술이 이를 듣고 죽음으로써 지난번의 치욕을 씻고자 하였다. 드디어 힘껏 싸워서 공을 세워 상을 받았다.

① 대조영이 발해를 건국하였다.
② 백제가 멸망하였다.
③ 신라가 대가야를 병합하였다.
④ 신라에서 녹읍이 폐지되었다.
⑤ 고구려가 살수에서 수의 군대를 격퇴하였다.

해설

정답 ②

(가) 김춘추가 당 태종에게 '군사를 빌려달라'고 요청하고, 당 태종이 허락하는 이 장면은 나·당 동맹을 묘사하고 있다(648).
(나) 당의 군사가 매소성을 공격하다가 결국 패배하였다는 이 장면은 매소성 전투를 묘사하고 있다(675).
① 대조영이 발해를 건국하였다(698).
② 의자왕 때, 백제가 멸망하였다(660).
③ 진흥왕 때, 신라가 대가야를 병합하였다(562).
④ 신문왕 때, 신라에서 녹읍이 폐지되었다(689).
⑤ 영양왕 때, 고구려가 살수에서 수의 군대를 격퇴하였다(612).

07 다음 전투 이후에 일어난 사건으로 옳은 것만을 모두 고르면? [2023 국가직 9급]

> 이근행이 군사 20만 명의 대군을 이끌고 매소성(買肖城)에 머물렀다. 우리 군사가 공격하여 달아나게 하고 전마 30,380필을 얻었는데, 남겨놓은 병장기도 그 정도 되었다.
>
> 『삼국사기』

> ㄱ. 웅진도독부가 설치되었다.
> ㄴ. 김흠돌이 반란을 일으켰다.
> ㄷ. 교육 기관인 국학이 설립되었다.
> ㄹ. 복신과 도침이 부여풍과 함께 백제 부흥 운동을 일으켰다.

① ㄱ, ㄴ
② ㄱ, ㄹ
③ ㄴ, ㄷ
④ ㄷ, ㄹ

정답 ③

해설

제시된 자료는 신라가 당군을 축출한 매소성 전투이다(675). 매소성 전투는 문무왕 때 일어났다.

- ㄴ. 신문왕 때, 김흠돌이 반란을 일으켰다(681).
- ㄷ. 신문왕 때, 교육 기관인 국학이 설립되었다(682).
- ㄱ. 백제가 멸망하고, 웅진도독부가 설치되었다(660).
- ㄹ. 백제가 멸망하고, 복신과 도침이 부여풍과 함께 백제 부흥 운동을 일으켰다(661~663).

08 신라 문무왕의 유언이다. 밑줄 친 ㉠~㉣의 내용과 부합하지 않는 것은? [2018 국가직 9급]

> 과인은 운수가 어지럽고 전쟁을 하여야 하는 때를 만나서 ㉠ 서쪽을 정벌하고 ㉡ 북쪽을 토벌하여 영토를 안정시켰고, ㉢ 배반하는 무리를 토벌하고 ㉣ 협조하는 무리를 불러들여 멀고 가까운 곳을 모두 안정시켰다.
> ▶「삼국사기」

① ㉠ - 태자로서 참전하여 백제를 멸망시켰다.

② ㉡ - 당나라 군대와 함께 고구려를 멸망시켰다.

③ ㉢ - 백제 부흥 운동을 주도한 복신을 공격하였다.

④ ㉣ - 임존성에서 저항하던 지수신의 투항을 받아주었다.

해설

정답 ④

제시된 자료는 681년(문무왕 21년)에 문무왕(661~681)이 죽으면서 남긴 유언이다. 『삼국사기』 신라본기에서 발췌한 자료이다.

> 왕이 남긴 조서는 이러하다. "과인이 어지러운 시운과 전쟁의 때를 만나 서쪽을 치고 북쪽을 정벌하여 강토를 평정했으며, 반역자를 토벌하고 붙좇는 이를 불러들여 마침내 멀고 가까운 곳들이 평안해졌다. 위로는 조종의 끼치신 사랑을 위로 올리고 아래로는 부자의 오랜 원수를 갚았도다. 산 이나 죽은 이 모두에게 두루 상을 추중하고 안팎에 고르게 관작을 나누어 주었으며, 병장기를 녹여 농기구를 만들고 백성들을 어질고 오래 살도록 이끌었다. …(하략)…"
> ▶『삼국사기』

① 문무왕의 입장에서 '서쪽을 정벌'하였다는 것은 분명히 백제를 공격한 사건일 것이다. 문무왕(법민)은 태자로서 참전하여 백제를 멸망시켰다(660).

> (무열왕 7년 6월) 21일에 왕이 태자(太子) 법민(法敏)을 보내 병선(兵船) 100척을 거느리고 덕물도(德物島)에서 소정방을 맞이하였다. 소정방이 법민에게 말하기를, "나는 7월 10일에 백제의 남쪽에 이르러 대왕의 군대와 만나서 의자(義慈)의 도성(都城)을 깨뜨리고자 한다."고 하였다. 법민이 말하기를, "대왕은 지금 대군(大軍)을 초조하게 기다리고 계십니다. 대장군(大將軍)께서 왔다는 것을 들으시면 필시 이부자리에서 새벽 진지를 잡숫고 오실 것입니다." 하였다. 소정방이 기뻐하며 법민을 돌려보내 신라의 병마(兵馬)를 징발케 하였다. 법민이 돌아와서 소정방의 군대 형세가 매우 성대하다고 말하자 왕이 기쁨을 이기지 못하였다.
> ▶『삼국사기』

② 문무왕의 입장에서 '북쪽을 토벌'하였다는 것은 분명히 고구려를 공격한 사건일 것이다. 문무왕은 당나라 군대와 함께 고구려를 멸망시켰다(668).

> (문무왕 8년) 9월 21일에 당나라 군사와 합세해 평양을 에워쌌다. 고구려 왕은 먼저 천남산(泉男産) 등을 보내 영공에게 가서 항복을 요청하게 하였다. 이리하여 영공이 왕 보장과 왕자 복남, 덕남 및 대신 등 20여만 명을 데리고 당으로 돌아갔다. 이때 각간 김인문과 대아찬 조주가 영공을 따라 돌아가고 인태, 의복, 수세, 천광, 흥원도 일행을 따라갔다. 처음에 당나라 군사가 고구려를 평정할 때 왕은 한성을 떠나 평양을 목표로 하여 힐차양에서 머물다가, 당의 여러 장수들이 이미 돌아갔다는 말을 듣고 한성으로 되돌아왔다.
> ▶『삼국사기』

③ 문무왕의 입장에서 백제 및 고구려가 멸망한 이후 '배반하는 무리를 토벌'하였다는 것은 백제의 부흥 운동을 진압하였다는 의미일 것이고, '협조하는 무리를 불러들였다'는 것은 고구려의 부흥 운동을 지원하였다는 의미일 것이다.

> (문무왕 3년) 5월에 영묘사 문에 벼락이 쳤다. 백제의 옛 장수 복신(福信)과 승려 도침이 전왕의 아들 부여풍을 맞이해 왕으로 세우고, 유진랑장 유인원을 웅진성에서 포위하였다. 당 황제가 조서를 내려 유인궤를 검교대방주자사로 삼아 전 도독 왕문도의 병력을 통솔해 우리 군사와 함께 백제 진영으로 향하게 하였다. …(중략)… 왕이 김유신 등 28명의 장군들을 거느리고 그들과 함께 합세해 두릉윤성과 주류성 등 여러 성을 쳐서 모두 함락시켰다.
>
> ○ 『삼국사기』

④ 백제가 망한 후 왕족 복신과 승려 도침이 주류성에 웅거하여 왜에 가 있는 왕자 풍을 맞이하여 왕으로 삼고 왜국과 고구려의 응원을 얻어 백제 부흥 운동을 일으켰다. 지수신 또한 임존성[지금 대흥]에 웅거하여, 의병을 일으키고 남북이 호응하여 여러 번 웅진에 주둔하고 있는 당나라 장군 유인원을 습격하여 그 세력이 매우 강하였다. 그러나 주류성 안에서 지도자 사이에 불화가 일어나, 복신이 도침을 죽이고 풍왕이 복신을 죽인 까닭에, 백강 전투에서 나당 연합군에게 크게 패하여 풍왕(백제왕 부여풍)과 지수신은 고구려로 달아나고(663) ○ 2018 경찰간부 부흥 운동은 4년 만에 실패하였다. 지수신이 문무왕에게 투항하였다는 말도 사실과 다르지만, '협조하는 무리를 불러들여'를 고구려 부흥 운동을 지원한 것으로 이해하는 것이 더욱 중요하다. '협조하는 무리'에 적합한 사건은 보덕국의 건국일 것이다. 674년 문무왕은 안승을 보덕국왕(報德國王)으로 책봉하여 고구려의 부흥운동을 지원하였다.

09 삼국 통일 과정에서 나타난 사건을 순서대로 바르게 나열한 것은?

[2017 서울시 9급]

> (가) 나·당 연합군이 평양성을 함락시켰다.
> (나) 신라가 매소성에서 당군을 크게 물리쳤다.
> (다) 계백의 저항에도 불구하고 사비성이 함락되었다.
> (라) 백제·왜 연합군이 나·당 연합군과 백강에서 전투를 벌였다.

① (나) – (가) – (다) – (라)   ② (나) – (다) – (가) – (라)

③ (다) – (라) – (가) – (나)   ④ (라) – (다) – (가) – (나)

해설

정답 ③

(다) 660년, 계백의 저항에도 불구하고 사비성이 함락되었다.

(라) 663년, 백제·왜 연합군이 나·당 연합군과 백강에서 전투를 벌였다.

(가) 668년, 나·당 연합군이 평양성을 함락시켰다.

(나) 675년, 신라가 매소성에서 당군을 크게 물리쳤다.

02 신라 중대

10 다음 역사적 사실과 관련하여 나타난 정치상의 변화가 아닌 것은?

[2011 사회복지직 9급]

> 진덕왕이 죽자, 여러 신하들이 이찬 알천에게 섭정하기를 청하였다. 알천이 한결같이 사양하며 말하기를, "신은 늙고 이렇다할 만한 덕행도 없습니다. 지금 덕망이 높은 이는 춘추공 만한 자가 없습니다. 실로 가히 빈곤하고 어려운 세상을 도울 영웅호걸입니다." 마침내 (김춘추를) 봉하여 왕으로 삼았다. 김춘추는 세 번 사양하다가 부득이하게 왕위에 올랐다.
>
> ◐「삼국사기」

① 성골 골품이 소멸하였다.

② 이후 진골 출신도 왕이 될 수 있었다.

③ 국왕의 조언자 역할을 하는 상대등의 권한이 강화되었다.

④ 집사부 시랑직에 6두품 출신들이 진출하였다.

해설   정답 ③

신라 상대의 마지막 왕이었던 진덕여왕을 끝으로 성골 출신 왕의 대가 끊기자, 세력 경쟁을 통하여 왕이 선출되어야 하는 상황이었다. 이때 김춘추가 '알천' 등 귀족세력들을 제압하고 왕위에 올라 '무열왕'이 되었다. 자료에 나타난 시기는 상대에서 중대로 넘어갈 때를 말한다.

①, ② 신라 중대에는 성골 골품이 소멸하고, 진골 귀족(특히 무열계 진골)이 왕위에 올랐다.

④ 진덕여왕 때 설치한 집사부가 중대에 왕권을 뒷받침하는 기구로 성장하였다. 6두품은 집사부의 장관인 시중에는 진출할 수 없었지만, 그 아래 직급인 시랑에는 진출할 수 있었다.

11 다음은 어느 역사서의 일부분이다. 밑줄 친 인물의 왕위 재위 기간에 일어난 사실로 가장 적절한 것은?

[2020 경찰]

> "신의 나라가 대국을 섬긴 지 여러 해가 되었습니다. 그러나 백제는 강성하고 교활하여 침략을 일삼아 왔습니다. [중략] 만약 폐하께서 군사를 보내 그 흉악한 무리들을 없애지 않는다면 우리나라 백성은 모두 포로가 될 것입니다. 육로와 수로를 거쳐 섬기러 오는 일도 다시는 기대할 수 없을 것입니다." 태종이 크게 동감하고 군사를 보낼 것을 허락하였다.

① 갈문왕 제도가 사실상 폐지되고 상대등의 권한이 약화되었다.

② 비담과 염종 등 귀족 세력의 반란이 일어났다.

③ 독자적인 연호를 폐지하고 당 고종의 연호를 사용하였다.

④ 자장의 건의로 황룡사 9층 목탑이 축조되었다.

해설   정답 ①

제시된 자료는 진덕왕 2년(648년)에 진덕여왕이 당나라에 김춘추를 보내 군대 지원을 요청하는 장면으로 「삼국사기」 신라 본기에 기록되어 있다. 제시된 자료의 '신'이란 당에 사신으로 파견된 '김춘추'이다.

> 진덕왕 2년 겨울 … 김춘추와 그 아들 문왕을 당나라에 보냈다. 춘추가 무릎을 꿇고 아뢰기를 … "만약 폐하께서 군대를 내어 흉악한 무리를 제거하지 않으면 저희 나라 인민들은 전부 포로가 되고 육·해로를 통해 조공할 방도가 없습니다"하였다. 태종이 깊이 동감하고 군대 지원을 허락하였다.   ◐「삼국사기」 신라본기

① 김춘추는 귀국 후 654년에 왕위에 올랐다(무열왕). 그는 왕과 일정한 관계에 있던 자에게 주던 갈문왕(葛文王)이라는 봉직을 폐지하고, 귀족 세력의 이익을 대변하던 상대등의 세력을 억제하였다. 그 대신 왕권을 강화하기 위해 집사부의 장관인 시중의 기능을 강화하였다.

② '비담과 염종 등 귀족 세력'은 선덕여왕 16년(647년) '여왕은 잘 다스리지 못한다(여주불능선리)'고 주장하며 반란을 일으 켰다. 이것을 비담의 난이라고 하는데, 이 반란은 김유신과 김춘추에 의해 진압되었다.

③ 진덕여왕은 650년 독자적인 연호 '태화(太和)'를 폐지하고 당 고종의 연호인 '영휘(永徽)'를 사용하였다.

④ 선덕여왕 때 자장의 건의로 황룡사 9층 목탑이 축조되었다.

12 밑줄 친 '이 왕'에 대한 설명으로 옳은 것은?   [2021 지방직 9급]

> 문무왕이 왜병을 진압하고자 감은사를 처음 창건하려 했으나, 끝내 못하고 죽어 바다의 용이 되었다. 뒤이어 즉위한 이 왕이 공사를 마무리하였다. 금당 돌계단 아래에 동쪽을 향하여 구멍을 하나 뚫어 두었으니, 용이 절에 들어와서 돌아다니게 하려고 마련한 것이다. 유언에 따라 유골을 간직해 둔 곳은 대왕암(大王岩)이라고 불렀다.   ◐「삼국유사」

① 건원이라는 독자적인 연호를 사용하였다.

② 국학을 설립하여 유학을 교육하였다.

③ 백성에게 처음으로 정전을 지급하였다.

④ 진골 출신으로 처음 왕위에 올랐다.

해설   정답 ②

문무왕의 뒤를 이어 즉위한 왕은 신문왕(재위 681~692)이다. 자료에 감은사(感恩寺)가 나오는데, 이 절의 이름에는 죽어 서도 해룡이 되어 나라를 지키겠다는 문무왕께 감사하는 신문왕의 마음이 담겨 있다. 신문왕과 관련이 있는 다음의 개념들 도 알아두기 바란다.

개 념	내 용
감은사	신문왕이 아버지인 문무왕의 '은혜에 감사'하며 이름 붙인 사찰이다.
이견대	감은사지 앞, 대왕암이 보이는 곳에 위치한 정자이다. 「삼국유사」에 따르면 문무왕이 왜병 을 진압하기 위해 감은사를 짓기 시작하였는데, 끝마치지 못하고 죽어서 바다의 용이 되었다. 이후 그 용이 나타난 곳을 이견대라 하였다.
만파식적	영험한 대나무로 만든 피리를 불면 적병이 물러가고 병이 나았다는 내용의 설화이다.
국 학	신문왕이 유학 교육을 위하여 설립한 교육 기관이다.

① 법흥왕. ③ 성덕왕. ④ 무열왕

13 다음 밑줄 친 '왕'의 정책으로 옳은 것을 [보기]에서 고른 것은?

[2017 기상직 7급]

> <u>왕</u>은 놀라고 기뻐하여 오색 비단과 금과 옥으로 보답하고 사자를 시켜 대나무를 베어서 바다에서 나오자, 산과 용은 갑자기 사라져 나타나지 않았다. …… 태자 이공(理恭)이 대궐을 지키고 있다가 이 소식을 듣고는 말을 달려와서 말하기를, "이 옥대의 여러 쪽들이 모두 진짜 용입니다"라고 하였다. 왕이 말하기를, "네가 어떻게 그것을 아는가?"라고 하자 태자가 아뢰기를, "쪽 하나를 떼어서 물에 넣어보면 아실 것입니다"라고 하였다. 이에 왼쪽의 둘째 쪽을 떼어 시냇물에 넣으니 곧 용이 되어 하늘로 올라가고, 그곳은 못이 되었다. 이로 인해 그 못을 용연(龍淵)으로 불렀다. 왕이 행차에서 돌아와 그 대나무로 피리를 만들어 월성(月城)의 천존고(天尊庫)에 간직하였다. 이 피리를 불면, 적병이 물러가고 병이 나으며, 가뭄에는 비가 오고 장마는 개며, 바람이 자자지고 물결이 평온해졌다. 　　　　　　　 ➡ 「삼국유사」

[보기]

㉠ 독서삼품과 설치	㉡ 예작부 설치
㉢ 9서당 10정 정비	㉣ 백관잠 제정

① ㉠, ㉡　　　　　　　　　　　　② ㉡, ㉢

③ ㉢, ㉣　　　　　　　　　　　　④ ㉠, ㉣

 해설　　　　　　　　　　　　　　　　　　　　　　　　　　　　　　　정답 ②

'왕이 행차에서 돌아와 대나무로 피리를 만들어', '그 피리를 불면 적병이 물러가고 병이 나았다'면 이것은 만파식적 설화이며, 밑줄 친 '왕'은 신문왕이다. 신문왕은 공장부(682)와 예작부(686)를 두어 각각 수공업 생산과 토목 공사를 관할하게 하였으며, 9서당 10정을 정비하였다.

㉠ 원성왕은 독서삼품과 설치하여 인재를 등용하였다(788).

㉣ 성덕왕은 신하들을 훈계하기 위해 백관잠(百官箴)이라는 글을 지었다(711).

🧑‍🏫 **명호샘의 한마디!!**

「삼국사기」에서 밝힌 9서당의 구체적인 명칭은 다음과 같다. 자료로 제시되었을 때 '9서당'임을 파악할 수 있으면 된다.

민 족	신라인	고구려인, 보덕인	백제인	말갈인
서당의 명칭	녹금서당 자금서당 비금서당	황금서당 벽금서당 적금서당	백금서당 청금서당	흑금서당

14 다음의 사건이 벌어진 왕대에 일어난 일로 가장 옳지 않은 것은?　　[2016 경찰간부]

> 안승의 조카뻘 되는 장군 대문이 금마저에서 반역을 도모하다가 일이 발각되어 죽임을 당하였다. 남은 무리들이 관리들을 죽이고 읍을 차지하여 반란을 일으켰다. 왕이 군사들에게 명하여 토벌하였다. 마침내 그 성을 함락하여 그곳 사람들을 나라 남쪽의 주와 군으로 옮기고, 그 땅을 금마군으로 삼았다.

① 달구벌로 천도하려 하였으나 귀족들의 반발로 실패하였다.

② 각간 위홍이 향가집 〈삼대목(三代目)〉을 편찬하여 왕에게 바쳤다.

③ 왕의 장인 김흠돌의 반란을 평정하였다.

④ 문무 관리들에게 관료전을 차등 있게 주었다.

해설　　　　　　　　　　　　　　　　　　　　　　　　정답 ②

신문왕은 보덕왕 안승을 불러 소판으로 삼고, 김씨 성을 주어 서울에 머물게 하고 훌륭한 집과 좋은 밭을 주었다(683). 이에 불만을 품고 안승의 조카뻘인 장군 대문이 금마저(익산)에서 반역을 꾀하다가 일이 발각되어 사형을 당하였다(684).

① 신문왕 9년, 달구벌로 서울을 옮기려다 실현하지 못하였다. 「삼국사기」 ➡ 2018 국가직 9급

③ 신문왕 1년, 병부령 군관을 죽이고 교서를 내렸다. "병부령 이찬 군관은 …… 반역자 흠돌 등과 교섭하여 역모 사실을 미리 알고도 말하지 않았다. …… 군관과 맏아들은 스스로 목숨을 끊게 하고, 이를 온 나라에 널리 알려라." 「삼국사기」 ➡ 2021 소방

④ 신문왕 7년 5월에 문무 관료전을 지급하되 차등을 두었다. 「삼국사기」 ➡ 2018 해경간부

② 각간 위홍이 향가집 〈삼대목(三代目)〉을 편찬한 때는 신라 하대 '진성여왕' 때이다.

---

15 다음 국왕의 업적으로 옳은 것은?　　[2012 법원직 9급]

> • 원년 8월 – 김흠돌, 흥원, 진공 등이 반역을 모의하다가 참형을 당하였다.
> • 2년 4월 – 위화부령 두 명을 두어 선거 사무를 맡게 했다.
> • 5년 봄 – 완산주를 설치하였다. 거열주를 승격시켜 청주를 설치하니 비로소 9주가 갖추어졌다. 서원과 남원에 각각 소경을 설치하였다.

① 문무 관리에게 관료전을 지급하였다.

② 거칠부에게 국사를 편찬하게 하였다.

③ 시장 감독 관청인 동시전을 설치하였다.

④ 화랑도를 국가적인 조직으로 개편하였다.

해설

김흠돌의 모역사건, 완산주 설치, 남원소경 설치, 9주 5소경 완비는 모두 신문왕 때의 일이다.

② 6세기 진흥왕 때 거칠부로 하여금 「국사」를 편찬케 하였다.

③ 지증왕 10년, 봄 정월에 수도에 동쪽 시장을 설치하였다(509). 그리고 시장을 감독하는 관청인 동시전(東市典)을 설치하였다.

④ 6세기 진흥왕 때 국가 발전을 위한 인재를 양성하기 위하여 화랑도(花郞徒)를 국가적인 조직으로 개편하였다(화랑도를 공인하였다).

 명호샘의 한마디!!

'신문왕' 문제의 대표적인 정답과 사료를 모아본다.

1. 국학을 설립하여 유학 교육을 실시하였다. (○) ➲ 2021 서울시 9급, 2017 지방직 교행, 2017 서울시 7급
   = 국학을 설치하여 관료를 양성하였다. (○) ➲ 2021 소방

2. 관료전을 지급하고 녹읍을 폐지하였다. ➲ 2017 서울시 7급, 2017 법원직 9급
   = 문무 관리에게 관료전을 지급하였다. ➲ 2012 법원직 9급

3. 예작부를 설치하였다. (○) ➲ 2017 기상직 7급

4. 9서당 10정을 정비하였다. (○) ➲ 2017 기상직 7급
   = 중앙군을 9개의 서당으로 개편하였다. (○) ➲ 2017 국가직 9급(하반기)

5. 9주 5소경을 설치하여 지방 통치 체제를 정비하였다. (○) ➲ 2017 서울시 7급

6. 달구벌로 서울을 옮기려다 실현하지 못하였다. (○) ➲ 2018 국가직 9급

7. 김흠돌의 반란을 진압하고 왕권을 강화하였다. (○) ➲ 2016 법원직 9급

8. 6두품이 등용되어 왕의 정치적 조언자로 활약했다. (○) ➲ 2016 서울시 9급

내가 위로는 천지 신령의 도움을 받고 아래로는 종묘 영령의 보살핌을 받아, 흠돌 등의 악행이 쌓이고 가득 차자 그 음모가 탄로나게 되었다. …… 이제는 이미 요망한 무리들을 숙청하여 멀고 가까운 곳에 염려할 것이 없으니, 소집하였던 병마를 속히 돌려보내고 사방에 포고하여 이 뜻을 알게 하라. ➲ 2017 법원직 9급

• 왕 5년에 거열주를 승격하여 청주를 설치하니 비로소 9주가 갖추어져 대아찬 복세를 총관으로 삼았다.
• 중앙과 지방 관리들의 녹읍을 폐지하고 해마다 직위에 따라 조(租)를 차등 있게 주는 것을 법으로 삼았다. 왕이 달구벌로 수도를 옮기려다 실현하지 못하였다. ➲ 2017 지방직 교행

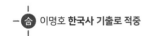

16 (가)와 (나) 사이 시기 신라에서 있었던 사실로 옳은 것은? [2022 계리직 9급]

> (가) 당(唐)이 고구려 평양에 안동도호부를 설치하였다.
> (나) 대조영이 동모산에서 진국(震國), 즉 발해를 건국하였다.

① 일반 백성들에게 정전을 지급하였다.

② 관리 채용을 위한 시험제도로 독서삼품과를 실시하였다.

③ 유교 교육을 진흥시키기 위해 국학을 설치하였다.

④ 관료전을 폐지하고 녹읍을 부활하였다.

🔍**해설**   정답 ③

(가) 안동도호부 설치(668): 신라 문무왕(신문왕의 아버지)

(나) 발해 건국(698): 신라 효소왕(신문왕의 아들)

그러므로, (가)와 (나) 사이 시기 신라의 왕은 신문왕이다. 신문왕은 682년에 국학을 설치하였다.

① 정전 지급(722): 신라 성덕왕

② 독서삼품과 실시(788): 신라 원성왕

④ 관료전 폐지, 녹읍 부활(757): 신라 경덕왕

---

03 신라 하대

17 신라 하대 불교계의 새로운 경향을 알려주는 다음의 사상에 대한 설명으로 옳은 것은?

[2014 국가직 9급]

> 불립문자(不立文字)라 하여 문자를 세워 말하지 않는다고 주장하고, 복잡한 교리를 떠나서 심성(心性)을 도야하는 데 치중하였다. 그러므로 이 사상에서 주장하는 바는 인간의 타고난 본성이 곧 불성(佛性)임을 알면 그것이 불교의 도리를 깨닫는 것이라는 견성오도(見性悟道)에 있었다.

① 전제왕권을 강화해주는 이념적 도구로 크게 작용하였다.

② 지방에서 새로이 대두한 호족들의 사상으로 받아들여졌다.

③ 왕실은 이 사상을 포섭하려는 노력에 관심을 기울이지 않았다.

④ 인도에까지 가서 공부해 온 승려들에 의해 전파되었다.

🔍**해설**   정답 ②

'불립문자', '견성오도', '직지인심'은 선종의 주요 교리이다. 신라 하대에 지방에서 성장한 호족들이 새로운 사상으로 선종을 수용하였다.

18 다음 보기의 출신에 대한 설명으로 가장 적절하지 않은 것은? [2018 경찰]

> • 관등 승진의 상한선은 아찬까지였다.
> • 이 골품에 해당하는 자는 비색 공복(公服)은 입을 수 있었으나, 자색 공복(公服)은 입을 수 없었다.

① 강수, 설총, 최치원이 이 골품에 해당하는 자들이었다.

② 신라 말기에 이 출신이었던 일부 당(唐) 유학생은 신라 골품제 사회를 비판하면서 새로운 정치 이념을 제시하였다.

③ 신라 중대에는 왕의 정치적 조언자로 활동하였다.

④ 주로 중앙 관청의 우두머리나 지방 장관직을 담당하였다.

해설
정답 ④

관등 승진의 상한선이 아찬까지였던 신분은 '6두품'이다. 학문과 종교 분야에서 활발히 활동하였으나, 골품제로 인하여 6관등인 아찬까지만 승진할 수 있었다. ➡ 2018 기상직 9급 '6두품'은 비색 공복(公服)은 입을 수 있었으나, '이벌찬~대아찬'만 입을 수 있는 자색 공복(公服)은 입을 수 없었다. 그러므로 중앙 관청의 우두머리나 지방 장관직을 담당하는 신분은 진골 귀족들이었다. '6두품'은 자신의 능력으로 진골 귀족이 될 수도 없었다. ➡ 2015 경찰

① 강수, 설총 뿐만 아니라, 신라 3최(崔)라고 불렸던 최치원, 최승우, 최언위도 6두품에 해당하는 인물이었다.

② 신라 말기에 6두품은 골품제 사회를 비판하면서, 유교를 새로운 정치 이념으로 제시하였다.

③ '신라 중대의 6두품'은 왕권과 결탁하였고, 왕의 정치적 조언자로 활동하였다.

19 밑줄 친 '반란'에 대한 설명으로 옳은 것만을 모두 고르면? [2024 국가직 9급]

> 웅천주 도독 헌창이 <u>반란</u>을 일으켜, 무진주 · 완산주 · 청주 · 사벌주 네 주의 도독과 국원경 · 서원경 · 금관경의 사신 및 여러 군현의 수령들을 위협하여 자신의 아래에 예속시키려 하였다.

> ㄱ. 천민이 중심이 된 신분 해방 운동 성격을 가졌다.
> ㄴ. 반란 세력은 국호를 '장안', 연호를 '경운'이라 하였다.
> ㄷ. 주동자의 아버지가 왕이 되지 못한 것에 대한 불만으로 일어났다.
> ㄹ. 무열왕 직계가 단절되고 내물왕계가 다시 왕위를 차지하는 결과를 가져왔다.

① ㄱ, ㄴ   ② ㄱ, ㄹ

③ ㄴ, ㄷ   ④ ㄷ, ㄹ

정답 ③

해설

'웅천주 도독 (김)헌창이 반란'을 일으킨 시기는 헌덕왕 때이다(822). 김헌창은 아버지인 김주원(무열계)이 원성왕(내물계)과의 왕위 계승 다툼에서 패한 후 지방 관리로 전전하자, 웅주(공주)를 중심으로 난을 일으켰다. 반란 세력은 국호를 '장안(長安)', 연호를 '경운(慶雲)'이라 하였다. 이 반란으로 인해 무열계의 진골들이 6두품으로 강등되면서, 무열계 진골의 몰락으로 끝났다.

ㄱ. 김헌창은 진골 귀족이다. 천민이 중심이 된 신분 해방 운동 성격을 가진 반란은 고려 시대 무신집권기의 망이 · 망소이의 난, 전주 관노의 난, 김사미 · 효심의 난, 만적의 난 등이다.

ㄹ. 김헌창의 반란으로 무열계 진골이 몰락한 것은 맞지만, 내물왕계가 '다시' 왕위를 차지하게 된 것은 아니다. 내물계가 왕이 되자, 그 불만으로 김헌창의 반란이 일어난 것이다.

---

20 다음 밑줄 친 '대사'에 대한 내용으로 옳지 않은 것은? [2017 지방직 9급]

> 이 엔닌은 대사의 어진 덕을 입었기에 삼가 우러러 뵙지 않을 수 없습니다. 저는 이미 뜻한 바를 이루기 위해 당나라에 머물러 왔습니다. 부족한 이 사람은 다행히도 대사께서 발원하신 적산원(赤山院)에 머물 수 있었던 것에 대해 감경(感慶)한 마음을 달리 비교해 말씀드리기가 어렵습니다. ◐ 「입당구법순례행기」

① 법화원을 건립하고 이를 지원하였다.

② 당나라에 가서 서주 무령군 소장이 되었다.

③ 회역사, 견당매물사 등의 교역 사절을 파견하였다.

④ 웅주를 근거지로 반란을 일으켜 장안(長安)이라는 나라를 세웠다.

해설

정답 ④

'엔닌'은 일본 승려이고, 출처인 '입당구법순례행기'는 엔닌이 당나라를 둘러보고 쓴 기행문이다. 엔닌이 머물 수 있었다는 '적산원(赤山院)'은 '법화원'의 다른 이름이다. 적산원(적산법화원)은 신라 시대 장보고가 당의 산둥반도에 세운 불교 사찰이다. 밑줄 친 '대사'는 청해진 대사 장보고이다.

①~③ 장보고는 법화원을 건립하였고, 청해진을 설치하기 이전에 당에 가서 '무령군 소장'이라는 직책을 맡기도 하였다. 완도에 청해진을 설치하고 청해진 '대사'가 된 이후 해적을 소탕하고 서남부 해안의 해상권을 장악했다. 그리고 당에는 견당매물사를, 일본에는 회역사를 파견하여 당-신라-일본을 연결하는 해상무역을 주도하였다.

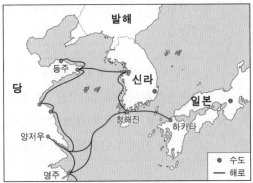

장보고의 해상 활동

> 그가 돌아와 흥덕왕을 찾아보고 말하기를 "중국에서는 널리 우리나라 사람을 노비로 삼으니, 청해진을 만들어 적으로 하여금 사람들을 약탈하지 못하도록 하기를 원하나이다."라고 하였다. …(중략)… 대왕은 그에게 군사 만 명을 거느리고 해상을 방비하게 하니, 그 후로는 해상으로 나간 사람들이 잡혀가는 일이 없었다. ◐ 「삼국사기」 ◐ 2016 사회복지직

④ 웅주를 근거지로 반란을 일으켜 장안(長安)이라는 나라를 세운 인물은 '웅천주 도독 김헌창'이다.

명호샘의 한마디!!

장보고(?~846)에 대해서는 1) 청해진 설치(828), 2) 장보고의 반란 및 죽음(846), 3) 청해진 폐지(851)를 구분하여야 한다.

1. 청해진을 설치하고 해상 무역을 전개하였다. ◐ 2022 지방직 9급
    = 장보고는 청해진을 중심으로 동아시아의 무역을 장악하였다. ◐ 2015 서울시 9급
2. 법화원을 건립하고 이를 지원하였다. ◐ 2017 지방직 9급
3. 당나라에 가서 무령군 소장이 되었다. ◐ 2017 지방직 9급
4. 회역사, 견당매물사 등의 교역 사절을 파견하였다. ◐ 2017 지방직 9급

---

21 다음 자료에 나타난 시기에 대한 설명으로 옳은 것은? [2016 지방직 9급]

> 곳곳에서 도적이 벌떼같이 일어났다. 이에, 원종, 애노 등이 사벌주(상주)에 의거하여 반란을 일으키니, 왕이 나마 벼슬의 영기에게 명하여 잡게 하였다.

① 지방에서는 호족 세력이 성장하였다.

② 신진 사대부가 대두하여 권문세족을 비판하였다.

③ 농민들은 전정, 군정, 환곡 등 삼정의 문란으로 고통을 받았다.

④ 봄에 곡식을 빌려 주었다가 가을에 추수한 것으로 갚게 하는 진대법을 실시하였다.

📑 해설 정답 ①

신라 하대 진성여왕 때(889) 일어난 원종·애노의 난에 대한 내용이다. '원종, 애노'라는 말에서 쉽게 파악할 수 있지만, 그것이 아니더라도 '사벌주'에서 '도적이 벌떼같이' 일어났다고 하면 원종·애노의 난임을 알아야 한다. '신라 하대' 문제이다. 신라 하대에는 (8세기 후반 혜공왕이 피살된 이후) <u>150여 년 동안 20여 명의 왕이 교체되는 등 진골 귀족의 왕위 쟁탈전이 심화되었고,</u> ◐ 2018 경찰 지방 통제력이 약화되면서 호족 세력이 성장하였다.
② 신진 사대부는 무신 집권기부터 등장하여 고려 말에 크게 성장한 세력이다.
③ 삼정의 문란은 조선 후기의 현상이다.
④ 진대법은 2세기 후반 고구려 고국천왕 때 실시하였다.

22 다음은 신라 후기의 문화에 대한 설명이다. '(가)' 왕이 재위하던 시기에 일어난 일들로 가장 옳게 짝지어진 것은?

[2017 경찰, 2013 경찰]

> '(가)' 왕은 각간 위홍과 승려 대구에게 명령을 내려 역대 향가를 모아 「삼대목(三代目)」이라는 향가집을 편찬하였는데, 지금 전하지 않는다. 그러나 다행히 「삼국유사」에 14수의 향가가 수록되어 있어서 향가 문학의 일부를 이해할 수 있다.

> ㉠ 원종, 애노의 난이 발생하자 왕이 나마 벼슬의 영기에게 진압하라고 명하였다.
> ㉡ 김대문이 「계림잡전」을 비롯하여 화랑들의 전기를 모은 「화랑세기」, 음악에 관한 「악본」을 지어 왕에게 바쳤다.
> ㉢ 최치원이 과거제도 등 신라 개혁안이 담긴 시무 10조를 올렸다.
> ㉣ 붉은 바지를 입은 도적인 적고적의 반란이 일어났다.
> ㉤ 왕권 경쟁에서 밀려난 김헌창이 공주를 근거지로 반란을 일으켜 국호를 장안이라고 하였다.

① ㉠, ㉡, ㉤
② ㉠, ㉢, ㉣
③ ㉡, ㉣, ㉤
④ ㉡, ㉢, ㉣

해설

정답 ②

(가) 왕은 신라 하대의 진성여왕(887~897)이다. <u>진성여왕은 '위홍'과 '대구'로 하여금 향가집 「삼대목」을 편찬하게 하였다(888).</u> ◐ 2018 서울시 9급

㉠ 진성여왕은 국가 재정이 궁핍해지자 농민들에게 조세를 독촉하였고, 이에 곳곳에서 '도적이 벌떼같이' 일어났다. 특히 <u>원종과 애노가 사벌주에서 봉기하였다(889).</u> ◐ 2024 법원직 9급 원종 · 애노의 난이 일어나자 진성여왕은 '나마 영기'에게 반란을 진압할 것을 명하였다.

㉢ 최치원은 신라 하대의 도당 유학생을 대표하는 지식인이다. 당의 빈공과에 급제한 후, 당에서 벼슬을 하다가 귀국하여 진성여왕에게 개혁안 10여 조(시무십여조)를 건의하였으나 받아들여지지 않았다.

㉣ 진성여왕 말기에 붉은 바지를 입은 무리의 난이라는 뜻의 '적고적의 난'이 서남 지역에서 일어났다(896). ◐ 2024 법원직 9급

㉡ 김대문은 신라 중대의 성덕왕 때 한산주의 도독이었다. 「계림잡전」, 「화랑세기」, 「악본」, 「한산기」, 「고승전」 등을 지었다.

㉤ 김헌창의 난(822)과 김범문의 난(825)은 신라 하대 헌덕왕 때 일어난 반란이다.

23 신라 말 진성왕대의 사실로 옳지 않은 것은?

[2017 국가직 7급]

① 견훤이 무진주에서 군사를 일으켰다.
② 궁예가 국호 마진을 태봉으로 바꾸었다.
③ 원종과 애노가 사벌주에서 반란을 일으켰다.
④ 양길이 부하를 보내 명주 관할 군현을 공격하였다.

해설 정답 ②

궁예가 도적의 우두머리인 기훤(箕萱)에게 의탁한 때는 진성왕 5년인 891년이며. 북원의 도적 양길(梁吉)에게 의탁한 때는 진성왕 6년인 892년이다. 그러나 국호를 마진에서 태봉으로 바꾼 때는 911년인데, 이때는 이미 왕이 바뀌어 효공왕 (897~912)이 재위하고 있었다. 진성왕의 재위 기간은 887년부터 897년까지이다.

① 견훤이 무진주에서 군사를 일으킨 때는 진성왕 6년인 892년이다.

③ 원종과 애노가 사벌주에서 반란을 일으킨 때는 진성왕 3년인 889년이다.

④ 양길이 부하인 '궁예'를 보내 명주 관할 군현을 공격한 때는 진성왕 8년인 894년이다. 양길은 부하였던 '궁예'에게 오히려 습격을 당해 세력이 약화되었다. 양길의 세력은 진성왕대 말기에 이미 세력이 크게 위축되었고, 효공왕대에 이르러서는 궁예에 의해 완전히 평정되었다.

24 [보기]에서 설명하는 사건 이후에 일어난 일로 가장 옳은 것은?

[2018 서울시 지방직 7급]

> **[보기]**
>
> 도적들이 나라 서남쪽에서 봉기하였다. 그들은 바지를 붉게 물들여 스스로 남들과 다르게 하였기 때문에 사람들은 적고적(赤袴賊)이라고 불렀다. 그들은 주와 현을 도륙하고 서울의 서부 모량리까지 와서 사람들을 위협하고 노략질하고 돌아갔다.

① 대구화상이 『삼대목』을 편찬하였다. ② 원종과 애노가 난을 일으켰다.

③ 최치원이 시무 10여 조를 바쳤다. ④ 궁예가 후고구려를 건국하였다.

해설 정답 ④

적고적의 난(896)은 진성여왕(887~897) 말기에 일어났다. 궁예는 진성여왕 때에는 양길의 부하였으나 이후 독립하여 후 고구려를 건국하였다(901). 궁예가 개성을 수도로 삼고 후고구려를 건국한 때는 진성여왕 때가 아니라 그 다음 왕인 효공왕 (897~912) 때이다. **○** 2018 법원직 9급

① 888년, ② 889년, ③ 894년

25 밑줄 친 '그'에 대한 설명으로 옳지 않은 것은?

[2016 국가직 7급]

> 아버지가 말하기를 "십 년 안에 과거에 급제하지 못하면 내 아들이 아니니 힘써 공부하라"라고 하였다. 그는 당에서 스승을 좇아 학문을 게을리 하지 않았다. 건부(乾符) 원년 갑오에 예부시 랑 배찬이 주관하는 시험에 합격하여 선주(宣州)의 율수현위에 임명되었다. **○** 「삼국사기」

① 역사서인 「제왕연대력」을 저술하였다.

② 난랑비 서문에서 삼교 회통의 사상을 보여주었다.

③ 「법장화상전」에서 화엄종 승려의 전기를 적었다.

④ 사산비명의 하나인 고선사 서당화상비문을 지었다.

해설   정답 ④

사산비명(四山碑銘)은 최치원이 지은 비문이다. 그러나 고선사 서당화상비문은 원효를 추모하기 위해 세운 비석의 비문으로 최치원과 관련이 없다. '서당'은 원효의 이름이다. 고선사 서당화상비는 원효의 손자가 세웠을 것으로 추정하지만, 그 비문을 지은 사람이 누구인지는 명확하지 않다.

① 최치원은 「계원필경」, 「중산복궤집」, 「사륙집」, 「금체시」 등의 문집과 역사서 「제왕연대력」, 불교서적 「부석존자전」, 「석이정전」, 「법장화상전」 등을 썼다.

② 난랑비(鸞郎碑) 서문(序文)이란 최치원이 쓴 화랑 난랑의 비석 서문을 말한다. 최치원은 이 글에서 신라의 화랑도인 풍류도가 유, 불, 도 3교의 가르침을 포함하고 있다고 기록하여, 이 글을 통해 그의 삼교 회통의 사상(3교의 가르침이 합쳐져 서로 통한다는 사상)을 볼 수 있다.

③ 최치원은 「법장화상전」에서 의상과 그의 제자들, 그리고 그들이 전국에 세운 화엄십찰에 관해 기록하였다.

---

26 통일신라 말의 사상적 동향에 대한 설명으로 가장 적절한 것은?   [2011 경찰]

① 신라 말기에 도선이 당에서 들여온 풍수지리설이 호족과 연결되어 발전을 보았다.

② 선종의 승려와 6두품 출신의 유학자들은 사상적인 차이 때문에 서로 대립하였다.

③ 아미타신앙과 함께 현세에서 구난 받고자 하는 관음신앙이 널리 설파되었다.

④ 심성도야를 중시하는 교종에 대신하여 경전 중심의 선종이 유행하였다.

해설   정답 ①

통일신라 말에는 호족 세력이 성장하였으며, 이들이 선종, 풍수지리설, 도교 등을 받아들여 기존의 권위를 부정하였다. 통일신라 말의 사상적 동향이란 곧 호족이 받아들여 유행시킨 사상을 말한다.

② 신라 말 호족 세력은 골품제를 비판하는 6두품 출신의 도당유학생, 선종 승려 등과 연계하여 세력을 키웠다. 선종 승려와 6두품은 호족을 중심으로 연합하여 중앙의 귀족 세력들과 대립하였다.

③ 아미타신앙과 관음신앙이 널리 설파된 것은 의상이 활동하였던 신라 중대이다.

④ 교종과 선종의 설명이 바뀌었다. 교종은 '경전의 이해'를 중시하고, 선종은 '심성도야, 마음에 내재된 깨달음, 실천 수행'을 중시한다.

02 발 해

01 밑줄 친 '대씨의 나라'에 대한 설명으로 옳은 것은? [2012 법원직 9급]

> 옛날에는 고씨가 북에서 고구려를, 부여씨가 서남에서 백제를, 박·석·김씨가 동남에서
> 신라를 각각 세웠으니, 이것이 삼국이다. 여기에는 반드시 삼국사가 있어야 할 것인데, 고려
> 가 편찬한 것은 잘한 일이다. 그러나 부여씨와 고씨가 멸망한 다음에 김씨의 신라가 남에
> 있고, 대씨의 나라가 북에 있으니 이것이 남북국이다. 여기에는 마땅히 남북사가 있어야 할
> 터인데, 고려가 편찬하지 않은 것은 잘못이다.

① 골품제로써 관료제를 운영하였다.

② 인안, 대흥 등 연호를 사용하였다.

③ 2성 6부제의 중앙 정치 조직을 운영하였다.

④ 사심관과 기인제도로써 호족 세력을 견제하였다.

해설 정답 ②

제시된 자료는 유득공의 「발해고」 서문의 일부이다. 여기에서 '대씨의 나라'란 발해를 말한다. 발해는 천통(고왕), 인안(무
왕), 대흥·보력(문왕), 중흥(성왕), 건흥(선왕) 등의 독자적인 연호를 사용하여 대외적으로 중국과 대등함을 과시하였다.
① 골품제는 신라 및 통일신라에만 적용되는 개념이다.
③ 2성 6부제는 고려의 중앙 정치 조직이다. 발해의 중앙 정치 조직은 3성 6부로 구성되어 있다.
④ 사심관과 기인제도는 모두 고려 태조의 호족 견제 정책이다.

02 발해의 역사와 문화에 대한 설명으로 옳은 것만을 모두 고르면? [2021 국회직 9급]

> ㄱ. 9세기 전반 선왕 때 최대의 영토를 확보했고, 이후 해동성국으로 불렸다.
> ㄴ. 전국을 9주로 나누고 군사·행정상의 요지에 5경을 설치하여 균형 있는 발전을 꾀하였다.
> ㄷ. 선조성의 장관을 좌상, 중대성의 장관을 우상이라 불렀다.
> ㄹ. 정효공주묘는 고구려 고분구조를 닮았지만 모줄임 천장은 말갈 문화의 영향이다.

① ㄱ, ㄴ ② ㄱ, ㄷ

③ ㄴ, ㄷ ④ ㄴ, ㄹ

⑤ ㄷ, ㄹ

해설

정답 ②

ㄱ. 발해는 선왕(818∼830) 때 최대의 영토를 확보하여, 해동성국(海東盛國)이라고 불렸다.

ㄷ. 발해의 3성은 정당성, 선조성, 중대성이다. 이 중 선조성의 장관을 좌상, 중대성의 장관을 우상이라 불렀다.

발해 3성	장관의 명칭
정당성	대내상
선조성	좌상
중대성	우상

ㄴ. 9주 5소경은 통일신라의 지방행정 구역이다.

ㄹ. 정효공주묘는 당나라의 영향을 받은 벽돌무덤 양식을 취하고 있으나, 모줄임 천장 구조(평행 고임)는 고구려의 영향을 받았다. 즉 정효공주묘는 '당나라 영향'과 '고구려 계승'을 모두 보여주는 유적이다.

03 발해에 대한 설명으로 옳지 않은 것은?

[2017 국가직 7급]

① 국왕을 '황상' 또는 '대왕' 등으로 칭하였다.

② 모피, 우황, 구리, 말 등을 당나라에 수출하였다.

③ 상경(上京)은 당나라 도성을 본떠 조방(條坊)을 나누었다.

④ 중앙의 주요 관서에 각각 복수(複數)의 장관을 임명하였다.

해설

정답 ④

발해가 중앙의 주요 관서에 두 명 이상의 장관을 임명하지는 않았다.

① 발해는 국왕을 '황상' 또는 '대왕' 등으로 칭하였다. 특히 <u>문왕은 전륜성왕을 자처하고 자신을 '황상(皇上)'이라고 표현하여</u> ➡ 2018 서울시 9급 황제국의 면모를 과시하였으며, 불교식으로 자신의 이름을 지으면서 '대흥보력효감금륜성법대왕'이라 하여 '대왕(大王)'이라는 표현을 쓰기도 하였다.

② 발해는 모피, 우황, 구리, 말, 사향, 녹용 등을 당나라에 수출하였다. 특히 솔빈부의 말이 유명하였다.

③ 상경(上京)은 당의 수도인 장안성을 본떠 외성 안의 북쪽 중앙에 황성(皇城, 내성)을 쌓고, 그 남문에서 외성 남문까지 직선으로 낸 주작대로를 중심으로 하여 좌우에 여러 조방(條坊)을 나누었다. '조방'이란 주작대로 좌우로 '바둑판처럼' 나뉘어진 구역을 말한다.

주작대로와 조방

04 다음은 발해 수도에 대한 답사 계획이다. 각 수도에 소재하는 유적에 대한 탐구 내용으로 옳은 것만을 모두 고르면? [2021 국가직 9급]

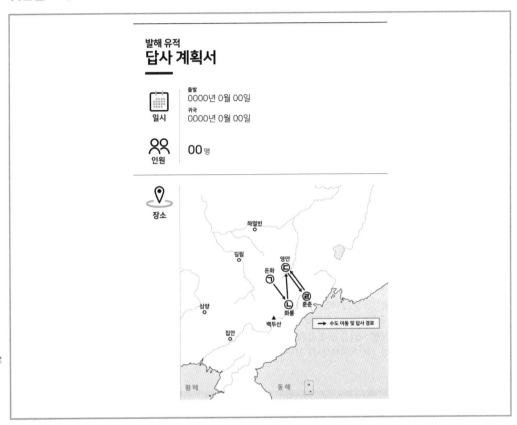

[탐구 내용]

㉠ 정효공주 무덤을 찾아 벽화에 그려진 인물들의 복식을 탐구한다.

㉡ 용두산 고분군을 찾아 벽돌무덤의 특징을 탐구한다.

㉢ 오봉루 성문터를 찾아 성의 구조를 당의 장안성과 비교해 본다.

㉣ 정혜공주 무덤을 찾아 고구려 무덤과의 계승성을 탐구한다.

① ㉠, ㉡

② ㉠, ㉣

③ ㉡, ㉢

④ ㉢, ㉣

📑**해설** 정답 ③

㉠ 길림성 '돈화'에는 발해의 첫 수도였던 동모산이 있다. 정효공주묘는 중경 현덕부 근처인 ㉡에 있다.

㉡ 길림성 '화룡'에는 중경 현덕부가 있었다. 용두산 고분군은 중경 근처에 있는 발해 왕실의 고분군으로 여기에 벽돌무덤인 정효공주묘가 있다.

㉢ 흑룡강성 '영안'에는 상경 용천부가 있었다. 오봉루(五鳳樓)는 상경의 궁성 정문이다. 상경 용천부는 전체적으로 당의 장안성을 닮아있다. 남쪽으로 뻗어 있는 주작대로도 당의 영향을 받은 것이다. <u>상경에는 '흥룡사 발해 석등'과 '흥룡사 석조 불상'이 있다.</u>

㉣ 흑룡강성 '훈춘'에는 동경 용원부가 있었다. 정혜공주 무덤은 ㉠의 동모산 근처 육정산 고분군에 있다.

05 발해에 대한 설명으로 옳은 것을 [보기]에서 모두 고르면?

[2016 서울시 7급]

[보기]

㉠ 발해의 영광탑은 고구려의 영향을 받은 석탑이다.

㉡ 교역을 목적으로 하는 대규모 사절단을 일본에 파견하였다.

㉢ 유학 교육을 목적으로 주자감을 설치하고 귀족 자제들에게 유학을 가르쳤다.

㉣ 전체 인구 구성 가운데 옛 고구려 계통 사람들이 가장 큰 비중을 차지하였다.

① ㉠, ㉡

② ㉠, ㉣

③ ㉡, ㉢

④ ㉢, ㉣

해설

정답 ③

㉡ 일본과의 무역은 비교적 큰 규모로 이루어져서, 한 번에 수백 명이 왕래하기도 하였다. 특히 8세기에 일본은 후지와라노 나카마로(706~764)가 자신의 입지를 공고히 하기 위해 발해에 사절단 파견을 요청하였고, 발해는 대규모 사절단을 일본에 파견하면서 많은 물자를 일본에 수출하였다.

㉢ 문왕은 유학 교육을 목적으로 주자감을 설치하고 귀족 자제들에게 유학을 가르쳤다. 발해의 주자감은 당나라의 국자감의 관제를 모방하여 유학을 가르치는 일과 국자(國子)·태학(太學) 및 율학(律學)·서(書)·산(算)의 교육행정을 담당하였다.

㉠ 영광탑은 압록강 근처(길림성 장백현)에 있는 발해의 탑이다. 영광탑은 탑 하단에 지하 무덤을 갖춘 독특한 양식을 띠고 있으며, 벽돌로 쌓은 전탑이다. 그러므로 영광탑을 고구려의 영향을 받은 석탑이라고 말하기는 어렵다.

㉣ 대조영은 옛 고구려 계통 사람들과 말갈족을 거느리고 동모산 기슭에 진(震)을 건국하였다. 고구려인보다는 말갈족이 더 많았으나, 지배층과 사신의 대부분은 고구려인이었다.

 명호샘의 한마디!!

발해의 탑(塔)은 '탑자리'가 남아 있을 뿐 대부분 소실되었다. 탑 가운데 '영광탑'만이 제대로 남아 있다. 이 탑은 압록강 근처(길림성 장백현)에 있다. 5층의 벽돌탑(전탑)으로서 제일 아래 층의 높이가 약 2.8m, 둘레가 12.4m이고 전체 높이는 13m 정도이다. 탑의 내부는 상하로 통하도록 되어 있다. 영광탑의 1층 4면 각각의 王·立·國·土라는 벽돌 문양은 발해 불교가 왕실과 밀접하게 연관되어 있었음을 보여준다.

1) 중국 지린성에 위치한 영광탑은 현재 남아 있는 유일한 발해 석탑이다. (×) ● 2017 경찰간부

2) 발해의 영광탑은 고구려의 영향을 받은 석탑이다. (×) ● 2016 서울시 7급

3) 발해의 영광탑은 당의 영향을 받은 전탑이다. (○) ● 2021 경찰간부

06 밑줄 친 '왕'이 재위한 시기의 사실로 옳은 것은?

[2013 지방직 9급]

> 왕이 신하들을 불러 "흑수말갈이 처음에는 우리에게 길을 빌려서 당나라와 통하였다. …(중략)…
> 그런데 지금 당나라에 관직을 요청하면서 우리나라에 알리지 않았으니, 이는 분명히 당나라
> 와 공모하여 우리나라를 앞뒤에서 치려는 것이다."라고 하였다. 이리하여 동생 대문예와 외숙
> 임아상으로 하여금 군사를 동원하여 흑수말갈을 치려고 하였다.

① 5경 15부 62주의 행정 제도가 완비되었다.
② 길림성 돈화 부근 동모산 기슭에서 나라를 세웠다.
③ 북만주 일대를 차지하고 산둥의 등주를 공격하였다.
④ 수도를 중경에서 상경, 동경으로 옮겨 중흥을 꾀하였다.

해설   정답 ③

당과 '흑수말갈'이 직접 교류를 시도하자, 발해는 흑수말갈을 공격하고, 당의 산둥 지방도 공격하였다. 발해 무왕(719~737)
때의 일이다.
① 5경 15부 62주의 행정 제도가 완비된 것은 선왕(818~830) 때이다.
② 발해의 건국은 고왕(698~719, 대조영) 때이다.
④ 수도를 중경, 상경, 동경으로 옮긴 것은 문왕(737~793) 때이다.

07 (가), (나) 국왕의 재위 시기에 있었던 사실로 옳은 것만을 [보기]에서 모두 고르면?

[2014 지방직 9급]

> (가) 대조영의 뒤를 이어 즉위하였다. 영토 확장에 힘을 기울여 동북방의 여러 세력을 복속하고
>   북만주 일대를 장악하였다.
> (나) 대부분의 말갈족을 복속시키고, 요동 지역으로 진출하였다. 이후 전성기를 맞은 발해는
>   중국에서는 해동성국(海東盛國)이라고 불렸다.

> [보기]
> ㉠ (가) − 수도를 중경에서 상경으로 옮겼다.
> ㉡ (가) − 장문휴가 수군을 이끌고 당(唐)의 산둥(山東) 지방을 공격하였다.
> ㉢ (나) − '건흥' 연호를 사용하고, 지방 행정 조직을 정비하였다.
> ㉣ (나) − 당시 국왕을 '대왕'이라 표현한 정혜공주의 묘비가 만들어졌다.

① ㉠, ㉡   ② ㉠, ㉣
③ ㉡, ㉢   ④ ㉢, ㉣

📖해설 정답 ③

(가) 대조영(고왕, 698~719)의 뒤를 이어 즉위한 왕은 무왕(719~737)이다. 이때 장문휴가 수군을 이끌고 당의 산동 지방(등주)을 공격하였다(732). 이렇게 전투에 능했으므로 '무왕'이 되었다.

> 당 현종 개원 7년에 대조영이 죽으니, 그 나라에서 사사로이 시호를 올려 고왕(高王)이라 하였다. <u>아들 대무예</u>가 뒤이어 왕위에 올라 영토를 크게 개척하니, 동북의 모든 오랑캐가 겁을 먹고 그를 섬겼으며, 또 연호를 인안(仁安)으로 고쳤다.
> ◐「신당서」 ◑ 2022 국가직 9급

(나) 대부분의 말갈족을 복속하고, 해동성국이라 불릴 만큼 전성기를 이룬 왕은 선왕(818~830)이다. 선왕의 연호는 '건흥'이었다. 발해 주요 왕의 연호는 반드시 외워야 한다.

㉠ 수도를 중경에서 상경으로, 다시 동경으로 천도한 왕은 문왕(737~793)이다.

㉢ 정혜공주는 문왕의 둘째 딸로, 문왕의 재위기간 중에 죽었다. 그러므로 정혜공주의 묘비가 만들어진 것은 문왕 때이다.

 명호샘의 한마디!!

발해와 말갈족의 관계는 고왕, 무왕, 선왕 때로 구분하여 이해하여야 한다.

왕	발해와 말갈족의 관계
고 왕	고왕은 고구려 유민과 말갈족의 통합을 위하여 노력하였다.
무 왕	당과 흑수말갈 사이의 직접 교류 시도가 발단이 되어 '장문휴의 산동 지방 공격' 사건이 일어났다.
선 왕	대부분의 말갈족을 복속하였다.

---

08 ㉠ 왕에 대한 설명으로 옳은 것은?

[2016 계리직]

> 대조영의 동생 대야발의 후손인 (㉠)은/는 북쪽으로는 대부분의 말갈족을 복속시키고, 남쪽으로는 신라와 국경을 접할 정도로 넓은 영토를 차지하였다. 이후 전성기를 맞은 발해를 중국인들은 해동성국이라고 불렀다.

① 중경에서 상경으로 천도하였다.

② 처음으로 '발해'를 정식 국호로 삼았다.

③ 5경 15부 62주의 지방 행정 체계를 완비하였다.

④ 장문휴에게 명하여 산동반도를 공격하게 하였다.

📖해설 정답 ③

'대조영의 동생 대야발의 후손'으로서 '대부분의 말갈족을 복속'하고, '해동성국'이라고 불린 왕은 선왕이다. 선왕 때부터 <u>왕의 계보가 대조영의 직계에서 그의 동생 대야발의 직계로 바뀌게 되었다.</u> ◑ 2013 지방직 7급

③ 선왕은 5경 15부 62주의 지방 행정 체계를 완비하였다.

① 문왕, ② 고왕, ④ 무왕

09 밑줄 친 '이 나라'에 대한 설명으로 옳은 것은? [2022 지방직 9급]

> • 이 나라에서 귀하게 여기는 것에는 태백산의 토끼, 남해부의 다시마, 책성부의 된장, 부여부의 사슴, 막힐부의 돼지, 솔빈부의 말, 현주의 베, 옥주의 면, 용주의 명주, 위성의 철, 노성의 쌀 등이 있다.
> ◐『신당서』
> • 이 나라의 땅은 영주(營州)의 동쪽 2천 리에 있으며, 남으로는 신라와 서로 접한다. 월희말갈에서 동북으로 흑수말갈에 이르는데, 사방 2천 리, 호는 십여 만, 병사는 수만 명이다.
> ◐『구당서』

① 중앙에 6좌평의 관제를 마련하였다.
② 9서당 10정의 군사 조직을 갖추었다.
③ 지방을 5경 15부 62주로 편성하였다.
④ 제가회의에서 국가의 중대사를 결정하였다.

해설　　　　　　　　　　　　　　　　　　　　　　　　　　　　정답 ③
특산물로 '태백산의 토끼, 남해부의 다시마, 책성부의 된장, 부여부의 사슴, 막힐부의 돼지, 솔빈부의 말'이 있고, '남으로는 신라와 서로 접하고', '월희말갈에서 동북으로 흑수말갈'에 이르는 '이 나라'는 발해이다. 발해 선왕은 지방을 5경 15부 62주로 편성하였다. 그런데 이 문제는 '5경 16부 62주'라는 지방 행정 구역을 '선왕'의 업적으로 출제하지 않고, 발해의 특징으로 출제했다는 특징이 있다.
① 백제는 중앙에 6좌평의 관제를 마련하였다.
② 통일신라는 9서당 10정의 군사 조직을 갖추었다.
④ 고구려는 제가회의에서 국가의 중대사를 결정하였다.

10 빈칸에 들어갈 왕의 재임 시기에 일어난 사실로 가장 옳은 것은? [2016 서울시 9급]

> 발해와 당은 발해 건국 과정에서부터 대립적이었으며 발해의 고구려 영토 회복 정책으로 양국의 대립은 더욱 노골화되었다. 당은 발해를 견제하기 위해 흑수말갈 지역에 흑수주를 설치하고 통치관을 파견하였다. 이러한 당과 흑수말갈의 접근을 막기 위하여 발해의 _____은 흑수말갈에 대한 정복을 추진하였다. 이 계획을 둘러싼 갈등이 비화되어 발해는 산둥 지방의 덩저우에 수군을 보내 공격하였다. 이에 대응하여 당은 발해를 공격하는 한편, 남쪽의 신라를 끌어들여 발해를 제어하려고 하였다.

① 3성 6부를 비롯한 중앙 관서를 정비하였다.
② 융성한 발해는 '해동성국'이라는 칭호를 얻었다.
③ 왕을 황상(皇上)이라고 칭하여 황제국을 표방하였다.
④ 일본에 보낸 외교문서에서 고구려 계승 의식을 천명하였다.

해설 정답 ④

발해가 고구려를 계승하였다는 사실은 여러 문화재와 문헌을 통해 알 수 있다. 특히 무왕이 일본에 보낸 국서에 '고구려의 옛 땅을 수복하고, 부여의 전통을 이어 받았다'고 한 표현이나, 문왕이 일본에 사신을 보내면서 스스로를 '고려 국왕 대흠무'라고 표현한 것에서도 고구려 계승 의식을 확인할 수 있다. 빈 칸의 왕은 무왕(719~737)이다.

①, ③ 당의 영향을 받아 3성 6부를 비롯한 중앙 관서를 정비하고, 황상(皇上)이라는 칭호를 써서 황제국의 면모를 과시한 왕은 문왕(737~793)이다.

② 선왕 때(818~830) 말갈의 여러 부족을 복속시키고 요동에 진출하여 해동성국이라 불리었다. ● 2019 경찰특공대

④ '일본에 보낸 외교문서'란 다음의 국서를 말한다.

> 발해왕이 아룁니다. 산하(山河)가 다른 곳이고, 국토가 같지 않지만 어렴풋이 풍교도덕(風敎道德)을 듣고 우러르는 마음이 더할 뿐입니다. 공손히 생각하건대 대왕은 천제(天帝)의 명을 받아 일본의 기틀을 연 이후 대대로 명군(明君)의 자리를 이어 자손이 번성하였습니다. 발해왕은 황송스럽게도 대국(大國)을 맡아 외람되게 여러 번(蕃)을 함부로 총괄하며, 고려의 옛 땅을 회복하고 부여의 습속(習俗)을 가지고 있습니다. 그러나 다만 너무 멀어 길이 막히고 끊어졌습니다. 어진 이와 가까이 하며 우호를 맺고 옛날의 예에 맞추어 사신을 보내어 이웃을 찾는 것이 오늘에야 비롯하게 되었습니다. ● 2017 국회직 9급

11 다음이 나타내는 고대국가에 대한 설명으로 가장 적절하지 않은 것은? [2013 경찰]

> 고구려의 옛 땅을 회복하였고, 부여의 유속을 잇게 되었다. ●〈일본에 보낸 무왕의 국서〉

① 선왕(宣王) 때에는 3성 6부의 지방행정구역이 완비되었다.

② 이들 집단이 처음으로 터를 잡았던 동모산(東牟山)은 오늘날의 연변 조선족 자치주 돈화시에 있는 성산자산성으로 여겨진다.

③ 초기 왕족 등 지배층의 무덤인 육정산고분군은 고구려계 양식인 석실봉토분이다.

④ 거란의 침입으로 멸망하였다.

해설 정답 ①

고구려의 옛 땅을 회복하였고, 부여의 유속을 잇게 된 나라는 발해이다. 발해의 '중앙 정치 조직'은 당의 관제를 모방하여 3성 6부로 구성되며, 문왕 때 정비되었다. 발해의 '지방행정구역'은 5경 15부 62주 체계를 가진다.

② 성산자산성(城山子山城)은 돈화시에 있는 산성이다. 이곳이 발해의 건국지인 동모산으로 알려져 있으며, 근처에 육정산 발해 고분군과 발해 사찰지가 있다.

③ 육정산 고분군은 발해 건국 초기의 왕족과 귀족의 고분군이다. 무덤 양식은 (굴식)돌방무덤(석실봉토분)으로서, 대표적인 무덤은 정혜공주묘이다.

④ 발해는 926년 거란의 침입으로 멸망하였다.

12 발해의 대외관계에 대한 설명으로 옳지 않은 것은?   [2012 국가직 9급]

① 당과 신라를 견제하기 위해 돌궐과 외교관계를 맺기도 하였다.

② 일본과는 서경 압록부를 통해 여러 차례 사신이 왕래하였다.

③ 당에 유학생을 보냈는데 빈공과에 급제한 사람이 여러 명 나왔다.

④ 일본은 발해에 보낸 국서에서 발해왕을 '고려왕'으로 표현하기도 하였다.

해설   정답 ②

발해에는 거란도, 영주도, 조공도, 신라도, 일본도가 있어서 주변 세력과 외교 교섭 또는 교역을 벌이는 간선 교통로로 이용된다. ● 2018 지방직 교행 일본도는 발해의 수도였던 상경 용천부에서 동경 용원부를 지나 오늘날의 러시아 연해주 남단 포시에트만의 크라스키노를 거쳐 일본으로 향하는 길이다. 일본도는 서경 압록부를 거치지 않는다.

13 다음은 발해사에 대한 중국과 러시아 입장이다. 한국사의 입장에서 이를 반박하는 증거로 적절한 것은?   [2018 국가직 9급]

> • 중　국 : 소수 민족 지역의 분리 독립 의식을 약화시키려고, 국가라기보다는 당 왕조에 예속된 지방 민족 정권 차원에서 본다.
> • 러시아 : 중국 문화보다는 중앙 아시아나 남부 시베리아의 영향을 강조하여 러시아의 역사에 편입시키려 한다.

① 신라와의 교통로   ② 상경성 출토 온돌 장치
③ 유학 교육 기관인 주자감   ④ 3성 6부의 중앙 행정 조직

해설   정답 ②

중국은 발해를 중국의 '지방 정권'으로 보는데, 이것이 동북공정(東北工程)의 핵심적인 내용이다. 심지어 러시아까지 발해를 러시아의 역사에 편입시키려 한다면, 한국사의 입장에서는 발해가 '고구려를 계승한 국가'라는 것을 명확히 하여 중국과 러시아의 억지를 반박하여야 한다.

② 상경성에서 출토된 궁전의 온돌 장치는 발해가 고구려의 문화를 계승하였다는 증거이다.

① 신라와의 교통로는 '신라와의 친선 관계'의 증거는 될 수 있으나, 발해의 고구려 계승과는 거리가 멀다.

③ 발해의 중앙 최고 교육기관인 주자감(胄子監)은 그 명칭의 유사성을 볼 때 당의 국자감(國子監)의 영향을 받았다고 볼 수도 있으나, 이 부분은 단정 짓기 어렵다. 어찌되었건 주자감이 고구려의 영향을 받았다고 보기는 더욱 어렵다.

④ 3성 6부의 중앙 행정 조직은 당의 영향을 받은 체계이다.

14 괄호 안에 들어갈 국가의 도읍에 대한 설명으로 옳은 것은? [2016 국가직 7급]

> 일본이 (   )에 국서를 보냈다. "삼가 고려국왕에게 문안 인사를 드립니다. …(중략)… 보내신 글을 보니 날짜 아래 관품과 이름을 쓰지 않았고 글의 말미에는 천손(天孫)이라는 칭호를 써 놓았습니다."
> ➡ 「속일본기」

① 북성·중성 등 4개의 성곽으로 이루어졌다.

② 연못, 인공섬을 갖춘 월지를 동궁으로 사용하였다.

③ 나성 및 궁궐 후원에 해당하는 부소산이 있었다.

④ 직사각형의 내·외성, 주작대로를 만들었다.

🔑해설 정답 ④

사료의 출처인 「속일본기」는 주로 일본의 8세기 상황을 기록한 일본의 역사서이다. 그러므로 이 책에서 우리나라의 역사를 다룬다면 그것은 8세기에 해당하는 통일신라 또는 발해이다. 제시된 자료에서 '고려국왕'이라는 표현을 보면, 이것은 일본이 발해에 보낸 서신임을 알 수 있다. 그러므로 '괄호 안에 들어갈 국가의 도읍'이란 가장 오랜 기간 발해의 도읍이었던 상경용천부이거나, 또는 가능성은 낮지만 중경현덕부, 동경용원부를 묻는 문제일 수도 있다.

④ 발해의 상경용천부에는 직사각형의 내성과 외성이 있었으며, 내성 남문과 외성 남문을 연결하는 주작대로가 있었다.

① 내성(內城), 북성(北城), 중성(中城), 외성(外城) 등 4개의 성곽으로 이루어진 도성은 고구려의 '평양성'이다.

② 월지를 동궁으로 사용한 지역은 신라의 도읍이었던 '경주'이다.

③ 부소산이 있는 지역은 백제의 도읍이었던 '부여'이다.

15 다음은 발해의 통치조직에 관한 표이다. 이와 관련된 설명으로 옳지 않은 것은?

[2013 기상직 9급]

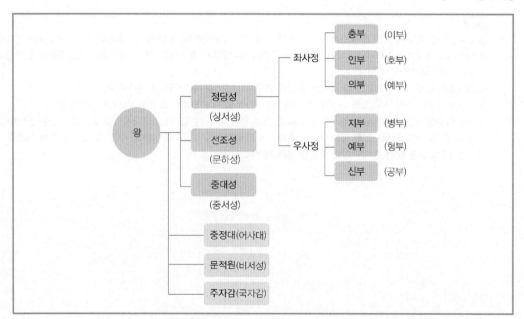

① 선조성과 중대성의 장관이 국정을 총괄하였다.

② 관청의 명칭을 유교식으로 변화시켜 사용하였다.

③ 당의 제도를 수용하였으나 명칭과 운영에서 독자성이 나타난다.

④ 좌사정과 우사정이 각각 3부씩 나누어 맡는 이원적 통치체제를 운영하였다.

해설 　　　　　　　　　　　　　　　　　　　　　　　　　　　　　정답 ①

발해의 관제는 당의 3성 6부를 모방하였다. 3성은 정당성, 선조성, 중대성으로 분리되어 있으며, 이 중 정당성의 장관인 대내상이 국정을 총괄하였다.

② 정당성의 장관인 대내상이 국정을 총괄하였고, 그 아래에 있는 <u>좌사정이 충·인·의 3부를, 우사정이 지·예·신 3부를 각각 나누어 관할하였다.</u> ➡ 2018 경찰간부, 2015 경찰 6부의 명칭이 업무의 특성을 나타내는 것이 아니라, '충·인·의·지·예·신'의 유교식 개념을 나타내고 있다.

③, ④ 당의 제도를 수용하였으나 3성과 6부의 명칭이 당과 다르며, 6부는 좌사정과 우사정으로 이원화하는 등 그 독자성이 나타난다.

---

16 발해와 관련된 다음의 역사적 사실들을 시기 순으로 바르게 나열한 것은? 　[2015 국가직 7급]

> ㉠ 당으로부터 해동성국이라고 불리었다.
>
> ㉡ 야율아보기에 의해 홀한성이 포위되었다.
>
> ㉢ 중경현덕부에서 상경용천부로 도읍을 옮겨 발전의 기틀을 마련하였다.
>
> ㉣ 당과 신라를 견제하기 위해 일본에 사신을 파견하여 처음 통교하였다.

① ㉢ → ㉡ → ㉣ → ㉠ 　　　　　　② ㉢ → ㉣ → ㉠ → ㉡

③ ㉣ → ㉢ → ㉠ → ㉡ 　　　　　　④ ㉣ → ㉢ → ㉡ → ㉠

해설 　　　　　　　　　　　　　　　　　　　　　　　　　　　　　정답 ③

㉣ 무왕은 당과 신라를 견제하기 위해 일본에 사신을 파견하였고, 이에 일본에서도 사신 조신충마려를 발해에 보냈다.

㉢ 문왕은 중경현덕부에서 상경용천부로 도읍을 옮겼고, 이후 동경용원부로 도읍을 옮겼다.

㉠ 선왕 때부터 당으로부터 해동성국이라고 불리었다.

㉡ 야율아보기(耶律阿保機)는 거란족이 세운 '요'의 태조이다. 926년 발해의 대인선이 재위하고 있을 때, 야율아보기는 요 태자 야율배, 대원수 야율요골 등을 데리고 발해를 공격하여, 동평부를 격파하고 마침내 홀한성을 포위하였다. 홀한성(忽汗城)은 발해 수도인 상경성을 말한다.

05 고대사회의 비교(삼국 시대, 남북국 시대)

이명호 한국사 기출로 적중

01 통치체제의 비교

01 다음은 삼국 시대 정치조직과 관련된 내용이다. 옳은 것은 모두 몇 개인가? [2013 경찰]

> ㉠ 백제에는 16관등 제도가 있었다.
> ㉡ 고구려의 지방은 5부로 나뉘어 있었다.
> ㉢ 신라에는 상대등(上大等)을 의장으로 하는 만장일치 합의체인 화백회의가 있었다.
> ㉣ 백제의 지방은 5방으로 나뉘어 있었다.

① 1개　　　　　　　　　　　　　② 2개

③ 3개　　　　　　　　　　　　　④ 4개

해설　　　　　　　　　　　　　　　　　　　　　　　　　정답 ④

㉠ 백제는 고이왕 때 6좌평과 16관등의 체계가 마련되었다.
㉡ 고구려는 전국을 동, 서, 남, 북, 중의 5부로 나누고, 각 부에는 욕살(褥薩)이라고 불리는 지방장관이 대성(大城)에 머물면서 다스렸다. 욕살은 중앙 정부로부터 파견되었고, 그 임무는 행정과 군사를 함께 겸하고 있었으므로 고대국가의 지방제도가 중앙 집권적이며 군사적 조직이었음을 알 수 있다.
㉢ 신라의 화백회의는 고구려와 백제의 귀족회의와는 달리 만장일치 방식으로 운영되었다.
㉣ 백제는 수도를 5부로, 지방을 동, 서, 남, 북, 중의 5방으로 나누었다.

02 삼국 시대의 정치 제도에 대한 설명으로 옳은 것만을 모두 고르면? [2018 지방직 9급]

> ㉠ 삼국의 관등제와 관직제도 운영은 신분제에 의하여 제약을 받았다.
> ㉡ 고구려는 대성(大城)에는 처려근지, 그 다음 규모의 성에는 욕살을 파견하였다.
> ㉢ 백제는 도성에 5부, 지방에 방(方)－군(郡) 행정제도를 시행하였다.
> ㉣ 신라는 10정 군단을 바탕으로 영역을 확장하고 삼국 통일을 이룩하였다.

① ㉠, ㉡　　　　　　　　　　　② ㉠, ㉢

③ ㉡, ㉣　　　　　　　　　　　④ ㉢, ㉣

해설 　　　　　　　　　　　　　　　　　　　　　　　　　　　　　　　　　정답 ②

㉠ 신라는 관등제를 골품 제도와 결합하여 운영하였으며, 고구려와 백제도 신라와 비슷하게 운영하였다. <u>삼국의 관등제와 관직 체계의 운영은 신분제의 영향을 받았다.</u> ○ 2014 경찰

㉢ 백제의 중앙행정구역은 5부로 개편되었고, 지방에 방(方)을 두고, 그 아래에는 군(郡)을 두었다.

㉡ 고구려는 5부의 대성(大城)에 욕살(褥薩)을 파견하고, 그 다음 규모의 성(城)에는 처려근지(處閭近支)를 두었다.

	고구려	백제	신라
최상급 지방행정구역	5부 (장관: 욕살)	5방 (장관: 방령)	5주 (장관: 군주)
하위 지방행정구역	성(처려근지) 소성(가라달, 누초)	군(군장) 성(성주, 도사)	군(당수) 성(도사)

㉣ 삼국 시대에는 지방군으로 6정을 두었고, 삼국통일을 이룩한 후 10정을 두었다.

---

03 밑줄 친 '왕'이 조성에 관여한 문화유산만을 [보기]에서 고른 것은? 　　　　[2016 지방직 7급]

> 왕이 사신을 보내어 당나라에 만불산(萬佛山)을 헌상하니 대종(代宗)은 이것을 보고 "신라의 기교는 하늘의 조화이지 사람의 재주가 아니다."라고 경탄하였다. ○ 「삼국유사」

[보기]

㉠ 감은사지 삼층석탑　　　　　　　　㉡ 석굴암
㉢ 상원사 동종　　　　　　　　　　　㉣ 불국사 청운교·백운교

① ㉠, ㉡　　　　　　　　　　　　　② ㉠, ㉢
③ ㉡, ㉣　　　　　　　　　　　　　④ ㉢, ㉣

해설 　　　　　　　　　　　　　　　　　　　　　　　　　　　　　　　　　정답 ③

만불산(萬佛山)은 신라 경덕왕이 당 대종(代宗)에게 선물한 높이 1장(丈) 가량의 산(山) 모형이다. 이 산에 1만 개의 불상을 조각하여서, 그 이름이 만불산이 되었다.

> 경덕왕은 당(唐)나라 대종황제가 불교를 특별히 숭상한다는 말을 듣고 공장(工匠)에게 명하여 오색 모직물을 만들고 또 침단나무와 좋은 구슬과 아름다운 옥을 조각하여 높이 1장(丈) 남짓한 가산(假山)을 만들어 모직물 위에 놓았다. 산에는 뾰족한 바위와 괴이한 돌이 있고 계곡과 동굴이 구역을 나누었는데 …… 속에는 만불(萬佛)이 안치되었는데, 큰 것은 사방 한 치가 넘고 작은 것은 8, 9푼이다. …… 이로 인하여 만불산이라고 하였다. ○ 「삼국유사」

㉡, ㉣ 불국사와 석굴암은 경덕왕 때 김대성이 짓기 시작하여 혜공왕 때 완성되었다.

㉠ 감은사지 3층 석탑은 신문왕 때 완성되었다.

㉢ 상원사 동종은 성덕왕 때 완성되었다.

 명호샘의 한마디!!

경덕왕의 키워드는 1) 녹읍 부활, 2) 태학감, 3) 불국사와 석굴암 창건, 4) 한화정책(漢化政策), 5) 만불산, 6) 성덕대왕 신종, 7) 도솔가·제망매가·찬기파랑가·안민가이다. 이 중 한화정책은 제도와 문화를 중국식으로 바꾸는 것을 말하는데, 신라에서는 경덕왕, 애장왕 등이 한화정책을 실시하였다. 경덕왕은 신라의 관직명과 지명을 중국식(한자식)으로 바꾸었는데, 집사부 장관의 명칭을 중시에서 시중으로 바꾼 것이 대표적인 예이다.

04 다음 시가가 만들어진 국왕대의 사실로 옳은 것은?   [2017 국가직 7급(하반기)]

> 임금은 아버지요 신하는 사랑하실 어머니시라.
>
> 백성을 어리석은 아이라 여기시니, 백성이 그 사랑을 알리라.
>
> 꾸물거리며 사는 물생들에게, 이를 먹여 다스리네.
>
> 이 땅을 버리고 어디로 가랴, 나라 안이 유지됨을 아리이다.
>
> 아아! 임금답게 신하답게 백성답게 할지면, 나라 안이 태평하리라.   ◐「안민가」

① 9주의 명칭을 중국식으로 바꾸었다.

② 귀족들의 경제적 기반인 녹읍을 폐지하였다.

③ 최초로 진골 출신이 왕이 되어 왕권을 강화하였다.

④ 최치원이 국왕에게 10여 조의 시무책을 건의하였다.

해설   정답 ①

제시된 자료는 '(향가의 왕) 경덕왕' 때 충담사가 지은 향가 '안민가'이다. 경덕왕 때 월명사는 도솔가, 제망매가를, 충담사는
찬기파랑가, 안민가를 지었다. 이때 한화정책에 따라 9주의 명칭(지명)도 중국식으로 바꾸었다.

② 신문왕, ③ 무열왕, ④ 진성여왕

05 불국사와 석굴암을 창건한 시기에 있었던 일로 옳은 것은?   [2014 서울시 7급]

① 귀족 세력을 억제하기 위해 녹읍을 혁파하였다.

② 통일을 자축하기 위해 임해전을 건설하였다.

③ 전국의 지명을 중국식으로 바꾸었다.

④ 원산만과 한강 하류로 진출하였다.

⑤ 독서삼품과를 실시하였다.

해설   정답 ③

불국사와 석굴암은 경덕왕 때 짓기 시작하여, 혜공왕 때 완성되었다. 창건(創建)이란 '처음 짓기 시작함'이라는 의미이므로,
문제에서 '창건한 시기'란 경덕왕 때를 말한다. 전국의 지명을 중국식으로 바꾸었다는 것은 경덕왕의 한화정책을 말한다.

① 녹읍 혁파는 신문왕 때이다.

② 통일을 자축하기 위해 임해전이라는 궁전을 건설한 때는 문무왕 때로 추정된다.

④ 원산만과 한강 하류로 진출하여 각각 비열홀주와 신주를 설치한 때는 진흥왕 때이다.

⑤ 최초의 관리 채용 제도인 독서삼품과는 원성왕 때 실시되었다.

06 통일신라에 대한 설명으로 가장 옳은 것은?

[2018 서울시 9급]

① 통일 후에는 주로 진골귀족으로 구성된 9서당을 국왕이 장악함으로써 왕실이 주도하는 교육제도를 구축하였다.

② 불교가 크게 융성한 통일신라의 수도인 경주에서는 주로 천태종이 권력과 밀착하며 득세하였다.

③ 신라 중대 때는 주로 원성왕의 후손들이 즉위하면서 비교적 강력한 왕권을 행사하였다.

④ 넓어진 영토를 관리하기 위해 지방행정을 구획하였는데, 5소경도 이에 해당한다.

해설
정답 ④

소경(小京)은 신라가 지방에 설치한 행정 단위로, 새로이 영토로 편입한 곳의 민심을 위로하고 안정시키는 한편, 해당 지역에 대한 지배를 확고히 하기 위해 설치했다고 여겨진다. 소경에는 다른 지역의 유력자나 중앙 6부 사람들을 이주시키기도 하였다. 최초의 소경은 514년(신라 지증왕 15)에 설치된 아시촌소경(阿尸村小京)이다. 아시촌소경의 위치는 경상북도 의성군(義城郡) 지역으로 추정되며, 경상남도 함안군(咸安郡)이나 경상북도 경주시 안강읍(安康邑), 경상북도 상주시(尙州市) 등으로 추정하는 견해도 있다. 신라는 순차적으로 소경을 설치했는데, 삼국 통일을 완수한 후 넓어진 영토를 관리하기 위해 5개의 소경을 두는 5소경제로 재편하였다. 이렇게 완성된 5소경은 국원소경(國原小京), 북원소경(北原小京), 남원소경(南原小京), 서원소경(西原小京), 금관소경(金官小京)이다.

① 9서당은 통일 신라의 수도인 경주에 주둔하면서 수도의 방어와 치안을 담당하던 9개의 군부대이다. 교육제도와는 거리가 멀다.

② 천태종은 '고려 중기'에 의천이 해동천태종을 창시하면서 득세하였다.

③ 신라 중대 때는 주로 '무열왕'의 후손들이 즉위하였다.

07 다음 정치 제도에 대한 설명으로 옳지 않은 것은?

[2017 기상직 7급 변형]

① 백제의 내법좌평은 형옥업무를 관장하였다.

② 방령과 군장, 도사는 백제의 지방관 명칭이다.

③ 태봉의 내봉성은 왕명을 받들어 행정을 집행하였다.

④ 통일신라는 주, 군의 감찰을 맡기려고 외사정을 파견하였다.

해설
정답 ①

백제의 내법좌평은 예법과 의식을 관장하였다.

② 백제는 지방을 5방으로 나누었는데, 방의 장관을 방령이라 하였다. 방 아래에는 여러 군을 두었으며, 군에는 군장(郡將)을 두어 그 지방을 다스리게 하였다. 현의 장관은 도사(성주)라고 하였다. 이들은 백제의 지방장관인 동시에 군지휘관이었다.

③ 태봉의 내봉성은 그 명칭으로 보아 국왕 측근에서 왕명을 받들어 시행하는 행정기구로 보여진다. 새로운 체제가 마련되기 전인 고려 초기에는 광평성이 정책결정의 최고 정무기관 역할을 하였고, 내봉성은 행정 집행 기관 역할을 하였다.

④ '주, 군'이란 지방을 말한다. 외사정(外司正)은 지방관의 부정이나 비리, 권한남용 등을 감시하고, 중앙의 명령이 제대로 전달되어 시행되는지 감독하기 위하여 주와 군에 파견된 관리로서, 문무왕 때 최초로 파견되었다(673).

08 다음의 ( ) 안에 들어갈 용어를 순서대로 옳게 나열한 것은? [2010 경찰]

삼국의 지방 행정조직은 그대로 군사 조직이기도 하였으므로 각 지방의 지방관은 곧 군대의 지휘관이었다. 백제의 ( )은(는) 각각 700~1,200명의 군사를 거느렸고, 신라의 ( )은(는) 주 단위로 설치한 부대인 정을 거느렸다.

① 욕살 – 방령 ② 방령 – 욕살

③ 방령 – 군주 ④ 군주 – 방령

해설 정답 ③

삼국 시대 지방관의 명칭은 욕살(고구려), 방령(백제), 군주(신라)였다.

 명호샘의 한마디!!

지방장관의 명칭은 다음과 같이 변천하였다.

삼 국	통일신라	고 려	조 선	갑오2차
욕살(고)		안찰사(5도)		
방령(백)	총관, 도독		관찰사(8도)	관찰사(23부)
군주(신)		병마사(양계)		

09 다음 (가)에서 이루어진 합의제도를 시행한 국가의 통치체제로 옳은 것은? [2017 지방직 9급]

호암사에는 __(가)__ (이)라는 바위가 있다. 나라에서 장차 재상을 뽑을 때에 후보 3, 4명의 이름을 써서 상자에 넣고 봉해 바위 위에 두었다가 얼마 후에 가지고 와서 열어 보고 그 이름 위에 도장이 찍혀 있는 사람을 재상으로 삼았다. ➡ 「삼국유사」

[보기]

㉠ 중앙정치는 대대로를 비롯하여 10여 등급의 관리들이 나누어 맡았다.

㉡ 중앙관청을 22개로 확대하고 수도는 5부, 지방은 5방으로 정비하였다.

㉢ 16품의 관등제를 시행하고, 품계에 따라 옷의 색을 구별하여 입도록 하였다.

㉣ 지방 행정 조직을 9주 5소경 체제로 정비하였다.

㉤ 중앙에 3성 6부를 두고, 정당성을 관장하는 대내상이 국정을 총괄하도록 하였다.

① ㉠, ㉡ ② ㉡, ㉢

③ ㉢, ㉣ ④ ㉣, ㉤

'(가)에서 이루어진 합의제도'는 정사암 회의이며, 이 '제도를 시행한 국가'는 백제이다.

ⓒ '백제'는 6세기 성왕 때 중앙관청을 22개로 확대하고 수도는 5부, 지방은 5방으로 정비하였다.

ⓒ '백제'는 3세기 고이왕 때 16품의 관등제를 시행하고, 품계에 따라 옷의 색을 구별하여 입도록 하였다.

㉠ '고구려'의 중앙정치는 대대로를 비롯하여 10여 등급의 관리들이 나누어 맡았다.

㉢ '통일신라'는 지방 행정 조직을 9주 5소경 체제로 정비하였다.

㉤ '발해'는 중앙에 3성 6부를 두고, 정당성을 관장하는 대내상이 국정을 총괄하도록 하였다.

10 고대국가의 중앙·지방제도에 대한 설명으로 가장 적절한 것은?

[2011 경찰]

① 고구려의 관등제는 경위(京位)와 외위(外位)의 2원적 체계로서 '형(兄)'과 '사자(使者)'의 명칭이 붙은 관등이 많았다.

② 고구려는 평양천도 이후에 수상격으로 대대로가 있었고 그 아래에 재정을 담당하는 주부와 내무를 담당하는 내평과 외무업무를 담당하는 외평이 국정을 분장하였다.

③ 백제는 수상격인 상좌평 또는 내신좌평을 3년마다 정사암 회의에서 선출하였고, 내법좌평은 형옥업무를 관장하였다.

④ 신라는 법흥왕 때 17관등제를 정비하였고, 관등승진의 상한선은 골품에 따라 정해져 있었는데 6두품은 이벌찬의 관등까지 승진할 수 있었다.

고구려의 최고 관직(수상)은 대대로였고, 그 아래에 주부, 내평, 외평이 있었다. 고구려는 최고 관직의 명칭으로 평양 천도 이후인 5세기부터 '대대로'를 사용하다가 고구려 말기인 7세기에는 '막리지·대막리지' 등의 명칭을 사용하기도 하였다.

① 고구려의 관등제는 족장의 성격을 지닌 세력이 관등이 된 '형(兄)'과 조세 행정적 성격이 강한 '사자(使者)'의 명칭이 붙은 관등이 있던 것은 맞지만, 경위와 외위의 2원적 체계는 신라의 관등제에 대한 설명이다. 신라의 경위는 17관등제였지만, 외위는 11관등제였다.

③ 백제의 관등제에서 내법좌평은 예법과 의식(儀式)을 담당하였으며, 형법이나 법무에 대한 업무는 조정좌평에서 맡았다.

④ 신라의 관등제는 두품에 따라 승진할 수 있는 상한이 있었는데, 6두품은 '아찬'의 관등까지만 오를 수 있었다. 이벌찬은 성골이나 진골 출신만 오를 수 있는 최고 관등이다.

11 다음은 고대 국가의 통치 조직을 정리한 것이다. ㉠~㉣에 대한 설명으로 옳은 것은?

[2008 법원직 9급]

구 분	고구려	백 제	신 라	통일신라
최고 관직	㉠	상좌평	상대등	시중
지방 행정 조직	5부	5방	㉡	9주
특수 행정 구역	3경	㉢	2소경	5소경
최고 회의 기구	제가 회의	정사암 회의		㉣

① ㉠ - 정당성의 장관으로 국정을 총괄하였다.

② ㉡ - 지방 행정 조직은 군사 조직을 겸하였다.

③ ㉢ - 풍수지리설의 영향으로 지방 거점에 설치하였다.

④ ㉣ - 임시 기구로 법 제정이나 시행 규정을 다루었다.

해설

정답 ②

㉠은 대대로, ㉡은 5주, ㉢은 22담로, ㉣은 화백회의이다.

① 고구려의 최고관직은 대대로 또는 막리지이다. 정당성의 장관인 대내상은 발해의 최고 관직이다.

② 삼국 시대 국가의 주민 통치는 본질적으로 군사적 지배의 성격을 띠고 있었다.

③ 6세기 초 무령왕은 웅진 천도 후 행정 구역을 개편하여야 했으므로, 중국의 군현제와 비슷한 22담로를 지방에 설치하였다. 풍수지리설의 영향을 받은 특수 행정구역은 고려의 3경이다.

④ 신라의 최고 회의기구는 화백회의이다. 임시기구로 법 제정이나 시행규정을 제정한 기구는 고려의 식목도감을 말한다.

12 삼국 시대 각국의 역사상에 대한 설명으로 옳은 것만을 모두 고르면?

[2011 국가직 9급]

㉠ 고구려의 소노부는 자체의 종묘와 사직에 제사를 지내기도 하였다.

㉡ 백제 성왕은 중앙 관청을 22부로 확대 정비하고 수도를 5부로, 지방을 5방으로 정비하였다.

㉢ 영일 냉수리 신라비와 울진 봉평 신라비에 의하면 왕은 소속부의 명칭을 띠고 있었다.

① ㉠, ㉡

② ㉠, ㉢

③ ㉡, ㉢

④ ㉠, ㉡, ㉢

📝**해설**

㉠ 고구려의 5부는 고구려를 형성한 여러 부족 중에서 가장 유력하여 연맹 세력의 핵심이 된 세력으로 「삼국지」 위서 동이 전에 나오는 소노부, 절노부, 순노부, 관노부, 계루부를 말한다. 처음에는 5부족 중 소노부가 강하였는데, 소노부는 자체의 종묘와 사직에 제사를 지내기도 하였다. 그러나 점차 계루부가 강해져 왕족을 이루었다.

㉡ 6세기 중반 백제 성왕은 사비 천도를 통하여 백제의 중흥을 꾀하였다. 중앙 관청은 22부로 확대 정비하고 수도를 5부로, 지방을 5방으로 정비하였다.

㉢ 영일냉수리비와 울진봉평비에는 6부족의 명칭과 왕의 소속부 명칭이 기록되어 있다. 왕의 소속부가 기록되었다는 것은 아직도 왕이란 특정 부족의 실력자 중에서 선출된다는 의식이 일부 남아 있다는 의미이다. 여기에서 아직 전제 왕권이 확립되지 않은 삼국 시대의 특징이 나타난다.

02 | 고대사회 · 경제의 비교

01 고대의 사회

01 다음은 삼국 시대 어느 나라의 사회 모습에 대한 내용이다. 이 나라의 지배층에 대한 설명으로 옳지 않은 것은?

> 이 나라 사람은 상무적인 기풍이 있어서 말 타기와 활쏘기를 좋아하고, 형법의 적용이 엄격했다. 반역한 자나 전쟁터에서 퇴각한 군사 및 살인자는 목을 베었고, 도둑질한 자는 유배를 보냄과 동시에 2배를 물게 했다. 그리고 관리가 뇌물을 받거나 국가의 재물을 횡령했을 때에는 3배를 배상하고, 죽을 때까지 금고형에 처했다.

① 간음죄를 범할 경우 남녀 모두를 처벌하였다.

② 투호와 바둑 및 장기와 같은 오락을 즐겼다.

③ 중국의 고전과 역사책을 읽고 한문을 구사하였다.

④ 대표적인 귀족의 성으로 여덟 개가 있었다.

📝**해설**

제시된 자료는 '백제의 사회 모습'이다. 백제에서는 간음한 여자는 남편 집의 노비로 전락하였다. ● 2017 경찰특공대 그러나 간음한 부인의 상대 남자에 대한 처벌 방식은 명시가 되어 있지 않은 것을 보면, 백제도 가부장적 사회였음을 추정해 볼 수 있다.

② 백제의 지배층은 고구려 지배층과 마찬가지로 투호, 바둑, 장기 등을 즐겼다.

③ 백제인들은 고전과 역사책을 즐겨 읽고, 한문을 능숙하게 구사하였으며, 관청 실무에도 밝았다.

④ 백제의 지배층은 왕족인 부여씨와 8성의 귀족으로 이루어졌다. 왕족인 부여씨와 왕비족인 진씨, 해씨가 중앙의 고위 관직과 22담로의 지방 장관을 독차지하였다.

02 삼국 시대 관등제에 대한 설명으로 옳지 않은 것은? [2010 국가직 7급 변형]

① 신라의 관등은 크게 솔(率)계 관등과 덕(德)계 관등으로 나뉜다.

② 고구려의 관등은 크게 형(兄)계 관등과 사자(使者)계 관등으로 나뉜다.

③ 백제의 관등은 복색제와 연관되어 공복의 색깔도 관등에 따라 3색으로 구분되었다.

④ 종래의 족장적 성격을 띤 다양한 세력집단이 왕 아래에 하나의 체계로 조직되어 상하관계를 이룬 것이다.

⑤ 관등 명칭 중 간(干)이나 마루(舍) 등은 족장적 의미를 지닌 것이었다.

해설 정답 ①

솔계 관등과 덕계 관등으로 나뉘는 것은 '백제'이다. 세 단계로 구분해 본다면 1) 좌평과 솔(率) 계열, 2) 덕(德) 계열, 3) 무명(武名) 계열로 나눌 수 있다.

③ 이들은 각각 자색, 비색, 청색의 공복을 입어 구별되었다.

② 고구려 관등 조직에서는 형(兄)과 사자(使者)의 명칭을 중심으로 관등이 분화되어 있다. '형'은 연장자 또는 가부장적 족장의 뜻을 가진 것으로 종래의 족장 세력이 집권적인 왕권 아래 통합, 편제되는 과정에서 각기 그들의 족적 기반의 차이에 따라 개편된 것이다. '사자'는 원래 조부를 거두어 들이는 사람이라는 뜻으로 행정적인 관리 출신이 그들의 지위에 따라 여러 관등으로 분화·편제된 것이다.

④, ⑤ 신라 관등 제도는 6세기 초 법흥왕 때 17관등으로 완성되었다. 그런데 이 관등 명칭에 간(干), 마루(舍), 지(知)와 같은 족장적 의미를 가진 것이 많은 것으로 보아 종래 여러 종류의 족장 명칭이 고대국가에 이르러 하나의 관등 체제에 편제되었음을 알 수 있다.

03 ㉠과 ㉡ 두 인물의 공통된 신분상의 특징으로 옳은 것은? [2017 국가직 9급]

> - ___㉠___은(는) 신문왕에게 화왕계를 통하여 조언하였다.
> - ___㉡___은(는) 진성여왕에게 시무책 10여 조를 올렸다.

① 왕이 될 수 있는 신분이었다.

② 자색(紫色)의 공복을 착용하였다.

③ 중앙 관부의 최고 책임자를 독점하였다.

④ 관등 승진에서 중위제(重位制)를 적용받았다.

해설 정답 ④

'㉠ 설총'은 풍간의 뜻을 품은 「화왕계(花王戒)」를 지어 바쳐, 국왕의 유교적 도덕 정치와 향락 배격을 강조하였다. 설총은 원효의 아들로 '6두품' 출신이다. '㉡ 최치원'은 당에서 귀국한 후 진성여왕에게 시무책 10여 조를 올렸다. 최치원은 신라 하대의 '6두품' 출신이다. '6두품 이하의 신분층'은 관등 승진에서 중위제(重位制)를 적용받을 수 있었다. '중위'란 중층적 위계를 줄인 말로, 6두품 이하의 신분층이 같은 두품 내에서 여러 단계로 승진할 수 있도록 한 특진 제도를 말한다. 예들 들면, 6두품의 승진 상한은 아찬이지만, 아찬을 여러 단계로 나누어 4중(四重) 아찬까지 오를 수 있었다.

① 신라 상대까지 '성골'이 왕이 되었으며, 중대부터 '진골' 귀족도 왕이 될 수 있었다.

② 자색(紫色)의 공복은 이벌찬, 이찬, 잡찬, 파진찬, 대아찬에 해당하는 관료가 입을 수 있었다. 이 관등에 오를 수 있는 이들은 모두 진골 귀족이었다.

③ 중앙 관부의 최고 책임자, 즉 장관이 될 수 있는 자들도 모두 진골 귀족이었다.

04 다음 글을 지은 사람들의 공통점으로 옳은 것은?

[2017 지방직 9급]

> (가) 낭혜화상백월보광탑비문(朗慧和尙白月葆光塔碑文)
>
> (나) 대견훤기고려왕서(代甄萱寄高麗王書)
>
> (다) 낭원대사오진탑비명(郎圓大師悟眞塔碑銘)

① 골품제를 비판하고 호족 억압을 주장하였다.

② 국립 교육기관인 태학(太學)에서 공부하였다.

③ 신라뿐만 아니라 고려왕조에서도 벼슬하였다.

④ 당나라에 유학하여 빈공과(賓貢科)에 급제하였다.

해설 　　　　　　　　　　　　　　　　　　　　　　정답 ④

이 문제는 소위 '3최(三崔)' 문제이다. (가) 성주사 '낭혜화상백월보광탑비문'은 신라 하대의 6두품인 최치원이 지었다. (나) '대견훤기고려왕서'는 견훤을 '대신'하여 고려왕 왕건에게 보낸 서신으로, 신라 하대(후삼국 시대)의 6두품인 최승우가 지었다. (다) 보현사 '낭원대사오진탑비명'은 6두품 출신 최언위가 지었다.

④ 신라 말에 도당 유학생이 늘어나면서 빈공과에 합격하는 사람들이 많아졌다. 그 중 6두품 출신인 최치원, 최승우, 최언위도 당에 유학하면서 빈공과에 급제하였다.

① 6두품은 골품제를 비판하였다. 그러나 호족의 억압을 주장하지는 않았다. 오히려 이들은 신라 하대에 호족 세력과 연계하여 사회 개혁을 추구하였다.

② 고구려의 국립 교육기관인 태학(太學)에서 공부한 이들은 '귀족의 자제들'이다.

③ '최언위'는 신라뿐만 아니라 고려왕조에서도 벼슬하였다. 그는 태조를 보필하며 유교주의에 입각한 통치를 건의하였다. 그러나 최치원과 최승우는 그 사망한 때가 명확하지 않으나, 고려 왕조에서 벼슬을 하지는 않았다.

05 신라의 관등제도에 대한 설명으로 가장 적절하지 않은 것은?

[2013 경찰 변형]

① 6세기 초 법흥왕 때 완성되었다.

② 왕경인에 대한 경위(京位) 17관등과 지방인에 대한 외위(外位) 11관등으로 구성되었다.

③ 6두품은 아찬(阿湌)까지, 5두품은 대사(大舍)까지 승진의 한계가 정해져 있다.

④ 삼국통일을 전·후한 시기에 이르면 6두품 이하에 속한 사람들에게 중위(重位) 제도라는 일종의 특진의 길을 개방하기도 하였다.

⑤ 공복의 색깔은 관등에 의해 결정되었다.

해설 　　　　　　　　　　　　　　　　　　　　　　정답 ③

6두품의 승진 한계는 '아찬'이지만, 5두품의 승진 한계는 '대나마'였다.

① 신라의 관등 제도는 법흥왕 때 완성되었다. 관등 제도의 완성은 골품제의 정비와 함께 이루어졌다. <u>신라의 골품제는 왕족을 대상으로 하는 골제와 일반 귀족을 대상으로 하는 두품제가 따로 있었다.</u> ◑ 2018 경찰간부 그런데 법흥왕 때 이것을 하나의 체계로 통합하였다.

② 신라의 17관등제는 중앙의 관리에 대해서만 적용된다. 신라는 경위와 외위가 구분되어 있었으며, 지방 관리의 관등제는 11관등으로 구성되어 있었다.

④ 중위(重位)제도라는 제도가 있었으나, 이 제도로 제한된 관등의 상한선을 넘을 수 있는 것은 아니었다.

⑤ 공복의 색깔은 '두품'이 아닌 '관등'에 의해 결정되었다.

🧑 명호샘의 한마디!!

골품제도는 왕경 안의 왕족, 귀족 및 고대국가의 팽창과정에서 병합된 지방의 족장 세력을 통합·편제하는 과정에서 그들의 지위에 따라 골품의 등급을 달리 정한 것이다. 골품제의 발생시기 및 소멸시기와 관련된 기출 문장들을 확인하기 바란다.

골품제의 발생	골품제의 소멸
• 중앙 집권 국가로 발전하면서 부족을 통합하는 과정에서 생겨났다. (○) • 삼국 통일기에 고구려계, 백제계의 족장 세력을 통합·편제하는 과정에서 성립되었다. (×) • 삼국 통일 과정에서 발생하였다. (×)	• 고려가 건국되면서 소멸하였다. (○) • 신라 말기의 왕위 쟁탈전에서 소멸되었다. (×)

06 다음 자료에 등장하는 '설계두'란 인물이 속한 신분계층에 대한 설명으로 가장 적절한 것은?

[2009 경찰]

> 설계두가 하루는 친구들과 함께 술을 마시며 자기 뜻을 말하였다. "우리나라에서는 사람을 쓰는 데 먼저 골품을 따진다. 정말 그 족속이 아니면 비록 큰 재주와 뛰어난 공이 있다 하더라도 크게 될 수 없다."
>
> ➡ 「삼국사기」

① 왕권의 전제화에 반대하여 반란을 일으킨 김흠돌이 이 신분 출신이었다.

② 신라 하대에 중앙 정부의 통제에서 벗어나 반독립적인 세력으로 성장하였다.

③ 「화랑세기」를 저술한 한산주의 도독 김대문이 이 신분 출신이었다.

④ 고려 성종 때에는 이들 출신의 유학자들이 국정을 주도하며 유교정치를 펼쳤다.

📖 해설

정답 ④

설계두는 6두품 출신이다. 골품제가 붕괴된 고려 초에는 최언위, 최승로 등 6두품 출신 유학자들이 왕을 보필하며 활발하게 활동하였다.

① 김흠돌은 진골 귀족이었다. 그러므로 신문왕이 김흠돌의 반란을 진압하였다는 것은 '귀족 세력 숙청'을 의미한다.

② 신라 하대에 중앙 정부의 통제에서 벗어나 반(半) 독립적인 세력으로 성장한 것은 '호족 세력'이다.

③ 김대문은 진골 귀족이었다. 한산주의 '도독'이 되었다는 것을 보아도 진골 귀족임을 알 수 있다. 지방 장관인 도독은 진골 귀족만 될 수 있기 때문이다.

07 다음 자료에 나타난 통일신라 시대의 신분층과 연관된 설명으로 옳은 것은? [2016 국가직 9급]

> (그들의) 집에는 녹(祿)이 끊이지 않았다. 노동(奴僮)이 3천 명이며, 비슷한 수의 갑병(甲兵)이 있다. 소, 말, 돼지는 바다 가운데 섬에서 기르다가 필요할 때 활로 쏘아 잡아먹는다. 곡식을 남에게 빌려 주어 늘리는데, 기간 안에 갚지 못하면 노비로 삼아 부린다. 🔴「신당서」

① 관등 승진의 상한은 아찬까지였다.

② 도당 유학생의 대부분을 차지하였다.

③ 돌무지덧널무덤을 묘제로 사용하였다.

④ 식읍 · 전장 등을 경제적 기반으로 하였다.

📑해설 정답 ④

통일신라의 '귀족'은 삼국통일 이전보다 풍족한 경제 기반을 가졌다. 이들은 당과 아라비아에서 수입한 사치품을 사용하고 당의 유행을 따라 옷을 입을 정도였으며, 경주 근처에 호화로운 별장을 짓고 살았다. 또한 소, 말, 돼지를 바다 가운데 섬에서 길러, 필요할 때 화살로 쏘아 잡아 먹기도 하였다. 그야말로 '사치'의 극치를 달렸다. 이들의 경제적 기반은 국가로부터 받은 식읍, 조상으로부터 물려받은 토지 등이었다. 전장이란 농지와 함께 있는 농가 건물을 말한다.

①, ② 관등 승진의 상한이 아찬이며, 도당(渡唐) 유학생의 대부분을 차지한 신분층은 6두품이다.

③ 돌무지덧널무덤은 삼국시대의 무덤양식이다. 돌무지덧널무덤을 묘제로 사용한 신분층은 삼국시대의 귀족층(특히 왕족)이다.

08 다음 (가), (나)에 나타난 신라제도에 대한 설명으로 옳지 않은 것은? [2017 지방직 7급]

> (가) 속성은 김씨로 태종무열왕이 8대조이다. 할아버지인 주천의 골품은 진골이고 … 아버지는 범청으로 골품이 진골에서 한 등급 떨어져 득난(得難)이 되었다.
> 🔴「성주사낭혜화상백월보광탑비문」
>
> (나) 최치원은 난랑비(鸞郞碑) 서문에서 우리나라에는 현묘한 도가 있으니 풍류(風流)라 일컬었다. … 실로 이는 삼교(유 · 불 · 선)를 포함하고 중생을 교화한다. 🔴「삼국사기」

① (가) – 개인의 사회 활동과 일상생활을 규제하였다.

② (가) – 관등 승진의 상한선이 정해져 있었다.

③ (나) – 진흥왕 때 인재양성을 위한 제도로 정착되었다.

④ (나) – 귀족들이 회의를 통하여 중요한 국사를 결정하였다.

해설   정답 ④

(가) 최치원이 지었다고 전해지는 '성주사 낭혜화상 백월보광 탑비문'에 득난(得難)이라는 단어가 등장한다. 최치원은 '득난'
아래 5단계의 신분 등급이 더 있다고 말하는데, 이것은 득난이 6두품이라는 뜻이다. '낭혜'의 가계는 본래 진골이었으나
아버지 '범청' 때 6두품으로 떨어졌다. 이상의 내용을 볼 때 (가)에 나타난 제도는 '골품제'이다.

(나) 최치원은 화랑 난랑의 넋을 기리는 난랑비 서문에서 말하기를, "나라에 현묘(玄妙)한 도(道)가 있으니, [이것을] 일러
풍류(風流)라고 한다. 가르침의 근원은 『선사(仙史)』에 자세히 실려 있는데, 실로 곧 삼교(三敎)를 포함하여 뭇 백성을
교화하는 것이다. 이를테면 집에 들어와서는 효를 행하고 나가서는 나라에 충성을 하는 것이 노(魯)나라 사구(司寇)의
가르침이요, [주어진 여건 속에서] 자연 그대로 일을 하면서도 말없이 가르침을 실천하는 것이 주(周)나라 주사(柱史)의
근본[뜻]이요, 모든 악(惡)을 만들지 말고 모든 선(善)을 받들어 행하는 것이 축건 태자(竺乾太子 : 석가모니)의 가르침
이다."라고 하였다. 「삼국사기」 이상의 내용을 볼 때 (나)에 나타난 제도는 '화랑도'이다.

①, ② 골품제는 개인의 사회활동과 일상생활을 규제하였으며, 골품제에 입각하여 관등 승진의 상한선이 정해져 있었다.

③ 화랑도는 진흥왕 때 국가적인 조직으로 개편되었다. 이 문제에서는 '국가적인 조직으로 개편'이나 '공인'이라는 표현 대신
'인재양성을 위한 제도로 정착'이라고 표현하였다. 모두 외워 두길.

④ 귀족들이 회의를 통해 국사를 결정한 제도는 '화백회의'이다. 신라의 3대 제도인 골품제, 화랑도, 화백회의의 특성과 기능
을 잘 구분하여야 한다.

02 고대의 경제

09 다음 글에서 ( )에 들어갈 내용으로 옳지 않은 것은?   [2010 지방직 9급]

> 삼국은 서로 치열하게 경쟁하고 있었다. 각 나라는 군사력과 재정을 확보하기 위하여 농업
> 생산력 증대에 많은 관심을 기울였다. ( ), ( ), ( ) 등 여러 정책을 실시하자, 농업 생산이
> 증대되어 농민 생활도 점차 향상되어 갔다.

① 우경 장려   ② 철제 농기구의 보급
③ 수취 제도의 정비   ④ 정전(丁田)의 지급

해설   정답 ④

정전은 통일신라의 성덕왕 때 지급되었다(722). 통일 전과 후의 사실을 구분하는 전형적인 문제이다.

① 6세기 지증왕 때 우경을 장려하였다.

> 왕 재위 3년에 순장을 금지하는 명령을 내렸다. 3월에는 주와 군의 수령에게 명하여 농사를 권장하게 하였다.
> 처음으로 소를 부려서 논밭을 갈았다.   ○「삼국사기」 ○ 2018 경찰

② 삼국 시대에 쟁기, 호미, 낫 등 철제농기구가 보급되었다.

③ '수취 제도의 정비'라는 표현은 그 정비의 정도를 어느 정도로 보느냐에 따라, 논란의 여지가 있을 수 있다. 다만, 다음의
기록들을 볼 때 삼국은 수취 제도를 정비하기 위해 노력하였고, 과도한 수취를 억제하기 위한 노력도 한 것으로 볼 수
있다.

> • 고구려 : 세(인두세)는 포목 5필에 곡식 5섬이다. 조(租)는 상호가 1섬이고, 그 다음이 7말이며, 하호는 5말을
> 낸다.   ○「수서」
> • 백제 : 세는 포목, 명주실과 삼, 쌀을 내었는데, 풍흉에 따라 차등을 두어 받았다.   ○「주서」

10 다음은 삼국의 주요 대외 교역 물품을 표시한 지도이다. ㉠~㉣에 들어갈 내용으로 옳은 것은?

[2017 지방직 7급]

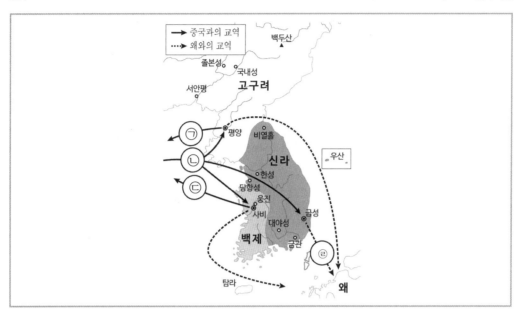

① ㉠ : 도자기, 비단, 서적
② ㉡ : 인삼, 직물류
③ ㉢ : 금, 은, 모피류
④ ㉣ : 곡물, 비단

🔍**해설**
정답 ④

㉠ 고구려의 대중국 수출품은 '금, 은, 모피류'이다.
㉡ 고구려, 백제, 신라 삼국이 중국으로부터 수입한 품목은 '도자기, 비단, 서적'이다.
㉢ 백제의 대중국 수출품은 '인삼, 직물류'이다.
㉣ 신라의 대일본 수출품은 '곡물, 비단'이다. 고구려의 대일본 수출품은 '해표피, 모피류'이고, 백제의 대일본 수출품은 '곡물, 직물류'이다.

11 통일신라의 경제에 대한 설명으로 옳지 <u>않은</u> 것은?

[2019 지방직 9급, 2011 국가직 7급 변형]

① 어아주, 조하주 등 고급비단을 생산하여 당나라에 보냈다.

② 역(役)은 군역과 요역으로 이루어졌으며, 대체로 16~60세의 남자에게 부과되었다.

③ 무역의 확대로 중국 산둥 반도와 양쯔 강 하류에 신라방, 신라소, 신라관, 신라원 등이 설치되었다.

④ 귀족은 식읍과 녹읍을 통해 그 지역 농민을 지배하면서 조세와 공물을 거두었으나, 노동력의 동원은 불가능하였다.

정답 ④

해설

녹읍과 식읍은 국가가 귀족 등에게 지급한 토지로서, 토지가 있는 지역의 노동력까지 징발할 수 있는 것이 특징이다.

① 신라의 삼국통일은 산업의 급속한 발달과 무역량의 비약적인 성장으로 신라의 경제생활에는 커다란 변화가 일어났다. 통일 전에는 그 수출품이 원료적 토산품인데 반하여 통일 이후에는 조하주(朝霞紬)·어아주(魚牙紬)·누응령(鏤鷹鈴) 등의 고급직물과 금·은 세공품 등의 수출이 늘어났다. 성덕왕 22년(당 현종 11년, 723) 당에 바친 물품은 '과하마(果下馬), 반황(半黃), 인삼(人蔘), 미체(美髢), 조하주(朝霞紬), 어아주(魚牙紬), 누응령(鏤鷹鈴), 해표피(海豹皮), 금은(金銀)' 등 주로 고급기술품이 포함되어 있었다.

② 역에는 군역과 요역이 있었다. 역은 16세부터 부과되었으나 60세가 되면 역에서 면제되었다. (그러므로 정확하게는 16~60세가 아니라 16~59세이다. 이렇게 60세까지 역에 동원된 것처럼 표현된 문제는 엄밀히 말하면 틀린 것이다. 그러나 이렇게 잘못 출제하는 경우가 종종 있으므로, 다른 지문 중에 '더' 틀린 것이 있다면 그것을 고르기 바란다.)

③ 무역의 확대로 당에 신라방(신라인들의 집단 거주지), 신라소(신라인들의 자치 행정기관), 신라관(신라인들의 유숙소), 신라원(신라인들의 불교 사찰) 등이 설치되었다. 대표적인 신라원은 장보고가 당나라 산둥 반도에 세운 '법화원'이다.

---

12 다음 자료에 해당하는 국가에 대한 설명으로 옳지 않은 것은? [2018 지방직 7급]

> 재상가는 녹(祿)이 끊이지 않았다. 노동(奴僮)이 3,000명이고, 비슷한 수의 갑옷과 무기, 소, 말, 돼지가 있었다. 바다 가운데 섬에서 길러 필요할 때에 활로 쏘아서 잡아먹었다. 곡식을 꾸어서 갚지 못하면 노비로 삼았다.

① 천문박사와 누각박사를 두었다.
② 인구는 남녀 각각 연령에 따라 6등급으로 구분하였다.
③ 수도에 서시(西市)와 남시(南市)가 새로이 설치되었다.
④ 지방에서 수취한 조세를 수도로 이송하는 조운 체계가 확립되었다.

해설

정답 ④

제시된 자료는 통일신라 시대 귀족의 사치스러운 생활을 보여주는 「신당서」의 자료이다. ①, ②, ③이 통일신라의 특징이며, '장보고의 청해진 설치', '이슬람 상인이 울산에 와서 무역' 등도 답이 될 수 있다.

④ 각 지방에서 징수한 조세미를 개경으로 운송하는 '조운 체계가 확립'된 시기는 고려 시대이다.

① 성덕왕 때에는 누각전(漏刻典)을 설치하여 물시계의 관측을 맡아보게 하였고 누각박사를 두었다. 경덕왕 때에는 천문박사를 두었다.

② 통일신라 시대의 민정문서에서는 인구를 남녀 각각 6등급으로 구분하였다.

③ 효소왕 때에는 수도(경주)에 서시(西市)와 남시(南市)가 새로이 설치되었다.

03 │ 삼국 시대 및 남북국 시대의 문화의 비교

01 고대문화 개요

01 삼국시대의 사상과 문화에 대한 설명으로 가장 옳지 않은 것은?　　　　　[2016 서울시 9급]

① 부여 능산리에서 발견된 백제대향로에는 신선이 산다는 봉래산이 조각되어 있어 백제인의
　신선사상을 엿볼 수 있다.

② 삼국 불교의 윤회설은 왕이나 귀족, 노비는 전생의 업보에 의해 타고났다고 보기 때문에 신분
　질서를 정당화하는 관념을 제공하였다.

③ 신라 후기 민간사회에서는 주문으로 질병 치료나 자식 출산 등을 기원하는 현실구복적 밀교가
　유행하였다.

④ 고구려의 겸익은 인도에서 율장을 가지고 돌아온 계율종의 대표적 승려로서 일본 계율종의
　성립에도 영향을 주었다.

해설　　　　　　　　　　　　　　　　　　　　　　　　　　　　　　　　　　　　정답 ④

6세기 초 성왕 때에 겸익(謙益)이 인도에 갔다가 돌아와서 율종(律宗, 계율종)을 시작하였다. 겸익은 '백제'의 승려이다.

① 부여 능산리 절터에서 발견된 백제대향로에는 도교의 영향을 받은 신선 사상이 나타난다.

② 윤회설, 왕즉불 사상, 불국토 사상 등은 왕실 중심으로 수용된 삼국의 불교를 정당화하는 사상이 되었다. 이 중 윤회설은
　신분질서를 정당화하였다. 특히 6두품 출신인 강수는 골품제에 의한 신분을 전생에 쌓은 공덕의 결과라고 하며 불교가
　골품제를 옹호하였기 때문에, 불교를 세외교라 비판하기도 하였다.

③ 신라 후기 민간사회에서는 현실구복적 밀교가 유행하였다. 혜초(704~787)는 밀교(密敎)를 공부하기 위해 열다섯의 나
　이에 중국으로 건너가기도 하였다.

02 삼국시대 금속 제작기술에 대한 설명으로 옳지 않은 것은?　　　　　[2016 사회복지직]

① 철광석 생산이 풍부하고 제작기술이 발달한 가야에서는 철로 만든 불상이 유행하였다.

② 백제에서 제작해 왜에 보낸 칠지도는 강철로 만들고 금으로 글씨를 상감해 새겨 넣었다.

③ 고구려 고분 벽화에는 철을 단련하고 수레바퀴를 제작하는 인물의 모습이 그려져 있다.

④ 신라 고분에서 출토된 금관은 뛰어난 제작기법과 형태를 보여주고 있다.

해설　　　　　　　　　　　　　　　　　　　　　　　　　　　　　　　　　　　　정답 ①

철로 만든 불상은 신라 하대에 등장하기 시작하여 고려 시대에 많이 만들어졌다.

② 4세기 근초고왕 때 백제에서 만들어 일본에 보낸 칠지도는 강철로 만들고 금으로 상감하여 글씨를 새겨 넣었다.

③ 고구려는 철광석 생산이 풍부하여 일찍부터 철을 다루는 기술이 발달하였으며, 철 생산은 국가의 중요한 사업이 되었다.
　고분 벽화에는 철을 단련하고 수레바퀴를 제작하는 기술자의 모습이 사실적으로 그려져 있다.

④ 신라 고분에서 출토된 금관을 통해 금 세공 기술이 매우 정교하게 발달하였음을 알 수 있다.

02 학문, 예술

03 다음 제도에 대한 설명으로 옳지 않은 것은?　　　　　　　　　　　　　[2013 법원직 9급]

> 춘추좌씨전이나 예기나 문선을 읽어 그 뜻을 잘 통하고 논어 · 효경에도 밝은 자를 상(上)으로 하고, 곡례 · 논어 · 효경을 읽은 자를 중(中)으로 하고, 곡례 · 효경을 읽은 자를 하(下)로 하되, 만일 5경 · 3사와 제자백가의 서(書)를 능히 겸통하는 자가 있으면 등급을 넘어 등용한다.

① 신문왕 때 처음 시행되었다.

② 6두품은 이 제도의 시행을 적극 지지하였다.

③ 학문과 유학을 널리 보급시키는 데 이바지하였다.

④ 골품제도 때문에 그 기능을 제대로 발휘하지는 못하였다.

해설　　　　　　　　　　　　　　　　　　　　　　　　　　　　　　　정답 ①

제시된 자료는 관리 등용 제도였던 독서삼품과에 대한 내용이다. 원성왕 때 설치된 독서삼품과(788)는 국학 학생을 대상으로 치러졌던 시험으로, 유교 경전의 해석 능력에 따라 학생들을 3등급으로 나누어 관리 임용에 반영하였던 제도이다.

04 다음 인물들에 대한 설명으로 가장 적절한 것은?　　　　　　　　　　　[2016 경찰]

① 강수는 외교 문서를 잘 지은 문장가로 유명하며 불교를 세외교(世外敎)라고 비판하였다.

② 진골 출신의 설총은 이두를 정리하여 한문 교육에 공헌하였고 신문왕에게 '화왕계'라는 글을 바쳤다.

③ 김대문은 신라의 대표적인 문장가로 '한산기', '계림잡전', '사륙집', '고승전' 등을 저술하였다.

④ 최치원은 당의 빈공과에 급제하고 문장가로 이름을 떨친 뒤 귀국하여 성덕왕에게 개혁안 10여 조를 건의하였다.

해설　　　　　　　　　　　　　　　　　　　　　　　　　　　　　　　정답 ①

강수는 외교 문서를 잘 지은 문장가로, 외교 문서 「청방인문표」, 「답설인귀서」를 저술하였다. 그는 일부다처제나 골품제에 입각한 신분 제도를 비판하고, 골품제에 의한 신문을 전생에 쌓은 공덕의 결과라고 하며 골품제를 옹호하였던 불교도 세외교(世外敎)라 비판하였다.

② 설총은 이두를 정리하였고, 신문왕에게 '화왕계'(풍왕서)를 지어 바쳐 국왕의 유교적 도덕 정치와 향락 배격을 강조하였다. 다만 설총은 '6두품 출신'이었다.

③ 김대문은 신라의 대표적인 문장가로 '한산기', '계림잡전', '고승전' 등을 저술하였다. 그러나 '사륙집'은 최치원의 저술이다.

④ 최치원은 '진성여왕'에게 개혁안 10여 조(시무십여조)를 건의하였다.

03 과학기술

05 삼국시대 도성에 대한 설명으로 옳지 않은 것은?　　　　　　　　　　　　　　[2016 지방직 7급]

① 고구려 수도인 평양에는 장안성이 축조되었다.

② 백제 사비도성에는 중심지역 외곽에 나성을 둘렀다.

③ 신라는 산성을 축조하여 도성을 방어하였다.

④ 고구려 오녀산성은 국내성 방어를 위하여 축조되었다.

해설　　　　　　　　　　　　　　　　　　　　　　　　　　　　　　　　　정답 ④

「삼국유사」에 따르면, 주몽은 부여에서 내려와 졸본에 정착하여 고구려를 세웠다고 한다. 오녀산성은 현재 중국 랴오닝성 (요령성)의 오녀산에 있는 성벽으로, 이곳이 바로 (국내성이 아니라) 졸본으로 추정되는 곳이다. 중국은 2004년에 '고구려의 수도와 왕릉, 그리고 귀족의 무덤'이라는 이름으로 오녀산성, 국내성 등을 포함한 문화재를 유네스코 세계문화유산에 등재 시켰다.

① 장수왕은 국내성에서 평양성으로 천도하던 해인 427년(장수왕 15년)에 안학궁이라는 큰 궁성을 세웠다. 안학궁 일대는 6세기 후반 평원왕 때 평양의 중심부인 장안성(長安城)으로 다시 천도할 때까지 고구려의 수도였다. 즉 '장안성'은 평양 시대의 후기를 의미하는 단어이다.

② 나성(羅城)이란 내성과 외성의 이중의 구조로 된 성벽을 말한다. 왕궁, 관청, 일반 주거지 등을 모두 감싸는 외성이 있을 때 이를 나성이라 부른다. 고구려의 경우 평양성이 후기에 나성의 구조로 바뀌었고, 백제의 웅진과 사비의 두 도성도 나성 의 구조를 갖추었다. 신라는 나성의 구조를 채택하지 않았으나, 고려에서는 다시 나성의 구조가 나타난다. 고려는 거란 침입이 종료된 후 개경에 나성을 쌓았다. 즉 '나성'이란 표현은 1) 백제 부여(사비), 2) 고려 개경에 쓸 수 있다.

③ 신라는 나성을 쌓는 대신, 경주 평야의 사방에 산성을 축조하여, 나성의 기능을 대신하였다.

06 통일신라 시대 예술에 대한 설명으로 옳지 않은 것은?　　　　　　　　　　　　[2013 국가직 7급]

① 석탑은 다각 다층탑이 많았고 석탑의 몸체를 받치는 받침이 보편화되었다.

② 건축이나 주종(鑄鐘)에 종사하는 사람들도 나마(奈麻)와 같은 관등을 받았다.

③ 가야금 하나로 연주되던 시대에 비해 악기가 다양해지고 악기 편성이 풍부해졌다.

④ 굴식 돌방무덤이 발전하여 봉토를 호석으로 두르고 그 호석에는 12지신상을 조각하였다.

해설　　　　　　　　　　　　　　　　　　　　　　　　　　　　　　　　　정답 ①

고려 시대의 탑은 신라 양식을 일부 계승하면서 그 위에 독자적인 조형 감각을 가미하여 형식에 구애받지 않은 여러 가지 형태로 제작되었다. 1) 다각 다층탑이 많았고, 2) 안정감은 부족하나 자연스러운 모습을 띠었으며, 3) 석탑의 몸체를 받치는 받침이 보편화되었다. 4) 대표적인 석탑은 개성 불일사 5층 석탑, 현화사 7층 석탑이다. 이와는 달리 5) 지방적인 특색이 현저히 나타나는 석탑도 등장하였는데, 부여 무량사 5층 석탑이나 익산 왕궁리 5층 석탑이 그 예이다. 그 외에도 6) 특수한 형태의 월정사 8각 9층 석탑, 7) 원나라 석탑의 영향을 받은 경천사지 10층 석탑이 있다.

② 통일신라 시대에는 건축이나 주종에 종사하는 사람(종을 주조하는 사람)들 중에 강고내미와 내미와 같은 관등을 받아 하급귀족에 속한 이도 있었다. 여기에서 '내미'란 신라의 17관등 중 11등인 '나마'의 다른 표현이다. 특히 분황사의 약사 여래동상을 만든 강고내미(强古乃未)에 대한 기록이 전해지고 있다. 이것은 2005년 국가직 7급에 오답으로 등장하였던 표현이 모양을 바꾸어 2013년에 다시 출제된 것이다. 기출문제를 열심히 분석하자!

③ 통일신라는 고구려, 백제, 가야의 악기를 받아들여 삼현삼죽의 악기 구성을 이루었으며, 향악의 전통을 확립하였다. 삼현 삼죽은 '거문고, 가야금, 비파'와 '대금, 중금, 소금'을 말한다.

④ 삼국통일 후 굴식 돌방무덤의 규모가 점차 작아졌다. 그 대신 무덤의 봉토 주위를 호석(둘레돌)으로 두르고, 그 호석 위에 12지신상을 조각하였다.

04 고대문화의 일본 전파

07 삼국 문화의 일본 전파 내용으로 옳은 것을 [보기]에서 고르면?　　　　[2008 국가직 9급]

> **[보기]**
>
> ㉠ 왕인 – 천자문과 논어 전파
>
> ㉡ 담징 – 종이와 먹의 제조술 전파
>
> ㉢ 혜자 – 호류지 금당 벽화 제작
>
> ㉣ 아직기 – 조선술과 제방 축조술 전파
>
> ㉤ 노리사치계 – 일본 쇼토쿠 태자 교육

① ㉠, ㉡　　　　　　　　　　　　　② ㉡, ㉢

③ ㉢, ㉣　　　　　　　　　　　　　④ ㉣, ㉤

해설　　　　　　　　　　　　　　　　　　　　　　정답 ①

㉠ 백제의 왕인은 근초고왕 때 일본에 천자문과 논어를 전파하였다.

㉡ 고구려의 담징은 영양왕 때 일본에 종이, 먹의 제조술을 전파하고, 일본 호류지의 금당 벽화를 제작하였다.

㉢ 고구려의 혜자는 영양왕 때 일본 쇼토쿠 태자의 스승이 되었다.

㉣ 백제의 아직기는 근초고왕 때 일본에 한자를 전파하였다(태자에게 한자를 가르쳤다). ● 2017 경찰

㉤ 백제의 노리사치계는 성왕 때 일본에 불교를 전파하였다.

08 백제가 일본에 전파한 문화에 대한 설명으로 옳지 않은 것은?　　　　[2017 국가직 7급]

① 고안무가 유학을 전해 주었다.

② 노리사치계가 불교를 전해 주었다.

③ 혜관이 일본 삼론종의 시조가 되었다.

④ 아직기가 일본 태자에게 한자를 가르쳤다.

해설　　　　　　　　　　　　　　　　　　　　　　정답 ③

혜관은 중국 수나라에서 삼론종을 배우고 돌아왔다가 다시 왜에 건너가 삼론종을 전파하였으며, 일본의 삼론종의 시조가 되었다. 그러나 혜관은 '백제'의 승려가 아니라 '고구려'의 승려이다.

① 무령왕 때 오경박사 단양이와 고안무를 차례대로 파견하여 일본에 유학을 전해 주었다.

② 성왕 때 노리사치계가 일본에 불교를 전해 주었다.

④ 근초고왕 때 아직기가 일본에 건너가 한자를 가르쳤다.

09 시기 순으로 바르게 나열한 것은?

[2012 지방직 9급]

> ㉠ 노리사치계는 일본에 불경과 불상을 전하였다.
>
> ㉡ 최승로는 시무 28조 개혁안을 올려 유교를 치국의 근본으로 삼을 것을 주장하였다.
>
> ㉢ 김부식은 기전체 역사서인 '삼국사기'를 편찬하였다.
>
> ㉣ 원효는 일심사상을 바탕으로 다른 종파들과의 사상적 대립을 조화시키고자 노력하였다.

① ㉠ → ㉣ → ㉢ → ㉡   ② ㉠ → ㉣ → ㉡ → ㉢

③ ㉣ → ㉠ → ㉡ → ㉢   ④ ㉣ → ㉠ → ㉢ → ㉡

해설   정답 ②

㉠ 노리사치계의 불교 문화 전파(6세기, 백제)

㉣ 원효의 불교 통합 운동(7세기, 통일신라)

㉡ 최승로의 시무 28조(10세기, 고려)

㉢ 김부식의 삼국사기 편찬(12세기, 고려)

한국 중세사

제2의 기본서와 같은 상세한 해설
이명호 **한국사 기출로 적중**

01 중세의 정치

01 고려의 성립과 민족의 재통일

01 다음에 제시된 역사적 사건들을 시간 순서대로 바르게 나열한 것은? [2020 경찰]

> ㉠ 후백제의 견훤이 경주를 침공해 경애왕을 죽였다.
>
> ㉡ 후백제의 신검이 견훤을 금산사에 유폐시켰다.
>
> ㉢ 왕건이 국호를 고려라 정하고 송악으로 천도하였다.
>
> ㉣ 고려가 공산 전투에서 후백제에게 패하였다.

① ㉠ – ㉢ – ㉡ – ㉣   ② ㉠ – ㉣ – ㉢ – ㉡

③ ㉢ – ㉠ – ㉡ – ㉣   ④ ㉢ – ㉠ – ㉣ – ㉡

📖해설   정답 ④

사 건	때
후백제 건국 ● 2022 계리직 9급	900년
후고구려 건국 ● 2012 지방직 9급	901년
나주 공략(금성 전투)	903년
국호 마진(연호 무태) ● 2012 지방직 9급	904년
철원 천도 ● 2012 지방직 9급	905년
국호 태봉(연호 수덕만세) ● 2022 계리직 9급, 2017 국가직 7급	911년
㉢ 고려 건국(왕건 즉위) ● 2022 계리직 9급, 2020 경찰	918년
송악 천도(개경 정도) ● 2020 경찰	919년
발해 멸망(야율아보기 홀한성 포위) ● 2015 국가직 7급	926년
㉠ 견훤의 경애왕 살해 ● 2022 계리직 9급, 2020 경찰	927년
㉣ 공산 전투 ● 2020 경찰	927년
고창 전투 ● 2006 국가직 7급	930년
㉡ 견훤 금산사 유폐(왕건에게 항복) ● 2020 경찰	935년
경순왕이 왕건에게 항복 ● 2006 국가직 7급	935년
일리천 전투 ● 2020 서울시 9급	936년

02 **(가)~(라)를 시대순으로 가장 바르게 연결한 것은?** [2023 법원직 9급]

> (가) 견훤이 후백제를 건국하였다.   (나) 신문왕이 관료전을 지급하였다.
> (다) 광개토 대왕이 왜군을 격퇴하였다.   (라) 선왕 시기에 '해동성국'으로 불렸다.

① (가)-(다)-(나)-(라)   ② (나)-(다)-(라)-(가)

③ (다)-(나)-(라)-(가)   ④ (라)-(나)-(다)-(가)

해설   정답 ③

(다) 400년(영락 10년), 광개토 대왕이 신라에 쳐들어온 왜군을 격퇴하였다.
(나) 687년 신문왕이 관료전을 지급하고, 689년 녹읍을 폐지하였다.
(라) 9세기, 선왕 시기에 발해는 해동성국으로 불렸다.
(가) 900년, 견훤이 후백제를 건국하였다.

03 **후삼국 시대의 정치 상황에 대한 설명으로 옳지 않은 것은?** [2012 지방직 9급]

① 견훤은 900년에 무진주에서 후백제를 건국하였다.
② 궁예는 901년에 송악에서 후고구려를 건국하였다.
③ 궁예는 국호를 마진으로 바꾸고, 도읍을 철원으로 옮겼다.
④ 견훤은 후당, 오월과도 통교하는 등 대중국 외교에 적극적이었다.

해설   정답 ①

견훤은 889~892년에 무진주(광주)에서 독자적인 기반을 구축하였고, 900년에 완산주(전주)에서 후백제를 건국하였다.
②, ③ 후고구려 건국(901, 송악) → 국호를 대동방국을 뜻하는 마진으로 변경(904, 송악) ◐ 2006 국가직 7급 → 철원 천도
   (905) → 국호를 태봉으로 변경(911, 철원)
④ 견훤은 남중국의 후당, 오월과도 통교하는 등 대중국 외교에 적극적이었다. 거란, 왜와도 통교하였다.

04 **다음 역사적 사실이 발생한 시기의 동아시아 국제 정세에 대한 설명으로 옳은 것은?**
[2021 국회직 9급]

> 궁예는 국호를 마진, 태봉으로 고치며 영토를 확장해 나갔다. 그는 새로운 관제를 마련하고
> 신라의 전통적 권위에 타격을 가하였다.

① 절도사 안록산이 반란을 일으켜 당의 뤄양을 함락시켰다.
② 중국에서 당이 멸망하고 5대 10국이 난립하는 시대가 열렸다.
③ 송이 거란과의 전쟁에 패하여 '전연의 맹약'을 맺었다.
④ 일본에서는 나라에서 교토로 천도하여 '헤이안 시대'를 열었다.
⑤ 일본에서 최초의 무사정권인 가마쿠라 막부가 수립되었다.

해설   정답 ②

궁예가 국호를 마진으로 바꾼 때는 904년이고, 태봉으로 바꾼 때는 911년이다. 이 시기는 후고구려(마진, 태봉)와 후백제, 신라가 공존하는 '후삼국 시대'이다.

② 5대 10국이란 당이 멸망한 907년부터 송이 전국을 통일하게 되는 979년까지의 약 70년간을 말한다. 즉 중국의 '5대 10국'은 우리 역사에서 '후삼국 시대~고려 초기'를 말한다.

① 안록산의 난은 당나라 시기인 755년에 일어났다.

③ 전연의 맹약이란 1004년에 송과 거란 사이에 맺은 평화 조약이다.

④ 일본의 헤이안 시대는 794년에 시작되었다.

⑤ 일본의 가마쿠라 막부는 1192년에 수립되었다.

05 (가) 시기에 발생한 사건으로 가장 옳지 않은 것은?
[2021 법원직 9급]

> 태조가 포정전에서 즉위하여 국호를 고려라 하고 연호를 고쳐 천수라 하였다.
> ➡『고려사』

⇩

> (가)

⇩

> 고려군의 군세가 크게 성한 것을 보자 갑옷을 벗고 창을 던져 견훤이 탄 말 앞으로 와서 항복하니 이에 적병이 기세를 잃어 감히 움직이지 못하였다. …… 신검이 두 동생 및 문무관료와 함께 항복하였다.
> ➡『고려사』

① 고려군이 고창에서 견훤의 후백제군을 패퇴시켰다.

② 신라의 경순왕은 스스로 나라를 고려에 넘겨주었다.

③ 왕건이 이끄는 군대가 후백제의 금성을 함락하였다.

④ 발해국 사자 대광현과 수만 명이 고려에 귀화하였다.

해설   정답 ③

포정전에서 국호를 고려라 하고, 연호를 천수라 한 '태조'는 태조 왕건이다. 왕건은 918년에 고려를 건국하였다. 두 번째 사료에서, 견훤이 고려군 쪽에 서 있고, '신검'이 항복을 한 이 사건은 936년의 일리천 전투이다. 그러므로 (가)는 고려 건국과 일리천 전투 사이의 사건들이다. (가)에는 발해 멸망(926), 견훤의 경애왕 살해(927), 공산 전투(927), 고창 전투(930), 경순왕 항복(935)이 들어갈 수 있다.

① 고창 전투, ② 경순왕 항복, ④ 발해 멸망(발해 세자 대광현의 귀화).

③ 왕건이 이끄는 군대가 후백제의 금성(나주)을 함락시킨 사건은 903년부터 시작되었다. 이때 왕건은 왕이 아니라 궁예의 부하였다.

06 ㉠, ㉡ 인물에 대한 설명으로 옳지 않은 것은?

[2021 경찰]

> 가을 9월, (㉠)이/가 고울부에서 우리 군사를 공격하므로, 왕이 (㉡)에게 구원을 요청하였다. (㉡)이/가 장수에게 명령하여 정병 1만 명을 출동시켜 구원하게 하였다. (㉠)은/는 이 구원병이 도착하지 않은 틈을 이용하여, 겨울 11월에 수도를 습격하였다. 이때 왕은 왕비 및 후궁과 친척들을 데리고 포석정에서 연회를 베풀며 놀고 있었다. ◐「삼국사기」

① ㉠ - 완산주에서 후백제를 건국하였다.

② ㉠ - 천통(天統)이라는 연호를 사용하였다.

③ ㉡ - 금성(나주)을 점령하여 후백제를 견제하였다.

④ ㉡ - '훈요 10조'를 유훈으로 남겼다.

해설

정답 ②

고울부는 경북 영천이다. 여기에서 견훤이 신라의 군대를 공격하였다. 신라의 경애왕이 왕건에게 구원을 요청하였으나, 견훤이 먼저 경주를 습격하여 포석정에서 놀고 있었던 경애왕에게 자살을 강요하였다. ㉠은 견훤, ㉡은 왕건이다.

② 천통은 발해 고왕(대조영)의 연호이다. 고왕은 길림성 돈화현의 동모산을 수도로 삼고 국호를 진(震), 연호를 천통(天統)이라 하였다(698).

① 견훤은 완산주에 도읍을 정하고 후백제를 세웠고(900), 궁예는 송악에 도읍을 정하고 후고구려를 세웠다(901). ◐ 2018 경찰

③ 왕건은 금성(錦城, 나주)을 점령하여 후백제를 견제하였다(903, 910, 914).

④ 왕건은 후대의 왕들에게 훈요 10조를 남겼다(943). ◐ 2018 소방

07 다음 ㉠~㉢에 대한 설명으로 옳지 않은 것은?

[2017 국회직 9급]

> "신라는 그 운이 끝나고 도의가 땅에 떨어지자 온갖 도적들이 고슴도치의 털과 같이 일어났다. 가장 심한 자가 ㉠과 ㉡ 두 사람이다. ㉠은 신라의 왕자이면서 신라를 원수로 여겨 반란을 일으켰다. ㉡은 신라의 백성으로 신라의 녹을 먹으면서 모반의 마음을 품고 도읍에 쳐들어가 임금과 신하 베기를 짐승 죽이듯, 풀 베듯 하였다. 두 사람은 천하의 극악한 사람이다. ㉠은 신하에게 버림을 받았고, ㉡은 아들에게 화를 입었는데, 그것은 스스로 자초한 짓이다. (중략) 흉악한 두 사람이 어찌 ㉢에 항거할 수 있겠는가? 그들은 ㉢을 위해 백성을 몰아다 준 사람일 뿐이었다."

① ㉠ - 국정을 총괄하는 광평성을 비롯한 여러 관서를 설치하고 9관등제를 실시하였다.

② ㉠ - 연호를 무태, 수덕만세, 정개, 천수 등으로 바꾸면서 새로운 정치를 추구하였다.

③ ㉡ - 지배세력들 사이에서 분열이 일어나자 ㉢에게 귀부하였다.

④ ㉡ - 서남해를 지키는 군인생활을 하다가 농민을 규합하여 나라를 세우고 완산주를 도읍으로 정하였다.

⑤ ㉢ - ㉠의 신하로 있으면서 후백제의 나주를 점령하는 등 많은 전공을 세웠다.

해설 정답 ②

신라의 운이 끝나자(신라 하대에 이르자), 온갖 도적들이(호족 세력이) 일어났다. ㉠은 신라의 왕자로서, 반신라적 성향을 가지고 있으며, 신하에게 버림을 받은 '궁예'이다. ㉡은 신라의 백성(농민 출신)으로, 아들(신검)에게 화를 입은 '견훤'이다. ㉢은 흉악한 두 사람, 즉 궁예와 견훤이 항거할 수 없었던 역사의 승자 '왕건'이다.

② 후고구려를 건국한 궁예는 나라의 이름을 두 번이나 더 바꿨을 뿐만이 아니라, 총 4개의 연호를 사용하였다. 국호를 마진으로 바꿨을 때, 연호를 무태(武泰)라고 하였다(904). 이후 성책(聖册)으로 바꿨고(905), 국호를 태봉으로 바꾸면서 연호는 수덕만세(水德萬歲)라고 하였다(911). 이후 정개(政開)로 바꿨다(914). 궁예를 몰아내고 왕위에 오른 왕건은 처음에 연호를 천수(天授)라 하였다.

① 궁예는 국정을 총괄하는 광평성을 비롯한 여러 관서를 설치하고 9관등제를 실시하였다. 궁예는 904년(효공왕 8년)에는 국호를 마진이라고 고치고, 광평성(廣評省)과 병부(兵部)를 비롯한 여러 관부를 설치하는 등 중앙 정치조직을 정비하였다.

③ 견훤은 지배세력들 사이에서 분열이 일어나자 왕건에게 귀부하였다. 견훤이 도망해 오자 왕건은 견훤의 아들 신검(神劍)이 아버지를 가둔 죄를 물어 이를 평정하였다.

④ 견훤은 본래 농민 출신이지만 군대에 들어가 활동하였다. 진성여왕 때 나라가 크게 어지러워지자 그의 세력을 불러 모아서 서남 각지를 공략하여 무진주(광주)를 손에 넣었고, 다시 북으로 완산주(전주)를 차지하여 후백제를 건국하였다.

⑤ 왕건은 궁예의 부하로 있으면서 후백제의 나주를 점령하는 등 많은 전공을 세웠다(금성 전투, 903).

08 밑줄 친 '왕'의 행적으로 옳은 것은?

[2022 소방]

> 왕께서 부지런히 힘쓴 지 40여 년에 큰 공이 거의 이루어졌는데, 하루아침에 집안사람들의 화로 인하여 설 땅을 잃고 투항하였습니다. (중략) 충신은 두 임금을 섬기지 않는다고 하였습니다. 만약 자기의 임금을 버리고 반역한 아들을 섬긴다면 무슨 얼굴로 천하의 의로운 선비들을 보겠습니까. 하물며 듣자니 고려의 왕공께서는 마음이 어질고 후하며 근면하고 검소하여 민심을 얻었다고 하니 하늘의 계시인 듯합니다. 반드시 삼한의 주인이 될 것이니 어찌 편지를 보내 우리 왕을 문안, 위로하고 겸하여 왕공에게 겸손하고 정중함을 보여 장래의 복을 도모하지 않겠습니까.
>
> ◆『삼국사기』

① 발해를 건국하였다. ② 고려에 귀순하였다.

③ 철원에 수도를 정하였다. ④ '천수'라는 연호를 사용하였다.

해설 정답 ②

'고려의 왕공(왕건)'에게 투항하였으며, '반역한 아들(신검)'을 둔 왕은 견훤(재위 892~935)이다. 견훤이 넷째 아들 금강에게 왕위를 물려주려 하자, 장남인 신검은 견훤을 금산사에 유폐하였다. 이후 견훤은 금산사를 탈출하여 고려에 귀순하였으며(935), 왕건은 일리천 전투에서 승리하여 후삼국을 통일하였다(936).

① 발해를 건국한 인물은 대조영이다(698).

③ 철원에 수도를 정한 인물은 궁예이다(905).

④ '천수'라는 연호를 사용한 인물은 태조 왕건이다(918).

09 밑줄 친 (　)의 인물에 대한 설명으로 옳은 것은?

> 왕의 총애를 받는 이들이 곁에 있으면서 정권을 훔쳐 제 마음대로 하니 기강이 문란해졌다. 게다가 기근까지 겹치자 백성이 떠돌아다니고 도적이 곳곳에서 봉기하였다. 이에 (　)은/는 몰래 왕위를 넘겨다 보는 마음을 갖고, 무리를 불러 모아 왕경의 서남쪽 주현을 돌아다니며 공격하였다. 이르는 곳마다 메아리처럼 호응하여 한 달 만에 무리가 5,000명에 달하니, 드디어 무진주를 습격하였다.
>
> ◐ 「삼국사기」

① 완산주를 도읍 삼아 나라를 세우고 왕위에 올랐다.

② 스스로 미륵불이라고 칭하면서 통치를 정당화하였다.

③ 서해안의 해상 세력으로 활동하던 가문에서 태어났다.

④ 국호를 장안, 연호를 경운으로 정하고 반란을 일으켰다.

해설　　　　　　　　　　　　　　　　　　　　　　　　　　　　　　　　　정답 ①

'기강이 문란'해지고, '백성이 떠돌아다니고 도적이 곳곳에서 봉기'하는 현상은 왕조 말기에 나타날 가능성이 높다. '왕경'이란 수도를 말한다. '무진주'는 지금의 광주이다. 신라 하대에 수도 경주를 공격하고, 무진주에서 세력을 키운 인물은 견훤이다.

① 견훤은 완산주(전주)를 도읍 삼아 후백제를 세우고 왕위에 올랐다(900).

② 궁예는 스스로 미륵불이라고 칭하면서 통치를 정당화하였다.

③ 장보고는 서해안의 해상 세력으로 활동하던 가문에서 태어났다.

④ 김헌창은 국호를 장안, 연호를 경운으로 정하고 반란을 일으켰다(822).

02 | 왕권 강화와 통치체제의 정비

01 태조, 광종, 성종의 정책

01 다음과 같은 상황이 나타난 시기에 대한 설명으로 옳은 것만을 모두 고르면? [2021 국회직 9급]

> 거란에서 사신과 낙타 50필을 보내왔다. 왕은 거란이 일찍이 발해와 동맹을 맺고 있다가 갑자기 의심을 품어 맹약을 어기고 그 나라를 멸망시켰으니 이는 심히 무도한 나라로서 친선 관계를 맺을 수가 없다고 하여, 드디어 국교를 단절하고 사신 30명은 섬으로 귀양을 보냈으며, 낙타는 만부교 아래 매어 두었더니 다 굶어 죽었다.

> ㄱ. 사심관 제도를 실시하였다.
> ㄴ. 장학재단인 학보를 설치하였다.
> ㄷ. 역사서인 『국사』를 편찬하였다.
> ㄹ. 흥법사지 염거화상탑을 건립하였다.

① ㄱ, ㄴ   ② ㄱ, ㄷ
③ ㄱ, ㄹ   ④ ㄴ, ㄷ
⑤ ㄴ, ㄹ

🔍**해설**   정답 ①

제시된 자료는 '거란, 낙타 50필, 사신 귀양, 만부교' 등의 표현을 볼 때 태조 왕건 때 일어난 만부교 사건이다(942).
ㄱ. 태조는 부호장 이하의 향리를 임명·통제하기 위하여 중앙에서 관리를 파견하는 사심관 제도를 실시하였다.
ㄴ. 태조는 서경의 학교에 장학기금으로 미곡 100섬을 내리면서, 장학재단인 학보를 설치하였다(930).
ㄷ. 신라 진흥왕은 거칠부로 하여금 역사서인 『국사』를 편찬하게 하였다.
ㄹ. 흥법사지 염거화상탑은 팔각원당형의 승탑으로 통일신라 시대에 제작되었다.

 명호쌤의 한마디!!

태조 왕건의 정책은 다음과 같이 요약할 수 있다.

민생 안정책	취민유도(세율 1/10), 흑창, 주부군현 개칭, 학보
호족 통합 정책	사성정책, 사심관제도, 기인제도, 혼인정책, 역분전
북진 정책	영토 확장(청천강~영흥만), 민족 융합(발해 유민 포섭), 만부교 사건(거란 적대)
왕실 안정책	훈요 10조(숭불, 풍수지리), 『정계』와 『계백료서』, 연호 '천수' 사용
민족 융합책	발해 유민 포섭(발해 세자 대광현)

02 다음 (가) 국왕에 대한 설명으로 가장 옳은 것은?

전하는 말에 의하면, __(가)__ 은(는) 나주에 10년간 머무르게 되었는데, 어느 날 진 위쪽 산 아래에 다섯 가지 색의 상서로운 구름이 있어 가보니 샘에서 아리따운 여인이 빨래를 하고 있어 그가 물 한그릇을 청하자, 여인이 버들잎을 띄워 주었는데, 급히 물을 마시지 않게 하기 위함이었다 한다. 여인의 총명함과 미모에 끌려 그녀를 아래로 맞이하였는데 그 분이 장화왕후 오씨부인이고, 그 분의 몸에서 태어난 아들 무(武)가 혜종이 되었다.

나주 완사천

① 훈요 10조를 남겼다.

② 과거 제도를 도입하였다.

③ 향리 제도를 마련하였다.

④ 전시과 제도를 실시하였다.

🔖해설

정답 ①

태조 왕건은 29명에 달하는 후비를 두었는데, 이 중 장화왕후 오씨는 나주 출신이다. 완사천은 태조 왕건과 장화왕후 오씨가 만났다는 샘이다. 혜종은 장화왕후 오씨의 소생이다.

① 훈요십조란 943년(태조 26) 고려 태조 왕건이 왕실 자손들에게 훈계하기 위해 남겼다고 전하는 열 가지 항목으로, 태조가 친히 대광(大匡) 박술희를 불러 비밀리에 주었다고 한다. 「훈요 10조」는 뒤늦게 공개되었지만, 이후 고려 왕들은 「훈요 10조」를 고려 왕실의 헌장으로 여기고 태조의 유훈을 존숭하려고 노력하였다. 이에 따라 서경 천도를 비롯한 여러 풍수적 행위가 이루어졌으며, 연등회와 팔관회가 가장 중요한 의례로 거행되었다.

② 광종, ③ 성종, ④ 경종

03 (가)의 활동으로 옳은 것을 [보기]에서 고른 것은?

__(가)__ 은/는 궁예를 섬겼는데 시기가 많고 포악한 임금이 삼한(三韓) 땅의 3분의 2를 차지하게 된 것은 사실 그의 공이었다. …(중략)… __(가)__ 은/는 즉위 직후, 김부가 아직 복속해 오지 않고 견훤이 아직 항복해 오기 전이었는데도 자주 서도(西都)에 행차하여 친히 북방의 국경 지역을 순시하였다.

[보기]

ㄱ. 흑창을 설치하였다.

ㄴ. 사심관을 임명하였다.

ㄷ. 과거 제도를 도입하였다.

ㄹ. 광덕 · 준풍이라는 연호를 사용하였다.

① ㄱ, ㄴ

② ㄱ, ㄷ

③ ㄴ, ㄷ

④ ㄴ, ㄹ

⑤ ㄷ, ㄹ

해설

정답 ①

'궁예'를 섬겼고, '김부', '견훤'과 동시대의 인물은 태조 왕건이다.

ㄱ. 태조는 빈민 구제 기관인 흑창을 설치하였다.

ㄴ. 태조 때 부호장 이하의 향리는 사심관의 감독을 받았다. ◐ 2021 국가직 9급 최초의 사심관은 자료에서 언급된 '김부(경순왕)'이다. 태조는 이와 같은 목적으로 기인제도를 시행하였다. ◐ 2024 법원직 9급

ㄷ. 과거 제도를 도입한 왕은 광종이다.

ㄹ. 광덕 · 준풍이라는 연호를 사용한 왕은 광종이다.

04 다음 제도를 마련한 왕대의 역사적 사실로 옳지 않은 것은?

[2012 경찰 변형]

> • 태조 18년 신라왕 김부(경순왕)가 항복해 오니 신라국을 없애고 경주라 하였다. 김부로 하여금 경주의 사심이 되어 부호장 이하의 임명을 맡게 하였다. 이에 여러 공신이 이를 본받아 각기 자기 출신 지역의 사심이 되었다. ◐「고려사」
>
> • 건국 초에 향리의 자제를 뽑아 서울에 볼모로 삼고, 또한 출신지의 일에 대하여 자문에 대비하게 하였다. ◐「고려사」

① 지방 호족을 견제하고 지방 통치를 보완하고자 하였다.

② 취민 유도를 표방하였으며, 빈민 구제 기관으로서 흑창을 설치하였다.

③ 북방 영토를 확장하여, 청천강에서 영흥만에 이르는 국경선을 확보할 수 있었다.

④ 관료의 기강을 확립하기 위하여「정계(政誡)」를 짓고, 백관의 공복 제도를 실시하였다.

해설

정답 ④

태조 왕건이 918년에 고려를 건국하였으니, 태조 18년은 935년이다. 이때 신라의 경순왕이 항복해 오자, 경순왕을 경주의 사심관으로 삼았다. 태조 왕건은 또한 호족을 견제하기 위해 그 자제를 볼모로 삼는 기인제도를 실시하기도 하였다.

④ 관료의 기강을 확립하기 위하여「정계(政誡)」와「계백료서(誡百僚書)」를 지은 것은 맞지만, 공복 제도를 실시한 왕은 광종이다.

05 다음 내용과 관련된 시기의 정책이 아닌 것은?

[2019 지방직 9급]

> 넷째, 우리 동방은 옛날부터 중국의 풍속을 흠모하여 문물과 예악이 모두 그 제도를 따랐으나, 지역이 다르고 인성도 각기 다르므로 꼭 같게 할 필요는 없다. 거란은 짐승과 같은 나라로 풍속이 같지 않고 말도 다르니 의관제도를 삼가 본받지 말라.
> 여덟째, 차령 산맥과 금강 이남은 산천과 인심이 배역(背逆)하다. 그 아래의 주·군 사람이 조정에 참여하여 정권을 잡게 되면 국가를 변란하게 할 것이다. 비록 그 선량한 백성일지라도 벼슬자리에 두어 권세를 부리게 하지 말아야 한다.
> ◐『고려사』

① 적극적인 북진정책이 시도되었고 청천강에서 영흥만까지 국경을 확장하였다.

② 호족 세력을 포섭하는 정책에 우선을 두고 이를 실현하기 위해 결혼 정책, 사성 정책을 폈다.

③ 지방 통치를 보완하기 위해 지방 호족에게 사심관, 기인제도를 실시하였다.

④ 중앙의 관제와 향직을 개정하여 중앙 문관에게는 문산계를 부여하고 지방 호족들에게는 무산계를 부여하였다.

해설 정답 ④

거란의 의관 제도를 본받지 말라는 훈계와 차령산맥과 금강 이남의 사람들을 등용하지 말라는 훈계는 고려 태조 왕건의 '훈요10조'의 내용이다.

④ 문무산계 제도를 시행하여 중앙 문무관은 문산계로, 향리·탐라왕족 등은 무산계로 구분한 왕은 '성종'이다. 주의할 점이 있다.

> • 2018년 지방직 9급에서는 문산계가 문반, 무산계가 무반에 적용되는 것이 아님을 명확히 하였다. 문산계는 '중앙', 무산계는 '지방'에 관련된 것이다.

다음의 문·무산계 자료에 익숙해지도록 한다.

> 고려 성종 14년(995년)에 중앙의 문무관에게는 문산계를 주고 지방의 지배층에게는 무산계를 주어 중앙과 지방의 지배층을 구분하는 문·무산계(文武散階) 제도를 시행하였다.

06 밑줄 친 '이것'의 내용으로 옳지 않은 것은?

[2019 경찰특공대, 2014 국가직 7급]

> 짐은 평범한 가문 출신으로 분에 넘치게 사람들의 추대를 받아 왕위에 올랐다. 재위 19년 만에 삼한을 통일하였고, 이제 왕위에 오른 지도 25년이 되었다. 몸이 이미 늙어지니, 후손들이 사사로운 인정과 욕심을 함부로 부려 나라의 기강을 어지럽게 할까 크게 걱정이 된다. 이에 <u>이것</u>을 지어 후대의 왕들에게 전하고자 하니, 바라건대 아침 저녁으로 펼쳐 보아 영원토록 귀감으로 삼을지어다.

① 연등회와 팔관회의 행사를 축소할 것

② 풍수 지리 사상을 존중하고 서경을 중시할 것

③ 간언을 따르고 참언을 멀리하여 신민의 지지를 얻을 것

④ 농민의 요역과 세금을 가볍게 하여 민심을 얻고 부국 안민을 이룰 것

해설   정답 ①
'재위 19년 만에 삼한을 통일하였다'는 것은, 918년에 고려를 건국하고 936년에 후삼국을 통일하였다는 의미이다. 고려 태조 왕건이 왕위에 오른 지 25년째 되던 해는 즉위 말년이다. 태조는 '후대의 왕들에게' 전하고자 '훈요십조'를 지었다. 훈요 십조에서는 1) 숭불, 2) 풍수지리, 3) 애민(愛民) 등을 강조하였다.

① 고려 태조는 '연등회와 팔관회'를 '짐의 지극한 소원'이라고 하였다. 연등회와 팔관회의 성대한 개최를 원하였다는 의 미이다.

07 ㉠ 기간에 일어난 사실로 가장 옳은 것은?   [2023 법원직 9급]

> 임금이 대광 박술희에 말하였다. "짐은 미천한 가문에서 일어나 그릇되게 사람들의 추대를 받아 몸과 마음을 다하여 노력한 지 19년 만에 삼한을 통일하였다. 외람되게 ㉠ 25년 동안 왕위에 있었으니 몸은 이미 늙었으나 후손들이 사사로운 정에 치우치고 욕심을 함부로 부려 나라의 기강을 어지럽힐까 크게 걱정된다. 이에 훈요를 지어 후세에 전하니 바라건대 아침저 녁으로 살펴 길이 귀감으로 삼기 바란다."

① 공산 전투가 전개되었다.

② 노비안검법이 시행되었다.

③ 수덕만세라는 연호가 등장하였다.

④ 최승로가 시무 28조를 제시하였다.

해설   정답 ①
'박술희'는 태조 왕건의 부하이다. 왕건은 신하들의 '추대'를 받아서 왕이 되었으며, 918년에 고려를 건국하고 936년에 후삼 국을 통일하였다. 즉 '19년 만에 삼한을 통일'하였다. 왕건은 '훈요(십조)'를 지어 후대 왕들에게 전하였다. '25년 동안'이란 왕건이 고려를 건국한 918년부터 훈요십조를 지은 942년까지의 기간을 말한다. 왕건은 훈요십조를 지은 이듬해인 943년 에 사망하였다.

① 공산 전투는 927년, 지금의 대구에서 왕건과 견훤 사이에 벌어졌던 전투이다.

② 광종은 956년, 양인이었다가 노비가 된 사람이 다시 양인이 될 수 있도록 노비안검법을 실시하였다.

③ 수덕만세는 911년, 태봉의 궁예가 사용하였던 연호이다.

④ 최승로는 982년, 성종에게 시무 28조를 제시하였다.

08 인터넷 검색 결과 다음과 같았다. (가)에 들어갈 내용으로 옳은 것은?

[2013 법원직 9급]

> 검색 요약 : 공신과 호족에 대한 숙청을 단행했고, 노비안검법을 실시하여 호족의 경제적,
> 군사적 기반을 약화시키고 국가의 수입 기반을 확대하였다. 백관의 공복(公服)
> 을 제정했으며, 동북계 · 서북계에 많은 성을 쌓는 등 치적이 많다.
>
> 별칭 : 자는 일화(日華). 휘는 소(昭). 시호는 대성(大成).
>
> 활동분야 : 정치
>
> 업적 : [　　　　　　　　　　　(가)　　　　　　　　　　　]

① 지방관을 파견하고 향리 제도를 마련하였다.

② 황제를 칭하고 독자적인 연호를 사용하였다.

③ 청천강에서 영흥만에 이르는 국경선을 확보하였다.

④ 과거제도를 정비하고 과거 출신자들을 우대하였다.

🖐️ 해설
정답 ②

공신과 호족을 '숙청'하고, 호족을 견제하기 위하여 노비안검법을 실시하였으며, 백관의 공복을 제정한 왕은 광종이다. 광종 때에는 국왕을 황제로 칭하고, 개경을 황도로 칭하였으며, 광덕 · 준풍 등 독자적 연호를 사용하였다.
① 최승로의 "청컨대 외관(外官)을 두소서."라는 청에 따라 12목을 설치하고 지방관을 파견하였으며, 지방의 중소 호족을 향리로 편입하여 통제한 왕은 성종이다.
③ 북방 영토를 확장하여, 청천강에서 영흥만에 이르는 국경선을 확보한 왕은 태조 왕건이다.
④ 과거제도를 '실시'한 왕은 광종이다. (이미 실시된) 과거 제도를 정비하고, 과거 출신자들을 우대한 왕은 성종에 가장 가깝다. 고려 말의 공민왕에게도 쓸 수 있는 말이다.

09 다음 밑줄 친 '왕'이 행한 일로 가장 적절한 것은?

[2017 경찰]

> 신의 어리석은 생각으로 만약 <u>왕</u>이 처음과 같이 늘 공손하고 아끼며 정사를 부지런히 하였다
> 면, 어찌 타고난 수명이 길지 않고 겨우 향년 50으로 그쳤겠습니까. 마침내 잘하지 못했음은
> 진실로 안타까운 일이 아닐 수 없습니다. 더욱이 경신년부터 을해년까지 16년간은 간사하고
> 흉악한 자가 다투어 나아가고 참소가 크게 일어나 군자는 용납되지 못하고 소인은 뜻을 얻었
> 습니다. 마침내 아들이 부모를 거역하고, 노비가 주인을 고발하고, 상하가 마음이 다르고,
> 군신이 서로 갈렸습니다. 옛 신하와 장수들은 잇달아 죽음을 당하였고, 가까운 친척이 다
> 멸망을 하였습니다.
> ➲ 「고려사」

① 백관의 공복(公服)을 제정하면서 관등에 따라 복색을 자색, 비색, 청색, 황색으로 나누었다.

② 대상(大相) 준홍(俊弘), 좌승(佐丞) 왕동(王同)을 모역죄로 숙청하였다.

③ 국가 수입의 증대를 위해 주현공거법을 실시하였다.

④ 노비환천법을 실시하였다.

[해설] 정답 ②

'경신년부터 을해년까지 16년간'의 치적을 크게 비난하고 있다. 이것은 최승로가 5조정적평에서 광종을 비난하는 자료이다.

② 960년(광종 11년) 평농서사 권신(權信)이 대상(大相) 준홍(俊弘)과 좌승(佐丞) 왕동(王同) 등이 반역을 꾀한다고 참소하자 광종이 이들을 내쫓았다. ❷ 2022 지방직 9급

① 백관의 공복은 광종 때에 원윤(元尹) 이상은 자삼(紫衫)이고, 중단경(中壇卿) 이상은 단삼(丹衫)이고, 이외에 비삼(緋衫), 녹삼(綠衫)이었다.

③ 주현공거법은 향리 자제에게 과거 응시의 자격을 부여하는 제도로 현종 때 시행되었다. ❷ 2018 기상직 9급 광종 때 시행된 제도는 '주현공부법'이다.

④ 노비환천법은 성종 때 시행되었다. 광종 때 시행된 제도는 '노비안검법'이다.

---

10 다음 상소문의 밑줄 친 부분에 해당하는 정책으로 옳은 것은? [2017 지방직 교행, 2012 법원직 9급]

> 선왕은 정종의 유명(遺命)을 받고 아우로서 왕위를 계승한 후 예로써 아랫사람을 접하며 밝은 관찰력으로 사람을 잘 알아보았습니다. <u>종친과 귀족이라 해서 사정을 두지 않고 항상 호족과 공신 세력을 억제하였으며</u> 소원하고 미천한 사람이라 해서 버리지 않고 의탁할 데 없는 백성들에게 혜택을 베풀었습니다. 그가 즉위한 해로부터 8년간 정치와 교화가 청백 공평하였고 형벌과 표창을 남용하지 않았습니다. 그러나 쌍기(雙冀)를 등용한 후로부터 문사를 존중하고 대우하는 것이 지나치게 풍후하였습니다.

① 국자감을 정비하였다.　　　　　② 노비안검법을 실시하였다.

③ 정계와 계백료서를 편찬하였다.　　④ 지방에 경학 박사를 파견하였다.

[해설] 정답 ②

'정종'의 아우로서 왕위를 계승한 사람은 '태–혜–정–광–경–성–목' 순서에 따라 광종이다. 성종 때 최승로는 성종 이전의 다섯 왕의 정치 업적을 평가하였는데, 이것을 '5조정적평(앞서 가신 다섯 임금의 정치와 교화가 잘 되었거나 잘못된 것을 기록하여 조목별로 아뢰는 상소문)'이라고 한다. 제시된 자료는 5조정적평에서 광종에 대해 평가하는 부분이다.

① 성종, ② 광종, ③ 태조(왕건), ④ 성종

 명호샘의 한마디!!

광종은 945년부터 975년까지 재위하였다. 약 30년간인데, 최승로는 광종의 재위 기간을 단순화시켜서 '8×3'년으로 보고 있다. 즉위한 해로부터 8년간은 정치를 잘 했지만, 그 후 8×2년간은 쌍기를 등용하면서 실정(失政, 잘못된 정치)을 했다고 평가한다. 그러므로 5조정적평에서 발췌한 광종 자료가 나올 때엔, 재위 후 8년간을 말하는 것인지, 그 후의 16년간을 말하는 것인지 구분할 수 있어야 한다.

11 (가)와 (나) 사이의 시기에 있었던 사실로 옳은 것은?

[2023 계리직 9급]

> (가) 처음으로 과거를 설치하고, 한림학사 쌍기에게 명하여 진사(進士)를 뽑았다.
>
> ◐「고려사」
>
> (나) 최승로가 상서하기를, "태조께서 통합한 후 외관(外官)을 두려고 하셨지만 대개 초창기였으므로 겨를이 없었습니다. …(중략)… 청컨대 외관을 두소서."라고 하였다.
>
> ◐「고려사」

① 광군사가 설치되었다.　　② 국자감이 설치되었다.

③ 노비안검법이 시행되었다.　　④ 처음으로 전시과가 제정되었다.

해설　　　　　　　　　　　　　　　　　　　　　　　　　　정답 ④

(가) 처음으로 과거를 설치하고, 쌍기가 활동한 시기는 고려 광종 때이다.

(나) 최승로가 시무 28조를 통해 외관(지방관) 파견을 건의한 시기는 고려 성종 때이다.

④ 경종 때 시정 전시과가 제정되었다. 이것은 (가)와 (나) 사이(광종과 성종 사이)에 발생한 사실이다.

① 광군이 조직되고, 광군사가 설치된 시기는 고려 정종 때이다.

② 국자감이 설치(정비)된 시기는 고려 성종 때이다. 다만, 국자감은 992년에 설치되었고, 시무 28조는 982년에 건의되었으므로, 국자감 설치는 (나) 이후 사건이다.

③ 노비안검법이 시행된 시기는 고려 광종 때이다. 다만, 노비안검법은 956년에 시행되었고, 과거제는 958년에 시행되었으므로, 노비안검법 시행은 (가) 이전 사건이다.

12 고려 시대 지방 행정에 대한 설명으로 옳은 것은?

[2012 지방직 9급]

① 성종은 호장·부호장과 같은 향리 직제를 마련하였다.

② 퇴직한 관료를 사심관으로 임명하여 출신지역에 거주하게 하였다.

③ 광종은 처음으로 중요 거점 지역에 상주하는 지방관을 파견하였다.

④ 지방 향리의 자제를 상수리로 임명하여 궁중의 잡역을 담당하게 하였다.

해설　　　　　　　　　　　　　　　　　　　　　　　　　　정답 ①

'호장·부호장과 같은 향리 직제를 마련'하였다는 것은 지방의 중소 호족을 향리로 편입하여 통제하였다는 것으로 '호족의 지위 격하'를 의미한다. 향리 직제는 성종 때 마련되었다. 이때, 당대등을 호장으로 개칭하였다. ◐ 2017 국회직 9급

> • 주·부·군·현의 이직(吏職)을 개정하여 …(중략)… 당대등을 호장으로, 대등을 부호장으로, 낭중을 호정으로, 원외랑을 부호정으로 하였다.
> • 경치 좋은 장소를 택하여 서재와 학교를 크게 세우고 적당한 토지를 주어서 학교의 식량을 해결하며 또 국자감을 창설하라고 명하였다. ◐「고려사」 ◐ 2018 지방직 교행

② 사심관이란 부호장 이하의 향리를 통제하기 위하여 중앙에서 임명하여 출신지역으로 파견하였던 관리이다. 그러나 퇴직한 관료를 임명한 것은 아니다.

③ 그 이전에 지방관이 없었던 것은 아니지만, '처음으로 중요 거점 지역에 상주하는 지방관'이 생겨난 것은 성종 때이다. 성종은 전국의 주요 지역에 12목을 설치하고 목사(지방관)를 파견하였다.

④ 상수리제도는 통일신라 시대의 제도이다. 이것이 고려 시대로 계승된 제도는 '기인제도'이다.

명호샘의 한마디!!

향리는 '고려 향리 / 조선 전기 향리 / 조선 후기 향리'로 구분하여야 한다.

고려 향리	향촌의 실질적 지배층으로 향촌 사회를 이끌어 가는 주도적인 위치에 있었다.
조선 전기 향리	사족의 향촌 자치를 인정하는 바탕 위에 수령의 행정실무를 보좌하는 세습적인 아전이 되었다.
조선 후기 향리	지방 사족의 영향력이 약화되고 수령이 절대권을 갖는 지배체제 하에서 농민 수탈을 일삼았다.

13 밑줄 친 '왕'의 재위 기간에 있었던 사실로 옳은 것은?

[2021 경찰]

> 왕이 여러 신하들을 모아 놓고 "누가 말[言]로 적병을 물리치고 만대의 공을 세우겠는가?"라고 묻자 서희가 혼자 아뢰기를 "신(臣)이 명령에 따르겠습니다."라고 말하였다. 왕이 강가까지 나가서 위로하며 전송하였고, 서희가 국서를 가지고 소손녕의 군영에 갔다. **▷**『고려사』

① 개경에 나성을 축조하였다.

② 동북 지방 일대에 9성을 쌓았다.

③ 전국의 주요 지역에 12목을 설치하였다.

④ 광덕, 준풍 등의 독자적인 연호를 사용하였다.

해설

정답 ③

'말[言]로 적병을 물리친다'는 것은 적이 쳐들어왔을 때 전면전으로 대응하는 것이 아니라 '외교 담판'을 통해 적을 설득하는 것을 말한다. 거란의 '소손녕'이 쳐들어왔을 때 외교 담판을 위해 나선 인물은 '서희'이다. 서희(942~998)는 성종(재위 981~997) 때 활동했던 인물이다.

③ 성종은 지방에 12목을 설치하여 고려 최초로 지방관을 파견하였다. **▷** 2021 해경간부 성종은 12목을 설치하고 장관으로 목사를 두었다. **▷** 2021 계리직 9급

① 현종은 거란과의 전쟁이 끝난 후에 개경에 나성을 축조하여 도성 수비를 강화하였다(1029).

② 여진족을 몰아내고 동북 9성을 쌓은 왕은 예종이다(1107). 윤관이 여진을 공격하여 동북 지방의 여러 지역을 점령하고 9성을 쌓아 군사를 주둔시켰다. **▷** 2020 국가직 7급 그러나 해마다 조공을 바치겠다는 약속을 받고 고려는 동북 9성을 여진에게 주었다(1109). **▷** 2021 경찰간부

④ 광덕, 준풍 등의 독자적인 연호를 사용한 왕은 광종이다.

14 다음 상소문을 올린 왕대에 있었던 사실은?

[2021 국가직 9급]

> 석교(釋敎)를 행하는 것은 수신(修身)의 근본이요, 유교를 행하는 것은 이국(理國)의 근원입니다. 수신은 내생의 자(資)요, 이국은 금일의 요무(要務)로서, 금일은 지극히 가깝고 내생은 지극히 먼 것인데도 가까움을 버리고 먼 것을 구함은 또한 잘못이 아니겠습니까.

① 양경과 12목에 상평창을 설치하였다.

② 균여를 귀법사 주지로 삼아 불교를 정비하였다.

③ 국자감에 7재를 두어 관학을 부흥하고자 하였다.

④ 전지(田地)와 시지(柴地)를 지급하는 경정 전시과를 실시하였다.

해설

정답 ①

석교(불교)는 수신의 근본이고, 유교는 이국(치국)의 근원이라고 주장한 이 글은 최승로의 시무 28조이다(982). 최승로는 시무 28조라는 상소를 '성종'에게 올렸다.

① 성종은 양경(개경, 서경)과 12목에 물가 조절 기관인 상평창을 설치하였다.

② 광종은 균여를 귀법사 주지로 삼아 불교를 정비하였다.

③ 예종은 국자감에 7재를 두어 관학을 부흥하고자 하였다.

④ 문종은 전지와 시지를 지급하는 경정 전시과를 실시하였다.

 명호샘의 한마디!!

최승로(927~989)의 기출 사료를 정리한다.

1. '다음 글을 올린 인물'은 <u>지방관 파견을 건의</u>하였다. **➡** 2012 서울시 9급

> 신의 어리석은 생각으로는 만약 광종이 처음과 같이 늘 공손하고 아끼며 부지런히 하였다면, 어찌 타고난 수명이 길지 않고 겨우 향년 50에 그쳤겠습니까?

2. 최승로는 다음과 같이 <u>광종을 비판</u>하였다. **➡** 2013 서울시 9급

> "왕이 쌍기를 등용한 것을 옛 글대로 현인을 발탁함에 제한을 두지 않은 것이라 평가할 수 있을까. 쌍기가 인품이 있었다면 왕이 참소를 믿어 형벌을 남발하는 것을 왜 막지 못했는가. 과거를 설치하여 선비를 뽑은 일은 왕이 본래 문(文)을 써서 풍속을 변화시킬 뜻이 있는 것을 쌍기가 받들어 이루었으니 도움이 없다고는 할 수 없다."

3. 최승로는 5조정적평에서 <u>태조, 혜종, 정종</u>을 다음과 같이 평가하였다. **➡** 2015 국가직 7급

> 1) 태조는 후한 덕과 넓은 도량으로 후삼국을 통일하였고, 절약과 검소함을 숭상하여 궁궐이나 의복에 도를 넘지 않았다. (○)
> 2) 혜종은 즉위 초에는 평판이 좋았는데 점차 사람을 의심함이 지나쳐 임금된 체통을 잃었다. (○)
> 3) 정종은 왕규를 처단함으로써 왕실을 보전하였고, 서경천도를 강행함으로써 백성들에게서 원성을 샀다. (○)

4. 다음 글의 '아이'는 <u>(최)은함의 아들 최승로</u>이다. **➡** 2018 서울시 7급

> 오래도록 후사를 이을 아들이 없어 이 절의 관음보살 앞에서 기도를 하였더니 태기가 있어 아들을 낳았다. 태어난 지 석 달이 안되어 백제의 견훤이 서울을 습격하니 성 안이 크게 어지러웠다. 은함은 아이를 안고 [이 절에] 와서 고하기를, "이웃나라 군사가 갑자기 쳐들어와서 사세가 급박한지라 어린 자식이 누가 되어 둘이 다 죽음을 면할 수 없사오니 진실로 대성(大聖)이 보내신 것이라면 큰 자비의 힘으로 보호하고 길러주시어 우리 부자로 하여금 다시 만나게 해주소서."라고 하고 눈물을 흘려 슬프게 울면서 세 번 고하고 [아이를] 강보에 싸서 관음보살의 사자좌 아래에 감추어 두고 뒤돌아보며 돌아갔다. **➡** 『삼국유사』

15 다음 시무책을 받아들여 시행된 정책을 [보기]에서 고른 것은?

[2016 법원직 9급]

> 제7조: 국왕이 백성을 다스림은 집집마다 가서 날마다 일을 보는 것이 아닙니다. … 청컨대 외관을 두소서.
>
> 제20조: 불교는 수신(修身)의 근본이요, 유교를 행하는 것은 치국(治國)의 근원입니다. 수신 은 내생의 복을 구하는 것이며, 치국은 금일의 임무입니다.

[보기]

㉠ 국자감을 설치하였다.　　　　㉡ 과거제를 도입하였다.

㉢ 9주 5소경을 정비하였다.　　　㉣ 각 지역에 지방관을 파견하였다.

① ㉠, ㉢　　　　　　　　　　② ㉠, ㉣

③ ㉡, ㉢　　　　　　　　　　④ ㉡, ㉣

해설　　　　　　　　　　　　　　　　　　　　　　　　　　　정답 ②

최승로의 시무 28조 중 제7조는 외관(外官), 즉 지방관을 파견하라는 건의이다. 제20조는 유교를 치국(治國)의 근원으로 삼아 유교를 정치이념화하자는 건의이다. 이로 인해 유학 교육이 활성화되고, 그 결과 국자감이 설치되었다.

㉡ 과거제는 958년 광종 때 왕권강화의 목적으로 시행되었다. 최승로의 시무 28조는 그 후인 982년 성종 때 제시되었다.

㉢ 9주 5소경은 통일신라의 신문왕 때 완비되었다.

16 다음은 고려 시대 왕에 대한 설명이다. 이 왕의 재위 기간에 일어난 사건으로 옳은 것을 [보기]에서 고른 것은?

[2017 기상직 7급]

> • 할아버지는 태조 왕건, 할머니는 경순왕의 큰 아버지 김억렴의 딸이다.
> • 아버지는 안종이고, 어머니는 경종의 비인 헌정왕후이다.
> • 강조의 정변으로 왕위에 올랐다.
> • 4도호부·8목·56지주군사를 중심으로 하는 지방제도를 완비하였다.

[보기]

㉠ 별무반을 조직하였다.

㉡ 국자감에 7재를 설치하였다.

㉢ 7대실록을 편찬하기 시작하였다.

㉣ 강감찬이 귀주에서 거란군을 대파하였다.

① ㉠, ㉡　　　　　　　　　　② ㉡, ㉢

③ ㉢, ㉣　　　　　　　　　　④ ㉠, ㉣

정답 ③

제시된 자료는 고려 현종(재위 1009~1031)에 대한 설명이다. 현종은 처음에는 승려가 되어 숭교사와 신혈사에 있다가 강조(康兆)의 정변에 의해 목종이 폐위되자, 1009년 2월에 왕위에 올랐다. 경종의 아내는 '대종'의 딸인 '헌정왕후 황보씨' 였는데, 경종이 죽자 '안종'과 가까이 지내다가 간통을 하여 현종을 낳았다. 그리하여 현종의 아버지는 '안종'이지만, 어머니 는 '경종의 비'이다.

ⓒ 고려 시대에는 유학이 발달하고 유교적인 역사 서술 체계가 확립되어 많은 역사서가 편찬되었다. 건국 초기부터 왕조실 록을 편찬하였으나, 거란의 침입으로 불타 버렸다(1011). 이에 태조부터 목종에 이르는 7대 실록을 현종 때 편찬하기 시작하여(1013), 덕종 때 완성하였다(1034).

ⓔ 현종 대에 강감찬이 귀주에서 거란군을 대파하였다(1019).

ⓐ 숙종 때, 별무반을 조직하였다(1104).

ⓑ 예종 때, 국자감에 7재를 설치하였다(1109).

17 (가)의 재위 기간에 있었던 사실로 옳은 것은?

[2024 국가직 9급]

> 강조의 군사들이 궁문으로 마구 들어오자, 목종이 모면할 수 없음을 깨닫고 태후와 함께 목 놓아 울며 법왕사로 옮겼다. 잠시 후 황보유의 등이 __(가)__ 을/를 받들어 왕위에 올렸다. 강조가 목종을 폐위하여 양국공으로 삼고, 군사를 보내 김치양 부자와 유행간 등 7인을 죽였다.

① 윤관이 별무반 편성을 건의하였다.

② 외적이 침입하여 국왕이 복주(안동)로 피난하였다.

③ 서희의 외교 담판으로 강동 6주 지역을 획득하였다.

④ 불교 경전을 집대성한 초조대장경 조판이 시작되었다.

정답 ④

강조의 정변으로 목종이 왕위에서 물러나고, 새로 왕위에 오른 인물은 현종(1009~1031)이다. 현종 때 거란의 2차 침입과 3차 침입이 있었다. 이 시기에 외세의 침입을 불교의 힘으로 막아보려고 '초조대장경 조판을 시작'했다. (완성은 선종이나 숙종 때로 추정되나 확실하지 않다. 그래서 '완성'은 시험에도 출제되지 않는다.)

① 윤관이 여진족을 대비하여 별무반 편성을 건의한 시기는 숙종 때이다.

② 홍건적이 침입하여 복주(안동)로 피난한 왕은 공민왕이다.

③ 서희의 외교 담판으로 강동 6주 지역을 획득한 시기는 성종 때이다.

18 고려에서 행한 국가제사에 대한 설명으로 옳지 않은 것은? [2018 지방직 9급]

① 태조 때에 환구단(圜丘壇)에서 풍년을 기원하는 제사를 올렸다.

② 성종 때에 사직(社稷)을 세워 지신과 오곡 신에게 제사를 지냈다.

③ 숙종 때에 기자(箕子) 사당을 세워 국가에서 제사하였다.

④ 예종 때에 도관(道觀)인 복원궁을 세워 초제를 올렸다.

해설 정답 ①

환구단에서 풍년을 기원하는 제사를 올린 때는 '성종' 때이다.

② 사직은 토지를 주관하는 신인 사(社)와 곡식을 주관하는 신인 직(稷)에게 제사를 지내는 제단이다. 우리나라에 사직단이 세워진 것은 삼국 시대부터였다. 고구려 고국양왕 때 국사를 세우고 수리하였다는 기록이 있으며(392), 신라 하대 선덕왕 때에도 사직단을 세웠다. 고려 시대에는 성종 때 "사(社)는 토지의 신이니 땅이 넓어 다 공경할 수 없으므로 흙을 모아 사(社)로 삼음은 그 공에 보답하고자 함이오. 직(稷)은 오곡(五穀)의 우두머리이니 곡식이 많아 널리 제사 드릴 수 없으므로 직신(稷神)을 세워 이를 제사하는 것이다."라 하고 사직단을 세웠다(991).

③ 숙종이 예부의 건의로 기자 사당의 건립과 제사를 시행하였다(1102). 충숙왕 때에도 기자를 제사하기 위해 기자사(箕子祠)라는 사당을 세웠다(1325).

④ 복원궁(福源宮)은 고려의 대표적인 도관이다. 예종은 도교 신앙을 중시하여 복원궁을 건립하였다.

19 밑줄 친 '왕'의 정책으로 옳지 않은 것은? [2017 국가직 9급]

> 대관(大觀) 경인년에 천자께서 저 먼 변방에서 신묘한 도(道)를 듣고자 함을 돌보시어 신사(信使)를 보내시고 우류(羽流) 2인을 딸려 보내어 교법에 통달한 자를 골라 훈도하게 하였다. 왕은 신앙이 돈독하여 정화(政和) 연간에 비로소 복원관(福源觀)을 세워 도가 높은 참된 도사 10여 인을 받들었다. 그러나 그 도사들은 낮에는 재궁(齋宮)에 있다가 밤에는 집으로 돌아가고는 하였다. 그래서 후에 간관이 지적, 비판하여 다소간 법으로 금하는 조치를 취하게 되었다. 간혹 듣기로는, 왕이 나라를 다스렸을 때는 늘 도가의 도록을 보급하는 데 뜻을 두어 기어코 도교로 호교(胡敎)를 바꿔 버릴 생각을 하고 있었으나 그 뜻을 이루지 못해 무엇인가를 기다리는 것이 있는 듯하였다고 한다.
>
> ◐『고려도경』

① 우봉·파평 등의 지역에 감무관을 파견하였다.

② 국학 7재를 설치하여 관학을 진흥하였다.

③ 김위제의 건의로 남경 건설을 추진하였다.

④ 윤관을 원수로 하여 여진 정벌을 단행하였다.

해설 정답 ③

복원관(福源觀, 복원궁)을 세운 왕은 예종이다. 이 때, 감무관을 처음으로 파견하였고, 국학 7재를 설치하였으며, 윤관으로 하여금 여진 정벌을 단행하게 하여 동북 9성을 개척하였다.

③ 김위제의 건의로 남경 건설을 추진하였고, 남경개창도감을 설치한 왕은 숙종이다.

20 다음 사건으로 즉위한 왕의 재위 기간에 있었던 사실로 옳지 않은 것은? [2017 지방직 9급]

> 목종의 모후(母后)인 천추태후와 김치양이 불륜 관계를 맺고 왕위를 엿보자, 서북면도순검사 강조가 군사를 일으켜 김치양 일파를 제거하고 목종을 폐위시켰다.

① 대장경 조판 사업을 시작하였다.

② 지방관이 없는 속군에 감무를 파견하였다.

③ 부모의 명복을 빌고자 현화사를 창건하였다.

④ 개성부를 경중(京中) 5부와 경기로 구획하였다.

🔖**해설** 　　　　　　　　　　　　　　　　　　　　　　　　　　　　　　정답 ②

제시된 자료는 '강조의 정변'(1009)이다. 강조의 정변으로 '시해', '폐위'된 왕은 목종(997~1009)이고, 강조의 정변으로 '즉위'한 왕은 현종(1009~1031)이다.

① 현종은 거란 침입 중 초조대장경 조판 사업을 시작하였다. 993년(성종 12년)부터 거란의 계속된 침입으로 개경이 함락될 위기에 처하자, 1011년(현종 2년)에 현종이 불교적 역량으로 나라를 수호한다는 이유로 시작하여, 1087년(선종 4년)까지 제작되었다.

③ 현종은 목종의 모후인 천추태후에 의해 승려가 되어 사찰에서 지내다가, 강조의 정변으로 천추태후가 실각하자 국왕으로 추대되었다. 현종은 즉위 후에 불행하게 죽은 자신의 부모를 위해 개경 근교에 큰 사찰을 건립하였는데, 이것이 후대 법상종의 중심 사찰이 된 현화사이다.

④ 개성부는 성종 14년(995)에 처음으로 설치되었다. 현종 9년(1018)에 개성부를 경중(京中) 5부와 경기로 구획하였다.

② 고려 전기에는 주현이 130개, 속현이 374개 정도 있었는데, 속현은 대부분 남부 지역에 분포하였고 북쪽 변경 지역에는 많지 않았다. 고려 중기부터는 속현에도 감무(監務)와 같은 지방관을 파견하거나 주현으로 승격, 혹은 새로 승격한 주현에 합속시키는 정책이 실시되었다. 예종은 <u>1106년부터 현령(縣令)보다 한층 낮은 지방관인 감무를 파견하기 시작하여, 1108년에는 41개의 현에 감무를 두게 되었다.</u>

02 통치 체제의 정비

21 (가)~(라)에 대한 설명으로 옳은 것은? [2017 국가직 7급]

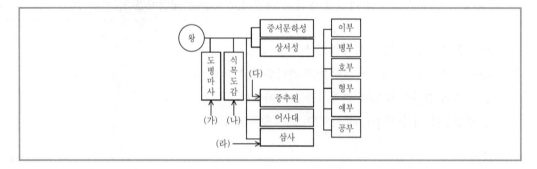

① (가)는 법제, 격식을 다루었으며, (나)는 고려 후기에 도당으로 불렸다.

② (가)와 (나)는 고려의 독자적인 기구이며, 중서문하성의 재신과 (다)의 추신이 합좌하였다.

③ (다)는 왕명출납과 군기의 업무를 맡았고, (라)는 백관을 규찰하고 탄핵하였다.

④ (다)와 (라)는 당제를 모방하여 설치하였고, 주요 사안을 6부와 협의하여 결정하였다.

해설 정답 ②

도병마사와 식목도감은 고려의 독자적인 합의기구로, 중서문하성의 5명의 재신이 도병마사와 식목도감의 판사를 겸하였다.

① 법제와 격식을 다룬 기구는 (나) 식목도감이며, 고려 후기(원 간섭기)에 도평의사사로 확대·개편되면서 '도당'으로 불린 기구는 (가) 도병마사이다.

③ 중추원의 추밀은 군사기밀(군기) 업무를 맡았고, 중추원의 승선은 왕명출납 업무를 맡았으므로, '(다)는 왕명출납과 군기의 업무를 맡았다'는 말은 맞다. 그러나 '백관을 규찰하고 탄핵'하는 감찰 업무를 담당한 기구는 '어사대'이다.

④ (다) 중추원과 (라) 삼사는 송나라의 제도를 모방하여 설치하였다. 중추원과 삼사가 주요 사안을 6부와 협의하여 결정하였다기보다는, 6부는 재추의 통할하에 있었던 것으로 보인다.

당 제도 모방	2성(중서문하성, 상서성), 6부
송 제도 모방	중추원, 삼사
독자적	재추회의(도병마사, 식목도감)

22 괄호 안에 들어갈 고려 시대의 정치 기구에 대한 설명으로 옳은 것은? [2016 국가직 7급]

> 국초에 ( )을(를) 설치하여 시중·평장사·참지정사·정당문학·지문하성사로 판사(判事)를 삼고, 판추밀 이하로 사(使)를 삼아 일이 있을 때 모였으므로 합좌(合坐)라는 이름이 붙게 되었다. 그런데 한 해에 한 번 모이기도 하고 여러 해 동안 모이지 않기도 하였다.
>
> ❯「역옹패설」

① 군사 기밀과 왕명 전달을 담당하였다.

② 화폐와 곡식의 출납, 회계의 일을 맡았다.

③ 정치의 잘잘못을 논하고 관리의 비리를 감찰하였다.

④ 양계의 축성 및 군사훈련 등 국방문제를 논의하였다.

해설 　　　　　　　　　　　　　　　　　　　　　　　　　　　정답 ④

'국초'에 설치되었고, '판사(判事)'가 주요 관원이며, '합좌(合坐)' 기관인 '고려 시대의 정치 기구'는 도병마사(都兵馬使)와 식목도감(式目都監)이다. 그러므로 '국초'란 정확하게 표현하면 '성종 때'이다. 중서문하성의 5명의 재신(五宰)이 도병마사와 식목도감의 판사(判事)를 겸하였다.

④ 도병마사는 양계의 군사에 대한 상벌, 군사 훈련, 국경 문제 등 국방·군사 관계의 일을 관장하였다.

① 중추원, ② 삼사, ③ 대간

23 다음은 고려 시대 정치 기구들의 역할을 설명한 것이다. 이와 관련한 설명으로 옳은 것은? [2011 기상직 9급]

> (가) – 정치의 잘잘못을 논하고 관리들의 비리를 감찰하는 업무를 맡았다.
>
> (나) – 군사 기밀과 왕명의 출납을 담당하였다.
>
> (다) – 국정을 총괄하는 문하시중이 최고 책임자였다.
>
> (라) – 실제 정무를 나누어 담당하는 6부를 두고 정책의 집행을 담당하였다.

① (가)와 (나)의 관원들은 간쟁, 봉박, 서경권을 가지고 정치 운영에 견제와 균형을 이루는 데 중심 역할을 하였다.

② (나)와 (다)의 고관들은 국가 중대사 결정, 국내 정치에 관한 시행 규정 등을 정하기 위한 회의기구를 구성하였다.

③ (나)와 (라)는 고려 귀족 정치의 특징을 보여주는 대표적 권력 기구이다.

④ (가)와 (나)의 역할을 조선 시대에는 사간원과 사헌부에서 각각 담당하게 되었다.

(가) 어사대, (나) 중추원, (다) 중서문하성, (라) 상서성

① 간쟁, 봉박, 서경권은 '중서문하성의 낭사'의 권한이라고 해도 맞고, 중서문하성의 낭사가 포함된 '대간'의 권한이라고 해도 맞다.

② 중서문하성의 재신과 중추원의 추밀로 구성된 회의기구인 도병마사와 식목도감이 있다.

③ 고려 귀족 정치의 특징을 보여주는 대표적인 권력 기구는 도병마사와 식목도감이다.

④ 감찰업무는 어사대(고려), 사헌부(조선)가 담당하였다. 군사 기밀은 중추원의 추밀(고려), 삼군부(조선)가 담당하였다. 왕명출납은 중추원의 승선(고려), 승정원(조선)이 담당하였다.

24 고려 시대의 지방 통치 제도에 대한 설명으로 옳지 않은 것은? [2017 국회직 9급]

① 5도에 파견된 안찰사는 상설행정기관 없이 순회하며 수령을 감독하였다.

② 군사행정구역인 양계에 파견된 병마사는 안찰사보다 지위가 높았다.

③ 소는 특정한 물품을 조달하는 특수행정구역이었다.

④ 외관이 파견된 주현보다 외관이 파견되지 않은 속현이 더 많았다.

⑤ 5도는 양광도, 경상도, 전라도, 충청도, 교주도를 말한다.

5도는 양광도, 경상도, 전라도, 서해도, 교주도이다.

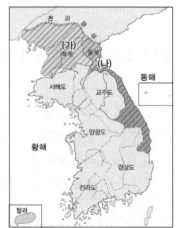

① 고려의 안찰사는 경직(京職)으로서 임기가 끝나면 중앙으로 돌아갔다. 단기적으로 교대하는 순회직으로, 전임관이 아니므로 상설 행정기구를 갖추지 못하였다. (조선의 관찰사는 행정 기구를 갖춘 지방관이었다.)

② 양계는 국방지역이었기 때문에 군사적인 병마사가 파견되어 중간기구의 역할을 담당하였다. 병마사는 다만 변경을 지키는 변장(邊將)에 그치지 않고 동북면과 서북면이라는 행정구획을 통치하는 지방장관이었다. 중기 이후에는 양계 병마사가 5도 안찰사와 동렬적인 지방 중간기구가 되었으나 역시 양계의 풍요성에 따라 병마사는 안찰사보다 권력이 강대하고 서열이 높았다.

③ 향과 부곡이 신라 때인 6~7세기경 형성되기 시작한 데 비해, 소(所)는 고려 시기에 형성된 것으로 여겨진다. 향과 부곡은 일반 군현과 같은 농업 지역이었지만, 소는 수공업이나 광업, 지방 특산물 등을 생산하는 지역이었다. 생산물의 종류에 따라 금소(金所), 은소(銀所), 지소(紙所), 강소(薑所), 자기소(磁器所), 어량소(魚梁所) 등으로 불렸으며, 자기 지역의 특산물을 국가에 바쳤다.

④ 고려 전기에는 주현이 130개, 속현이 374개 정도 있었는데, 속현은 대부분 남부 지역에 분포하였고 북쪽 변경 지역에는 많지 않았다. 고려 중기 예종 때부터는 속현에도 감무(監務)와 같은 지방관을 파견하거나 주현으로 승격, 혹은 새로 승격한 주현에 합속시키는 정책이 실시되었다. 그리하여 속현은 160개 정도로 감소하였다가, 조선이 건국된 후인 15세기경에 이르면 명목상 72개만 남았으나 실질적으로는 거의 소멸하였다.

25 다음은 고려 시대의 어떤 기구에 대한 기록이다. 밑줄 친 시기에 이 기구의 명칭으로 옳은 것은? [2016 서울시 7급]

> 왕명을 받아 글을 짓는 기관이다. 태조 때 태봉의 제도에 따라 원봉성을 두었고, 뒤에 학사원으로 고쳤다. 문종 때 학사승지 1인을 두고 정3품으로 삼았고, 학사는 2인을 두고 정4품으로 삼았다. 충렬왕 원년에 다시 문한서로 고쳤다. ➲「고려사」 76, 백관지 1, 예문관

① 한림원 ② 홍문관
③ 전중성 ④ 비서성

해설 정답 ①

고려 시대에 왕명을 받아 글을 지었던 기관은 한림원(翰林院)이다. 태조 때 태봉의 제도에 따라 원봉성이라 하다가, 학사원으로 바꾸고, 현종 때 한림원이 되었다. 문종 때 학사승지 1명, 학사 2명 등 그 관원이 정해졌다.

26 다음 사실이 있었던 시대에 대한 내용으로 옳은 것을 [보기]에서 모두 고른 것은? [2023 법원직 9급]

> 엄수안은 영월군의 향리로 키가 크고 담력이 있었다. 나라의 법에 향리에게 아들 셋이 있으면 아들 하나는 벼슬하는 것이 허락되어서, 엄수안은 관례에 따라 중방서리로 보임되었다. 원종 때 과거에 급제하여 도병마녹사에 임명되었다.

[보기]

ㄱ. 주현이 속현보다 적었다.
ㄴ. 모든 군현에 수령이 파견되었다.
ㄷ. 중서문하성의 낭사는 어사대와 함께 대간으로 불렸다.
ㄹ. 전국을 8도로 나누고 그 아래 부 · 목 · 군 · 현을 두었다.

① ㄱ, ㄴ ② ㄴ, ㄹ
③ ㄱ, ㄷ ④ ㄷ, ㄹ

해설 정답 ③

'향리'의 아들이 '벼슬'을 할 수 있으며, 향리가 '과거'에 급제할 수 있는 시대는 고려 시대이다.

ㄱ. 고려 시대에는 지방관이 파견된 주현이 지방관이 파견되지 않은 속현보다 적었다.
ㄷ. 고려 시대에 (관원 임명시 동의 여부에 서명할 수 있는) 서경, (왕의 잘못을 논하는) 간쟁, (잘못된 왕명을 시행하지 않고 되돌려 보내는) 봉박 기능을 하는 ➲ 2024 법원직 9급 중서문하성의 낭사는 감찰 기능을 하는 어사대와 함께 대간으로 불렸다.
ㄹ. 전국을 8도로 나누고, 그 아래 부 · 목 · 군 · 현을 둔 시대는 조선 시대이다.
ㄴ. 모든 군현에 수령이 파견된 시대는 조선 시대이다.

27 밑줄 친 '호장'에 대한 설명으로 옳은 것은?   [2016 기상직 9급]

> 신라 말 모든 읍(邑)의 토인(土人)으로 그 읍을 다스리고 호령하는 자가 있었는데, 고려가 후삼국을 통일한 이후에 직호를 내리고 토인에게 해당 지방의 일과 백성들을 다스리게 하였으니 이를 일러 <u>호장</u>이라 하였다.   ○ 연조귀감

① 고려 말 재지사족이 증가하면서 향촌 사회의 주도권을 상실해갔다.

② 호장의 직역을 세습하였으나 그 대가를 국가로부터 받지 못하였다.

③ 지방의 실질적 지배자였으나 제도적으로 문과에 응시할 수 없었다.

④ 호장은 대개 백정(白丁)이라고 불렸으며 잡과에 응시할 자격이 있었다.

해설   정답 ①

호장과 부호장은 상층 향리이다.

28 다음과 같은 군사 제도를 두었던 나라에 대한 설명으로 옳은 것은?   [2016 서울시 7급]

> 중앙에는 응양군과 용호군, 그리고 좌우위, 신호위, 흥위위, 금오위, 천우위, 감문위 등을 두어 국왕 호위, 수도 경비, 국경 방어, 경찰, 의장, 궁성과 도성문 수비 등의 역할을 수행하게 하였다.

① 장군들로 구성된 장군방, 상장군 · 대장군들로 구성된 중방이라는 합좌 기관이 있었다.

② 중앙군으로 10위를 두고 그 밑에 지방군이 있었다.

③ 다섯 군단으로 구성된 중앙군이 있었고 지방의 육군은 진관체제로 편성하였다.

④ 포수 · 사수 · 살수의 삼수로 나누어 훈련시켜 군사의 전문적 기능을 높였다.

해설   정답 ①

2군(응양군, 용호군), 6위(좌우위, 신호위, 흥위위, 금오위, 천우위, 감문위)의 중앙군을 두었던 '나라'는 고려이다. 중앙군의 최고 지휘관에는 상장군(정3품)과 대장군(종3품)이 있었고, 이들이 모여서 회의를 하는 '무신의 최고 합좌기관'으로 중방(重房)이 있었다. 그 밑에는 1령(1,000명)의 지휘관으로 장군(정4품)이 있었는데, 이 장군들의 회의를 장군방(將軍房)이라 하였다.

② 중앙군으로 10위를 두고 그 밑에 지방군을 둔 나라는 '발해'이다.

③ 5위의 중앙군과, 지방군 체제를 진관체제로 정비한 나라는 '조선'이다.

④ 포수 · 사수 · 살수의 삼수병으로 구성된 부대는 훈련도감으로, 이 중앙군을 둔 나라는 '조선'이다.

29 다음은 고려의 군사조직과 그 기능에 대한 설명이다. 잘못된 것은? [2004 서울시 9급]

① 금오위 – 경찰 업무 ② 천우위 – 의장 업무

③ 감문위 – 국왕 호위 ④ 2군 – 친위군

⑤ 좌우위 · 신호위 · 흥위위 – 개경 수비

해설 정답 ③

1영(1,000명)으로 구성된 감문위(監門衛)는 궁성 수비를 담당하였다.

좌우위, 신호위, 흥위위	수도(개경) 방어, 국경 수비
금오위	경찰(警察) ◐ 2021 경찰간부
천우위	의장(儀仗) ◐ 2021 경찰간부
감문위	궁궐 수비(성문 수비)

30 고려 시대 과거제도와 관련한 설명으로 가장 옳지 않은 것은? [2010 경찰]

① 광종 때 쌍기의 건의로 실시되었다.

② 무인을 선발하는 무과도 초기부터 정기적으로 실시되었다.

③ 문학적인 재능을 시험하는 제술업이 중요시되었다.

④ 잡업에는 의약을 주관하는 의업, 풍수지리를 주관하는 지리업 등이 있었다.

해설 정답 ②

고려 시대에 무과는 거의 시행되지 않았으므로, 무신의 집안과 직업 군인 중 능력 있는 자를 발탁하여 무신으로 삼았다.

31 고려 시대 음서제에 관한 설명으로 옳지 않은 것은? [2006 국가직 9급]

① 음서로 벼슬을 한 자들은 재상으로의 승진이 제한되었다.

② 수양자(收養子)나 사위도 혜택을 받을 수 있었다.

③ 음서는 공신, 종실, 5품 이상 관인의 자손이 그 대상이었다.

④ 과거 시험을 치르지 않아도 벼슬을 할 수 있는 제도이다.

해설 정답 ①

고려 시대에는 음서로 관직에 진출한 사람이 승진에서도 유리하였다. 승진에 제한이 있었던 조선 시대의 문음 제도와는 다르다.

03 | 문벌 귀족 사회의 성립과 동요

01 | 이자겸의 난, 묘청의 난

01 (가)와 (나) 시기 사이의 사실로 옳은 것은? [2013 법원직 9급]

> (가) 왕이 어느 날 홀로 한참 동안 통곡하였다. 이자겸의 십팔자(十八字)가 왕이 된다는 비기(秘記)가 원인이 되어 왕위를 찬탈하려고 독약을 떡에 넣어 왕에게 드렸던바, 왕비가 은밀히 왕에게 알리고 떡을 까마귀에게 던져주었더니 그 까마귀가 그 자리에서 죽었다.
>
> ◉「고려사」
>
> (나) 몽골병이 이르자 윤후가 처인성으로 난을 피하였는데, 몽골의 원수 살리타가 성을 치매 윤후가 그를 사살하였다. 왕은 그 공을 가상히 여겨 상장군의 벼슬을 주었으나 이를 사양하고 받지 않았다.
>
> ◉「고려사」

① 삼별초가 난을 일으켰다.

② 서경파가 대화궁을 축조하였다.

③ 강감찬이 귀주대첩에서 승리하였다.

④ 여진을 축출하고 동북 9성을 쌓았다.

해설   정답 ②

(가) 이자겸이 '왕위를 찬탈'하려고 했던 1126년경의 사건이다.

(나) 몽골이 다시 침입하자 '(김)윤후'가 '살리타'를 사살한 1232년의 사건이다.

(가)와 (나) 사이에 묘청의 서경천도 운동이 있었다. 서경파(묘청 세력)는 '대화궁'을 축조하였고, 국호를 '대위', 연호를 '천개'라고 하였다. 이자겸의 난과 무신정변(또는 몽골 침입) 사이의 대표적인 사건으로 '묘청의 난'을 떠올리라는 문제가 흔하다. 2005년 국가직 9급에서는 두 시기 사이의 사건으로 다음의 사실들이 제시되었다. 1) 풍수지리설을 내세워 서경천도 운동이 일어났다. 2) 황제를 칭할 것과 금국정벌론이 제기되었다. 3) 고구려 계승 이념에 대한 이견과 갈등이 일어났다.

02 밑줄 친 '그'에 대한 설명으로 옳은 것은? [2017 국가직 7급]

> 그는 스스로 국공(國公)에 올라 왕태자와 동등한 예우를 받았으며 자신의 생일을 인수절(仁壽節)이라 칭하였다. 그는 남의 토지를 빼앗고 공공연히 뇌물을 받아 집에는 썩는 고기가 항상 수만 근이나 되었다.

① 그가 일으킨 난을 경계(庚癸)의 난이라고도 한다.

② 아들을 출가시켜 현화사 불교 세력과 강력한 유대 관계를 맺고 있었다.

③ 금의 군신 관계 요구에 반대하며 금 정벌론을 주장하였다.

④ 문벌 귀족들의 세력을 억누르기 위해 지덕쇠왕설을 내세워 서경 천도를 주장하였다.

정답 ②

해설

'이자겸은 자기 부(府)에 속한 주부(注簿) 소세청(蘇世淸)을 개인적으로 송(宋)나라로 보내 표문과 토산물을 바치면서 지군국사(知軍國事)라고 자칭하였다. 이자겸의 권세와 총애가 나날이 높아져 자기에게 아부하지 않는 자는 온갖 계략으로 헐뜯고 비난하였다. 왕의 아우 대방공(帶方公) 왕보(王俌)는 경산부(京山府)로 추방하였고 평장사 한안인(?~1122)을 섬으로 귀양 보낸 후 죽였다. 또 최홍재, 문공미, 이영, 정극영 등 50여 명을 귀양 보냈다. 자신의 친족을 요직에 배치하고 매관매직하여 자기의 세력을 심었다. <u>스스로 국공(國公)이 되어 자기의 왕태자와 같은 대우를 받았으며 자기 생일을 인수절(仁壽節)이라 부르고 전국에서 온 축하문을 전(箋)이라 불렀다.</u>' 문제에서 제시된 자료는 이자겸과 관련된 「고려사」의 기록이다.

② 이자겸의 집안은 불교계와도 깊은 관계가 있었다. 이자겸은 아들인 수좌(首座) 의장(義莊)을 현화사(玄化寺)에 포진시키는 등 당시 경제 · 군사적 기반을 갖추고 있었던 사원세력과 밀접하게 연계되어 있었다.

① 정중부의 난(무신정변)이 경인년(庚寅年, 1170)에 일어났고, 김보당의 난(계사의 난)은 계사년(癸巳年, 1173)에 일어났는데, 이 두 시기를 합하여 경계(庚癸)의 난이라고 한다. 이자겸 사후의 일이다.

③ 만주 일대를 장악한 여진(금)이 고려에 군신 관계를 요구했을 때, 고려에서는 '사대–자주'의 논쟁이 발생하였으나 결국 이자겸이 사대를 수락하였다(1126).

④ 문벌 귀족들의 세력을 억누르기 위해 지덕쇠왕설을 내세워 서경 천도를 주장한 인물은 '묘청'이다.

---

03 다음은 「고려사」에 나타난 고려 중기 두 세력의 대표적 인물의 주장이다. 이들에 대한 설명으로 옳은 것을 [보기]에서 고르면?

[2017 서울시 9급]

> (가) 제가 보건대 서경 임원역의 땅은 풍수지리를 하는 사람들이 말하는 아주 좋은 땅입니다. 만약 이곳에 궁궐을 짓고 전하께서 옮겨 앉으시면 천하를 다스릴 수 있습니다. 또한 금나라가 선물을 바치고 스스로 항복할 것이고 주변의 36나라가 모두 머리를 조아릴 것입니다.
>
> (나) 금년 여름 서경 대화궁에 30여 개소나 벼락이 떨어졌습니다. 서경이 만일 좋은 땅이라면 하늘이 이렇게 하였을 리 없습니다. 또 서경은 아직 추수가 끝나지 않았습니다. 지금 거동하시면 농작물을 짓밟을 것이니 이는 백성을 사랑하고 물건을 아끼는 뜻과 어긋납니다.

[보기]
㉠ (가) 국호를 대위, 연호를 천개로 정하고 반란을 일으켰다.
㉡ (가) 칭제 건원과 요나라 정벌을 주장하였다.
㉢ (나) 개경 중심의 문벌 귀족 세력의 대표였다.
㉣ (나) 편년체 역사서인 「삼국사기」를 편찬하였다.

① ㉠, ㉢
② ㉠, ㉡, ㉢
③ ㉠, ㉢, ㉣
④ ㉠, ㉡, ㉢, ㉣

해설 정답 ①

(가) '서경 임원역의 땅'을 '아주 좋은 땅'이라 하고, 이곳에 '궁궐'을 짓자고 주장한 인물은 '묘청'이다. 그 결과 지어진 궁궐이 대화궁이다.

> 임술일에 왕이 다음과 같은 조서를 내렸다. "…… 나에게 불평을 품은 나머지 당돌하게 병란을 일으켜 관원들을 잡아 가두었으며 천개(天開)라는 연호를 표방하고 군호(軍號)를 충의(忠義)라고 하였으며 공공연히 병졸들을 규합하여 서울을 침범하려 한다. 사변이 뜻밖에 발생하여 그 세력을 막을 도리가 없다."
> ● 2017 법원직 9급

(나) 서경 '대화궁'에 벼락이 떨어졌으므로 서경이 '좋은 땅'일리 없다고 주장하고, 민생 안정을 이유로 서경 천도를 반대한 인물은 '김부식'이다.

㉠ 묘청은 서경 천도를 통한 정권 장악이 어렵게 되자 국호를 대위(大爲), 연호를 천개(天開)라고 하여 서경에서 난을 일으켰다. (○)
㉡ 묘청은 칭제 건원을 주장하였으며, '금나라 정벌'을 주장하였다.
㉢ 김부식은 개경 중심의 문벌 귀족 세력의 대표였다. (○)
㉣ 김부식은 '기전체' 역사서인 「삼국사기」를 편찬하였다.

04 [보기]의 빈칸에 공통적으로 해당하는 국가와 관련하여 고려 시대에 발생한 일로 가장 옳은 것은?
[2018 서울시 9급]

> **[보기]**
> • 모든 관리들을 소집해 _____을/를 상국으로 대우하는 일의 가부를 의논하게 하자 모두 불가하다고 했으나, 이자겸과 척준경만이 찬성하고 나섰다.
> • _____은/는 전성기를 맞아 우리 조정이 그들의 신하임을 칭하도록 하고자 하였다. 여러 의견들이 뒤섞여 어지러운 가운데, 윤언이가 홀로 간쟁하여 말하기를 …… 여진은 본래 우리 조정 사람들의 자손이기 때문에 신하가 되어 차례로 우리 임금께 조공을 바쳐왔고, 국경 근처에 사는 사람들은 모두 우리 조정의 호적에 올라있는 지 오래 되었습니다. 우리 조정이 어찌 거꾸로 그들의 신하가 될 수 있겠습니까?

① 이 국가의 침입으로 인해 국왕은 나주로 피난하였다.
② 묘청 일파는 이 국가의 정벌을 주장하였다.
③ 이 국가와 함께 강동성에 포위된 거란족을 격파하였다.
④ 이 국가의 침략에 대비하여 광군을 설치하였다.

해설 정답 ②

제시된 자료에서 '이자겸과 척준경'이 상국으로 대우하는 것을 찬성한 국가는 '금'나라이다. 묘청의 난 때 중도파였던 윤언이는 서경천도에는 반대하였으나 칭제건원과 '금'국정벌에는 찬성하였다. 묘청 일파도 '금'국정벌을 주장하였다.
① '거란'의 침입으로 인해 고려의 현종은 나주로 피난하였다(1011).
③ '몽골'과 함께 강동성에 포위된 거란족을 격파하였다(1219).
④ '거란'의 침략에 대비하여 광군을 설치하였다(947).

05 고려 중기에 있었던 다음의 사실을 시기 순으로 올바르게 나열한 것은?　　　[2014 서울시 7급]

> ㉠ 인종이 이자겸을 숙청하였다.
> ㉡ 인종이 서경에 대화궁을 건립하였다.
> ㉢ 고려 조정은 금나라가 요구했던 군신관계의 외교관계를 수용하였다.
> ㉣ 김부식이 인종의 명을 받아 「삼국사기」를 편찬하였다.

① ㉠ － ㉢ － ㉡ － ㉣　　　② ㉡ － ㉠ － ㉣ － ㉢
③ ㉡ － ㉢ － ㉠ － ㉣　　　④ ㉢ － ㉠ － ㉡ － ㉣
⑤ ㉢ － ㉠ － ㉣ － ㉡

해설　　　　정답 ④

㉢ 고려 조정의 실세 이자겸이 금나라의 사대요구를 수락(군신관계 수용)한 것은 1126년 초이다. 이자겸의 난과 시기가 겹친다.
㉠ 이자겸은 자신의 둘째 딸을 예종의 왕비로, 셋째 딸과 넷째 딸을 인종의 왕비로 받아들이게 한 당대의 대표적인 권력자였다. 인종은 이자겸의 외손자이자 사위로서, 이자겸의 권세 놀이에 침묵할 수밖에 없었다. 그러나 마침내 인종이 이자겸을 제거하려고 시도하였고, 이에 분개한 이자겸이 척준경과 함께 난을 일으켰다(1126년 초). 그러나 이자겸에게서 등을 돌린 척준경을 인종이 회유하였고, 이자겸은 체포되어 사망하였다(1126년 말).
㉡ 인종이 서경에 대화궁을 건립하였다는 것은 '처음에는' 묘청 등을 통해 혁신정치를 시행하려고 하였다는 의미이다. 1129년에 대화궁을 짓고 서경 천도를 시도하였으나, 개경파의 반대로 결국 묘청의 난이 일어나게 되었다(1135).
㉣ 묘청의 난을 진압한 김부식이 인종의 명을 받아 「삼국사기」를 편찬한 것은 1145년이다.

06 고려 인종 때에는 개경세력과 서경세력 사이에 대립이 발생하면서 서경세력이 난을 일으켰다. 단재 신채호는 『조선사연구초』에서 이 사건을 두고 '조선 역사상 일천년래 제일대사건'이라고 평가하였는데, 이 사건에 대한 설명으로 가장 옳지 않은 것은?　　　[2014 국회직 9급]

① 거란의 압력에 대항하며 칭제건원(稱帝建元)을 주장하였다.
② 난의 결과 서경파(西京派)가 몰락하고 서경의 분사(分司)제도가 폐지되었다.
③ 풍수사상 등 전통사상과 유학사상의 대립적 성격을 띠었다.
④ 귀족사회 내부의 족벌과 지역 세력 간의 대립 양상이었다.

해설　　　　정답 ①

신채호가 '조선 역사상 일천년래 제일대사건'이라고 평가한 '이 사건'은 묘청의 난(1135)이다. 이자겸의 난 이후 김부식과 임원애 가문이 빠르게 부상했지만, 또 다른 문벌 가문의 부상이 탐탁지 않았던 인종(1122~1146)에게는 이수, 정지상 등이 새로운 대안이었다. 서경 출신의 신진 관료였던 정지상은 묘청, 백수한 등을 추천하여 세력화하였는데, 이 세력을 '서경 세력' 또는 '서경파'라 한다.
① 서경 세력은 칭제건원을 주장하며, '금'을 정복하자는 주장까지 하였다.
② 서경에는 분사제도(分司制度)라 하여 개경의 중앙정부와 유사한 기구와 체제를 갖추고 있었다. 그러나 서경의 기구와 체제는 '묘청의 난' 이후 대폭 개편되면서 독립성을 상실하고 점차 토관직(土官職)으로 변모되어 갔다.

③ 신채호는 묘청의 난에 대해 국풍파와 한학파의 대립으로 보았는데, 여기에서 국풍파란 '풍수지리 사상, 낭가 사상, 불교' 등의 전통사상을 말하며, 한학파란 유학사상을 말한다. (신채호는 또한 묘청의난을 '독립당 대 사대당', '진취 사상 대 보수 사상' 등이라고 보았다.)

④ 묘청의 난은 김부식 등 개경 지역 문벌귀족 세력과 정지상 등 서경 지역 문벌귀족 세력의 대립이었다.

구 분	개경 세력	서경 세력
중심인물	김부식, 김인존	묘청, 정지상
출 신	사대적 유교정치	자주적 혁신정치
사 상	유교	풍수지리설, 낭가, 불교
정치, 외교	금과의 사대	금국정벌(북진)
계승의식	신라 계승 의식	고구려 계승 의식

07 (가)~(다) 사건을 일어난 순서대로 가장 바르게 나열한 것은?

[2023 법원직 9급]

> (가) 이고 등이 임종식, 이복기, 한뢰를 비롯하여 왕을 모시던 문관 및 대소 신료들을 살해하였다. 정중부 등이 왕을 모시고 궁으로 돌아왔다.
> (나) 김부식이 군대를 모아서 서경을 공격하였다. 서경이 함락되자 조광은 스스로 불에 뛰어들어 죽었다.
> (다) 최사전의 회유에 따라 척준경은 마음을 돌려 계책을 정하고 이자겸을 제거하였다.

① (나) – (가) – (다) ② (나) – (다) – (가)
③ (다) – (가) – (나) ④ (다) – (나) – (가)

해설 정답 ④

(다) 1126년, 이자겸과 척준경이 함께 반란을 일으켰으나, 척준경이 마음을 바꿔 이자겸을 제거하였다.

(나) 1135년, 묘청은 조광, 유참 등과 함께 서경 천도 운동을 벌였다. 그러나 조광의 배신으로 서경 천도 운동은 실패하였다.

(가) 1170년, 이의방, 이고 등이 군부의 수장 정중부를 주동자로 내세워 무신정변을 일으켰다.

02 무신정권

08 다음에서 서술하는 인물 ㉠에 대한 설명으로 옳은 것은?

[2014 계리직]

> (㉠)은/는 붓글씨를 잘 써서 신라의 문인 김생(金生), 고려 문종 때의 유신(柳伸), 고려 중기의 승려 탄연(坦然)과 함께 신품사현(神品四賢)이라 불렸다. (㉠)은/는 도방을 확대하여 내도방·외도방으로 편성하고, 새로이 마별초와 삼별초를 조직하여 무력 기반을 크게 확충하였다. 1231년부터 시작된 몽골군의 대대적인 침입에 대비하여 1232년 강화도로 천도하였다.

① 그는 몽골의 침략에 대비하기 위하여 초조대장경을 각성(刻成)하였다.

② 그의 시는 송나라에 널리 알려져 「소화집」이라는 시집으로 간행되었다.

③ 그는 서방을 설치하여 유명 문신을 머무르게 하며 정권 운영의 고문을 담당하게 하였다.

④ 그는 당시 관제나 수령, 토지 등 전반적인 문제에 대한 봉사(封事) 10조를 왕에게 올렸다.

해설　　　　　　　　　　　　　　　　　　　　　　　　　　　　　　　　　　　정답 ③

신품사현(神品四賢)은 글씨가 신의 작품이라 할 만큼 뛰어난 신라와 고려의 4명의 서예가를 말한다. 이규보는 「동국이상국집」에서 신라의 김생(金生), 고려의 탄연(坦然), 최우(崔瑀), 유신(柳伸)의 글씨를 신품(神品)이라고 평하며, 이들 네 사람을 '신품 4현'이라고 불렀다. 이규보는 최우의 글씨에 대해 '아침 해가 구름에서 솟는 것도 그 글씨의 선명함에는 족히 비유할 수 없고, 난새가 날고 봉황이 나는 것도 그 글씨의 끝없이 나부끼는 것에는 족히 비유할 수 없다.'고 평가하였다. 과연 입신출세의 달인답다. 최우는 집권기에 서방(書房)을 설치하여 정권 운영의 고문을 담당하게 하였고, 정방(政房)을 설치하여 문무 관리의 인사권을 독점하였으며, 마별초와 삼별초를 조직하여 무력 기반을 확충하였다.

① 최우 집권기에 판각이 시작된 것은 '재조대장경(팔만대장경)'이다.

② 「소화집」은 문종 때 박인량과 김근이 송나라에서 발간한 문집이다.

④ <u>최충헌은 봉사(封事) 10조와 같은 사회개혁책을 제시하였다.</u> ◯ 2021 국회직 9급

명호샘의 한마디!!

최씨 정권의 군사적 기반은 '도방(都房)과 삼별초(三別抄)'이다. 도방은 사병 집단으로서 경대승 집권기에 조직화되었고, <u>최충헌에 의하여 더욱 발전되었다. 최충헌은 도방으로 하여금 6교대로 자신의 개인 집을 당직하게 하였고</u> <u>(6번으로 나누어 숙위하게 하였고),</u> ◯ 2017 기상직 7급 이후에는 36교대로 확대하였다.

도방과 아울러 최씨 정권의 군사적인 배경을 이룬 것은 삼별초였다. 도방이 최씨의 '신변 호위'를 주된 목적으로 하였다면, 삼별초는 '경찰, 전투' 등의 공적인 임무를 맡았다. 중앙군인 6위가 맡아야 할 임무를 삼별초라는 별개 부대가 수행하면서 6위의 관군은 유명무실하게 되었다. 그러므로 삼별초가 국가의 재정에 의해 유지되고 공적인 임무를 맡았다고는 하나, 실제로는 최씨의 사병과 같았다. 도방, 삼별초 외에도 최우는 마별초(馬別抄)라는 기병 부대를 조직하였다.

09 다음은 무신 집권기의 정치 기구에 대한 설명이다. 밑줄 친 곳에 들어갈 내용으로 옳은 것은?

[2004 국가직 7급]

> 최충헌은 최고 집정부의 구실을 하는 ___㉠___ 을 설치하여 권력을 행사하였다. 또 사병기관인 ___㉡___ 을 설치하여 신변을 경호하였다. 최우는 자기 집에 ___㉢___ 을 설치하여 모든 관직에 대한 인사권을 장악하였다. 최우는 문학적 소양과 행정 실무능력을 갖춘 문신들을 등용하여 ___㉣___ 에서 숙위하면서 고문에 대비하게 되었다.

	㉠	㉡	㉢	㉣
①	교정도감	정방	서방	도방
②	교정도감	도방	정방	서방
③	정방	교정도감	도방	서방
④	정방	도방	서방	교정도감

해설   정답 ②

최충헌과 최우가 설치한 조직·기구를 구분하여야 한다. 최충헌은 국정을 총괄하는 최고 정치 기구로 교정도감(敎定都監)을 설치하였다. 또한 사병 기관인 도방(都房)을 설치하여 신변을 경호하였다. 최우도 교정도감을 통하여 정치 권력을 행사하였고, 더 나아가 자기 집에 정방을 설치하여 모든 관직에 대한 인사권을 장악하였다. 문학적인 소양과 함께 행정 실무 능력을 갖춘 문신들을 등용하여 서방에서 숙위하면서 고문 활동을 하게 하였으며, 마별초와 삼별초를 조직하여 무력 기반을 크게 확충하였다.

 명호샘의 한마디!!

최충헌(1149~1219)을 묻는 문제에 등장하는 사료는 다음과 같다.

> <u>적신 이의민</u>은 성품이 사납고 잔인하여 윗사람을 업신여기고 아랫사람을 능멸하였고, 임금 자리를 꾀하여 화의 불길이 커져 백성이 살 수 없으므로 <u>신(臣) 최충헌</u> 등이 일거에 소탕하였습니다. 원컨대 폐하께서는 새로운 정치를 도모하시어 태조의 바른 법을 좇아 행하여 중흥하소서.
> ○ 고려사(봉사 10조) ○ 2021 국회직 9급, 2018 경찰, 2012 경찰간부

> 사신(史臣)이 말하기를, '<u>신종은 최충헌이 세웠다.</u> 사람을 살리고 죽이고 왕을 폐하고 세우는 것이 다 그의 손에서 나왔다. (신종은) 한갓 실권이 없는 왕으로서 신민(臣民)의 위에 군림하였지만, 허수아비와 같았으니, 애석한 일이다.'라고 하였다.
> ○ 고려사 ○ 2017 기상직 7급

> (최충헌)은 <u>임금을 폐하고 세우는 것을 자기 마음대로 하였으며,</u> 항상 조정 안에 있으면서 자기 부하들과 함께 가만히 정안(政案, 관리들의 근무 성적을 매긴 것)을 가지고 벼슬을 내릴 후보자로 자기 당파에 속하는 자를 추천하는 문안을 작성하고, 승선이라는 벼슬아치에게 주어 임금께 아뢰게 하면 임금이 어쩔 수 없이 그대로 좇았다. 그리하여 (최충헌)의 아들 이(훗날의 우), 손자 항, 항의 아들 의의 4대가 정권을 잡아 그런 관행이 일반화되었다.
> ○ 이제현, 「역옹패설」 ○ 2015 경찰

> (최충헌)의 노비인 만적 등 여섯 명이 북산(北山)에 나무하러 갔다가 공사(公私) 노비들을 모아 놓고 말하기를, "장군과 재상이 어찌 타고난 씨가 따로 있겠는가? 때만 만나면 누구나 될 수 있는 것이다. 우리라고 어찌 뼈 빠지게 일만 하고 채찍 아래에서 고통만 당하겠는가?"라고 하였다. (중략) "각자 자기 주인들을 때려 죽이고 노비 문서를 불태워버리자. 이로써 이 나라에 다시는 천인이 없게 하면, 공경장상을 우리들이 모두 차지할 수 있을 것이다."라고 하였다.
> ○ 2020 서울시 9급

최충헌의 대표적인 정답과 오답을 정리해본다.

정답	1) 교정도감을 설치하여 국정을 장악하였다. ○ 2024 법원직 9급 　= 교정도감이라는 독자적인 집정부가 만들어졌다. (○) ○ 2021 국회직 9급, 2018 경찰 　= 국정을 총괄하는 최고 정치 기구로 교정도감을 설치하였다. (○) ○ 2012 경찰간부 2) 도방을 두어 신변을 경호하였다. (○) ○ 2021 국회직 9급 　= 도방을 부활하여 군사들이 6번으로 나누어 숙위하게 하였다. (○) ○ 2017 기상직 7급 　= 도방을 확대하여 군사적 기반을 확립하였다. (○) ○ 2014 경찰 　= 도방을 재건하였다. (○) ○ 2015 지역인재 9급 3) 농민 항쟁을 적극 진압하였다. (○) ○ 2021 국회직 9급 4) 막강한 권력을 갖고 왕의 폐립도 자행하였다. (○) ○ 2021 국회직 9급 　= 명종을 폐하고 신종, 희종, 강종, 고종을 차례로 세웠다. (○) ○ 2018 서울시 7급 5) 이의민을 제거하고 권력을 잡았다. (○) ○ 2021 지방직 9급
오답	1) 하층민 출신의 권력자였다. (×, 최충헌은 상장군 최원호의 아들이다.) ○ 2024 법원직 9급 2) 정방을 설치하고 관리의 인사를 처리하였다. (×, 최우) ○ 2021 국회직 9급, 2018 경찰 3) 서방에서 문신들이 숙위하며 정책을 자문했다. (×, 최우) ○ 2018 경찰 4) 마별초와 삼별초를 조직하여 무력 기반을 크게 확충하였다. (×, 최우) ○ 2012 경찰간부 5) 수도를 강화도로 옮겨 대몽 항쟁을 추진하였다. (×, 최우) ○ 2012 경찰간부 6) 김생(金生), 탄연(坦然) 등과 더불어 신품사현(神品四賢)으로 일컬어졌다. (×, 최우) 　　　　　　　　　　　　　　　　　　　　　　　　　　　　　○ 2015 경찰간부 7) 도방을 확대하여 내도방·외도방으로 편성하였다. (×, 최우) ○ 2021 경찰 8) 사병 집단인 도방을 처음으로 조직하였다. (×, 경대승) ○ 2021 경찰 9) 상·대장군의 합의기구인 중방의 권한을 강화하였다. (×, 교정도감이 강화되면서 중방은 약화됨) 　　　　　　　　　　　　　　　　　　　　　　　　　　　　　○ 2017 서울시 7급 10) 교정도감은 최충헌이 군국 사무를 관장하기 위해 설치한 집정부로, 최씨 정권 몰락과 함께 해체되었다. (×, 교정도감은 1270년에 해체됨) ○ 2017 서울시 7급

10 다음은 고려 시대 진화의 시이다. 이 시인과 교류를 통해 자부심을 공유한 인물의 작품은?

[2018 국가직 9급]

> 서쪽 송나라는 이미 기울고 북쪽 오랑캐는 아직 잠자고 있네.
> 앉아서 문명의 아침을 기다려라, 하늘의 동쪽에서 태양이 떠오르네.

① 삼국사기　　　　　　　　　② 동명왕편
③ 제왕운기　　　　　　　　　④ 삼국유사

⚒ 해설　　　　　　　　　　　　　　　　　　　　　　　　　　　　　　정답 ②
진화(陳澕)가 지은 이 시에서 '이미 기운 송나라'는 남송(南宋)을 말하며, '북쪽 오랑캐'는 금(金)을 말한다. 1234년에 금나라가 몽골에 멸망하고, 1279년에 남쪽의 송나라도 멸망하였다. 그러므로 이 시는 금나라가 멸망하기 전인 1200~1230년경에 쓰인 것으로 여겨진다. 마지막 행의 '하늘의 동쪽'이란 고려를 말한다. 이 시는 '고려가 새로운 문명 국가로 떠오르고 있다'는 기대감과 자부심을 그리고 있다. 그러므로 아직 몽골의 압제는 시작되지 않은 것을 알 수 있다. 진화(1180?~?)와 교류한 동시대의 인물은 이규보(1168~1241)이다.

② 이규보가 쓴 무신 집권기의 역사서는 「동명왕편」이다.

① 김부식의 「삼국사기」는 고려 중기의 역사서이다.

③ 이승휴의 「제왕운기」는 원 간섭기의 역사서이다.

④ 일연의 「삼국유사」는 원 간섭기의 역사서이다.

11 고려 무신정권기에 대한 설명으로 가장 옳지 않은 것은? [2018 서울시 지방직 7급]

① 조위총은 의종 복위를 내세우며 집권 무신을 타도하고자 했다.

② 산발적이던 민란은 김사미, 효심의 봉기를 계기로 연대하였다.

③ 최충헌은 명종을 폐하고 신종, 희종, 강종, 고종을 차례로 세웠다.

④ 최이의 처가 죽자 왕후처럼 장례를 치렀다.

🔍해설   정답 ①

의종(1146~1170)은 보현원에 행차 도중 오병수박희(五兵手搏戱)를 하였다. 이 경기에서 문신 한뢰가 대장군 이소응의 뺨을 때리는 사건이 벌어지자, 정중부·이의방 등은 난을 일으켜 문신들을 죽이고 의종을 폐위시켜 거제도로 유배를 보냈다. 김보당과 장순석 등이 의종의 복위를 도모하여 군사를 일으키고 유배되어 있던 의종을 경주로 데려왔다. 그러나 의종 복위 운동은 실패하였고 의종은 유폐되었다가 1173년(명종 3년) 경주에서 이의민에게 살해되었다. 이러한 위기 상황에서 병부상서 서경 유수 조위총도 무신세력을 제거한다는 명목으로 반란을 일으켰는데(1174), 이 때는 이미 의종은 죽은 뒤였다.

② 1193년(명종 23년) 김사미의 농민군과 효심의 농민군이 연합하여 봉기하였다. 김사미는 청도군 내의 운문(雲門)에 본거지를 두고 반란을 일으켰으며, 효심은 초전(草田)에 본거지를 두고 반란을 일으켰으며, 이들이 연합하면서 산발적이던 민란의 연대가 이루어졌다.

③ 최충헌은 이의민을 주살한 후에 명종(明宗)을 창락궁에 가두고 왕의 동생 왕민을 왕위에 세웠는데, 그가 신종(神宗)이다. 신종이 죽고 그 아들 희종(熙宗)이 즉위한 후에 최충헌은 왕을 옹립한 공이 있다는 이유로 진강후(晉康侯)에 봉해졌다. 최충헌에 의해 왕권을 제약 받던 희종이 최충헌을 죽이려고 하였다가 실패하자 최충헌은 희종을 강화도로 내쫓고, 강종(康宗)을 즉위시켰다. 얼마 지나지 않아 강종이 죽자 최충헌은 다시 고종(高宗)을 왕위에 세웠다.

④ 최우의 처 정씨(鄭氏)가 죽었을 때 장례 절차를 예종의 왕비인 순덕왕후의 전례를 따르게 하였다(1231). 왕실을 비롯해 상하의 관료들이 다투어 제수를 올리면서 사치스럽게 아름답게 보이려고 애썼던 탓에 물가가 폭등할 정도였다.

12 무신 집권기 지방민과 천민의 동요에 대한 설명으로 가장 옳지 않은 것은? [2018 서울시 9급]

① 조위총은 백제 부흥을 위해 봉기하였다.

② 망이·망소이의 난은 일반 군현이 아닌 소에서 일어났다.

③ 경주를 중심으로 한 지역에서는 신라부흥을 내걸고 반란이 일어나기도 했다.

④ 만적은 노비해방을 내세우며 반란을 모의하였다.

📖**해설**

조위총의 난(1174)은 무신란의 주동자를 제거하고 나라를 바로잡는다는 명분으로 서경유수 조위총이 서경(평양)에서 일으킨 난이다. 조위총의 난은 '반(反) 무신의 난'의 성격을 가진다. 지역적으로 볼 때에도 백제 부흥과는 거리가 멀다. 백제 부흥 운동의 성격을 가지는 반란은 '이연년의 난(1237)'이다.

② 망이·망소이의 난(1176)은 공주 명학소에서 일어났다. 즉 일반군현이 아닌 '소(所)'에서 일어났다. 이에 고려 정부는 채원부와 박강수를 보내 달랬지만 실패했고, 그 뒤 대장군 정황재와 장박인에게 3,000명의 군사를 주어 이를 진압하려 했지만 패배하고 말았다. 이에 정부는 명학소를 충순현(忠順縣)으로 승격하고 수령을 파견하는 회유책을 썼지만, 망이 등은 응하지 않고 오히려 예산현을 공격해 감무를 살해하고 충주를 점령하였다.

③ 경주를 중심으로 한 지역에서는 신라부흥을 내걸고 반란이 일어나기도 했다. 경주와 멀지 않은 곳에서 일어난 김사미·효심의 난(1193)도 신라 부흥의 성격이 일부 있었고, 경주 민란이라고도 부르는 '동경의 난'(1202)은 신라부흥의 성격이 더욱 분명하였다.

④ 최충헌의 사노였던 만적은 개경에서 노비해방을 내세우며 반란을 모의하였다(1198).

13 고려 최씨 무신 정권에 대한 설명으로 가장 옳지 않은 것은?　　　　[2017 서울시 7급]

① 재추회의에서 국가의 중대사가 논의되었다.

② 최충헌은 상·대장군의 합의 기구인 중방의 권한을 강화하였다.

③ 최충헌과 최우는 부를 설치하여 왕자 등과 동등한 지위를 공식적으로 인정받았다.

④ 최윤의 등이 지은 의례서인 상정고금예문이 인쇄되었다.

📖**해설**　　　　　　　　　　　　　　　　　　　　　　　　　　　　　　　　정답 ②

중방(重房)은 2군 6위의 지휘관인 상장군(上將軍)·대장군(大將軍)들로 구성된 회의 기구로서, 2군 6위의 군사 제도가 완성된 11세기 현종(顯宗, 재위 1009~1031) 무렵 그 골격을 갖춘 것으로 추정된다. 원래 중방은 궁궐과 도성의 수비 및 치안 문제 등을 주요 논의 사항으로 다루었으나, 1170년(의종 24년) 무신 정변 이후에는 무신 집권자들이 국정 운영 전반을 논의하는 가장 중요한 정치 권력 기관이 되었다. 그뿐만 아니라 기존 임무인 궁성 수비 및 치안은 물론이고, 형옥(刑獄)과 관리 임면 등의 문제까지 모두 이곳에서 처리하였다. 그러나 최씨 무신 정권 시기에 교정도감(敎定都監)·정방(政房)·도방(都房) 등의 시스템이 갖추어지면서 중방의 기능은 약화되었다.

 명호샘의 한마디!!

무신정변(1170), 무신정권(1170~1270), 최씨 정권(1196~1258)은 각각 구분하여야 한다. 기본적인 개념이 흔들리면 안 된다.

무신정변	1170년(의종 24) 의종이 문신들과 함께 보현원에 놀러갔을 때 호위한 무신 정중부, 이의방, 이고 등이 쿠데타를 일으켜 문신들을 살해하고 의종을 폐한 후 왕제인 명종을 옹립하였다.
무신정권	정중부 등이 일으킨 무신란(무신정변)에 의하여 수립된 무신정권은 1270년(원종 11) 임연 부자가 몰락할 때까지 100년간 계속되었다.
최씨 정권	명종 때에는 아직도 무신정권의 기반이 확립되지 못하고 무인집권자가 잇달아 바뀌었는데, 이러한 혼란은 최충헌이 집권함으로써 수습되었다. 최충헌이 독재정치·전제정치로 무신정권의 기반을 다져 최우(최이), 최항, 최의에 이르는 4대 62년간의 최씨 정권이 계속되었으니 이 기간을 '무신정권의 확립기'라고 한다.

14 다음 상소문이 제기된 시기의 사건으로 가장 근접한 것은?

[2012 서울시 9급]

- 국왕은 참위설을 믿어 새로 지은 궁궐에 들지 않고 있는데, 길일을 택하여 들어갈 것
- 근래 관제에 어긋나게 많은 관직을 제수해 녹봉이 부족하게 됐으니 원제도에 따라 관리의 수를 줄일 것
- 근래 벼슬아치들이 공·사전을 빼앗아 토지를 겸병함으로써 국가의 수입이 줄고 군사가 부족하게 되었으니, 토지대장에 따라 원주인에게 돌려줄 것
- 세금을 거두는데 향리의 횡포와 권세가의 거듭되는 징수로 백성의 생활이 곤란하니 유능한 수령을 파견하여 금지케 할 것
- 근래 각 지역의 관리들이 공물 진상을 구실로 약탈 행위를 일삼고 사취하기도 하니 공물 진상을 금할 것

① 12목을 설치하였다.

② 동명왕편이 지어졌다.

③ 전국을 5도와 양계로 구획하였다.

④ 사심관제도와 기인제도를 실시하였다.

⑤ 향·부곡·소를 일반 행정구역으로 바꾸었다.

해설   정답 ②

제시된 자료는 '최충헌의 봉사 10조(封事10條)'이다. 여기에서 봉사(封事)란 '임금에게 올리는 글'이란 뜻으로 최충헌이 명종에게 올린 시무책이 바로 '봉사' 10조이다. 이 시기에 최씨문객(崔氏門客)으로 활동하였던 이규보의 역사서가 「동명왕편」이다.

① 성종 때 지방에 12목을 설치하였다.

③ 현종 때 전국을 5도와 양계로 구획하였다.

④ 태조 때 호족들을 견제하기 위해 사심관 제도와 기인제도를 실시하였다.

⑤ 향·부곡·소는 고려 중기부터 차츰 소멸되기 시작하여, 조선 시대에 들어 완전히 소멸되었다. '향·부곡·소가 소멸하였다'는 '향·부곡·소가 일반 행정구역으로 바뀌었다' 또는 '향·부곡·소가 일반 행정구역에 편입되었다'고 표현할 수도 있다.

> 2. 필요 이상의 관원 수를 줄일 것
> 3. 지위 있는 자들이 겸병하고 약탈한 토지는 모두 주인에게 돌려줄 것
> 5. 안찰사들이 공물을 바치는 것을 금하고, 지방관 감독과 민생 조사를 직분으로 할 것
> 9. 비보사찰(裨補寺刹)을 제외하고는 철거할 것
> 10. 적합한 사람을 선발하여 조정에서 직언을 하게 할 것
>
> ● 2017 기상직 9급

15 다음 ㉮에 대한 [보기]의 설명 중 옳은 것은 모두 몇 개인가?

[2013 경찰]

> ___㉮___ 은(는) 고려와 몽골 간의 전쟁과정에서 뛰어난 전투력을 바탕으로 두각을 나타냈다. 1270년에 고려와 몽골 사이에 강화가 체결되면서 개경환도가 결정되자 이들은 조정의 결정에 불복하였다. 이후 승화후 온(溫)을 내세워 강화도에서 진도로 근거지를 옮기면서 대몽 항쟁을 계속하였는데, 이때 육지의 반몽세력과 연합하여 강력한 해상왕국을 건설하였다.

[보기]

㉠ 이들은 최씨 무신정권의 사병이자 무력적 기반이었다.

㉡ 그 구성원은 특별히 선발한 뛰어난 무사들로 구성되었는데, 관군과 귀족장교로만 선발하였다.

㉢ 이들은 규모가 커진 야별초(좌별초, 우별초)와 대몽 항쟁 과정에서 포로로 잡혔다가 탈출한 이들로 창설된 신의군을 합하여 만들어졌다.

㉣ 강화도에서 진도로 이동하면서 김통정의 지휘를 받았으나, 여몽 연합군의 공격으로 김통정이 전사하자 배중손이 그 지휘를 이어받아 제주도에서 항전을 계속하였다.

㉤ 무신정권의 사병적인 기능뿐만 아니라 국왕의 시위와 도적의 체포도 담당했다.

① 1개

② 2개

③ 3개

④ 4개

해설

정답 ③

맞는 것은 ㉠, ㉢, ㉤이다. '고려와 몽골 간의 전쟁과정'에서 두각을 나타냈으며, 1270년 '개경환도에 불복'하고 강화도에서 진도로 옮기며 대몽 항쟁을 계속한 조직은 삼별초(三別抄)이다. 무신 정권기에 최우는 야별초에 소속된 군대가 증가하자 좌별초, 우별초로 나눈 것에 신의군을 합하여 삼별초를 조직하였으며, 이렇게 만들어진 삼별초는 무신 정권을 호위하는 사병적인 요소가 있었다. 이 뿐만 아니라 '국왕의 시위(국왕 경호)'도 '도적의 체포(경찰 업무)'도 담당하였다.

㉡ 삼별초의 전신인 야별초의 구성을 볼 때 경별초(京別抄), 양반별초(兩班別抄), 잡류별초(雜類別抄) 등의 표현이 등장하는 것을 보면, 다양한 지역과 신분이 이 부대에 편제되었다는 것을 알 수 있다.

㉣ 개경환도가 발표되자 삼별초는 즉시 반란을 일으키고 배중손의 지휘하에 강화도와 육지와의 교통을 끊었다. 그리고는 왕족 '승화후(承化侯) 온(溫)'을 국왕으로 추대하고 관부를 설치하고 관리를 임명하여, 개경으로 환도한 정부와 대립하는 새로운 '항몽정권'을 수립하였다. 삼별초는 항쟁의 항구적인 근거지를 개경과 멀게 하기 위하여 진도로 남하하였다. 그러나 고려 정부와 몽골의 연합군에게 진도가 함락되어 삼별초는 그 중심 인물을 거의 잃게 되었다. 그리하여 나머지 무리가 김통정(金通精)의 지휘하에 제주도로 들어가서 저항을 하였다.

강화도 (배중손의 지휘)	⇒	진도 [용장성]	⇒	제주도 (김통정의 지휘)

 명호샘의 한마디!!

1. 연호를 사용했으며, '이번 문서'를 보낸 조직은 삼별초이다. ● 2017 기상직 9급

- 이전 문서에서는 몽고의 연호를 사용했는데, <u>이번 문서</u>에서는 연호를 사용하지 않았다.
- 이전 문서에서는 몽고의 덕에 귀의하여 군신 관계를 맺었다고 하였는데, <u>이번 문서</u>에서는 강화로 도읍을 옮긴 지 40년에 가깝지만, 오랑캐의 풍습을 미워하여 진도로 도읍을 옮겼다고 한다. ● 「고려첩장(高麗牒狀)」

2. 밑줄 친 '적'은 진도에서 '승화후 온을 왕으로 삼은 삼별초'이다. ● 2021 경찰

김방경이 몽골 원수(元帥) 등과 더불어 삼군(三軍)을 거느리고 적(敵)을 격파하니, …… 적의 장수 김통정이 남은 무리를 이끌고 탐라에 들어가 숨었다. ● 「고려사」

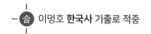

16 (가) 군사 조직에 대한 설명으로 옳은 것은?

[2023 지방직 9급]

> 고려 정부는 몽골과 강화를 맺고 개경으로 환도하였다. 대몽 항전에 적극적이었던 ___(가)___ 은/는 개경 환도를 반대하고 반란을 일으켰다. 이어 진도로 근거지를 옮기면서 항쟁을 전개하였다.

① 포수, 사수, 살수의 삼수병으로 편제되었다.
② 윤관의 건의로 편성된 기병 중심의 부대였다.
③ 도적을 잡기 위해 설치한 야별초에서 시작되었다.
④ 양계 지방에서 국경 지역 방어를 맡았던 상비적인 전투부대였다.

해설 정답 ③
'개경 환도에 반대'하며 반란을 일으켰고, '진도'로 근거지를 옮기며 대몽 항쟁을 계속했던 군사 조직은 삼별초이다. 삼별초는 최우 집권 시기에 도적을 잡기 위해 설치한 야별초에서 시작되었다. 이후 야별초에서 분리된 좌별초, 우별초와 몽골에 포로로 잡혀갔던 병사들로 조직된 신의군을 합하여 삼별초로 완성되었다.
① 포수, 사수, 살수의 삼수병으로 편제된 군사 조직은 조선 시대의 훈련도감이다.
② 윤관의 건의로 고려 숙종 때 편성된 기병 중심의 부대는 별무반이다.
④ 양계 지방에서 국경 지역 방어를 맡았던 상비적인 전투 부대는 주진군이다.

17 다음 글에 해당되는 시기에 일어난 일로 옳지 않은 것은?

[2009 지방직 7급]

> 경계(庚癸) 이후 공경대부는 천예 속에서 많이 나왔다. 장군이나 재상이 되는 씨가 어디 따로 있는가. 때가 되면 누구나 할 수 있다. 우리가 어찌 상전의 매질을 받으며 고생만 하고 살아야 하는가. 모두 자신의 주인을 죽이고 천인의 호적을 불살라 버려 삼한 땅에 천인이 없게 하면 공경과 장상을 우리가 모두 할 수 있을 것이다. ➡「고려사」

① 민중은 옛 삼국의 부흥을 표방하면서 봉기하기도 하였다.
② 정부는 하층민을 무마하기 위해 신분을 상승시켜 주기도 하였다.
③ 천민들은 대몽 항쟁기에 저항세력으로 나서기도 하였다.
④ 사회경제적 개혁을 추진하기 위해 찰리변위도감을 설치하였다.

해설 정답 ④
'장군이나 재상이 되는 씨가 어디 따로 있는가'는 '왕후장상의 씨가 따로 있는가'로 짧게 번역되기도 한다. 때가 되면 누구나 왕후장상이 될 수 있다며, 천인의 호적(노비 문서)을 소각하자고 주장했던 인물은 최충헌의 사노비 만적이다. 제시된 자료는 만적의 난(1198)으로 '다음 글에 해당하는 시기'란 넓게 보면 '무신정권', 좁게 보면 '최씨 정권'이다.

> 신종 원년 사노비 만적 등이 북산에서 땔나무를 하다가 공사의 노비들을 모아 모의하기를, "우리가 성 안에서 봉기하여 먼저 |최충헌| 등을 죽인다. 이어서 각각 자신의 주인을 죽이고 천적(賤籍)을 불태워 삼한에서 천민을 없게 하자. 그러면 공경장상이라도 우리가 모두 할 수 있을 것이다."라고 하였다. ➡ 2020 국가직 9급

④ 충숙왕은 찰리변위도감을 설치하여 개혁정치를 주도하고자 하였다. ➡ 2017 경찰간부 찰리변위도감은 권문세족들이 점유한 전민(田民)을 원래 주인에게 돌려주도록 하는 등 폐단을 바로잡으려고 설치했던 임시관청이므로, 이 시기와는 거리가 가장 멀다.
① 무신정권기에는 삼국의 부흥을 표방하며 동경의 난(신라 부흥), 최광수의 난(고구려 부흥), 이연년의 난(백제 부흥)이 일어났다.
② 무신정권기에 공주 명학소에서 일어난 망이, 망소이의 난으로 명학소는 충순현으로 승격되었다. 이 뿐만 아니라 피지배층에 대한 회유책으로서 최씨 정권은 많은 향, 소, 부곡을 현으로 승격시켰다.
③ 몽골의 5차 침입 때 '관노비'들의 항전으로 몽골군의 침입을 격퇴하였다. 6차 침입 때에는 충주 다인철소에서 노비들이 몽골군을 격파하여 다인철소는 익안현으로 승격되기도 하였다.

 명호샘의 한마디!!

'만적의 난' 사료는 다음의 세 가지 형태로 출제된다.
1) 무신정권 문제(또는 최씨 정권 문제)
2) 노비 제도 문제
3) 최충헌 문제

18 다음 사건을 발생한 순서대로 바르게 나열한 것은?　　　[2016 경찰]

㉠ 망이 · 망소이의 난	㉡ 김사미의 난
㉢ 전주 관노의 난	㉣ 만적의 난
㉤ 이연년 형제의 난	

① ㉠ → ㉢ → ㉡ → ㉣ → ㉤
② ㉠ → ㉡ → ㉢ → ㉤ → ㉣
③ ㉢ → ㉠ → ㉡ → ㉣ → ㉤
④ ㉢ → ㉠ → ㉡ → ㉤ → ㉣

해설　　　　　정답 ①
㉠ 망이 · 망소이의 난(1176년, 명종 때)
㉢ 전주 관노의 난(1182년, 명종 때)
㉡ 김사미의 난(1193년, 명종 때) - 김사미 · 효심의 난
㉣ 만적의 난(1198년, 신종 때)
㉤ 이연년 형제의 난(1237년, 고종 때)

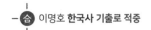

19 다음 사건을 일어난 순서대로 바르게 나열한 것은?

(가) 김보당의 난 발생	(나) 이의민의 권력 장악
(다) 김사미와 효심의 난 발생	(라) 교정도감의 설치

① (가) – (나) – (다) – (라)　　　② (가) – (나) – (라) – (다)

③ (나) – (가) – (다) – (라)　　　④ (나) – (가) – (라) – (다)

📖해설　　　　　　　　　　　　　　　　　　　　　　　　　　　　정답 ①

제시된 사건들은 모두 고려 시대 무신정권기에 발생한 사건들이다. 김보당의 난은 무신정권 초기의 반(反) 무신란으로, 네 사건 중 가장 앞에 놓으면 된다. 이의민 이후 최충헌이 집권하였으므로, '이의민의 권력 장악' 이후에 '교정도감 설치'가 와야 한다. 김사미·효심의 난은 운문(청도)에서 김사미가, 초전(울산)에서 효심이 신분 해방과 신라 부흥을 기치로 하여 일으킨 최대 규모의 민란으로, 최충헌 정권이 출현하는 배경이 되었다. 그러므로 '김사미와 효심의 난 발생' 이후에 '교정도감의 설치'가 와야 한다.

(가) 김보당의 난(계사의 난) : 명종(1173)

(나) 이의민의 권력 장악 : 명종(1183)

(다) 김사미와 효심의 난 : 명종(1193)

(라) 교정도감의 설치 : 희종(1209)

20 (가)~(라)의 시기에 있었던 사실로 옳은 것은?

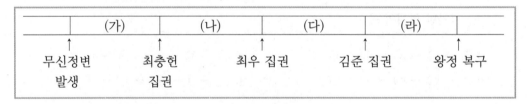

① (가) – 국정을 총괄하는 교정도감이 처음 설치되었다.

② (나) – 망이·망소이 등 명학소민이 봉기하였다.

③ (다) – 금속활자로 상정고금예문을 인쇄하였다.

④ (라) – 고려대장경을 다시 조판하여 완성하였다.

📖해설　　　　　　　　　　　　　　　　　　　　　　　　　　　　정답 ③

1234년(최우 집권기, 강화도 피난 시) 최씨집권기에 상정고금예문 활자본 28부를 간행하였다. ➡ 2017 국가직 7급(하반기)

> 평장사 최윤의 등 17명의 신하에게 명하여 고금의 서로 다른 예문을 모아 참작하고 절충하여 50권의 책을 만들고 (㉠)(이)라 이름하였다.　　　　　　　　　　　　　➡『동국이상국집』

① 교정도감은 최충헌이 집권하면서 최고의 정치 기구로 설치되었다. 따라서 (나)시기에 해당한다.

② 망이·망소이의 난은 1176년 사건으로, 최씨 정권이 확립되기 전인 정중부(1174) 집권 시기에 해당하므로, (가)시기에 해당한다.

④ 최우 집권기에 고려대장경(팔만대장경)을 다시 조판하였다. 따라서 (다)시기에 해당한다.

21 다음 사료와 관련있는 사건에 대한 설명으로 옳은 것은?

> 내가 봉기하자 나의 고향을 현(縣)으로 승격시키고 수령을 두어 편안하게 살게 해주겠다고 회유하더니, 오래지 않아 다시 군사를 보내 토벌하고 나의 어머니와 아내를 옥에 가둔 것은 무슨 뜻인가? 차라리 칼날 아래서 죽을지언정 끝내 항복하지 않을 것이며 반드시 왕경에 이르고야 말겠다.

① 최충헌의 집권기에 일어났다.

② 개경의 노비세력을 규합하여 봉기하였다.

③ 신라의 부흥을 외치며 고려 정부에 저항하였다.

④ 남적이라고도 불렸으며, 아주(충남 아산) 지역까지 세력을 확장하였다.

해설

정답 ④

봉기를 하자 고향을 '현으로 승격'시켰다는 것으로 보아, 망이·망소이의 난을 계기로 공주 명학소가 충순현으로 승격된 것임을 알 수 있다. 1176년(명종 6년) 공주 명학소에서 망이·망소이가 무리와 함께 봉기해 공주를 함락하였다. 정부는 큰 군사를 보내 이를 진압하려 했지만 패배하고 말았다. 이에 정부는 명학소를 충순현(忠順縣)으로 승격하고 수령을 파견하는 회유책을 썼지만, 망이 등은 응하지 않고 오히려 예산현을 공격해 감무를 살해하고 충주를 점령하였다. 정부는 조위총의 난에 가담하였던 서북계 지방의 봉기민을 '서적(西賊)'이라고 칭한 반면에, 남부 지방의 봉기민은 '남적(南賊)'이라 칭했다. 그러므로 남부 지방에서 일어났던 망이·망소이 무리는 '남적'이라 불렸다.

정부의 회유책으로 인해 망이·망소이의 난은 일단락되는 듯 보였지만, 망이 등은 다시 봉기하였다. 정부가 약속과 달리 다시 군대를 보내 그들의 가족들을 잡아 가두고 자신들을 토벌하려고 했기 때문이다. 그래서 그들은 죽을지언정 다시는 굴복하지 않고 개경(왕경)까지 진격할 것이라고 밝히고 있다. 이들은 아주 일대를 함락하고 청주를 제외한 청주목 관내의 모든 군현을 점령하였다. 이에 정부는 강경책을 펼쳐 1177년 5월 충순현을 명학소로 다시 강등하고 군대를 파견해 강력히 토벌하였다. 결국 6월 망이가 항복을 청해 왔으며, 7월 망이·망소이 등이 정세유에게 붙잡혀 청주옥에 갇힘으로써 1년 반 동안의 봉기가 끝났다.

① 최충헌은 1196년에 집권하였다. 망이·망소이의 난(1176)은 최충헌 집권 이전에 일어났다.

② 개경의 노비세력을 규합하여 봉기한 반란은 만적의 난(1196)이다.

③ 신라의 부흥을 외치며 고려 정부에 저항한 반란은 동경의 난(1202)이다.

22 (가)에 대한 설명으로 옳은 것은? [2017 기상직 7급]

> 이의민은 일찍이 붉은 무지개가 두 겨드랑이 사이에서 생기는 꿈을 꾸고는 자못 이를 자부하였고, 또 옛 도참에 왕씨가 다하고 다시 십팔자(十八子)가 있다는 말을 들었는데, '十八子'는 곧 '이(李)'이다. 이로써 마음속에 이룰 수 없는 생각을 품고, 탐욕을 줄이고 명사(名士)를 거두어서 헛된 명예를 구하려고 하였다. 자신이 경주 출신이므로 비밀리에 신라를 부흥시킬 뜻을 가지고, (가) 등과 연결하니, 그들도 역시 거만(鉅萬)을 보냈다. **○**「고려사」

① 노비들을 모아 반란을 도모하였다.

② 소(所)민의 신분해방을 목적으로 난을 일으켰다.

③ 정중부와 이의방 등 무신세력에 반발하여 항쟁하였다.

④ 운문과 초전에서 봉기를 일으키고 서로 연합하였다.

해설 정답 ④

이의민과 연결되어 있는 반란을 고르는 문제이다. 김사미는 1193년 청도군 내의 운문(雲門)에 본거지를 두고 농민들을 모아 반란을 일으켰으며, 초전(草田)에 근거를 둔 효심의 반란군과 연합하였다. 중앙 조정에서는 이들을 진압하기 위해 대장군 (전존걸)에게 장군 이지순 · 이공정 · 김척후 등을 거느리고 출정케 하였으나 계속 패하고 말았다. 「고려사(高麗史)」에서는 이의민이 경주(慶州)를 본관으로 하여 이 일대에 기반을 갖고 있었으므로, 김사미 일당과 내통하여 새로운 왕조를 개창하고 자 하였다고 보고 있다.

23 다음 밑줄 친 '그'가 집권한 시기에 있었던 사실로 옳은 것은? [2019 기상직 9급]

> 무관 중 일부가 공공연히 말하기를 "정시중이 문관들을 억눌러 우리들의 울분을 씻어 주고 무관의 위세를 펼쳤는데 시해당하다니, 누가 공을 시해한 <u>그</u>를 토벌할 것인가?" 라고 하였다. <u>그</u>는 두려워 결사대 1백 수십 명을 불러 모아 자기 집에 머물게 하고 도방이라 불렀다.

① 전주 관노의 난이 진압되었다.

② 명학소가 충순현으로 승격되었다.

③ 이의방 등이 보현원 사건을 일으켰다.

④ 교정도감이 설치되어 국정을 총괄하였다.

해설 정답 ①

정시중(정중부)을 시해한 '그'는 경대승이다. 경대승이 집권한 시기(1179~1183)에 전주 관노의 난(1182)이 일어났다.
② 망이 · 망소이의 난(1176)을 계기로 명학소가 충순현으로 승격되었다. 이때 집권자는 정중부이다.
③ 이의방 등이 보현원 사건을 일으킨 것이 무신정변(1170)이다. 무신정변 초기인 이때의 집권자를 굳이 말한다면 이의방 이다.
④ 최충헌 집권기에 교정도감이 설치되어 국정을 총괄하였다.

04 │ 고려의 대외관계

01 고려의 대외 교섭에 관한 설명으로 옳은 것은?

[2010 서울시 9급]

① 남송은 연려제금책(聯麗制金策)을 수립하고 요나라와 금나라의 분쟁에 고려가 개입하기를 희망하였다.

② 광종은 후주의 사신이 온 것을 계기로 백관의 의관을 독자적인 제도로 고치는 등 혁신정치를 단행하였다.

③ 고려의 외교교섭은 외왕내제(外王內帝)였다.

④ 원효의 기신론소는 금나라에 반포되었다.

⑤ 고려와 일본의 물자교류가 활발했던 것은 현종 때였다.

해설   정답 ③

고려의 대외 교섭의 원칙은 크게 북진(北進), 친송(親宋), 외왕내제(外王內帝)로 요약할 수 있다. 외왕내제란 대외적으로는 제후국(왕국)으로서의 외교 정책을 펴지만, 대내적으로는 황제국으로서의 자주적인 입장을 지키는 원칙을 말한다.

① 연려제금책(聯麗制金策)이란 '고려와 연합하여 금나라를 제어한다'는 송나라의 외교정책을 말한다. 송은 '금나라'와 고려의 분쟁에 고려가 개입하기를 희망하였다. 그러므로 '요나라'를 지워야 한다. 특히 요나라는 1125년에 멸망하였고, 남송은 1127년에 세워졌으므로 두 나라는 겹치지도 않는다.

② 후주의 사신이 온 것을 계기로 공복제도를 실시한 것은 아니다. 쌍기가 후주의 봉책사(封册使)라는 사신을 따라오기는 했으나 그 자신이 사신은 아니었을 뿐더러, 과거제 실시나 백관의 공복 제정 등은 이미 쌍기가 고려로 귀화한 이후에 시행한 일이다. 그리고 광종 때의 4색공복 제도는 '독자적'인 제도라고 말하기 어렵다. 중국에서 이미 4색공복 제도를 시행하고 있었기 때문이다.

④ 「기신론소」는 「대승기신론소」라고도 한다. 원효는 이 글에서 대승불교의 양대 조류인 중관파와 유식파의 견해를 비판하고 일심(一心)을 기본으로 하는 새로운 불교 사상을 밝혔다. 10세기 말~11세기 초의 거란 침입이 종결된 후, 양국 사이에 사신이 왕래하면서 국교가 회복되었는데 이때 원효의 「기신론소」가 '거란'에 전해지고, 거란의 대장경은 고려에 전해져서 의천의 속장경 간행에 영향을 주었다.

⑤ 고려와 일본 간의 물자교류(무역)는 11세기 중엽의 문종 때부터 시작하여 '11세기 후반에 활발'해졌다. 현종(1009~1031)은 11세기 초에 재위하였던 왕이므로, 시기적으로 차이가 있다.

02 시기적으로 (가), (나) 사이에 일어났던 사실로 옳은 것은?

[2012 법원직 9급]

> (가) 거란 군사가 귀주를 지나니 강감찬 등이 동쪽 들에서 맞아 크게 싸웠는데 …(중략)… 넘어져 죽은 적의 시체가 들판을 덮고, 사로잡은 군사와 말, 낙타, 갑옷, 투구, 병기는 이루 다 헤아릴 수가 없었다.
>
> (나) 윤관이 여진을 쳐서 적을 크게 패퇴시켰다. 여러 장수들을 보내어 경계를 정하고 웅주, 영주, 복주, 길주의 4개 주에 성을 쌓았다.

① 북쪽 국경 일대에 천리장성이 축조되었다.

② 새로운 군사 기구로 만호부가 설치되었다.

③ 처인성에서 김윤후가 적장 살리타를 사살하였다.

④ 강동 6주를 얻어 압록강 유역까지 국경을 넓혔다.

해설

정답 ①

(가)는 강감찬의 귀주대첩(1019)이고, (나)는 윤관의 동북 9성 개척(1107)이다. 고려는 귀주대첩으로 거란이 물러간 후 천리장성(1033~1044)을 쌓기 시작하여 약 10년만에 완성하였으므로, (가)와 (나) 사이의 사건이다.

② 원 간섭기 때 순마소(만호부, 순군만호부)가 설치되었다.

③ '처인성에서 김윤후가 살리타를 사살'한 것은 몽골의 2차 침입 때이다.

④ '강동 6주 확보'는 거란의 1차 침입을 의미한다.

03 다음과 같이 말한 인물에 대한 설명으로 옳은 것은?

[2023 국가직 9급]

> 우리나라가 곧 고구려의 옛 땅이다. 그리고 압록강의 안팎 또한 우리의 지역인데 지금 여진이 그 사이에 몰래 점거하여 저항하고 교활하게 대처하고 있어서 … (중략) … 만일 여진을 내쫓고 우리 옛 땅을 되찾아서 성보(城堡)를 쌓고 도로를 통하도록 하면 우리가 어찌 사신을 보내지 않겠는가?
>
> ▶『고려사』

① 목종을 폐위하였다.

② 귀주에서 거란군을 물리쳤다.

③ 여진을 몰아내고 동북 9성을 쌓았다.

④ 소손녕과 담판하여 강동 6주를 획득하였다.

해설

정답 ④

제시된 자료와 같이 말한 인물은 '서희'이다. 서희의 외교 담판의 요지는 이렇다.

> 1) 고려가 거란과 통교하지 못하는 이유는 중간에 '여진'이 끼여 있기 때문이다.
> 2) 거란이 여진을 몰아내고, 그 땅을 고려에 주어야 한다.
> 3) 강동 6주는 고구려 땅이었으므로, 고구려를 계승한 고려의 땅이기도 하다.

④ 서희는 소손녕과 담판하여 강동 6주를 획득하였고, 이로써 고려의 국경은 압록강에 이르게 되었다.

> 서희가 영문(營門)에 이르러 말에서 내려 들어가 소손녕과 함께 뜰에서 서로 읍(揖)하고 당에 올라 예를 행하고는 동서(東西)로 마주 앉았다. 소손녕이 서희에게 말하기를 "그대 나라는 신라 땅에서 일어났고 고구려 땅은 우리의 소유인데 그대들이 침범해왔다. 또 (고려는) 우리와 국경을 접하고 있는데 바다를 넘어 송(宋)을 섬겼으므로 이제 군사를 이끌고 온 것이다. 만일 땅을 떼어서 바치고 통교한다면 무사할 것이다"라고 하였다. 서희가 말하기를, "아니다, 우리나라가 곧 고구려의 옛 땅이다. 그러므로 국호를 고려라 하고 평양에 도읍하였으니 만일 국토의 경계로 말한다면 상국(거란)의 동경(東京)은 전부 우리 지역 안에 있는데 어찌 영토를 침범한 것이라 하는가? 그리고 압록강의 안팎 또한 우리의 지역인데 지금 여진(女眞)이 그 사이에 도둑질하여 차지하고는 교활하게 대처하고 있어 길의 막힘이 바다를 건너는 것보다 더 심하니 조빙의 불통은 여진 때문이다. 만일 여진을 내쫓고 우리 옛 땅을 되찾아 성과 요새를 쌓고 도로를 만들면 어찌 교빙하지 않겠는가? 장군이 만일 신의 말을 천자에게 전하면 어찌 가엾이 여겨 흔쾌히 받아들이지 않겠는가?"라고 하였다. 말하는 기운이 매우 강개하므로 소손녕은 강요할 수 없음을 알고는 드디어 사실을 정리하여 아뢰었다. 거란의 임금이 말하기를 "고려가 이미 화해를 청하였으니 마땅히 군대를 해산할 것이다" 하였다.
>
> ◑ 『고려사』 서희 열전

① 목종을 폐위한 인물은 '강조'이다.
② 귀주에서 거란군을 물리친 인물은 '강감찬'이다.
③ 여진을 몰아내고 동북 9성을 쌓은 인물은 '윤관'이다.

04 다음 사건이 일어난 왕의 시기에 있었던 사실로 가장 옳은 것은?

[2023 법원직 9급]

> 소손녕: 그대 나라는 신라 땅에서 일어났고, 고구려 땅은 우리 땅인데 너희들이 쳐들어와 차지하였다.
>
> 서　희: 우리는 고구려를 계승하여 나라 이름을 고려라 하였다. 땅의 경계를 논한다면 그대 나라의 동경도 다 우리 땅이다.

① 발해가 멸망하였다.
② 이자겸이 난을 일으켰다.
③ 최충이 9재 학당을 설치하였다.
④ 중앙 관제를 2성 6부로 정비하였다.

해설 　　　　　　　　　　　　　　　　　　　　　　　　　　　　　　　　 정답 ④

소손녕과 서희의 외교 담판이 있었던 '왕의 시기'는 성종 때이다. 성종은 중앙 관제를 2성 6부로 정비하였다.

① 926년, 태조 왕건 때 발해가 멸망하였다.
② 1126년, 인종 때 이자겸이 난을 일으켰다.
③ 1055년, 문종 때 최충이 9재 학당을 설치하였다.

05 (가)~(다)는 고려 시대 대외관계와 관련된 자료이다. 이를 시기 순으로 바르게 나열한 것은? [2014 지방직 9급]

> (가) 윤관이 "신이 여진에게 패한 이유는 여진군은 기병인데 우리는 보병이라 대적할 수 없었기 때문입니다."라고 아뢰었다.
>
> (나) 서희가 소손녕에게 "우리나라는 고구려의 옛 땅이오. 그러므로 국호를 고려라 하고 평양에 도읍하였으니, 만일 영토의 경계로 따진다면, 그대 나라의 동경이 모두 우리 경내에 있거늘 어찌 침식이라 하리요."라고 주장하였다.
>
> (다) 유승단이 "성곽을 버리며 종사를 버리고, 바다 가운데 있는 섬에 숨어 엎드려 구차히 세월을 보내면서, 변두리의 백성으로 하여금 장정은 칼날과 화살 끝에 다 없어지게 하고, 노약자들은 노예가 되게 함은 국가를 위한 좋은 계책이 아닙니다."라고 반대하였다.

① (가) → (나) → (다)   ② (나) → (가) → (다)
③ (나) → (다) → (가)   ④ (다) → (나) → (가)

해설   정답 ②

(나) 거란 소손녕이 침입하였을 때 서희가 외교 담판으로 강동 6주를 확보(강동 6주 경략)한 때는 993년이다. 이것이 거란의 1차 침입으로, 고려 성종 때이다.

(가) 여진족의 기병 부대에 대항하기 위해 신기군이 포함된 별무반을 만들게 되었다. 윤관의 건의로 별무반이 편성된 것은 1104년이며, 고려 숙종 때이다.

(다) 「고려사절요」에 따르면, 1232년 6월 최우가 재·추들을 자신의 집으로 불러 천도할 일을 의논하였다. 신하들 중에 천도에 반대하는 사람들이 있었으나, 최우를 두려워하여 감히 말을 하지 못하였다. 그런데 '유승단'과 '김세충'이 용감하게 천도를 반대하였다. (김세충은 참형을 당했다.) 자료에서 '성곽을 버리며 종사를 버리고'란 개경을 버리고 떠난다는 것이며, '바다 가운데 섬'이란 강화도를 말하는 것이다. 이것은 1232년, 최우 집권기로서, 고려 고종 때이다.

06 (가) 인물에 대한 설명으로 옳은 것은? [2022 지방직 9급]

> 군대를 이끌고 통주성 남쪽으로 나가 진을 친 __(가)__ 은/는 거란군에게 여러 번 승리를 거두었다. 하지만 자만하게 된 그는 결국 패해 거란군의 포로가 되었다. 거란의 임금이 그의 결박을 풀어주며, "내 신하가 되겠느냐?"라고 물으니, __(가)__ 은/는 "나는 고려 사람인데 어찌 너의 신하가 되겠느냐?"라고 대답하였다. 재차 물었으나 같은 대답이었으며, 칼로 살을 도려내며 물어도 대답은 같았다. 거란은 마침내 그를 처형하였다.

① 묘청의 난을 진압하였다.
② 별무반의 편성을 건의하였다.
③ 목종을 폐위하고 현종을 옹립하였다.
④ 거란과 협상하여 강동 6주 지역을 영토로 확보하였다.

해설 정답 ③

'통주성'에서 거란군과 싸워 여러 번 승리를 거두었으나, 결국 패배하여 '거란군의 포로'가 된 (가) 인물은 '강조'이다. 서북면 도순검사였던 강조는 목종 때 섭정을 하며 고려 조정을 어지럽히던 김치양 부자와 천추 태후 일파를 숙청하고, 목종까지 시해하였다(강조의 정변, 1009). 이 사건으로 인해 현종이 즉위하였다.

구 분	내용
강조	• 서북면 도순검사 • 통주성 전투
강조의 정변	• 김치양 부자 숙청 • 천추태후 일파 숙청 • 목종 시해 • 현종 옹립

① 묘청의 난을 진압한 인물은 '김부식'이다.
② 별무반의 편성을 건의한 인물은 '윤관'이다.
④ 거란과 협상하여 강동 6주 지역을 영토로 확보한 인물은 '서희'이다.

07 다음 자료의 밑줄 친 '새로운 군대'의 활약으로 나타난 사실은?

[2012 해양경찰]

> "신이 오랑캐에게 패한 것은 그들은 기병인데 우리는 보병이라 대적할 수 없었기 때문이었습니다." 이에 왕에게 건의하여 <u>새로운 군대</u>를 편성하였다. 문·무 산관, 이서, 상인, 농민들 가운데 말을 가진 자를 신기군으로 삼았고, 과거에 합격하지 못한 20살 이상 남자들 중 말이 없는 자를 모두 신보군에 속하게 하였다. 또 승려를 항마군으로 삼았다. ◐「고려사절요」

① 여진족을 물리치고 동북지방에 9성을 쌓았다.
② 귀주에서 거란군을 격파하였다.
③ 개경까지 침입했던 홍건적을 격퇴하였다.
④ 처인성에서 몽고군의 공격을 막아내었다.

해설 정답 ①

'새로운 군대'란 고려 숙종 때 여진족의 침입에 대비하여 편성한 별무반(1104)을 말하며, 자료 첫 부분의 '신(臣)'은 '윤관'을 말한다. 별무반은 기병이 강화된 부대로서 신기군, 신보군, 항마군으로 구성되어 있었다. 예종 때 별무반이 출병하여 함경도 쪽의 여진족을 정벌하고 동북 9성을 쌓았다.

08 다음은 몽골이 고려를 침략했을 때의 사건들이다. 시기 순으로 옳게 나열한 것은? [2021 경찰]

| ㉠ 강화 천도 | ㉡ 귀주성 전투 |
| ㉢ 대장도감 설치 | ㉣ 살리타(撒禮塔) 사살 |

① ㉠-㉡-㉢-㉣
② ㉠-㉡-㉣-㉢
③ ㉡-㉠-㉢-㉣
④ ㉡-㉠-㉣-㉢

해설

정답 ④

㉡ 박서의 귀주성 전투(1231)
㉠ 최우의 강화 천도(1232)
㉣ 김윤후의 살리타(撒禮塔) 사살(1232)
㉢ 고종의 대장도감 설치(1236)

09 다음 자료를 통해 알 수 있는 내용으로 가장 적절한 것은? [2012 국가직 9급]

- 삼사에서 말하기를 "지난 해 밀성 관내의 뇌산부곡 등 세 곳은 홍수로 논 밭 작물이 피해를 보았으므로 청컨대 1년치 조세를 면제하십시오."라고 하니, 이를 따랐다.
- 향, 부곡, 악공, 잡류의 자손은 과거에 응시하는 것을 허락하지 않는다.
- 익안폐현은 충주의 다인철소인데, 주민들이 몽고의 침입을 막는 데 공이 있어 현으로 삼아 충주의 속현이 되었다. ➡「고려사」

① 소의 주민은 주로 농사를 지었다.
② 부곡민은 조세를 부담하지 않았다.
③ 부곡민은 과거에 응시하여 관리가 될 수 있었다.
④ 소의 주민이 공을 세우면 소가 현으로 승격될 수 있었다.

해설

정답 ④

무신정권기에 반란이 있을 때 회유책으로, 대몽 항쟁기에 전공이 있을 때 포상책으로 향·소·부곡이 일반 군현으로 승격되기도 하였다.
① 향·부곡의 주민은 농업에, 소의 주민은 수공업이나 광업품 생산에 종사하였다.
② 고려 때 부세는 군현을 단위로 거둬들였다. 부세 수취 단위인 군현에는 일반 군현보다 사회 경제적 위상이 낮은 향, 부곡도 포함되었다. 향·부곡민은 오히려 조세 부담이 더 컸다.
③ 향·소·부곡에 거주하는 주민은 국학에 입학하거나 과거에 응시하는 것이 금지되었다.

10 대외 관계와 관련된 연표의 (가)~(라) 시기에 있었던 사실로 옳은 것은?

1359		1377		1388		1419		1434	
	(가)		(나)		(다)		(라)		
홍건적 침입		화통도감 설치		위화도 회군		대마도 정벌		6진 설치	

① (가) - 철령 이북의 땅이 수복되었다.

② (나) - 전민변정도감을 통해 신돈이 개혁을 시도하였다.

③ (다) - 전제 개혁이 단행되어 과전법이 마련되었다.

④ (라) - 정도전이 고려국사를 편찬하였다.

해설   정답 ③

이 문제를 풀 때 공민왕의 재위 기간(1351~1374)을 알고 있으면 풀이가 좀 더 명확해진다. (신라 신문왕, 고려 광종, 공민왕, 조선 세종, 세조의 재위 기간은 암기하기를)

① 공민왕이 철령 이북의 땅을 수복한 것은 1356년이다. - 1359년 이전

② 전민변정도감을 통해 신돈이 개혁을 시도한 것은 공민왕 재위 기간이다. 전민변정도감이 공민왕 때 처음으로 설치된 것은 아니다. 그러므로 공민왕 때의 전민변정도감은 '재설치'라고도 표현한다. 재설치가 된 것은 1352년이므로 (가)~(라) 중 들어갈 자리가 없지만, 전민변정도감을 통해 '개혁을 시도'한 것은 그 이후일테니 (가)에 들어갈 수 있겠다. - (가)

③ 전제 개혁이 단행되어 과전법이 마련된 것은 1391년이다. - (다)

④ 정도전이 고려국사를 편찬한 것은 조선이 건국된 이후이다. - (다)

11 고려의 대외 항쟁에 대한 설명으로 가장 적절한 것은?

① 거란의 1차 침입 때 서희의 담판으로 압록강 동쪽의 9성을 확보하였다.

② 고려는 국경 지대에 나성과 천리장성을 쌓아 거란과 여진의 침략에 대비하였다.

③ 거란은 강조의 정변을 구실로 두 번째 침입을 하였다가 현종의 입조를 조건으로 물러갔다.

④ 삼별초는 배중손의 지휘 아래 제주도로 근거지를 옮겨 끝까지 대몽 항쟁을 벌였다.

해설   정답 ③

강조의 정변(1009)은 서북면 도순검사였던 강조가 목종 때 섭정을 하던 천추태후 일파를 숙청하고, 목종까지 시해한 사건을 말한다. 거란 성종(聖宗)은 이신벌군(以臣伐君, 신하로서 군주를 몰아냄)을 문책한다는 명분을 내걸고 고려를 침입하였다. 이것이 거란의 '두 번째 침입'이다. 거란은 1) 현종의 입조, 2) 강동 6주의 반환을 조건으로 물러났다.

① 서희의 담판으로 확보한 지역은 '강동 6주'이다.

② 고려는 국경 지대에 천리장성을 쌓아 거란과 여진의 침략에 대비하였다. '나성'은 개경에 쌓았다.

④ 삼별초는 '김통정'의 지휘 아래 제주도로 근거지를 옮겨 끝까지 대몽 항쟁을 벌였다.

12 (가), (나) 사이의 시기에 볼 수 있던 문화 동향으로 가장 적절한 것은? [2016 법원직]

> (가) 사신으로 온 저고여는 수달피 1만 령, 가는 명주 3천 필, 가는 모시 2천 필 등을 요구하였다. 저고여가 돌아가는 길에 압록강 부근에서 피살되는 사건이 일어나자 살리타가 대군을 이끌고 침입하였다. ○「고려사절요」
>
> (나) 왜구가 500여 척의 함선을 이끌고 진포로 쳐들어와 충청 · 전라 · 경상 3도 연해의 주군을 돌며 약탈과 살육을 일삼았다. 고려 조정에서는 최무선이 만든 화포로 왜선을 모두 불태워버렸다. ○「고려사」

① 유교 사관에 입각한 삼국사기가 편찬되었다.

② 종교적 염원이 담긴 팔만대장경이 조판되었다.

③ 의천이 교종과 선종의 통합을 위해 노력하였다.

④ 관학의 재정 기반을 마련하고자 양현고를 설치하였다.

해설 정답 ②

(가) 몽골 사신 저고여가 고려에 파견되었다가 피살당한 때는 1225년이다. 이에 1231년에 몽골 장수 살리타가 군대를 이끌고 쳐들어왔다(몽골 1차 침입).

(나) 진포에서 최무선이 화포로 왜구를 격퇴한 때는 1380년이다.

② (가)와 (나) 사이의 시기라면 '몽골의 1차 침입'과 왜구 침입 사이이다. 팔만대장경은 몽골 침입 후 강화도로 천도했을 때 조판되었다(1236).

05 고려 후기의 정치변동과 고려의 멸망

01 원의 내정간섭

01 다음은 원의 세조가 고려에 약속한 내용의 일부이다. 이 약속 이후에 일어난 사실로 옳지 않은 것은?
[2017 국가직 9급]

> • 옷과 머리에 쓰는 관은 고려의 풍속을 유지하고 바꿀 필요가 없다.
> • 압록강 둔전과 군대는 가을에 철수한다.
> • 몽고에 자원해 머문 사람들은 조사하여 모두 돌려보낸다.

① 정동행성을 설치하였다.
② 2차 여몽연합군은 일본 원정에 실패하였다.
③ 쌍성총관부를 설치하였다.
④ 사림원을 설치하였다.

해설
정답 ③

'원의 세조가 고려에 약속한 내용'이란 원 간섭기 초기에 고려를 지배하는 방식과 관련하여 원의 세조와 (아직은 세자 신분이었던) 고려의 원종 사이에 맺어진 합의를 말한다. 세조구제(世祖舊制, 1259)라고도 한다.
③ 쌍성총관부는 '세조구제' 이전인 1258년에 설치되었다.
① 정동행성은 2차 일본 원정을 위해 1280년에 설치되었다.
② 여몽연합군의 일본 원정은 1274년과 1281년에 두 차례 있었으나 모두 실패하였다.
④ 사림원은 충선왕 즉위 초인 1298년에 설치되었다.

02 (가) 시기의 사실로 옳지 않은 것은?
[2022 국가직 9급]

무신정권 몰락
↓
(가)
↓
공민왕 즉위

① 만권당이 만들어졌다.
② 정동행성이 설치되었다.
③ 쌍성총관부가 수복되었다.
④ 『제왕운기』가 저술되었다.

해설
정답 ③

무신정권은 수도를 강화도에서 개경으로 환도하면서 몰락하였다(1270). 공민왕이 즉위하면서 고려 말기가 시작되었다(1351). (가) 시기란 대략 원간섭기를 말한다.
① 충선왕 퇴위 직후 만권당이 만들어졌다(1314, 충숙왕 1년).
② 충렬왕 때 정동행성이 설치되었다(1280, 충렬왕 6년).
④ 충렬왕 때 이승휴에 의해 『제왕운기』가 저술되었다(1287, 충렬왕 13년).
③ 쌍성총관부는 고종 때 설치되어(1258), 공민왕 때 수복되었다(1356). 그러므로 '공민왕 즉위' 후의 사건이다.

03 밑줄 친 '이 왕'의 재위 기간에 있었던 사실로 옳은 것은?

[2020 소방]

> 이 왕이 원의 제국대장공주와 결혼하여 고려는 원의 부마국이 되었고, 도병마사는 도평의사사로 개편되었다.

① 만권당을 설치하였다. ② 정동행성을 설치하였다.

③ 정치도감을 설치하였다. ④ 입성책동 사건이 일어났다.

해설

정답 ②

제국대장공주와 결혼하였고, 도병마사를 도평의사사로 개편한 왕은 충렬왕이다.

② 정동행성은 충렬왕 6년(1280년)에 설치되어 공민왕 5년(1356년)에 폐지되었다.

① 충선왕이 만권당을 설치하였다.

③ 충목왕 때 정치도감이 설치되었다.

④ 입성책동(立省策動)이란 친원파들이 원나라로 하여금 고려에 행성(行省)을 세우도록 획책한 사건을 말한다. 정동행성을 폐지하고 새로운 행성을 설치하자는 것인데 이것은 고려의 존재 자체를 위협하는 것이었다. 최초의 입성책동은 충선왕 1년(1309년)에 있었다.

04 고려 시대의 통치 체제에 대한 설명으로 가장 적절하지 않은 것은?

[2016 경찰]

① 중서문하성은 국가의 정책을 심의하는 재신과 정치의 잘못을 비판하는 낭사로 구성되었다.

② 중추원은 군사기밀을 담당하는 추밀과 왕명의 출납을 담당하는 승선으로 구성되었다.

③ 대간은 왕의 잘못을 논하는 간쟁과 잘못된 왕명을 시행하지 않고 되돌려 보내는 봉박, 관리의 임명과 법령의 개정이나 폐지 등에 동의하는 서경권을 가지고 있었다.

④ 원 간섭기에 중서문하성과 중추원을 합쳐 첨의부로 하고, 6부는 4사로 통폐합되었다.

해설

정답 ④

2성 6부제는 원 간섭기에 첨의부 4사 체제로 격하되었다. 2성, 즉 중서문하성과 '상서성'을 합하여 첨의부로 하였다.

고려(원 간섭기 전)		고려(원 간섭기)		조 선
2성(중서문하성, 상서성)		첨의부		의정부
6부	이부, 예부	4사	전리사	이조, 예조
	병부		군부사	병조
	호부		판도사	호조
	형부		전법사	형조
중추원		밀직사		삼군부, 승정원
어사대		감찰사		사헌부
문하시중		(첨의)중찬		영의정

05 밑줄 친 '그'에 대한 설명으로 옳은 것은?

> 그는 즉위하여 정방을 폐지하고 사림원을 설치하는 등의 관제 개혁을 추진하는 한편, 권세가들의 농장을 견제하고 소금 전매제를 실시하여 국가 재정을 확충하고자 하였다.

① 만권당을 통해 고려와 원나라 학자들의 문화 교류에 힘썼다.

② 도병마사를 도평의사사로 개편하여 국정을 총괄하게 하였다.

③ 철령 이북의 영토 귀속 문제를 계기로 요동 정벌을 단행하였다.

④ 기철을 비롯한 부원 세력을 숙청하고 자주적 반원 개혁을 추진하였다.

해설 정답 ①

정방을 폐지하고, 사림원을 설치하고, 권세가들의 농장을 견제하기 위해 전농사를 설치하고, 소금 전매제를 실시하기 위하여 의염창을 설치하였던 왕은 충선왕이다. 충선왕 때 원의 연경에 고려와 원나라 학자들의 학문 교류를 위해 만권당이 설치되었다.

② 충렬왕. ③ 우왕. ④ 공민왕

명호샘의 한마디!!

충선왕의 정치 개혁 기구인 사림원(詞林院)은 신진사대부 등 인재 등용의 기회를 마련하는 측면도 있지만, 충렬왕의 측근세력을 제거하는 기능도 하였다. 충선왕의 업적은 다음과 같이 다양한 표현으로 출제되었다.

1. 원의 연경(북경)에 만권당을 설치하여 문물교류를 진흥하였다. = 만권당을 설치하여 고려와 원나라 학자들이 학문적 교류를 하게 하였다.

2. 정방을 폐지하고 사림원을 설치하여 개혁정치를 수행하였다. = 사림원을 설치하여 개혁정치를 '주도'하였다. = 신진사류를 자신의 지지세력으로 끌어들이기 위해 사림원을 설치하였다. = 사림원을 중심으로 사대부를 등용하였다.

3. 충렬왕의 측근 세력을 제거하고 관제를 바꾸었다.

4. 의염창을 설치하여 국가재정을 확충하였다. = 소금 전매 사업을 담당하는 의염창을 설치하였다. = 국가가 소금을 전매하는 '각염법'을 시행하였다.

> … 선왕의 맏아들이며 어머니는 제국대장공주(齊國大長公主)이다. 을해년 9월 정유일에 출생하였다. 성품이 총명하고 굳세며 결단력이 있었다. 이로운 것을 일으키고 폐단을 제거하여 시정에 그런대로 볼 만한 것이 있었으나 부자(父子) 사이는 실로 부끄러운 일이 많았다. 오랫동안 상국(上國)에 있었는데, 스스로 귀양 가는 욕을 당하였다. 왕위에 있은 지 5년이며, 수(壽)는 51세였다.
>
> ◐「고려사절요」 ◐2017 경찰

06 다음 밑줄 친 '왕'의 재위 기간에 볼 수 있었던 모습으로 옳은 것은?

> 원(元)이 유수 보수와 전 이문낭중 장백상 등을 보내오자 왕이 교외에서 영접하였다. 장백상이 성지(聖旨)를 전하며 말하기를, "이미 정월 2일에 상왕(上王)에게 복위하라고 명하셨습니다."라고 하였다. 왕과 좌우 신하들이 모두 놀라서 얼굴빛이 달라졌다. 장백상이 국새를 회수하고 모든 창고를 봉하였으며, 왕은 드디어 원으로 갔다.

① 원의 일본 원정에 동원되는 백성

② 밀직사에서 업무를 보는 관리

③ 노국 공주의 죽음을 슬퍼하는 국왕

④ 강화도에서 몽골에 대항하는 삼별초 군인

해설

정답 ②

충숙왕(1313~1330, 복위 1332~1339)과 충혜왕(1330~1332, 복위 1339~1344)은 중조 제도에 의하여 충숙왕 – 충혜왕 – 충숙왕 – 충혜왕 순서로 왕위가 뒤바뀌었다. 제시된 자료에서 '장백상'은 충숙왕 때 정동행성의 낭중을 지냈던 인물로, 1330년 충혜왕이 왕위에 오르자 입성책동(고려를 원나라의 한 성으로 삼자는 주장)을 벌였다. 1332년에 다시 고려로 와서 충숙왕의 복위를 알리고, 충혜왕을 따르는 자들을 유배 보냈다. 그리고 충혜왕은 '드디어 원으로 갔다.' 정리하면, 자료에서 '왕'은 충혜왕이고, '상왕'은 충숙왕이다.

② 1275년(충렬왕 1) 중추원이 밀직사로 바뀌었다. 그러므로 충혜왕 때에도 '밀직사에서 업무를 보는 관리'를 볼 수 있다.

① 원의 일본 원정은 1274년(원종 때), 1281년(충렬왕 때)에 있었고, 계속 지속되지 않았으므로, 충혜왕 때에는 '일본 원정에 동원되는 백성'을 볼 수 없다.

③ 노국 공주는 1365년에 죽었다. 노국공주(노국대장공주)의 죽음을 슬퍼하는 공민왕의 모습은 먼 훗날의 일이다.

④ 삼별초의 항쟁은 1270~1273년에 끝났다. 항쟁이 시작되고 얼마 되지 않아 곧 진도로 옮겼으므로, '강화도에서 몽골에 대항하는 삼별초 군인'을 볼 수 있는 해는 1270년뿐이다.

---

07 (가) 시기에 있었던 사실로 가장 옳은 것은?

[2022 법원직 9급]

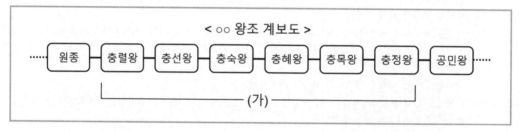

① 서경 유수 조위총이 난을 일으켰다.

② 정동행성 이문소가 내정을 간섭하였다.

③ 홍건적의 침입으로 왕이 복주로 피신하였다.

④ 삼별초가 진도와 제주도에서 항쟁을 전개하였다.

해설

정답 ②

충렬왕부터 충정왕에 이르는 '(가) 시기'란 원간섭기를 말한다. 이 시기에는 충렬왕 때 설치된 '정동행성 이문소'가 내정을 간섭하였다.

① 무신집권기인 명종 때, 서경 유수 조위총이 난을 일으켰다.

③ 공민왕 때, 홍건적의 침입으로 왕이 복주(안동)로 피신하였다.

④ 원종 때, 삼별초가 진도와 제주도에서 항쟁을 전개하였다.

02 공민왕의 개혁정치

08 다음 중 고려 후기 정국에 대한 동향으로 옳지 않은 것은? [2010 서울시 9급]

① 정치 기구는 첨의부—4사 체제로 개편되었다.

② 충렬왕과 충선왕의 계승은 원나라 무종의 옹립과 관련이 있다.

③ 원의 기황후 세력이 충혜왕 정권을 위협하였다.

④ 공민왕 12년, 흥왕사의 변을 계기로 외척의 입지가 강화되었다.

⑤ 충목왕 때 정치도감에서 활동한 정치관은 대체로 한미한 가문의 출신이었다.

⚓해설 정답 ④

흥왕사의 변은 공민왕 때(1363년) 군공에 대한 불만으로 김용이 왕을 살해하기 위해 흥왕사 행궁을 침범한 사건이다.

① 원 간섭기에 2성 6부는 첨의부 4사 체제로 개편(격하)되었다.

② 충렬왕과 충선왕의 왕위 다툼이 있었으나 원나라 무종을 지지하던 충선왕이 승리하면서 다툼이 종식되었다.

③ 충혜왕이 개혁정치를 시도하자, 기철 등 황후 세력이 반발하였다. 결국 충혜왕은 퇴위되어 원나라에 압송되었다.

⑤ 정치도감의 정치관은 대체로 한미한 가문 출신으로 과거를 통해 벼슬을 하게 된 신진사류들이었다.

09 다음에서 설명하고 있는 왕이 실시한 정책으로 옳은 것은? [2014 서울시 9급]

> 충숙왕의 둘째 아들로서 원나라 노국대장공주를 아내로 맞이하고 원에서 살다가 원의 후원으로 왕위에 올랐으나 고려인의 정체성을 결코 잃지 않았다.

① 정동행성의 이문소를 폐지하였다. ② 수도를 한양으로 옮겼다.

③ 삼군도총제부를 설치하였다. ④ 연구기관인 만권당을 설립하였다.

⑤ 과전법을 공포하였다.

⚓해설 정답 ①

충숙왕(1313~1330, 1332~1339)의 첫째 아들은 충혜왕(1330~1332, 1339~1344)이고, 둘째 아들은 공민왕(1351~1374)이다. 공민왕은 원의 '노국대장공주'를 아내로 맞이하였으며, 즉위 후 반원 자주 개혁을 추진하였다. 개혁의 일환으로 정동행성의 이문소를 폐지하였다.

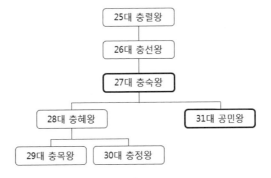

② 한양 천도(1394)는 조선 태조 때이다.

③ 삼군도총제부(1391)는 공양왕 때 설치되었다.

④ 만권당은 충선왕 때 설치되었다.

⑤ 과전법(1391)은 공양왕 때 실시되었다.

 명호샘의 한마디!!

공민왕은 반원 자주 개혁을 추진하였지만, 여전히 원나라의 영향력 아래 있었다. 그 자신도 변발을 하고, 호복을 입었다. 그러나 신하의 간언으로 마음을 고쳐 먹고 '자주적'인 태도를 견지하려고 노력하였다.

> (공민왕)이 원나라의 제도를 따라 변발(辮髮)을 하고 호복(胡服)을 입고 전상(殿上)에 앉아 있었다. 이연종이 간하려고 문밖에서 기다리고 있었더니, 왕이 사람을 시켜 물었다. …(중략)… 답하기를 "변발과 호복은 선왕의 제도가 아니오니, 원컨대 전하께서는 본받지 마소서."라고 하니, 왕이 기뻐하면서 즉시 변발을 풀어 버리고 그에게 옷과 요를 하사하였다.
> ◯ 「고려사」

10 다음 [보기]의 개혁을 실시하던 왕이 재위하던 시기의 역사적 사실로 적절한 것은 모두 몇 개 인가?

[2011 경찰 변형]

[보기]

신돈이 전민변정도감 두기를 청하고 "종묘, 학교, 창고, 사원 등의 토지와 세업전민(世業田民)을 호강가(豪强家)가 거의 다 빼앗아 차지하고는 혹 이미 돌려주도록 판결난 것도 그대로 가지고 있으며, 혹 양민을 노비로 삼고 있다. 이제 전민변정도감을 두어 고치도록 하니 잘못을 알고 스스로 고치는 자는 죄를 묻지 않을 것이나, 기한이 지나 일이 발각되는 자는 엄히 다스릴 것이다."

ㄱ 성균관을 통하여 유학교육을 강화하고 과거 제도를 정비하였다.

ㄴ 사림원을 설치하고 개혁 정치를 주도하였다.

ㄷ 의염창을 설치하여 국가재정을 확충하였다.

ㄹ 내정간섭기관이었던 정동행성의 이문소를 폐지하였다.

ㅁ 쌍성총관부와 동녕부를 무력으로 탈환하였다.

ㅂ 역법(曆法)은 명(明)의 수시력을 채용하였다.

ㅅ 자제위를 설치하였다.

① 1개   ② 2개

③ 3개   ④ 4개

해설 　　　　　　　　　　　　　　　　　　　　　　　　　　정답 ③

맞는 것은 ㉠, ㉢, ㉅이다. 공민왕 때 성균관을 통해 유학 교육이 강화되고, 과거 제도가 정비되었다. 성균관 부분만 공부하고 '과거 제도 정비'를 보지 않는 경우가 있다. 뒷 부분도 숙지하기 바란다. 정동행성과 그 부속기구인 이문소를 폐지하였으며, 왕의 신변호위를 위해 자제위를 설치하였다.

㉡, ㉢ 충선왕의 업적이다.

㉣ 쌍성총관부는 무력으로 탈환하였지만, 동녕부는 충렬왕 때 이미 반환된 상태였다.

㉑ 역법(曆法)은 명(明)의 '대통력'을 채용하였다. 수시력은 원의 역법이다.

 명호샘의 한마디!!

고려 시대 왕 중에 공민왕만큼 중요한 왕도 없다. 공민왕 문제의 오답은 1) '충(忠)~왕'에서 나오거나 2) 공민왕 업적 자체를 왜곡한 표현에서 나온다. 공민왕과 관련된 다양한 기출 문장들을 숙지하기 바란다.

1. 왕권을 제약하고 신진 사대부의 등장을 억제하고 있던 정방이 폐지되었다. ● 2020 소방간부
   = 정방을 폐지하고 인사권을 원래의 이부와 병부의 권한으로 환원시켰다.
2. 성균관을 부흥시켜, 순수한 유학교육기관으로 발전시켰다. ● 2012 국가직 9급, 2011 서울시 7급
   = 성균관을 다시 짓고 이색을 판개성부사 겸 성균관 대사성으로 삼았다. ● 2018 국가직 7급
3. 전민변정도감을 설치하였다. ● 2018 국가직 7급
   = 전민변정도감을 설치하여 신돈으로 하여금 토지와 노비 등에 대한 개혁을 담당하게 하였다.
   　　　　　　　　　　　　　　　　　　　　　　　　　　● 2019 서울시 7급, 2017 경찰
   = 전민변정도감을 설치하여 권문세족이 부당하게 빼앗은 토지와 노비를 돌려주거나 양민으로 해방시켰다.
   　　　　　　　　　　　　　　　　　　　　　　　　　　● 2011 서울시 9급
4. 기철 등의 친원세력을 제거하였다. ● 2021 지역인재 9급
   = 기철을 제거하고 정동행성 이문소를 혁파했다. ● 2018 경찰
5. 쌍성총관부를 공격하여 철령 이북의 땅을 수복하였다. ● 2022 지방직 9급, 2021 지역인재 9급, 2019 소방, 2018 경찰
   = 유인우가 쌍성을 함락하였다. ● 2018 지방직 교행
6. 고려의 내정을 간섭하던 정동행성 이문소를 폐지하였다. ● 2019 서울시 9급, 2019 서울시 7급, 2016 해양경찰
   = 정동행성과 부속기구인 이문소를 폐지하였다.
7. 원의 연호 사용을 중지하고 명에 봉작을 요청하였다. ● 2018 서울시 9급
8. 자제위를 설치하였다. ● 2019 서울시 7급
9. 홍건적의 침입으로 공민왕이 복주로 피신하였다. ● 2022 법원직 9급, 2020 소방간부, 2019 서울시 7급, 2017 경찰
10. 왕을 시해하려는 흥왕사의 변이 발생하였다. ● 2017 경찰
11. 공민왕 재위 기간에 이제현에 의해 『사략』이 편찬되었다. ● 2019 지방직 7급
12. 첨의부를 없애고 중서문하성과 상서성을 복구하였다. ● 2010 수능

11 (가)에 대한 설명으로 옳은 것은? [2023 국가직 9급]

> 신돈이 ___(가)___ 을/를 설치하자고 요청하자, … (중략) … 이제 도감이 설치되었다. … (중략) … 명령이 나가자 권세가 중에 전민을 빼앗은 자들이 그 주인에게 많이 돌려주었으며, 전국에서 기뻐하였다.
>
> ◑ 『고려사』

① 시전의 물가를 감독하는 임무를 담당하였다.

② 국가재정의 출납과 회계 업무를 총괄하였다.

③ 불법적으로 점유된 토지와 노비를 조사하였다.

④ 부족한 녹봉을 보충하고자 관료에게 녹과전을 지급하였다.

🔖**해설**   정답 ③

신돈이 공민왕에게 설치를 요청한 (가)는 전민변정도감이다. 전민변정도감은 불법적으로 점유된 토지[田]와 노비[民]를 조사하여, 권문세족이 부당하게 빼앗은 토지를 돌려주거나 노비를 양민으로 해방시켰다(1352).

① 시전의 물가를 감독한 임무를 담당한 관청은 경시서이다.

② 국가재정의 출납과 회계 업무를 총괄한 관청은 삼사이다.

④ 개경으로 환도한 뒤, 부족한 녹봉을 보충하고자 관료에게 녹과전을 지급하였다. 녹과전을 담당한 관청은 정확히 알려져 있지 않다.

12 고려의 영토가 다음의 지도와 같았던 시기의 역사적 상황이 아닌 것은? [2008 서울시 9급 변형]

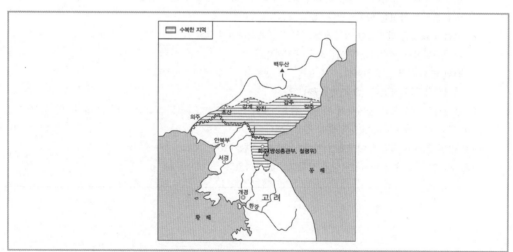

① 관제를 복구하고 몽골 풍속을 금지하였다.

② 무력으로 쌍성총관부를 회복하였고 요동을 공략하기도 하였다.

③ 전민변정도감을 설치하여 토지를 돌려주고 노비를 양민으로 해방시켰다.

④ 정방을 폐지하고 인사권을 원래의 이부와 병부의 권한으로 환원시켰다.

⑤ 신진사대부의 경제기반을 강화하기 위해 전민변정도감을 설치하였다.

🔖해설   정답 ⑤
빗금 친 부분의 서쪽 북방경계는 '압록강 중류'이며, 동쪽 북방경계는 '함남 지방'으로 공민왕이 수복한 지역이다. 공민왕 문제의 재료로 자주 사용되는 지도이다. ⑤에서 전민변정도감을 설치한 목적은 '신진사대부의 경제기반 강화'가 아니라 권문세족이 강탈한 토지를 돌려주고(농장을 혁파하고), 노비를 양민으로 해방시키기 위해서였다. '신진사대부의 경제기반 강화(마련)'라는 표현은 고려 말 실시한 과전법에 어울리는 표현이다.

13 [보기]의 밑줄 친 '왕'에 대한 내용으로 가장 옳지 않은 것은?

[2019 서울시 7급]

> **[보기]**
> 적이 개경 근처에 이르자 <u>왕</u>이 난을 피해 개경을 떠났다. <u>왕</u>이 복주에 이르러 정세운을 총병관으로 삼아 홍건적을 토벌하게 하였다.

① 자제위를 설치하였다.

② 전민변정도감을 설치하였다.

③ 정동행성 이문소를 폐지하였다.

④ 박위를 보내 왜구의 소굴인 쓰시마를 공격하였다.

🔖해설   정답 ④
홍건적이 침입하였을 때 복주(안동)로 몽진하였던 왕은 공민왕이다. 복주는 북쪽의 홍건적이나 남쪽의 왜구 등으로부터 방어하기 좋은 분지 지형이었으며 경상도 교통의 요지로 물산이 풍부했던 점, 그리고 왕실을 비롯해서 홍언박(洪彦博) 등 고려의 중신들과 깊은 관련을 지닌 곳이었다는 점에서 피난지로 선택되었다.
① 공민왕은 신변 호위와 지도자 양성을 목적으로 자제위(子弟衛)를 설치하였다(1372).
② 공민왕은 신돈으로 하여금 전민변정도감을 다시 설치하게 하였다(1366).
③ 공민왕은 정동행성 이문소를 폐지하였다(1356).
④ '창왕'은 박위를 보내 왜구의 소굴인 쓰시마를 공격하였다(1389).

14 밑줄 친 '왕'의 재위 기간에 있었던 일로 옳은 것은?

[2022 지방직 9급]

> <u>왕</u>의 어릴 때 이름은 모니노이며, 신돈의 여종 반야의 소생이었다. 어떤 사람은 "반야가 낳은 아이가 죽어서 다른 아이를 훔쳐서 길렀는데, 공민왕이 자신의 아들이라고 칭하였다."라고 하였다. 왕은 공민왕이 죽은 뒤 이인임의 추대로 왕위에 올랐다. 이후 이인임, 염흥방, 임견미 등이 권력을 잡아 극심하게 횡포를 부렸다.

① 이종무가 왜구의 소굴인 대마도를 정벌하였다.

② 삼별초가 반란을 일으켜 대몽 항쟁을 계속하였다.

③ 쌍성총관부를 공격해 철령 이북 지역을 수복하였다.

④ 요동 정벌을 위해 출병한 이성계가 위화도에서 회군하였다.

해설 　　　　　　　　　　　　　　　　　　　　　　　　　　　　　　　　정답 ④

어릴 때 이름이 '모니노'이며, 신돈의 여종 '반야'의 소생이고, 공민왕이 죽은 뒤 이인임의 추대로 왕위에 오른 왕은 우왕(재위 1374~1388)이다. 우왕의 재위 기간에는 최영의 홍산 전투(1376), 최무선의 진포 전투(1380), 이성계의 황산 전투(1380) 등으로 왜구를 격퇴하였다. 1377년에는 최무선이 화통도감을 설치하였고, 직지심체요절이 금속활자로 인쇄되었다. 철령위 사건이 발생하자(1387), 요동 정벌을 단행하였고, 출병하였던 이성계는 위화도에서 회군하였다(1388). 이성계는 최영을 제거하고, 우왕을 몰아내었다.

① 고려 말 창왕 때는 '박위'가, 조선 세종 때는 '이종무'가 대마도(쓰시마섬)를 정벌하였다.

② 개경환도에 반대하며 삼별초는 강화도, 진도, 제주도로 근거지를 옮겨 몽골에 대항하였다(1270~1273). 삼별초 항쟁 은 원종 때이다.

③ 쌍성총관부(1258~1356)는 고려 고종 때 설치되어, 공민왕 때 폐지되었다. 공민왕은 유인우를 보내 쌍성총관부를 공격 하고 철령 이북의 땅을 회복하였다.

15 다음 제시문의 ㉠, ㉡, ㉢에 들어갈 내용이 바르게 연결된 것은? 　　　　[2011 국가직 7급]

> (가) (㉠) 6년(1380) 8월 추수가 거의 끝나갈 무렵 왜구는 500여 척의 함선을 이끌고 (㉡)로 쳐들어와 충청·전라·경상도의 3도 연해의 주군을 돌며 약탈과 살육을 일삼았다. 고려 조정에서는 나세, 최무선, 심덕부 등이 나서서 최무선이 만든 화포로 왜선을 모두 불태워 버렸다.
>
> (나) (㉢)이(가) 이끄는 토벌군이 남원에 도착하니 왜구는 인월역에 있다고 하였다. 운봉을 넘어온 (㉢)은(는) 적장 가운데 나이가 어리고 용맹한 아지바투를 사살하는 등 선두에 나서서 전투를 독려하여 아군보다 10배나 많은 적군을 섬멸했다.

	㉠	㉡	㉢
①	창왕	진포	최영
②	우왕	당포	최영
③	창왕	당포	이성계
④	우왕	진포	이성계

해설 　　　　　　　　　　　　　　　　　　　　　　　　　　　　　　　　정답 ④

(가) 왜구는 공민왕과 우왕 때 피해가 가장 컸다. '왜구 500여 척의 함선'이 쳐들어온 1380년은 '우왕' 때이다. 이때 최무선이 '진포'에서 화포로 왜구를 격퇴하였다.

(나) 남원의 옛 명칭은 '황산'이다. 이성계가 황산 싸움에서 왜구를 격퇴한 것도 1380년이다.

16 다음 시와 관련된 인물에 대한 설명으로 가장 적절한 것은? [2018 경찰]

> 좋은 말 살지게 먹여 시냇물에 씻겨 타고
> 서릿발 같은 칼 잘 갈아 어깨에 둘러메고
> 대장부의 위국충절을 세워 볼까 하노라
>
> ◉「호기가(豪氣歌)」

① 침입하는 왜구를 홍산에서 격퇴하였다.

② 화통도감에서 각종 화기를 제조하여 왜구 격퇴에 사용하였다.

③ 황산에서 적장 아지발도를 사살하는 등 왜구를 섬멸하였다.

④ 관음포 앞바다에서 왜선 120여 척을 격침시켰다.

🖐️**해설** 　　　　　　　　　　　　　　　　　　　　　　　　　　정답 ①

제시된 자료는 최영(1316~1388)이 위국충절을 다짐하는 시이다. 최영은 홍산에서 왜구를 격퇴하는 등(1380) 큰 공로를 세웠으나, 팔도도통사로 군대를 일으켜 요동을 정벌하려고 할 때 이성계가 위화도에서 회군함으로써 제거되었다.

> 녹이상제(綠耳霜蹄) 슬지게 먹여 시냇물에 싯겨 타고
> 용천(龍泉) 설악(雪鍔)을 들게 가라 엇게에 두러메고
> 장부(丈夫)의 위국충절(爲國忠節)을 세워볼가 하노라

② 최무선, ③ 이성계, ④ 정지

---

03 고려의 멸망

17 다음 고려 말 두 정치세력인 (가)와 (나)에 대한 설명으로 잘못된 것은? [2011 기상직 9급]

> 이들은 고려 왕조의 폐단을 비판하며 사회개혁을 주장하였으나 이성계의 정권 장악과 새 왕조의 개창을 둘러싸고 (가)와 (나)로 분열되었다. (가)는 개혁을 위해 왕조를 바꾸려 하였고 (나)는 왕조는 그대로 유지한 채 사회의 모순을 고치려 하였다.

① (가)는 신흥 무인세력과 결탁하여 정치적 실권을 장악했다.

② (나)는 사전을 혁파하고 토지를 재분배하는 전제 개혁에 반대하였다.

③ 대외관계에서 (가)는 친명적인 태도를, (나)는 친원적인 태도를 취하였다.

④ (가)와 (나)는 대부분 과거를 통해 진출한 지방의 중소지주 출신들이었다.

⑤ (가)에는 조준, 정도전 등이, (나)에는 정몽주, 이색 등이 속한다.

🖐️**해설** 　　　　　　　　　　　　　　　　　　　　　　　　　　정답 ③

신진사대부 중 (가)는 급진 개혁파, (나)는 온건 개혁파이다. 신진사대부는 그 성향이 급진이건 온건이건 외교적인 입장은 모두 친명(親明)이었으며, 대부분이 과거를 통해 정계에 진출한 중소지주 또는 향리 출신이었다. 위화도 회군(1388) 이후 급진 신진사대부와 신흥 무인세력이 연합하여 '사전을 혁파하고 토지를 재분배'하는 전제 개혁, 즉 과전법(1391)을 실시하였다. 온건 신진사대부는 과전법 시행을 반대하였다.

18 다음은 여말 선초의 역사적 사건들이다. 시기 순서대로 바르게 배열된 것은? [2008 국가직 7급]

> ㉠ 홍건적의 침입으로 개경 함락
>
> ㉡ 한양으로의 천도
>
> ㉢ 과전법 공포
>
> ㉣ 위화도 회군으로 반대파인 최영 제거

① ㉢ – ㉠ – ㉣ – ㉡　　　　② ㉢ – ㉣ – ㉡ – ㉠

③ ㉠ – ㉣ – ㉡ – ㉢　　　　④ ㉠ – ㉣ – ㉢ – ㉡

해설 　　　　　　　　　　　　　　　　　　　　　　　　　　　정답 ④
㉠ 홍건적의 1차 침입 때(1359) 서경이 점령되었고, 홍건적의 2차 침입 때(1361) '개경'이 함락되었다.
㉣ 이성계는 4가지 이유를 들어 요동 정벌이 불가하다고 주장하고, 위화도에서 회군하여 최영을 숙청하였다(1388).
㉢ 이성계 등 신흥 무인세력과 급진적 신진사대부들은 우왕과 창왕을 폐하고, 공양왕을 세운 후 전제개혁을 단행하여 과전법을 마련하였다(1391).
㉡ 이성계는 조선을 건국(1392)한 후, 한양으로 천도하였다(1394).

19 위화도 회군 이후에 있었던 사실로 옳지 않은 것은? [2024 국가직 9급]

① 과전법이 실시되었다.

② 정몽주가 살해되었다.

③ 한양으로 도읍을 이전하였다.

④ 황산 대첩에서 왜구를 토벌하였다.

해설 　　　　　　　　　　　　　　　　　　　　　　　　　　　정답 ④
명이 철령 이북의 땅을 차지하려 하자(철령위 사건, 1387), 최영은 이성계를 시켜 요동 정벌을 단행하였다. 이성계는 4불가론(四不可論)을 들어 위화도에서 회군하여 최영을 숙청하였다(1388).
① 과전법이 실시된 것은 조선 건국 직전인 공양왕 때이다(1391).
② 정몽주가 살해된 것은 조선 건국 직전인 공양왕 때이다(1391).
③ 한양으로 도읍을 이전한 것은 조선 건국 직후인 태조 때이다(1394).
④ 이성계가 황산 대첩에서 왜구를 토벌한 때는 고려 말 우왕 때이다(1380).

> 이성계가 이끄는 토벌군이 남원에 도착하니 왜구는 인월역에 있다고 하였다. 운봉을 넘어온 이성계는 적장 가운데 나이가 어리고 용맹한 아지바투를 사살하는 등 선두에 나서 전투를 독려하여 아군보다 10배나 많은 적군을 섬멸했다.
> ◐ 「고려사」

02 중세의 사회

01 고려의 신분 제도

01 신분 제도

01 고려 시대 향리에 대한 설명으로 옳은 것만을 모두 고르면?

[2021 국가직 9급]

> ㄱ. 부호장 이하의 향리는 사심관의 감독을 받았다.
> ㄴ. 상층 향리는 과거로 중앙 관직에 진출할 수 있었다.
> ㄷ. 일부 향리의 자제들은 기인으로 선발되어 개경으로 보내졌다.
> ㄹ. 속현의 행정 실무는 향리가 담당하였다.

① ㄱ

② ㄱ, ㄴ

③ ㄴ, ㄷ, ㄹ

④ ㄱ, ㄴ, ㄷ, ㄹ

해설

정답 ④

ㄱ. 태조 왕건은 지방 통제를 위하여 사심관 제도를 실시하였다. ◐ 2021 국회직 9급, 2016 교행 9급 고려 시대 향리는 그 지방 출신의 사심관으로부터 통제를 받았다. ◐ 2018 해경간부 특히 부호장 이하의 향리는 사심관의 통제를 받았다.

ㄴ. 호장, 부호장 등의 상층 향리는 과거를 통해 문반직에 올라 신분 상승을 할 수 있었다.

ㄷ. 향리의 자제를 뽑아 서울에 머물게 하여 볼모로 삼고, 출신지의 일에 대해 자문하게 하였는데, 이를 기인이라고 한다. ◐ 2020 서울시 지방직 9급

ㄹ. 고려 시대에는 수령이 파견된 주현보다 수령이 파견되지 않은 속현의 수가 많았다. ◐ 2020 서울시 9급(보훈청) 고려 향리는 지방관이 파견되지 않은 속현이나 부곡의 실질적인 지배층이었다. ◐ 2011 국가직 9급

02 밑줄 친 '평량'과 '평량의 처'에 대한 설명으로 옳은 것을 [보기]에서 골라 바르게 짝지은 것은?

[2013 국가직 9급]

> 평량은 평장사 김영관의 사노비로 경기도 양주에 살면서 농사에 힘써 부유하게 되었다. 평량
> 의 처는 소감 왕원지의 사노비인데, 왕원지는 집안이 가난하여 가족을 데리고 와서 의탁하고
> 있었다. 평량이 후하게 위로하여 서울로 돌아가기를 권하고는 길에서 몰래 처남과 함께 왕원
> 지 부부와 아들을 죽이고, 스스로 그 주인이 없어졌음을 다행으로 여겼다. ◐ 「고려사」

> [보기]
> ㉠ 평량은 자신의 토지를 소유할 수 있었다.
> ㉡ 평량은 주인집에 살면서 잡일을 돌보았다.
> ㉢ 평량의 처는 국가에 일정량의 신공을 바쳤다.
> ㉣ 평량의 처는 매매 · 증여 · 상속의 대상이 되었다.

① ㉠, ㉡　　　　　　　　　　　② ㉠, ㉣

③ ㉡, ㉢　　　　　　　　　　　④ ㉢, ㉣

🔎해설　　　　　　　　　　　　　　　　　　　　　　　　　　　　　　정답 ②

평량과 평량의 처는 주인집과 떨어져 '경기도 양주에' 따로 사는 외거노비이다. 자신의 토지를 소유할 수 있었지만, 그 처
는 여전히 노비이므로 재산처럼 간주되어 매매, 증여, 상속의 대상이 되었다.

㉡, ㉢ 외거노비는 '잡일'을 돌보는 것이 아니라 주인에게 '신공'을 바친다.

03 고려 시대에는 귀족 · 양반과 일반 양민 사이에 '중간계층' 또는 '중류층'이라 불리는 신분층이
존재하였다. 이 신분층에 대한 설명으로 옳지 않은 것은?

[2014 국가직 9급]

① 남반은 궁중의 잡일을 맡는 내료직(內僚職)이다.

② 하급 장교들도 이 신분층에 포함되는 것으로 분류되고 있다.

③ 서리는 중앙의 각 사(司)에서 기록이나 문부(文簿)의 관장 등 실무에 종사하였다.

④ 향리에게는 양반으로 신분을 상승시킬 수 있는 길을 열어 놓지 않았다.

🔎해설　　　　　　　　　　　　　　　　　　　　　　　　　　　　　　정답 ④

고려의 향리는 과거를 통해 중앙으로 진출할 수 있었다. 신분을 상승시킬 수 있는 '길', 즉 과거가 있었다.

①~③ 궁중의 잡일을 맡아 보는 '남반', 중앙 관청의 말단 서리인 '잡류', 직업군인으로 하급장교인 '군반'도 중류층에 속한
　다. ◐ 2017 사회복지직

04 고려 시대에 대한 설명 중 옳은 것은 모두 몇 개인가?　　　　　　　　　　　[2018 경찰간부]

> 가. 왕족을 대상으로 한 골제와 일반 귀족을 대상으로 한 두품제가 별개로 성립하였다.
> 나. 혼인형태는 솔서혼이나 남귀여가혼이 일반적이었다.
> 다. 충렬왕 시기에 국학을 성균관으로 개칭하였다.
> 라. 상층 향리인 호장은 중앙의 상서성에서 임명하였다.

① 1개　　　　　　　　　　　　② 2개
③ 3개　　　　　　　　　　　　④ 4개

해설　　　　　　　　　　　　　　　　　　　　　　　　　　　정답 ③

나. 솔서혼(率壻婚)은 '사위를 거느리고 사는 혼인 풍속', 즉 데릴사위제를 말한다. 남귀여가혼(男歸女家婚)은 '남자가 (장기간 여자의 집에 머물다가 아이가 크면 아내와 아이를 데리고) 여자의 집으로부터 돌아오는 혼인 풍속'으로 고구려의 서옥제와 유사하다. 이러한 초서혼(招婿婚) 형태는 조선 중기까지 이어졌으므로, 고려 시대에도 솔서혼이나 남귀여가혼은 일반적인 것이었다.
다. 충렬왕 시기에(또는 충렬왕~충선왕 시기에) 국학의 명칭을 성균관으로 바꾸었다.
라. 호장은 중앙의 상서성에서 임명하고, 부호장 이하의 향리는 사심관이 임명하고 감독하였다.
가. 골제와 두품제가 따로 있었던 시대는 신라 시대이다.

05 다음 ㉠의 주민에 대한 설명으로 옳은 것은?　　　　　　　　　　　[2016 지방직 9급]

> 고려 시기에 　㉠　은(는) 금, 은, 구리, 쇠 등 광산물을 채취하거나 도자기, 종이, 차 등 특정한 물품을 생산하여 국가에 공물로 바쳤다.

① 군현민과 같은 양인이지만 사회적 차별을 받았다.
② 죄를 지으면 형벌로 귀향을 시키는 처벌을 받았다.
③ 지방 호족 출신으로 지방 행정의 실무를 담당하였다.
④ 재산으로 간주되어 매매·상속·증여의 대상이 되었다.

해설　　　　　　　　　　　　　　　　　　　　　　　　　　　정답 ①

제시된 자료의 ㉠은 고려 시대의 특수 행정 구역인 '소'이다. 금, 은, 구리, 쇠, 도자기, 종이, 차는 '소수공업'의 대표적 생산물이며, 이 생산물을 '판매'한 것이 아니라, '국가에 공물'로 바쳤다는 점에서 '소수공업'임을 확증할 수 있다. 소의 주민은 신분상 양인이지만, 일반 군현민들과 다르게 더 많은 세금 부담을 지고, 거주지가 제한되며, 국자감 입학과 과거 응시를 할 수 없는 등의 차별을 받았다. 같은 취지의 문제에서 다음과 같은 사료가 제시되었다.

> 예종 3년에 왕이 명하기를, "구리, 철, 자기, 종이, 먹 등을 만드는 　㉠　에서 공물을 지나치게 많이 거두어 주민들이 어려움을 이기지 못해 도망하고 있다. 이제 해당 관청에서는 그 공물의 양을 다시 정하여 보고하도록 하라."라고 하였다.　　　　　　　　　　　　　　　　　　　　　　　　　➲ 2017 지방직 교행

② 고려 시대에는 죄를 지어 관직에 나갈 수 없는 자들을 귀향시키는 형벌이 있었다. 소의 주민은 관직에 나갈 수조차 없었으므로, '관직' 대신 '귀향'시키는 형벌을 받을 수도 없었다. 귀향형은 일반적으로 귀족에게 적용되었다.
③ 고려 시대 향리에 대한 설명이다.
④ 노비에 대한 설명이다.

06 다음에서 고려 후기에 신분 상승을 할 수 있었던 경우를 모두 고르면? [2007 서울시 9급]

(가) 전쟁에 나아가 공을 세운다.	(나) 족보를 매수하여 위조한다.
(다) 몽골 귀족과 혼인한다.	(라) 공명첩을 발급 받는다.

① (가), (나)

② (가), (다)

③ (나), (다)

④ (나), (라)

⑤ (다), (라)

해설 정답 ②

족보 매입이나 위조, 공명첩 발급은 조선 시대의 신분 상승 방법이다. 고려 시대에는 군공을 세우거나, 몽골 침입 후에는 몽골 귀족과 혼인함으로써 신분을 상승시킬 수 있었다. 고려와 조선의 신분 상승 방법은 다음과 같다.

고려	조선
• 군공(전쟁에서 공을 세움) • 과거 급제 • 재산 증식 • 친원	• 군공 • 과거 급제 • 족보 매입, 위조(모칭유학, 환부역조) • 공명첩 • 납속 • 향직 매매

02 귀족

07 다음 자료에 나타나 있는 집권 세력에 대한 설명으로 가장 적절하지 않은 것은? [2015 경찰]

> 이제부터 만약 종친으로서 같은 성에 장가드는 자는 황제의 명령을 위배한 자로서 처리할 것이니 마땅히 여러 대를 내려오면서 재상을 지낸 집안의 딸을 취하여 부인을 삼을 것이며 재상의 아들은 왕족의 딸과 혼인함을 허락할 것이다. 만약 집안의 세력이 미비하면 반드시 그러할 필요는 없다. … 철원 최씨, 해주 최씨, 공암 허씨, 평강 채씨, 청주 이씨, 당성 홍씨 … 평양 조씨는 다 여러 대의 공신 재상의 종족이니 가히 대대로 혼인할 것이다.

① 고려 후기에 정계 요직을 장악한 최고 권력층이었다.

② 성리학을 수용하여 학문적 기반으로 삼고, 불교의 폐단을 시정하려 하였다.

③ 가문의 힘을 이용하여 음서로써 신분을 세습하여 자신들의 권력을 유지하였다.

④ 강과 하천을 경계로 할 만큼 대농장을 소유하고도 국가에 세금을 내지 않았다

해설   정답 ②

제시된 자료는 '충선왕 즉위년의 하교(교서)'이다. 자료의 뒤에는 '남자는 종친의 딸에게 장가가고 딸은 종비(宗妃)가 됨직하다.'라는 문장이 이어진다. 철원 최씨, 해주 최씨, 공암 허씨, 평강 채씨, 청주 이씨, 당성 홍씨, 황려 민씨, 횡천 조씨, 파평 윤씨, 평양 조씨를 '재상지종(宰相之宗)'이라 하는데, 이것은 '왕실과 혼인할 수 있는 가문'으로서 (대부분) 권문세족을 의미한다. 이들은 원 간섭기에 첨의부의 재신이나 밀직사의 추신이 되어 도평의사사를 장악하였다.

① 권문세족은 고려 후기에 첨의부, 도평의사사 등 정계 요직을 장악한 최고 권력층이었다.

③ 권문세족은 음서로써 신분을 세습하여 자신들의 권력을 유지하였다.

④ 권문세족은 대농장을 소유하고도 국가에 세금을 내지 않았다.

② 성리학을 수용하여 학문적 기반으로 삼고, 불교의 폐단을 시정하려 한 계층은 '신진사대부'이다.

 명호샘의 한마디!!

문벌귀족과 권문세족의 공통점은 1) 귀족, 2) 대농장과 노비 소유이다. 두 귀족을 구분하기 어려울 수 있다. 이 중 '평강 채씨'와 '언양 김씨'는 무신정권기에 부상하였던 무신세력으로서, 이후 권문세족이 된 가문이다. '평양 조씨'는 몽골어 통역으로 성장한 가문이다. 그러므로 '평강 채씨, 언양 김씨, 평양 조씨' 등을 키워드로 하여 권문세족을 구별해 낼 수 있다.

구 분	문벌귀족	권문세족
대표적 가문	경원 이씨, 해주 최씨, 경주 김씨, 파평 윤씨, 강릉 김씨, 안산 김씨	철원 최씨, 해주 최씨, 공암 허씨, 평강 채씨, 언양 김씨, 청주 이씨, 당성 홍씨, 황려 민씨, 횡천 조씨, 파평 윤씨, 평양 조씨
정계 진출 방법	과거 + 음서	(오직) 음서
장악한 자리	• 중서문하성과 중추원 • 도병마사	• 첨의부와 밀직사 • 도평의사사 • 응방
외교적 성향	친송	친원

---

08 다음 자료에서 추구하는 사상에 대한 설명으로 옳은 것은?   [2016 기상직 9급]

> 성인의 도는 바로 현실 생활에서 윤리를 실천하는 것이다. 자식 된 자는 효도하고, 신하 된 자는 충성하고, 예의로 집안을 다스리고…. 그런데 불교는 어떠한가. 부모를 버리고 집을 나서서 윤리를 파괴하니 이는 오랑캐 무리이다.
>
> 「회헌실기」

① 윤회전생과 인과응보를 주장하였다.

② 고려 초 북진 정책을 추진하는 사상적 근거로 작용하였다.

③ 신라 말 중국으로부터 도입되어 민간에서 크게 유행하였다.

④ 권문세족의 불법 행위를 공격하는 배경이 되었다.

해설   정답 ④

효(孝)와 충(忠)을 강조하고, 불교를 비판하였던 사상은 성리학이다. 「회헌실기(晦軒實記)」는 성리학을 도입한 '안향'에 대한 글을 모은 책이다. 성리학을 수용한 신진사대부는 불교를 기반으로 하였던 권문세족을 공격하였다.

09 다음에서 설명하는 고려 정치 세력들을 집권한 순서대로 가장 옳게 나열한 것은? [2012 경찰]

> ㉠ 자기 근거지에 성을 쌓고 군대를 보유하며 스스로 성주, 장군이라 칭했다.
>
> ㉡ 차별에 따른 불만으로 정변을 일으켜 의종을 폐하고 명종을 세워 정권을 장악하였다.
>
> ㉢ 여러 세대에 걸쳐 고위 관직자를 배출한 가문으로 중서문하성과 중추원의 재상이 되어 정국을 주도하였다.
>
> ㉣ 주로 향리의 자제들로 과거를 통해 관리로 진출한 이들은 성리학을 학문의 기반으로 삼고 새로운 개혁을 시도하였다.
>
> ㉤ 원과의 관계를 통해 성장한 기철 세력은 남의 토지를 빼앗아 농장을 확대하고 양민을 노비로 삼는 등의 권세를 부렸다.

① ㉠ - ㉡ - ㉢ - ㉣ - ㉤
② ㉡ - ㉢ - ㉠ - ㉣ - ㉤
③ ㉠ - ㉢ - ㉡ - ㉤ - ㉣
④ ㉢ - ㉠ - ㉣ - ㉤ - ㉡

해설   정답 ③

㉠ 호족 - ㉢ 문벌귀족 - ㉡ 무신세력 - ㉤ 권문세족 - ㉣ 신진사대부

---

02 백성의 생활모습

01 고려의 사회 제도

01 다음 [보기]의 (가)에 대한 설명으로 옳은 것은?   [2009 경찰]

> 「미수기언」에 이르기를 "삼척에 매향안(埋香岸)이 있는데, '충선왕 2년(1310)에 향나무 2백 50그루를 묻었다.'고 하였다. … (중략)… 여기에서 (가)라는 이름이 시작되었는데, 후에 이들이 상여를 메었다."고 하였다. … (중략) … 이들이 모일 때 승려와 속인이 마구 섞여 무리를 이루었다고 하니 (가)의 시초는 불교로부터 이루어진 것이다.   ➜ 「성호사설」

> [보기]
> ㉠ 이들은 수선사 결사운동을 전개하였다.
> ㉡ 향촌의 풍속 교화를 위해 향안을 작성하였다.
> ㉢ 불상·석탑 건립과 같은 불사(佛事)에 주도적으로 참여하였다.
> ㉣ 향음주례를 주관하여 결속을 강화하였다.
> ㉤ 이 조직에서 상여를 메는 사람인 상두꾼이 유래하였다.

① ㉠, ㉡
② ㉡, ㉣
③ ㉢, ㉣
④ ㉢, ㉤

🔖해설   정답 ④

향나무를 바닷가에 묻는 활동, 즉 매향(埋香) 활동을 하였던 향도(香徒)에 대한 설명이다. 이들은 불상, 종, 성탑 등을 조성하는 등 불교 행사를 주도하는 신앙적 조직이었다. 그러나 점차 공동체 생활을 주도하는 농민 조직으로 발전해 갔다. 상두꾼은 상여꾼, 향도꾼이라고도 한다. 향도꾼은 향도군(香徒軍)을 우리 식으로 읽은 것으로서, 장례식에서 상여를 메는 상두꾼은 향도에서 유래한 명칭이다.

㉠ 수선사 결사운동은 지눌, 혜심 등의 선종(조계종) 승려들이 주도하였다.

㉡ 향안은 향청의 명부로서, 양반이 작성한다.

㉢ 향음주례란 향촌의 유생들이 서원에 모여 향약을 읽고, 술을 마시며 잔치를 하는 향촌 의례였다. 향음주례를 주관한 것도 역시 양반이다.

 명호샘의 한마디!!

향도의 성격을 묻는 문제는 어렵게 출제된다. 이제껏 향도와 관련되어 출제되었던 문장들을 숙지하여 앞으로의 문제에 대비하도록 하자.

2019 서울시 9급	1. 고려 시대 불교는 삼국시대부터 있어 왔던 향도를 계승하여 신앙의 결속을 다졌으며, 매향 행위를 함으로써 내세의 복을 빌기도 했다.
2010 국가직 7급	2. 상장례 등 의례를 행할 수 있는 조직이었다. 3. 매향 활동 등을 하는 불교의 신앙 조직이었다. 4. 마을의 노동력이 동원될 때 주도적인 역할을 하였다.
2018 기상직 9급	5. 미래불의 도래를 통한 민중의 구원을 바라는 불교 신앙과 관련이 있었다. 6. 후기에는 마을 노역, 혼례와 상장례 등 공동체 생활을 주도하였다.
2007 국가직 7급	7. 불상·석탑 건립과 같은 불사(佛事)에 주도적으로 참여하였다. 8. 마을 구성원의 장례를 향도가 주도하여 치렀다.
2009 경찰	9. 이 조직에서 상여를 메는 사람인 상두꾼이 유래하였다.
2006 인천시 9급	10. 조선 전기 촌락의 농민조직으로는 두레와 향도가 있었다.

02 고려의 형률제도에 대한 설명으로 옳은 것은?
[2014 국가직 9급]

① 주로 당나라의 것을 끌어다 썼으며, 때에 따라 고려의 실정에 맞는 율문도 만들었다.

② 행정과 사법이 명확하게 분리·독립되어 있었다.

③ 실형주의(實刑主義)보다는 배상제(賠償制)를 우위에 두고 있었다.

④ 기본적으로 태형(笞刑), 장형(杖刑), 도형(徒刑), 유형(流刑)의 4형 체계를 가지고 있었다.

🔖해설   정답 ①

고려의 법률은 당률(당나라의 것)을 준용하거나, 당률을 참고하여 만든 법률을 사용하기도 하였다. '당률을 참고하여 만든 법률'을 '율문'이라 한다.

② 행정과 사법이 분리된 것은 '재판소'가 설치된 갑오 2차 개혁 때이다.

③ 실형주의는 '맞거나' '유배를 가거나' '죽임을 당하는' 등의 실제적인 형을 받는 것을 말한다. 고려의 형률은 당률을 주로 참고하였는데, 당률이 실형주의를 따르다보니 고려의 형률도 실형주의의 성격을 가진다.

④ 태, 장, 도, 유, 사의 5가지 형벌 체계를 가지고 있었다.

03 고려 시대의 사법제도에 대한 설명으로 가장 옳은 것은? [2012 해양경찰 변형]

① 중국의 당률을 따랐지만 주로 관습법에 따라 처결하였다.

② 지방관은 모든 사건에 대한 사법권을 갖고 있었다.

③ 형법에 관련된 법전을 편찬하여 성문법의 근간을 마련하였다.

④ 고려 말에 이르러 사법기관과 행정기관이 엄격히 구분되었다.

⑤ 귀양형을 받은 사람이 부모상을 당하였을 때에는 유형지에 도착하기 전에 30일간의 휴가를 주어 부모상을 치를 수 있도록 하였다.

해설 정답 ①

고려는 중국의 당률(當律)을 따랐지만, 대부분의 경우 관습법을 따랐다.

② 고려 지방관의 사법권이 커서 중요 사건 이외에는 재량권을 행사할 수 있었다. 즉 모든 사건에 대한 사법권을 가지고 있었던 것은 아니고, '중요 사건'은 제외되었다. '중요 사건'은 중앙에서 처리하였다.

③ 경국대전이라는 기본법전을 편찬하여 성문법의 근간을 마련한 시대는 조선이다.

④ 사법권이 독립되고 재판소가 따로 설치된 것은 제2차 갑오개혁 때이다.

⑤ 귀양형을 받은 사람이 부모상을 당하였을 때에는 유형지에 도착하기 전에 7일간의 휴가를 주어 부모상을 치를 수 있도록 하였다.

04 고려 시대의 행형(行刑) 제도에 대한 설명으로 옳은 것은? [2012 경찰간부 변형]

① 사형의 경우 상급 관청에 항소할 수 있는 2심제가 운영되었다.

② 유배지 선정에서 본관 지역을 배제하였다.

③ 신체형으로 태형과 장형, 궁형을 시행하였다.

④ 동(銅)을 납부하여 처벌을 면제받는 제도가 있었다.

해설 정답 ④

① 사형의 경우 판결의 공정성을 위해 3심제가 운영되었다.

② 고려의 유배지는 본관 지역이었다. 본관 지역으로부터 먼 곳으로 유배를 보낸 시대는 조선이다.

③ 고려와 조선은 태, 장, 도, 유, 사의 5형 제도를 실시하였다. 이 중 신체형은 태형(50대 이하의 볼기를 침)과 장형(60~100대의 곤장을 때림)이다. 거세를 하는 궁형은 시행되지 않았다.

④ 당률에 따라 동(銅)을 납부하면 처벌을 면제받는 제도, 즉 속동제가 실시되었다.

05 다음 중 고려 시대 사회 제도에 대한 설명으로 가장 적절하지 않은 것은? [2012 경찰]

① 의창 : 흉년에 빈민을 구제하는 기관이었다.

② 상평창 : 물가조절 기관으로 개경과 서경, 12목에 설치되었다.

③ 제위보 : 기금을 마련한 뒤 이자로 빈민을 구제하는 기관이었다.

④ 대비원 : 구호기관으로 개경과 3경에 설치되었다.

정답 ④

대비원(大悲院)은 가난한 백성이 의료 혜택을 받도록 '개경'에 설치한 의료 시설(구호 기관)이다. 개경의 동쪽과 서쪽에 각각 두었으므로, 동서 대비원이라고도 한다.

> 대비원은 국초에 선왕이 백성들에게 은혜를 베풀기 위해 설치한 것으로 지금에 이르고 있다. 그런데 근년에 이를 주관하는 관리들이 마음을 다하지 않아서 가난하고 병들고 떠도는 사람들이 왕의 은혜를 받지 못하고 있으니 몹시 민망스럽다. 도평의사사는 늘 관찰하여 의약과 음식을 넉넉하게 갖추게 하라. ● 「고려사」

06 (가)에 들어갈 기관으로 옳은 것은?

[2020 국가직 9급]

> 5월에 조서를 내리기를 "개경 내의 사람들이 역질에 걸렸으니 마땅히 ___(가)___ 을/를 설치하여 이들을 치료하고, 또한 시신과 유골은 거두어 묻어서 비바람에 드러나지 않게 할 것이며, 신하를 보내어 동북도와 서남도의 굶주린 백성을 진휼하라."라고 하였다. ● 「고려사」

① 의창
② 제위보
③ 혜민국
④ 구제도감

정답 ④

제시된 자료는 예종 4년(1190년) 5월에 내려진 조서이다. 개경 내에 역질이 유행하여 사망자가 많이 생기고 심지어 시체를 거리에 버리는 사태가 발생하자 구제도감(救濟都監)을 설치하라는 조서가 내려졌다. 구제도감은 병자의 치료와 빈민의 구제를 목적으로 하고 있으나, 무엇보다도 전염병의 치료를 목적으로 한 것이었다. 구제도감은 상설기구가 아니라 필요에 따라 설치되었다.

① 의창은 춘대추납의 구제 제도이다. 춘대추납의 방식에는 유상분급 방식인 '진대'와 무상분급 방식인 '진급'이 있었는데, 의창에서는 진대와 진급을 모두 시행하였다. 고려 시대에 <u>의창 설치 이전에는 흑창(黑倉)을 두어 빈민에게 곡식을 빌려 주었다.</u> 고려 성종은 흑창에 쌀 1만 섬을 더 보태고 이름을 의창으로 고쳤다. <u>현종 때에는 의창의 곡식을 확보하기 위해 공전과 사전에서 의창미를 납부하게 하였다.</u> ● 2012 경찰간부
② 광종은 빈민구제를 위하여 제위보를 설치하였다.
③ 혜민국(惠民局)은 백성의 질병을 치료하고, 약을 제조·판매하기 위해 설치한 정부 운영 '약국'으로 예종 7년(1112년)에 설치되었다. 『고려도경』에 보면 '보제사(普濟寺) 동쪽에 약국(藥局)이 있었다'고 했는데, 이것이 바로 혜민국이다. 구제도감과 달리 혜민국은 상설기구였다.

07 다음과 관련이 있는 고려 시대의 사회 제도로 바른 것은?

[2007 서울시 9급]

> 1948년 정부의 수립과 동시에 시행되었던 이 제도는 농민에게서 정부가 정한 가격으로 일정량의 쌀을 사들이는 제도이다. 정부는 이를 통해 쌀값이 내려갔을 때 쌀을 매수하였다가 쌀값이 올라갔을 때 시장에 풀어 물가를 안정시켰다.

① 의창
② 상평창
③ 선혜청
④ 제위보
⑤ 혜민국

해설 정답 ②
제시된 자료는 추곡수매제(秋穀收買制)이다. 추곡수매제란 정부나 공공단체가 1) 곡물의 확보와 2) 곡물 가격의 조절을 위하여 시장을 거치지 않고 농민에게서 직접 '가을 곡식'을 수매하는 제도이다. 곡물 가격 조절 기관인 고려 시대 상평창(常平倉)과 그 기능이 유사하다. 자료에서 '쌀값이 내려갔을 때 쌀을 매수하였다가 쌀값이 올라갔을 때 시장에 풀어 물가를 안정'시킨다고 하였는데, 상평창의 경우에도 곡물의 값이 내렸을 때 사들였다가 값이 오르면 싸게 내어 파는 방식을 취하였다.

02 가족제도 및 여성의 지위

08 고려 시대 가족제도에 대한 설명으로 가장 옳지 않은 것은? [2018 서울시 9급 보훈청]

① 혼인 초기 얼마 동안 사위가 처가에서 생활하는 풍습이 있었다.

② 노비를 상속할 경우에는 자녀 균분상속이 행해졌다.

③ 호적에 아들 딸 구분 없이 태어난 순서대로 기재하였다.

④ 제사를 위해 아들이 없는 집안에서는 일반적으로 양자를 들였다.

해설 정답 ④
아들이 없을 경우 양자를 들여 제사를 받들게 한 것은 17세기 이후의 상황이다. 고려 시대부터 조선 중기(16세기)까지의 가족 제도와 혼인 풍속이 유사하고, 성리학적 종법질서가 정착된 조선 후기(17세기 이후)에는 '남자' 중심, '첫째' 중심으로 바뀐다.
① 남귀여가혼, 솔서혼, 예서제는 '고려~조선 중기'에 주로 나타나는 현상이다. 조선 후기에는 친영제가 일반화된다.
② 자녀 균분상속은 '고려~조선 중기'에 주로 나타나는 현상이다. 조선 후기에는 장자 우선 상속이 이루어진다.
③ 호적에 남녀를 기재할 때, 연령순 기재는 '고려~조선 중기'에 주로 나타나는 현상이다. 조선 후기에는 남녀순으로 기재된다.

09 고려 시대 혼인 풍속에 대한 설명으로 옳지 않은 것은? [2016 지방직 7급]

① 결혼 후 신랑이 신부집에 머무르는 '서류부가혼'의 혼속이 있었다.

② 국왕을 비롯한 종실의 경우 동성근친혼인 족내혼의 관행이 있었다.

③ 원의 영향으로 여러 명의 처와 첩을 두는 '다처병첩'이 법적으로 허용되었다.

④ 공녀 선발을 피하기 위해 어린 신랑을 처가에서 양육해 혼인시키는 '예서제'가 있었다.

해설 정답 ③
원 간섭기에 들어 공녀를 피하기 위해 일부다처제가 주장되기는 하였지만, 이것이 법적으로 허용되지는 않았다.
① 고려 시대부터 조선 중기까지 처가살이가 유행하였다. 이것을 사위[壻]가 아내의 집[婦家]에 머무는[留] 혼인 풍속[婚]이라고 해서, 서류부가혼(壻留婦家婚)이라 한다. 그러나 현대사회에서 쓰는 '처가살이'라는 용어와는 구분이 되어야 한다. 혼인 후 일정기간만 남자가 여자의 집에서 머물다가 다시 자신의 집으로 돌아가기 때문이다.
② 고려 초 왕실에서는 근친혼이 성행하였다. 고려 중기 이후 근친혼 금지령이 내려졌지만, 그 풍습은 사라지지 않았다.
④ 예서제(豫壻制)란 미리[豫] 사위[壻]가 신부의 집에 가서 살다가 성장하면 결혼하는 제도[制]이다. 이것은 결혼 전부터 남자가 여자의 집에 가서 살기 때문에 서류부가혼과는 다르다. 민며느리제의 반대로 보면 좋겠다.

10 다음과 같은 주장이 나온 시기에 볼 수 있는 모습으로 가장 적절한 것은? [2016 법원직 9급]

> ○○왕 원년 2월 대부경 박유가 다음과 같은 글을 올렸다. '우리나라에는 남자가 적고 여자가 많습니다. 그런데 지위 고하를 막론하고 한 아내로 그치고 아들이 없는 사람도 감히 첩을 두지 못합니다. 다른 나라 사람이 와서는 아내를 얻는데 제한이 없습니다. 장차 인물이 모두 북쪽으로 흘러갈까 두렵습니다. 신하들에게 첩을 두는 것을 허락하면 짝이 없어 원망하는 남녀가 없어지고 인물이 밖으로 흘러나가지 않으니 인구가 점차 늘어나게 될 것입니다.' 이때 재상과 장군 가운데 아내를 무서워하는 자가 많아 그 논의를 중지하여 실행하지 못하였다.

① 경당에서 공부하는 학생
② 도평의사사로 출근하는 관리
③ 정방 설치를 지시하는 무신집권자
④ 쌍기의 과거 시행 건의를 듣는 왕

 해설

정답 ②

박유는 고려 후기에 대부경(大府卿)을 역임했던 문신이다. 박유는 충렬왕 1년(1275년) 당시 고려의 처녀들이 공녀(貢女)로 원나라에 보내지는데 반발하여 첩제(妾制)의 수용을 왕에게 건의하였다. 그러나 그의 일부다처제 주장은 '손가락질' 당하였고, 결국 시행되지 못하였다. 박유의 일부다처제 주장이 있었던 '원 간섭기'에 도평의사사로 출근하는 관리를 볼 수 있을 것이다.
① 경당은 고구려 장수왕 때 지방에 세운 사학이다.
③ '정방 설치를 지시하는 무신집권자'란 최우를 말한다. 무신 집권기의 상황이다.
④ '쌍기의 과거 시행 건의를 듣는 왕'은 광종이다. 고려 초기의 상황이다.

명호샘의 한마디!!

'박유의 일부다처제 주장'이 출제되면 1) 원 간섭기, 또는 2) 충렬왕 재위 기간 중 일어난 사건을 묻는 문제이다. 박유가 일부다처제를 주장하던 시기의 상황은 다음과 같다.

1. 일연선사가 『삼국유사』를 저술하였다. ➡ 2013 지방직 9급
2. 도평의사사로 출근하는 관리 ➡ 2016 법원직 9급
3. 다포 양식 건물이 등장하여 지붕을 웅장하게 얹거나 건물을 화려하게 꾸밀 때 쓰였다. ➡ 2020 경찰
4. 자기 제작에 활용되던 상감기법이 퇴조하였다. ➡ 2020 경찰
5. 불화가 많이 그려졌는데 혜허의 관음보살도가 유명하다. ➡ 2020 경찰

03 중세의 경제

이명호 한국사 기출로 적중

01 토지 제도와 수취 체제의 정비

01 고려 시대의 조운제도에 대한 설명으로 옳지 않은 것은? [2016 국가직 7급]

① 양계에서는 조세를 현지 경비로 사용하였다.

② 조창에서 개경까지의 운반은 조창민이 담당하였다.

③ 조운량이 증가하자 주교사 소속의 배를 이용하였다.

④ 조운 기간은 일반적으로 2월부터 5월이었다.

해설 정답 ③

주교사(舟橋司)는 말 그대로 주교(배다리)를 놓는 일을 하는 관청으로, 조선 정조 때 설치되었다. 주교사는 정조가 수원행차를 할 때 배다리를 놓는 일뿐만 아니라, 호서·호남 지역의 조운 업무도 담당하게 되었다.

①, ②, ④ 조운(漕運)이란 지방에서 현물로 거둔 조세를 중앙으로 운송하던 제도이다. 조운의 방식에는 육운, 수운, 해운이 있었다. 고려 시대에 조운을 위하여 각 지방에 포(浦)를 설치했는데, 북계·동계의 양계에는 포를 설치하지 않았다. 양계에서 거둔 조세는 국경의 현지 경비로 사용하므로 조운을 할 필요가 없었기 때문이다. 11월부터 1월까지 모은 조세를 2월부터 5월까지 운송하였다.

※ 그 밖의 자세한 내용은 2권 〈제5편 주제별 기출분석〉에서 다룹니다.

02 | 고려 시대의 경제 활동

01 농 업

01 다음과 같은 문화 활동을 전후한 시기의 농업 기술 발달에 관한 내용으로 옳은 것을 [보기]에서 모두 고르면?   [2009 국가직 9급]

- 서예에서 간결한 구양순체 대신에 우아한 송설체가 유행하였다.
- 고려 태조에서 숙종 대까지의 역대 임금의 치적을 정리한 〈사략〉이 편찬되었다.

[보기]
ㄱ 2년 3작의 윤작법이 점차 보급되었다.
ㄴ 원의 〈농상집요〉가 소개되었다.
ㄷ 우경에 의한 심경법이 확대되었다.
ㄹ 상품 작물이 광범위하게 재배되었다.
ㅁ 가축의 뒷거름을 이용한 비료가 보급되었다.

① ㄱ, ㄴ
② ㄴ, ㄷ, ㅁ
③ ㄱ, ㄴ, ㄷ, ㅁ
④ ㄴ, ㄷ, ㄹ, ㅁ

해설   정답 ③

송설체는 조맹부체라고 한다. 조맹부는 원나라 때 활동했던 문인이므로, 그의 글씨체가 유행하였던 시기는 당연히 '고려 후기'이다. 성리학적 명분론을 바탕으로 서술된 이제현의 「사략」은 공민왕 때의 저술로서, 그 시기 또한 '고려 후기'이다.
ㄹ 상품 작물이 '광범위하게 재배'되었든 (그냥) '재배'되었든 '상품 작물'이라는 말은 조선 후기에나 쓸 수 있는 표현이다.
ㄱ 2년 3작의 윤작법이 '점차 보급'된 것은 고려 후기, 2년 3작이 널리 행해진 것은 조선 전기이다.
ㄴ 이암이 원의 농서 「농상집요」를 소개한 것은 고려 후기이다.
ㄷ 우경에 의한 심경법, 즉 '소를 이용한 깊이갈이'가 일반화된 것은 고려 후기이다.
ㅁ '가축의 뒷거름을 이용한 비료'란 들의 풀이나 갈대를 베어와 태우거나 갈아엎은 녹비에 동물의 똥오줌을 함께 사용하는 퇴비를 말한다. 녹비법(綠肥法)이라고 부르는 이 시비법은 고려 후기에 발달하였다.

02 수공업, 상업, 무역

02 고려의 대외 문물교류에 대한 다음 설명 중 옳은 것은?   [2012 서울시 9급]

① 고려와 가장 활발하게 교역을 한 나라는 거란이었다.
② 고려의 북진정책으로 인해 여진과의 교류는 없었다.
③ 대식국인으로 불린 아라비아 상인들은 주로 요를 거쳐 고려와 교역하였다.
④ 고려는 송으로부터 비단, 약재, 책, 악기 등을 수입하였다.
⑤ 대외 무역이 발전함에 따라 청해진은 국제 무역항으로 번성하였다.

해설   정답 ④

고려는 송으로 금·은 등의 귀금속과 종이·먹·인삼 등의 수공업품, 나전칠기·화문석 등의 토산물을 '수출'하였다. 송으로부터 '수입'한 것은 왕실과 귀족의 수요품인 비단·약재·서적·자기·악기 등이었다.

① 고려와 가장 활발하게 교역을 한 나라는 '송'이었다.

② 고려는 여진으로부터 은, 모피, 말 등을 수입하였으며, 여진으로 농기구와 곡식(식량)을 수출하였다.

③ 대식국인(大食國人)은 아라비아인을 말한다. 당시 아라비아인들은 송과 활발하게 무역을 하고 있었으므로, 이들은 송나라를 거쳐 고려와도 교역을 하였다. 아라비아 상인들의 상선은 예성항으로 출입하면서 주로 수은, 향료, 산호 등을 고려로 들여왔다.

⑤ 대외 무역이 발전함에 따라 '벽란도'는 국제 무역항으로 번성하였다.

03 다음에서 고려와 송(宋) 사이의 해상 무역로로 가장 활발하게 이용된 것은?   [2011 지방직 7급]

> ㉠ 예성강 – 군산도 – 밍저우(明州)
>
> ㉡ 예성강 – 군산도 – 광저우(廣州)
>
> ㉢ 예성강 – 장산곶 – 산둥(山東)반도
>
> ㉣ 예성강 – 장산곶 – 보하이(渤海)만

① ㉠   ② ㉡

③ ㉢   ④ ㉣

해설   정답 ①

송이 금나라에 화북 지역을 빼앗겨 남쪽 임안(항저우)에 남송을 새로 건국(1127)하면서 교역로도 남쪽으로 이동하였다.

북송 때 송과의 무역로	벽란도 → 옹진 → 산둥반도 → 덩저우
남송 때 송과의 무역로	벽란도 → 흑산도(군산도) → 밍저우

04 고려 시대의 경제에 대한 설명으로 틀린 것은? [2012 서울시 7급]

① 시전을 만들어 국영 점포를 열었다.

② 하급관료와 군인의 유가족에게는 구분전을 지급하였다.

③ 먹, 종이, 금, 은 등 수공업 제품을 소에서 생산하였다.

④ 공물에는 매년 내야 하는 상공과 수시로 거두는 별공이 있었다.

⑤ 5일마다 장시가 열려 농민, 수공업자, 상인이 물품을 교환하였다.

> **해설** 　　　　　　　　　　　　　　　　　　　　　　　　　　　　　　정답 ⑤
>
> 15세기 후반에 삼남 지방에서 시작된 장시는 16세기에 전국적으로 확대되어, 18세기 중엽에는 전국에 1,000여 개소에 이르렀다. 특히 '5일장'은 조선 후기에 정착되었다.

05 다음과 같은 정책이 시행되었던 시대의 경제 상황에 대한 설명으로 옳은 것은?

[2013 국가직 9급]

> • 해동통보를 비롯한 돈 15,000관을 주조하여 관리들에게 나누어 주었다.
> • 은 한 근으로 우리나라 지형을 본 딴 은병을 만들어 통용시켰는데, 민간에서는 이를 활구(闊口)라 불렀다.

① 공인이 상업 활동을 주도하였다.

② 시전 상인의 금난전권을 제한하였다.

③ 대도시에 주점, 다점 등의 관영 상점을 두었다.

④ 시장을 감독하는 관청으로 동시전을 설치하였다.

> **해설** 　　　　　　　　　　　　　　　　　　　　　　　　　　　　　　정답 ③
>
> 해동통보는 12세기 초 고려 숙종 때 만들어진 화폐이다. 은병(활구)도 같은 시기에 만들어진 고액화폐이다. 즉 고려 시대의 경제 상황을 묻는 문제이다. 고려 시대 상업의 특징 중 하나는 개경, 서경, 동경 등의 대도시에 서적점, 약점, 주점, 다점 등 관영 상점(국영 점포)을 설치하여 운영하였다는 점이다.
> ① 공인이 상업 활동을 주도한 시기는 대동법이 확대 시행되고 있었던 17세기 후반이다.
> ② 시전 상인의 금난전권이 제한(폐지)된 것은 18세기 정조 때이다.
> ④ 동시전은 6세기 지증왕 때의 시장 감독 관청이다.

06 고려 시대의 경제생활에 대한 설명으로 옳은 것을 [보기]에서 모두 고른 것은? [2018 서울시 9급]

> **[보기]**
> ㉠ 성종은 건원중보를 만들어 전국적으로 사용하게 하려 했으나 성공하지 못하였다.
> ㉡ 고려후기 관청수공업이 쇠퇴하면서 민간수공업이 발달하였다.
> ㉢ 예성강 어귀의 벽란도는 고려의 국제무역항이었다.
> ㉣ 원 간섭기에는 원의 지폐인 보초가 들어와 유통되기도 하였다.

① ㉠, ㉡, ㉢

② ㉠, ㉢, ㉣

③ ㉡, ㉢, ㉣

④ ㉠, ㉡, ㉢, ㉣

해설 　　　　　　　　　　　　　　　　　　　　　　　　　　　정답 ④

㉠ 건원중보는 고려 성종 때 만든 화폐이다. 건원중보는 철전(鐵錢)과 동전(銅錢)이 있는데, 흔히 아는 엽전처럼 둥그런 외형에 네모난 구멍이 뚫린 모습이다. 996년(성종 15)에 처음으로 주조되어 이듬해부터 사용되기 시작하였으나 1002년(목종 5) 폐지되었다. 즉, 건원중보가 발행되었으나 널리 이용되지 못하였다. ◑ 2024 국가직 9급

㉡ 고려 전기에는 관청수공업과 소 수공업이 중심이었으나, 후기에는 민간수공업과 사원수공업이 발달하였다. 즉, 고려 후기에는 관청수공업이 쇠퇴하면서 민간수공업이 발달하였다.

㉢ 벽란도는 고려 개경 서쪽을 흐르는 예성강 어귀에 있던 무역항이다. 이곳은 개경으로 물자가 들어오고 나가는 대표 항구로, 송(宋)의 사신을 맞이하기 위해 벽란정(碧瀾亭)을 설치하였기 때문에 벽란도라고 칭해졌으며, 예성항(禮成港)이라고도 불렸다.

㉣ 원 간섭기에는 원의 지폐인 보초가 들어와 지배층에서 사용되었다. 보초(寶鈔)는 처음에는 군표(軍票)로 사용되다 여·원 연합군의 일본 침략 준비를 계기로 원 경제권에서 통용되는 공통 화폐적 성격을 띠게 되었다. 특히 은이 부족한 상황에서 보초를 사용할 수밖에 없었다. 그런데 보초의 통용은 고려 물자의 유출을 초래하였고 물가를 폭등시키는 원인이 되었다. 특히 원의 몰락으로 보초는 휴지 조각이 되고 말았다. 보초 소지자들은 경제적으로 큰 타격을 입었고, 권문세족이 정치적으로 몰락하는 원인이 되기도 하였다.

07 밑줄 친 '왕'의 재위 시기에 있었던 사실로 옳은 것을 [보기]에서 모두 고른 것은?

[2022 법원직 9급]

> 주전도감에서 왕에게 아뢰기를 "나라의 백성이 돈을 사용하는 것의 유리함을 이해하고 그것을 편리하다고 생각하게 되었으니 이 사실을 종묘에 고하십시오."라고 하였다. 이해에 또 은병도 만들어 화폐로 사용하였는데, 그 제도는 은 한 근으로 만들되 우리나라의 지형을 따서 만들었고, 민간에서는 활구라고 불렀다.

[보기]

ㄱ. 해동통보가 발행되었다.

ㄴ. 의천이 화폐 주조를 건의하였다.

ㄷ. 원의 화폐인 지원보초가 유통되었다.

ㄹ. 저화라고 불린 지폐가 제작되어 사용되었다.

① ㄱ, ㄴ
② ㄱ, ㄷ
③ ㄴ, ㄹ
④ ㄷ, ㄹ

해설
정답 ①

주전도감을 설치하고, '우리나라의 지형을 따서' 은병(활구)을 발행한 왕은 숙종(재위 1095~1105)이다. 숙종 때, (동생) 의천의 건의에 따라, 해동통보, 삼한통보 등의 동전과 은병이라는 은전이 발행되었다.

ㄷ. 원의 화폐인 지원보초가 유통된 시기는 원간섭기이다. 숙종은 고려 중기의 왕이다.

ㄹ. 저화라고 불린 지폐가 제작되어 사용된 시기는 고려말 공양왕 때이다.

08 다음 정책을 시행한 왕에 대한 설명으로 옳은 것은?

[2023 계리직 9급]

> 주전도감(鑄錢都監)에서 아뢰기를, "나라 사람들이 비로소 동전 화폐 사용의 이로움을 알아 편리하게 되었으니 바라건대 종묘에 고하소서."라고 하였다. 이 해에 또한 은병(銀瓶)을 사용하여 화폐로 삼았는데, 그 제도는 은 1근으로 만들되 우리나라 지형을 본뜬 것으로 속칭 활구(闊口)라고 하였다.
>
> ◑『고려사』

① 남경을 건설하였다.
② 감무를 파견하였다.
③ 양현고를 설치하였다.
④ 정계와 계백료서를 지었다.

해설
정답 ①

'주전도감'에서 '은병(활구)'을 발행한 왕은 고려 숙종이다. 숙종 때, 남경개창도감을 설치하고 남경을 건설하였다.

② 예종 때, 감무를 파견하였다.

③ 예종 때, 양현고를 설치하였다.

④ 태조 왕건 때, 정계와 계백료서를 지었다.

09 고려 시대의 수공업에 대한 설명으로 옳지 않은 것은? [2011 지방직 9급]

① 고려 시대의 수공업은 관청수공업, 소(所)수공업, 사원수공업, 민간수공업으로 구분할 수 있다.

② 중앙과 지방의 관청에서는 그곳에서 일할 기술자들을 공장안(工匠案)에 등록해 두었다.

③ 소(所)에서는 금, 은, 철 등 광산물과 실, 종이, 먹 등 수공업 제품 외에 생강을 생산하기도 하였다.

④ 고려 후기에는 소(所)에서 죽제품, 명주, 삼베 등 다양한 물품을 만들어 민간에 팔기도 하였다.

해설 정답 ④

소 수공업의 주 생산품은 죽제품, 명주, 삼베가 아니라 ③에서 언급된 '금, 은, 철 등 광산물과 실, 종이, 먹 등 수공업 제품 외에 생강'이었다. 또한 소에서는 국가의 통제하에 물품이 생산되었으며, 그 생산품을 민간에 팔 수 없었다. 생산품은 공물로 납부되었다.

10 고려 시대 및 조선 시대에 통용된 화폐를 사용된 시기 순으로 옳게 나열한 것은?

[2010 서울시 7급 변형]

① 건원중보 → 삼한통보 → 팔방통화

② 삼한통보 → 건원중보 → 은병

③ 건원중보 → 저화 → 은병

④ 은병 → 건원중보 → 상평통보

해설 정답 ①

건원중보(고려 성종) → 삼한통보(고려 숙종) → 팔방통화(조선 세조)

11 다음 상황이 나타난 시기에 볼 수 있는 모습으로 옳은 것은? [2017 지방직 9급]

> 대외 무역이 발전하면서 예성강 어귀의 벽란도가 국제 무역항으로 번성했으며, 대식국(大食國)으로 불리던 아라비아 상인들도 들어와 수은 · 향료 · 산호 등을 팔았다.

① 해동통보와 은병(銀甁) 같은 화폐를 만들어 사용하였다.

② 인구 · 토지면적 등을 기록한 장적(帳籍, 촌락문서)이 작성되었다.

③ 개성의 송상은 전국에 송방(松房)이라는 지점을 개설해서 활동하였다.

④ 지방 장시의 객주와 여각은 상품의 매매뿐 아니라 숙박 · 창고 · 운송 업무까지 운영하였다.

'예성강 어귀의 벽란도'가 국제 무역항으로 번성하였고, '아라비아 상인들'이 수은, 향료, 산호 등을 가져와서 팔았던 '시기'는 고려 시대이다. 고려 숙종 때 해동통보와 은병(銀甁) 같은 화폐를 만들어 사용하였다.

② 통일신라 시대에 인구·토지면적 등을 기록한 장적(帳籍, 촌락문서), 즉 민정문서가 작성되었다.

③ 조선 시대에 개성의 송상은 전국에 송방(松房)이라는 지점을 개설해서 활동하였다.

④ 조선 후기에 포구상업이 발달하면서, 지방 장시의 객주와 여각은 상품의 매매뿐 아니라 숙박·창고·운송 업무까지 운영하였다.

12 다음에서 설명하는 화폐가 사용된 시기의 경제 상황으로 옳은 것은?　　　　[2017 국가직 9급]

> 초기에는 은 1근으로 우리나라 지형을 본떠 만들었는데 그 가치는 포목 100필에 해당하는 고액이었다. 주로 외국과의 교역에 사용되었으며 후에 은의 조달이 힘들어지고 동을 혼합한 위조가 성행하자, 크기를 축소한 소은병을 만들었다.

① 이앙법이 전국적으로 보급되었다.

② 책, 차 등을 파는 관영상점을 두었다.

③ 동시전이 설치되어 시장을 감독하였다.

④ 청해진이 설치되어 무역권을 장악하였다.

제시된 자료에서 '우리나라 지형을 본떠' 만든 화폐는 '은병'으로, 고려 숙종 때 제작되었다. 문제에서 '이 화폐가 사용된 시기'란 좁게 보면 '고려 숙종 때'이고 넓게 보면 '고려 시대'이다. 고려 시대 경제의 매우 중요한 특징 중의 하나가 '관영상점의 운영'이다. 고려 시대에는 개경·서경·동경 등의 대도시에 서적점, 약점, 주점, 다점 등 관영 상점(국영점포)을 설치하여 운영하였다.

① 이앙법이 전국적으로 보급된 시기는 '조선 후기'이다.

③ 동시전이 설치된 시기는 지증왕 때이므로 '삼국 시대'이다.

④ 청해진이 설치된 시기는 흥덕왕 때이므로 '통일신라 시대'이다.

04 중세의 문화

01 유학의 발달과 교육 기관

01 유학의 발달

01 다음 고려 시대 조서의 의도에 부합하지 않은 것은?

[2011 국가직 9급]

> 중앙에 있는 문신은 매달 시 3편·부 1편을, 지방관은 매년 시 30편·부 1편씩을 바치도록
> 하라.

① 국자감 설치

② 제술업 시행

③ 음서제 시행

④ 수서원 설립

해설 　　　　　　　　　　　　　　　　　　　　　　　　　　　　　　　　　　　　　정답 ③

고려 성종이 문신들에게 매월 시부를 지어 바치게 한 문신월과법(文臣月課法)에 대한 설명이다. 문신월과법은 1) 유학 진흥 책이며 2) 고려가 문치주의 사회였음을 증명하는 제도이다. 유학을 진흥시키기 위해 성종 때에는 최고 중앙 교육기관으로 국자감을 설치하였고, 서경에는 수서원이라는 도서관을 설치하였다. 광종 때에는 과거 제도가 실시되었는데 그 중에서도 특히 글 쓰는 능력을 측정하는 제술업이 중시되었다.

③ 음서제를 유학 진흥책이나 문치주의 사회의 증명으로 보기보다는 '고려 사회의 귀족적 특성'을 보여주는 제도로 이해하기 바란다.

02 밑줄 친 '유학자'에 대한 설명으로 옳은 것은?

[2021 국가직 9급]

> 풍기군수 주세붕은 고려 시대 <u>유학자</u>의 고향인 경상도 순흥면 백운동에 회헌사(晦軒祠)를
> 세우고, 1543년에 교육 시설을 더해서 백운동 서원을 건립하였다.

① 해주향약을 보급하였다.

② 원 간섭기에 성리학을 국내로 소개하였다.

③ 『성학십도』를 저술하여 경연에서 강의하였다.

④ 일본의 동정을 담은 『해동제국기』를 저술하였다.

해설 　　　　　　　　　　　　　　　　　　　　　　　　　　　　　　　　　　　　　정답 ②

조선 중종 때 주세붕은 '안향'을 제사 지내기 위해 백운동 서원을 건립하였다. 순흥(順興)은 안향의 본관이고, 회헌(晦軒)은 안향의 호이다. 즉 밑줄 친 '유학자'는 안향(1243~1306)이다.

② 안향은 충렬왕을 따라 원에 갔다가 공자와 주자의 화상(畫像)을 그려 와 고려에 주자학을 보급하였다. ○ 2015 경찰간부

성인의 도는 일상생활의 윤리에 불과하다. 자식은 마땅히 효도하고, 신하는 마땅히 충성하며, 예로 집안을 바로잡고, 신의로 벗을 사귀며, 자신을 수양할 때는 반드시 경(敬)으로 해야 하고, 사업을 일으켜 세우는 데는 반드시 성(誠)으로 해야만 한다. 저 불교는 부모를 버리고 출가하여 인륜을 무시하고 의리에 역행하니, 일종의 오랑캐 무리다. 근래에 전란의 여파로 학교가 파괴되어 유학을 배우려는 학자는 배울 바를 모르고, 배우고자 하는 사람은 불경을 즐겨 읽어서 그 아득하고 공허한 교리를 신봉하니 나는 이를 매우 슬퍼한다. 내 일찍이 중국에서 주자의 저술을 보니 성인의 도를 밝히고 있다. 선불교를 배척한 주자의 공로는 공자와 짝할 만하다. 공자의 도를 배우려면 먼저 주자를 배우는 것보다 더 나은 것이 없다. 여러 학생은 주자의 새로운 서적을 돌려가면서 읽고 배우기를 힘써 소홀히 말라. ○ 안향의 글 ○ 2009 서울시 9급

① 해주향약과 파주향약을 보급한 사람은 율곡 이이이다.

③ 『성학십도』, 『주자서절요』 등을 저술한 사람은 퇴계 이황이다.

④ 신숙주는 세종 때 일본에 다녀와 성종 때 『해동제국기』를 저술하였다.

02 사학의 부흥과 관학 진흥책

03 다음은 어느 관리의 이력이다. 밑줄 친 (가)~(라)에 대한 설명으로 옳은 것은? [2012 법원직 9급]

목종 8년 과거에 장원으로 급제
현종 4년 국사수찬관으로 (가) 《칠대실록》을 편찬
정종 1년 지공거(知貢擧)가 되어 과거를 주관
문종 1년 (나) 문하시중이 되어 율령서산(律令書算)을 정함
문종 4년 도병마사를 겸하게 되자 (다) 동여진에 대한 대비책을 건의함
문종 9년 퇴직 후 학당을 설립, (라) 9개의 전문강좌를 개설

① (가) – 현존하는 가장 오래된 관찬 역사서이다.

② (나) – 재신과 낭사로 구성된 최고 기관의 장이었다.

③ (다) – 동북 9성을 건설한 계기가 되었다.

④ (라) – 양현고의 지원을 받아 번성하였다.

🗞️해설   정답 ②

제시된 자료는 최충(984~1068)의 이력이다. 최충은 문종 1년 중서문하성(재신+낭사)의 장관인 문하시중이 되었다.

그는 송악산 아래의 자하동에 학당을 마련하여 낙성(樂聖), 대중(大中), 성명(誠明), 경업(敬業), 조도(造道), 솔성(率性), 진덕(進德), 대화(大和), 대빙(待聘) 등의 9재(齋)로 나누고 각각 전문 강좌를 개설토록 하였다. 그리하여 당시 과거 보려는 자제들은 반드시 먼저 그의 학도로 입학하여 공부하는 것이 상례로 되었다. ○ 2015 지방직 9급

① 현존하는 가장 오래된 관찬 역사서는 「삼국사기」이다. 「7대실록」은 고려왕조실록이 거란의 침입으로 소실되자 다시 편찬한 실록이다. 그런데 「7대실록」도 임진왜란 때 완전히 소실되었다.

③ 최충이 여진에 대한 대비책을 건의하였지만, 이것이 동북 9성 개척과 관련된 것은 아니다. 동북 9성 개척은 윤관의 업적이다.

④ 최충은 9재학당(문헌공도)을 개설하여 사학 융성의 계기를 마련하였다. 문헌공도는 9경(주역, 상서, 예기, 주례 등)과 3사(사기, 한서, 후한서)를 중심으로 교육하였다. ○ 2015 지방직 9급 사학이 융성하여 관학이 위축되자 '숙종 – 예종 – 인종' 때 관학진흥책이 실시되었다. 양현고는 예종 때 실시한 관학진흥책 중의 하나이다.

04 다음 자료와 관련된 고려 정부의 대응으로 가장 옳은 것은? [2020 법원직 9급]

> 최충이 후진들을 모아 열심히 교육하니, 유생과 평민이 그의 집과 마을에 차고 넘치게 되었다.
> 마침내 9재로 나누었다. …… 이를 시중 최공의 도라고 불렀다. 의관자제로서 과거에 응시하
> 려는 자들은 반드시 먼저 이 도에 속하여 공부하였다. …… 세상에서 12도라고 일컬었는데,
> 최충의 도가 가장 성하였다.

① 원으로부터 성리학을 수용하였다.

② 주자가례와 소학을 널리 보급하였다.

③ 국학에 처음으로 양현고를 설치하였다.

④ 만권당을 짓고 유명한 학자들을 초청하였다.

해설   정답 ③

제시된 자료는 최충의 9재학당을 비롯한 사학 12도의 융성에 대한 설명이다. 이런 사학의 융성에 대응하여 고려 정부가
실시한 것은 '관학 진흥책'이다. 예종은 관학 진흥책으로서 국자감(국학)에 양현고를 설치하였다.

숙종	예종	인종
서적포 설치 **○** 2007 법원직 9급	• 청연각, 보문각 설치 **○** 2015 경찰 • 양현고 설치 **○** 2022 법원직 9급, 2020 법원직 9급 • 7재 **○** 2021 국가직 9급, 2017 국가직 7급	• 경사 6학 **○** 2016 지방직 7급, 2009 지방직 9급 • 향교(향학 증설) **○** 2016 지방직 7급

①, ②, ④ 성리학 수용, 주자가례와 소학의 보급, 만권당에서 학문 교류는 모두 원 간섭기의 사실로 고려 중기 사학의 융성에
대응한 관학 진흥책으로 보기 어렵다. 또한 주의할 점은 '국자감에 유학부와 기술학부를 두는 것'은 관학 그 자체이지, 관학
진흥책으로 보기 어렵다. **○** 2007 법원직 9급

05 밑줄 친 '왕'의 재위 기간에 있었던 사실로 가장 옳은 것은? [2022 법원직 9급]

> **왕**은 윤관이 이끄는 별무반을 파견하여 여진을 정벌한 후 동북쪽에 9개의 성을 쌓아 방어하도
> 록 하였다.

① 광덕, 준풍이라는 연호를 사용하였다.

② 최승로가 시무 28조의 개혁안을 제시하였다.

③ 양현고를 설치하여 관학을 진흥시키고자 하였다.

④ 의천 등의 건의를 받아들여 주전도감을 설치하였다.

해설　　　　　　　　　　　　　　　　　　　　　　　　　　　　　　　　　　　　정답 ③

'별무반을 파견'하여 '동북쪽에 9개의 성'을 쌓은 왕은 예종(재위 1105~1122)이다. 예종은 관학 진흥책의 대표 주자로 7재, 양현고, 청연각과 보문각을 설치하였다. 숙종, 예종, 인종은 여진과의 대립과 관학 진흥책을 연결시켜서 생각해야 한다.

구 분	숙 종	예 종	인 종
여진과의 대립	• 별무반 설치	• 동북 9성 개척	• 이자겸의 사대 수락
관학 진흥책	• 서적포 설치	• 양현고 설치 • 7재 설치 • 청연각, 보문각 설치	• 경사 6학 정비 • 향교(향학) 증설

06　다음에서 서술하는 ㉠에 대한 설명으로 옳은 것은?　　　　　　[2014 계리직]

> (㉠)을/를 다시 짓고 이색을 판개성부사 겸 (㉠) 대사성으로 삼았다. (중략) 이색이 다시 학칙을 정비하고 매일 명륜당에 앉아 경을 나누어 수업하고, 강의를 마치면 서로 더불어 논란하여 권태를 잊게 하였다.
>
> ◐ 「고려사」

① 성리학을 중흥하기 위하여 공민왕 때에 중영(重營)되었다.

② 조선 시대에 사헌부, 사간원과 더불어 3사(三司)라고 불렸다.

③ 여러 군현에 설치되어 양인 이상의 신분은 입학이 가능하였다.

④ 7재(七齋)를 두어 학문을 전문화시켰으며, 양현고를 두어 후원하였다.

해설　　　　　　　　　　　　　　　　　　　　　　　　　　　　　　　　　　　　정답 ①

'명륜당'이라는 건물이 있으며, 장관이 '대사성'인 ㉠은 성균관이다. 성균관에는 공자의 위패를 모신 '대성전'이 있었고, ◐ 2018 지방직 교행 그 북쪽으로 유생들의 강학 장소인 '명륜당'이 있었으며, 도서관인 '존경각'이 있었다. 공민왕은 1351년에 즉위하여 1367년 국학인 성균관을 중영(재정비)하였다.

② 사헌부, 사간원과 더불어 3사(三司)라고 불린 것은 '홍문관'이다.

③ 군현(지방)에 설치되어 양인 이상의 신분이 입학 가능하였던 것은 '향교'이다. 향교에서는 지방관리와 서민의 자제가 교육을 받을 수 있었으며, 특히 지방 향리의 자제를 교육시켜 중앙 관료로 편입하는 데 활용되었다.

④ 7재(七齋), 양현고 등은 '국자감'과 관련된 개념이다.

 명호샘의 한마디!!

이 문제의 자료는 '공민왕' 문제에도 사용된다. 이 자료를 통해 '공민왕 때 성리학 교육을 강화하였다'는 것을 알 수 있다.

> (공민)왕이 명하여 성균관을 다시 짓고 그를 판개성부사 겸 성균관 대사성으로 임명하였으며, 경술(經術)이 뛰어난 선비들을 택하여 교관으로 삼았다. 이에 그는 다시 학칙을 정하여 매일 명륜당에 앉아 경전을 공부하고, 강의를 마치면 서로 토론하게 하였다. 이로 말미암아 학자들이 많이 모여 함께 눈으로 보고 마음으로 느끼는 가운데 성리학이 비로소 일어나게 되었다.

07 다음은 고려 전기의 연표이다. 각 시기에 대한 설명으로 옳은 것을 바르게 모은 것은?

[2012 기상직 9급]

태조		성종		문종		숙종		의종
	(가)		(나)		(다)		(라)	

ㄱ (가) : 전시과를 처음으로 제정하였다.
ㄴ (나) : 압록강 입구에서 도련포까지 천리장성을 쌓았다.
ㄷ (다) : 국학의 진흥을 위해 양현고를 설치하였다.
ㄹ (라) : 일연이 「삼국유사」를 편찬하였다.

① ㄱ, ㄴ

② ㄴ, ㄷ

③ ㄷ, ㄹ

④ ㄱ, ㄹ

해설   정답 ①

ㄱ (가)에는 혜종, 정종, 광종, 경종이 들어간다. 경종 때 전시과가 처음으로 제정되었다. 이것을 시정전시과라고 한다.

ㄴ (나)에는 목종, 현종, 덕종, 정종이 들어간다. 거란의 침입이 종결된 후 고려의 북쪽 국경 일대에 천리장성을 쌓은 것은 1033년부터 1044년까지이다. 덕종, 정종 때이다.

ㄷ 양현고는 예종이 설치하였다. (라)에 들어간다.

ㄹ 「삼국유사」는 충렬왕 때 편찬되었다. '의종' 이후에 들어간다.

---

02 | 사상과 신앙

※ '도교'와 '불교'는 2권 〈제5편 주제별 기출분석〉에서 다룹니다.

01 풍수지리설

01 밑줄 친 '이 사상'에 대한 설명으로 옳지 않은 것은?   [2016 국가직 9급]

신라 말기에 도선과 같은 선종 승려들이 중국에서 유행한 이 사상을 전하였다. 이는 산세와 수세를 살펴 도읍·주택·묘지 등을 선정하는, 경험에 의한 인문 지리적 사상이다. 아울러 지리적 요인을 인간의 길흉 화복과 관련하여 생각하는 자연관 및 세계관을 내포하고 있다.

① 신라 말기에 안정된 사회를 염원하는 일반 백성의 인식이 반영되었다.

② 신라 말기에 호족이 자기 지역의 중요성을 자부하는 근거로 이용하였다.

③ 고려 시대에 묘청이 서경 천도의 필요성을 주장하는 논리로 활용하였다.

④ 고려 시대에 국가와 왕실의 안녕과 번영을 기원하는 초제로 행하여졌다.

해설

정답 ④

'이 사상'은 풍수지리사상이다. 풍수지리사상은 산세, 지세, 수세 등을 판단하여 인간의 길흉화복(吉凶禍福)에 연결시키는 사상이다. 풍수지리설은 신라 말부터 고려 시대에 전성을 이루었으며 조정과 민간에 널리 보급되었다. 풍수지리의 대가인 도선은 선종 계통의 승려로서, 전 국토의 자연 환경을 유기적으로 파악하는 인문 지리적 지식에 경주 중앙 귀족들의 부패와 무능, 지방 호족들의 대두, 오랜 전란에 지쳐 통일의 안정된 사회를 염원하는 일반 백성들의 인식을 종합하여 체계적인 풍수 도참설을 만들었다.

④ 초제는 도교의 제사이다.

02 다음에 나타난 사상에 대한 설명으로 옳지 않은 것은?

[2017 국가직 9급]

> 신(臣)들이 서경의 임원역 지세를 관찰하니, 이곳이 곧 음양가들이 말하는 매우 좋은 터입니다. 만약 궁궐을 지어서 거처하면 천하를 병합할 수 있고, 금나라가 폐백을 가지고 와 스스로 항복할 것이며, 36국이 모두 신하가 될 것입니다.

① 서경 천도 운동의 배경이 되었다.
② 문종 때 남경 설치의 배경이 되었다.
③ 하늘에 제사 지내는 초제의 사상적 근거가 되었다.
④ 공민왕과 우왕 때 한양 천도 주장의 근거가 되었다.

해설

정답 ③

제시된 자료는 '서경길지설'을 주장하였던 묘청의 서경천도 운동 관련 자료이다. '지세', '음양가', '좋은 터' 등의 표현을 볼 때 이 자료에는 풍수지리사상이 나타나고 있음을 알 수 있다. 풍수지리사상은 ① 고려 시대에 서경 천도 운동의 배경이 되었으며(1135), ② 문종 때 남경길지설의 대두로 남경 설치의 배경이 되었고, ④ 공민왕과 우왕 때 한양길지설의 대두로 한양 천도 주장의 근거가 되기도 하였다.

③ 초제는 '도교'의 제사 의식이다.

03 | 과학 기술과 예술의 발달

01 | 과학 기술

01 천문학의 발전과 관련된 내용으로 옳지 않은 것은?

[2010 국가직 7급]

① 고구려 고분에서는 천문관측을 수행했음을 보여주는 별자리 그림이 확인된다.

② 신라에서는 천문관측이 제도화되어 서운관에서 천문학 관련 업무를 관장하였다.

③ 고려에서는 천문관측을 담당한 관리들이 첨성대에서 관측업무를 수행하였다.

④ 조선 초기에는 고구려의 천문도를 바탕으로 천상열차분야지도를 제작하였다.

해설   정답 ②

서운관(書雲觀) 또는 사천대(司天臺)는 천문과 역법을 담당하였던 '고려 시대'의 관청이다. 조선 시대까지 이어지다가 조선 세조 때 관상감(觀象監)으로 이름이 바뀌었다.

① 고구려 고분에서는 천문관측을 수행했음을 보여주는 별자리 그림이 확인된다.

③ 첨성대는 1) 신라 선덕여왕 때의 첨성대 ● 2019 지방직 9급, 2) 고려 시대의 첨성대가 있다. 고려의 첨성대는 다섯 개의 돌 기둥 위에 돌판을 올려놓은 모양으로, 개성 만월대 서쪽에 있다.

④ 조선 태조 때 천상열차분야지도를 제작하였다.

> 예전에 평양성에 천문도를 새긴 석각이 있었다. 세월이 흘러 석각은 사라졌고 그것의 탁본조차 매우 희귀해져서 찾아볼 수 없었다. 그런데 왕이 즉위한 지 얼마 되지 않아 그 천문도의 탁본을 바친 사람이 있었다. 이에 왕이 서운 관에 명하여 그것을 바탕으로 돌에 새기도록 하였다. ● 「양촌집」

 명호샘의 한마디!!

조선은 건국 초기부터 천문도를 만들었다. 태조 때에는 고구려의 천문도를 바탕으로 천상열차분야지도를 돌에 새겼다. 한국사 능력검정시험에서는 '고구려의 천문도를 바탕으로' 하였다는 점을 더욱 구체적으로 묻기 위해 '천상열차분야 지도 제작에 영향을 준' 평양 진파리 4호분 천장 그림과 별자리를 출제한 적이 있다. 평양 진파리 천문도에는 28개의 별자리와 북두칠성 등이 그려져 있는데, 북두칠성은 크게 그리고 다른 별들은 밝기에 따라서 차등을 두어 그렸다.

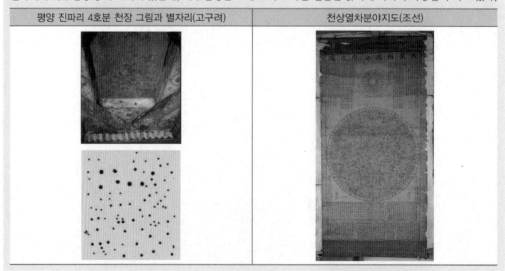

평양 진파리 4호분 천장 그림과 별자리(고구려)	천상열차분야지도(조선)

02 고려 시대 과학기술에 대한 다음 설명 중 가장 적절하지 않은 것은? [2012 경찰]

① 고려 초에는 당의 선명력을 사용하였으나, 충선왕 때에는 원의 수시력을 받아들였다.

② 토지측량 기구인 인지의와 규형을 제작하여 토지측량과 지도제작에 활용하였다.

③ 최무선은 중국인 이원에게서 염초 만드는 기술을 배워 화약 제조법을 터득하였다.

④ 태의감에 의학 박사를 두어 의학을 가르치고, 의원을 뽑는 의과를 시행하였다.

🔖해설 　　　　　　　　　　　　　　　　　　　　　　　　　　　　　　정답 ②

인지의와 규형을 토지측량과 지도제작에 활용한 것은 조선 세조이다. '인지의'는 지형의 높고 낮음을 측량하는 기구이고, '규형'은 거리의 원근을 측량하는 기구이다. 세조 때 정척, 양성지 등은 인지의와 규형을 이용하여 최초의 실측 지도인 동국지도(東國地圖)를 제작하였다.

① 고려 초기에는 신라 시대부터 사용하였던 당의 선명력을 그대로 사용하였다. 그러나 충선왕 때 원의 수시력을 받아들였고, 공민왕 때에는 명의 대통력을 사용하였다. 조선 시대에 들어 세종 때에는 독자적인 역법서인 칠정산 내편과 외편을 제작하여 사용하였다.

③ 고려 말 중국으로부터 화약 제조법이 전래되었다. 당시 중국은 화약 제조법의 국외 유출을 철저하게 차단하고 있었지만, 최무선은 벽란도를 왕래하는 중국 상인 등을 통해 화약 제조법을 터득하였다. 특히 중국인 이원으로부터 화약의 중요한 원료인 염초(질산칼륨) 제조 기술을 배워 터득하였다.

④ 태의감(太醫監)은 1) 의학 박사를 두어 의학 교육을 담당하고, 2) 왕실의 의약과 질병치료에 관한 업무를 담당하였다. 또한 과거에는 의과를 두어 의원을 배출하였다.

03 다음 중 고려 시대의 과학 기술에 대한 설명으로 가장 적절한 것은? [2011 경찰]

① 이암이 원(元)의 「농상집요」를 가져왔는데, 지방관인 강희맹이 간행하여 널리 보급하였다.

② 공민왕 때에 나흥유가 만들어 왕에게 바친 「혼일강리도」는 조선 태종 때 이회 등이 만든 「혼일강리역대국도지도」의 토대가 되었다.

③ 「삼화자향약방」은 조선 초기 「향약구급방(鄕藥救急方)」의 편찬에 많은 기여를 하였다.

④ 정천익(鄭天益)은 기후와 풍토가 다른 우리나라에서 목화재배에 성공하고, 중국 승려로부터 씨아와 물레의 기술을 배워 의류혁명에 크게 기여했다.

🔖해설 　　　　　　　　　　　　　　　　　　　　　　　　　　　　　　정답 ④

공민왕 때 문익점이 목화씨를 가져왔다. 정천익이 목화 재배에 성공하였다. ④에서 의류혁명에 크게 기여했다는 말이 고려 시대에 이미 무명 의류 사용이 늘었다는 뜻은 아니다. 조선 시대에 무명옷을 입고 다니게 된 '혁명'에 기여했다는 의미이다.

① 이암이 「농상집요」를 가져왔다. 고려 말 '강시'가 이 책을 간행하여 보급하였다. 강시의 후손인 '강희맹'과 '강희안'이 조선 초기에 각각 「금양잡록」, 「양화소록」을 편찬하였다.

② 나흥유는 공민왕 때의 무신(武臣)으로, 지도 제작에 관심이 많았다. 그러나 나흥유가 「혼일강리도」를 만든 것은 아니다. 「혼일강리도」는 중국의 세계 지도이며, 이것을 바탕으로 「혼일강리역대국도지도」가 만들어졌다.

③ 「삼화자향약방」은 고려 말의 의학서인데, 전해지지는 않는다. 「향약구급방(鄕藥救急方)」은 무신정권기에 편찬되었으므로 삼화자향약방이 향약구급방에 영향을 줄 수는 없다. 삼화자향약방이 편찬에 기여하였다면 그것은 조선 세종 때의 「향약집성방(鄕藥集成方)」일 것이다.

04 밑줄 친 '이 기구'가 설치된 왕 대에 있었던 사실로 옳은 것은? [2017 국가직 9급]

> 조정은 중국의 화약 제조 기술을 터득하여 <u>이 기구</u>를 두고, 대장군포를 비롯한 20여 종의 화기를 생산하였으며, 화약과 화포를 제작하였다.

① 복원궁을 건립하여 도교를 부흥시켰다.
② 흥덕사에서 직지심체요절을 간행하였다.
③ 교장도감을 설치하여 속장경을 간행하였다.
④ 시무 28조를 수용하여 유교정치를 구현하였다.

해설 정답 ②

'우왕 때' 최무선의 건의로 화약 및 화기의 제조를 담당하는 관청인 화통도감을 설치하였다(1377). 같은 해에 청주 흥덕사에서 직지심체요절이 간행되었다(1377).

> 비로소 '화통도감'을 설치했다. 판사 최무선의 말을 따른 것이다. 이때에 원나라의 염초 장인 이원이 최무선과 같은 동네 사람이었다. 최무선이 몰래 그 기술을 물어서 집의 하인들에게 은밀하게 배워서 시험하게 하고 조정에 건의했다.
> ❷『고려사절요』 ❷ 2024 지방직 9급

① 복원궁을 건립한 왕은 '예종'이다.
③ 교장도감을 설치하여 속장경을 간행한 왕은 '선종~숙종'이다.
④ 최승로의 시무 28조를 받아들인 왕은 '성종'이다.

05 고려의 문화에 대한 설명 중 가장 옳은 것은? [2018 서울시 9급]

① 고려의 귀족문화를 대표하는 백자는 상감기법을 이용한 것이다.
② 고려는 세계 최초로 금속활자를 발명하였다.
③ 팔만대장경판은 거란의 침입을 물리치기 위한 염원을 담아 만든 것이다.
④ 고려는 불교국가여서 유교문화가 발전하지 못하였다.

해설 정답 ②

고려 시대 금속활자는 세계에서 가장 먼저 창안된 금속활자이다. 현재 금속활자 인쇄본으로는 『백운화상초록불조직지심체요절(白雲和尙抄錄佛祖直指心體要節, 보물 제1132호)』이 전해지고 있다. 직지심체요절은 독일의 구텐베르크 금속활자 인쇄본보다 약 70여 년 앞선 1377년(우왕 3년)에 제작된 것으로 현존하는 가장 오래된 금속활자 인쇄본이다. 한편, 이보다 앞서 금속활자로 인쇄된 사례도 '기록'으로 전해지고 있는데, 가장 대표적인 것은 강화천도 때 국가의 의례서인 『상정고금예문(詳定古今禮文)』을 가져오지 않아 이후 다시 인쇄·간행했다는 기록이다. 『상정고금예문』은 1234년에 금속활자로 인쇄된 것으로 여겨진다.

① 상감기법은 작업 대상의 표면을 파내고 색이 있는 물질을 채워 넣어서 문양을 내는 기법이다. 상감기법을 이용한 것은 백자가 아니라 '상감청자'이다.
③ 거란의 침입을 불력으로 물리치기 위해 판각된 것은 '초조대장경'이다. 팔만대장경은 몽골 침입에 대응하여 만든 대장경이다.
④ 고려 시대의 유교는 정치와 관련한 치국(治國)의 도로서, 불교는 신앙 생활과 관련한 수신(修身)의 도로서 서로 보완하는 기능을 수행하면서 유교 문화와 불교 문화가 함께 발전하였다.

06 (가) 문화유산에 대한 설명으로 옳은 것은?

> __(가)__ 은/는 1377년 청주 흥덕사에서 인쇄한 것이다. 독일 구텐베르크가 인쇄한 책보다 70여 년 앞서 간행된 것으로 밝혀졌다. 현재 유네스코 세계 기록 유산으로 등재되어 있다.

① 최윤의 등이 지은 의례서를 인쇄한 것이다.

② 몽골의 침략을 물리치려는 염원을 담고 있다.

③ 현존하는 금속활자본 중에서 가장 오래된 것이다.

④ 우리나라 풍토에 맞는 처방과 약재 등이 기록되어 있다.

해설 　　　　　　　　　　　　　　　　　　　　　　　　　　　　　　　　　정답 ③

1377년 청주 흥덕사에 인쇄된 '직지심체요절'은 현존하는 금속활자본 중에서 가장 오래된 것이다. 이것은 독일 구텐베르크가 인쇄한 책보다 70여 년 앞서 간행된 것으로, 현재 유네스코 세계 기록 유산으로 등재되어 있다.

① 최윤의 등이 지은 의례서를 인쇄한 것은 '상정고금예문'이다(1234, 고려 고종). 이것은 인쇄되었다는 기록만 동국이상국집에 전해질 뿐, 인쇄본은 남아있지 않다.

② 몽골의 침략을 물리치려는 염원을 담고 있는 것은 '팔만대장경(재조대장경)'이다(1236, 고려 고종).

④ 우리나라 풍토에 맞는 처방과 약재 등이 기록된 고려 시대의 서적은 '향약구급방'이다(고려 고종).

07 다음 역사적 사실들을 시대 순서대로 가장 적절하게 나열한 것은?

> ㉠ 「상정고금예문」이 간행되었다.
>
> ㉡ 일연이 「삼국유사」를 편찬하였다.
>
> ㉢ 김부식이 「삼국사기」를 편찬하였다.
>
> ㉣ 의천이 교장도감을 두어 「교장」을 편찬하였다.

① ㉣ - ㉢ - ㉠ - ㉡ 　　　　　　　　　　② ㉢ - ㉣ - ㉠ - ㉡

③ ㉠ - ㉣ - ㉢ - ㉡ 　　　　　　　　　　④ ㉣ - ㉠ - ㉡ - ㉢

해설 　　　　　　　　　　　　　　　　　　　　　　　　　　　　　　　　　정답 ①

㉣ 11세기 말 숙종 때, ㉢ 1145년 인종 때, ㉠ 1234년 고종 때, ㉡ 13세기 말 충렬왕 때

08 고려 시대의 건축과 조형예술에 대한 설명으로 옳지 않은 것은?　　　　　[2012 지방직 9급]

① 초기에는 광주 춘궁리 철불 같은 대형 철불이 많이 조성되었다.

② 지역에 따라서 고대 삼국의 전통을 계승한 석탑이 조성되기도 하였다.

③ 팔각원당형의 승탑이 많이 만들어졌는데, 그 대표적인 예로 법천사 지광국사 현묘탑을 들수 있다.

④ 후기에는 사리원의 성불사 응진전과 같은 다포식 건물이 출현하여 조선 시대 건축에 큰 영향을 끼쳤다.

⌨해설　　　　　　　　　　　　　　　　　　　　　　　　　　　　　　　　　정답 ③

법천사 지광국사 현묘탑은 특수형태의 승탑이다. 고려 시대의 팔각 원당형 승탑으로는 고달사지 승탑, 흥법사지 진공대사탑 등이 있다.

09 ㉠과 ㉡에 해당하는 건축물에 대한 설명으로 옳은 것은?　　　　　[2016 국가직 7급]

> 공포를 기둥 위에만 배치하는 (㉠)양식은 고려 시대의 일반적 건축양식이었다. 공포를 기둥과 기둥 사이에도 배치하는 (㉡)양식 건물은 고려 후기에 등장하지만 조선 시대에 널리 유행하였다.

① ㉠ - 부석사 무량수전은 간결한 맞배지붕 형태이다.

② ㉠ - 팔작지붕인 봉정사 극락전은 장엄하고 화려하다.

③ ㉡ - 수덕사 대웅전은 백제계 사찰의 전통을 이었다.

④ ㉡ - 맞배지붕의 성불사 응진전이 이에 해당한다.

⌨해설　　　　　　　　　　　　　　　　　　　　　　　　　정답 ④

㉠은 주심포 양식이고, ㉡은 다포 양식이다. 주심포 양식에는 맞배지붕이, 다포 양식에는 팔작지붕이 주로 채택된다. 그러나 ① 부석사 무량수전은 '주심포 양식, 팔작 지붕'이고, ④ 성불사 응진전은 '다포 양식, 맞배 지붕'이다.

② 봉정사 극락전은 '주심포 양식, 맞배 지붕'이다.

③ 수덕사 대웅전은 배흘림 기둥이 낮고, 기둥 사이는 넓어서 안정감을 주는 백제계 사찰의 전통을 이었다. 그러나 '주심포 양식, 맞배 지붕'이므로, ㉠에 해당한다.

성불사 응진전

10 다음 설명에 해당하는 문화유산은?

> 이 건물은 주심포 양식에 맞배지붕 건물로 기둥을 배흘림 양식이다. 1972년 보수 공사 중에
> 공민왕 때 중창하였다는 상량문이 나와 우리나라에서 가장 오래된 목조 건물로 보고 있다.

① 서울 흥인지문

② 안동 봉정사 극락전

③ 영주 부석사 무량수전

④ 합천 해인사 장경판전

📖**해설**　　　　　　　　　　　　　　　　　　　　　　　　　　　　　　　　정답 ②

'주심포 양식'에 '맞배 지붕' 건물이며, '우리나라에서 가장 오래된 목조 건물'은 안동 봉정사 극락전이다.

---

02 예술

11 다음은 고려 후기의 문학 작품이다. 이러한 작품들에 대한 설명으로 가장 옳은 것은?

> 살어리 살어리랏다
> 청산에 살어리랏다
> 멀위랑 다래랑 먹고
> 청산에 살어리랏다

① 송나라 문학과 음악의 영향을 받았다.

② 한림별곡, 관동별곡 등이 대표적인 작품이다.

③ 국가와 백성의 평안을 비는 내용들이 대부분이다.

④ 민요풍의 가요로 일반 서민 사이에서 유행하였다.

📖**해설**　　　　　　　　　　　　　　　　　　　　　　　　　　　　　　　　정답 ④

제시된 자료는 고려 후기의 '청산별곡'이다. 청산별곡은 속요(고려가요, 장가)에 속한다. 속요는 민용품의 가요로 일반 서민
사이에서 유행하였으며, 서민의 생활 감정을 대담하고 자유분방한 형식으로 드러내었다. ◐ 2007 인천시 9급

① 송나라 문학과 음악의 영향을 받은 것은 '아악'이다. 아악은 송의 대성악의 영향을 받아 우리나라에서 궁중 음악으로 발전
　하였으며, 제례 때 연주하였다.

② 한림별곡, 관동별곡, 죽계별곡 등은 신진사대부의 생활상을 노래한 경기체가이다.

③ '국가와 백성의 평안을 비는 내용들이 대부분'이라는 표현만으로는 문학이나 음악의 장르를 확정짓기 어려우나, 이 표현
　에 가장 가까운 것은 용비어천가, 월인천강지곡 등 조선 시대의 '악장'이다.

명호쌤의 한마디!!

속요는 1) 고려 후기의 문학이다. 2) 서민 문학이다. 3) 청산별곡, 쌍화점, 가시리가 대표적인 작품이다.

> 살어리 살어리랏다　　청산(靑山)에 살어리랏다.
> 멀위랑 ᄃᆞ래랑 먹고　　청산(靑山)에 살어리랏다.
> 얄리얄리 얄라셩 얄라리 얄라
> 우러라 우러라 새여 자고 니러 우러라 새여.
> 널라와 시름 한 나도 자고 니러 우니로라.
> 얄리얄리 얄라셩 얄라리 얄라 (……하략)

12 다음 글을 쓴 인물에 대한 설명으로 옳은 것은?

[2012 경찰간부]

> 동명왕의 일은 변화·신이로써 여러 사람의 눈을 현혹한 것이 아니고, 실로 나라를 창시한 신기한 사적이니 이것은 서술하지 않으면 후인들이 장차 어떻게 볼 것인가? 그러므로 시를 지어 기록하여 우리나라가 본래 성인(聖人)의 나라라는 사실을 천하에 알리고자 하는 것이다.

① 현존하는 우리나라 최고의 역사서를 편찬하였다.

② 고금의 예문을 모은 「상정고금예문」을 편찬하였다.

③ 그의 시와 글을 모은 「동국이상국집」이 남아 있다.

④ 우리 역사를 중국사와 대등하게 파악한 「제왕운기」를 저술하였다.

해설　　　　　　　　　　　　　　　　　　　　　　　　　　　　　정답 ③

제시된 자료는 「동명왕편」으로 이규보(1168~1241)가 쓴 역사서이다. 이규보의 저술 중 「동명왕편」, 「동국이상국집」, 「백운소설」, 「국선생전」은 꼭 외워두기 바란다.

① 「삼국사기」를 편찬한 김부식이다.

② 「상정고금예문」이 금속활자로 인쇄된 것은 1234년 고종 때이지만, 「상정고금예문」 자체가 편찬된 것은 인종 때이다. 최윤의 등이 편찬하였으며, 정식 명칭은 「상정예문」이다. 이규보의 「동국이상국집」에 「상정고금예문」을 금속활자로 인쇄하였다는 사실이 기록되어 있다.

④ 「제왕운기」는 이승휴가 저술하였다.

 명호쌤의 한마디!!

이규보의 「동국이상국집」은 1241년에 편찬되었다. 고려가 몽골의 침입으로 인하여 강화로 천도했을 때이다. 「동국이상국집」에는 다음과 같은 사실이 기록되어 있다.

1) 1231년에 몽골이 침입하였다.

2) 세계 최초의 금속활자본인 상정고금예문이 인쇄되었다(1234).

3) 부인사에 보관되어 있던 초조대장경이 소실되어, 재조대장경 판각을 시작하였다.

4) 김생, 유신, 탄연, 최우를 신품사현(神品四賢)이라 하였다.

13 다음 글을 쓴 인물이 만난 국왕에 대한 설명으로 옳은 것은?　　　　　　[2016 지방직 7급]

> 도기의 빛깔이 푸른 것을 고려인은 비색(翡色)이라고 한다. 근래에 만드는 솜씨와 빛깔이
> 더욱 좋아졌다. 술그릇의 형상은 참외 같은데, 위에 작은 뚜껑이 있고 그 위에 연꽃에 엎드린
> 오리 모양이 있다.

① 관학 진흥을 위해 국자감에 7재를 처음 설치하고 양현고를 두었다.

② 평양에 기자를 숭배하는 기자사당을 세워 국가에서 제사하기 시작했다.

③ 경사 6학을 정비하고 지방의 주현에 향학을 증설하여 유교 교육을 확산시켰다.

④ 전국을 5도 양계로 나누고 그 안에 3경 5도호부 8목을 두어 지방제도를 완비하였다.

해설　　　　　　　　　　　　　　　　　　　　　　　　　　　　　　　정답 ③

「고려도경」은 송나라 사신 서긍이 12세기 인종 때 고려에 들어와 약 한 달간 고려를 기행하고 돌아가, 고려의 각종 풍속을
글로 남긴 책이다. (위의 문제 참조)

③ 인종 때 국자감의 경사 6학을 정비하고, 지방에 향학(향교)을 증설하여 유교 교육을 확산시켰다. 향교는 인종 이전에도
　있었겠지만, 현재 남아있는 기록 중 향교가 언급된 것은 인종 때가 가장 오래된 것이다. 이 문제는 그 부분을 고려하여
　향교 설치라고 하지 않고, '향학(향교) 증설'이라고 한 것이다.

① 예종 때의 관학진흥책은 1) 청연각, 보문각 설치, 2) 양현고 설치, 3) 국자감에 7재 설치이다.

② 기자숭배는 그 이전부터 있었지만, 평양에 기자를 숭배하는 '사당'이 세워진 것은 충숙왕 때이다.

④ 현종 때 전국을 5도 양계로 나누었다. 그리고 3경(개경, 서경, 동경)이라는 특수행정구역이 있었다. 군사적 방비를 위해서
　도호부를 두었는데, 시기에 따라 도호부의 개수가 바뀌었으므로 시험에서는 4도호부 또는 5도호부로 나온다. 8목은 성
　종 때의 12목을 정비한 것으로, 광주 · 충주 · 진주 · 상주 · 전주 · 나주 · 황주의 8지역을 말한다.

14 아래의 도자기와 관련된 설명으로 옳은 것은?　　　　　　[2008 선관위 9급]

(가)　　　　　　　　　　　(나)

① (가)에 사용된 기법은 나전수법에서 시작하였으며 원 간섭기 이후 퇴조하였다.

② (나)는 민간에까지 널리 사용되었고 다채로운 안료를 사용하였다.

③ (가)에서 (나)로의 변화는 고려의 독창적 상감기법이 개발된 성과였다.

④ (가)에서 (나)로 변화한 것은 (나)가 순백의 고상함을 풍겨 선비들의 취향과 어울렸기 때문이다.

해설

(가)는 상감청자, (나)는 분청사기이다. 상감청자는 나전수법에서 시작하였으며, 원 간섭기 이후 퇴조하여 그 이후에 (나)의 분청사기가 유행하였다.

② 민간에까지 널리 사용되었고 다채로운 안료를 사용한 것은 조선 후기의 청화백자, 철화백자, 진사백자를 말한다.

③ 고려의 독창적 상감기법이 개발되어 (가)의 상감청자가 생겨났다. (가)에서 (나)로 변하면서 청자의 빛깔이 퇴조하였다.

④ 순백의 고상함을 풍겨 선비들의 취향과 어울린 것은 16세기의 순백자이다.

명호샘의 한마디!!

상감청자의 시험 포인트는 1) 시기, 2) 제작 방식, 3) 생산지이다. 이와 관련된 기출 문장들을 확인해두기 바란다.

1) 자기 제작에 상감기법이 개발되어 무늬를 내는 데 활용되었으나 원 간섭기 이후에는 퇴조하였다.

> 2020 경찰

2) 상감청자 – 분청사기 – 청화백자의 순서로 제작되었다. > 2007 충북 기술직

3) 12세기 중엽에는 고려의 독창적인 상감기법이 개발되어 도자기에 활용되었다. > 2015 경찰

4) 상감청자는 주로 경기도 광주, 여주 일대에서 만들어졌다.(×) > 2007 서울시 9급 → 상감청자의 주 생산지는 전남 강진, 전북 부안, 강화도이다.

15 다음 그림에 대한 설명으로 옳은 것은?

[2010 지방직 7급]

| (가) | (나) | (다) | (라) |

① (가) : 이상적인 불국토를 건설한다는 미륵신앙의 상징이다.

② (나) : 통일신라기 교종불교가 성행하였음을 보여준다.

③ (다) : 청자에 백토분을 칠한 것으로 소박하고 천진스러운 무늬가 어우러져 있다.

④ (라) : 이것이 유행한 시기에는 서민들도 옹기 대신 백자를 널리 사용하였다.

해설

① (가): 강서고분의 사신도 중 현무(玄武)의 모습이다. 사신도는 '도교'의 상징이다.

② (나): 쌍봉사 철감선사 승탑이다. 이것은 통일신라 시대의 전형적인 팔각 원당형의 승탑으로 '선종'이 성행하였음을 보여 주는 유물이다.

③ (다): 분청사기이다. 분청사기는 '청자에 백토분을 칠한 것'이다. 이것을 좋게 평가할 때에는 '소박하다', '천진스럽다'고 말하지만, 실망한 느낌으로 평가할 때에는 '청자의 빛깔이 퇴조하였다'고 표현한다. 맞는 말이다.

④ (라): 청화백자이다. 이것은 '민간에까지 유행'하였다는 점이 특징이다. 이 시기에는 백자(순백자)보다는 '다양한 안료'를 쓴 청화백자, 철화백자, 진사백자 등이 유행하였다. 서민들은 청화백자와 함께 '옹기'도 많이 사용하였다. 그러므로 '옹기 대신 백자'라는 말은 틀리다.

16 다음의 고려 전기의 문화와 예술에 대한 설명 중 옳은 것은?

① 부석사 무량수전과 같은 다포식 건물이 만들어졌다.

② 승려의 사리를 보관하는 승탑이 많이 만들어졌다.

③ 상감청자는 주로 경기도 광주, 여주 일대에서 만들어졌다.

④ 관촉사 석조미륵보살입상과 같은 거대한 불상이 조성되었다.

⑤ 조맹부의 유려한 글씨체인 송설체가 유행하였다.

🔖해설   정답 ④

논산 관촉사 석조미륵보살입상은 우리나라에서 제일 큰 불상으로 높이가 18미터에 이른다. 충청도 불상의 지방적 특색을 대표하는 유물이다. 머리에는 원통형의 높은 관을 쓰고 있고, 체구에 비하여 얼굴이 매우 크다. 이 불상은 968년 광종 때 만들어졌다.

① 부석사 무량수전은 신라 문무왕 때 짓고, 현종 때 고쳐 지었으나 공민왕 때 불에 타 버려서, 우왕 때 다시 지었다. 그러므로 현재의 무량수전은 '고려 우왕' 때 것이며, 시험에서도 시기를 이때로 보고 있다. 즉 고려 후기의 건축물이며, '주심포 양식'이다.

② 승탑이 많이 만들어진 시기는 선종이 유행하던 시기이다. 신라 하대와 고려 무신정권기에 많이 만들어졌다. 무신정권기는 고려 후기에 포함된다.

③ 상감청자는 무신정권기에 많이 만들어졌다. 무신정권기는 고려 후기이므로, 시기도 틀리지만 상감청자의 주생산지가 전북 부안, 전남 강진, 강화도이므로 생산지도 잘못되었다.

⑤ 송설체는 원 간섭기에 유행하였다.

17 고려 시대의 예술에 대한 설명으로 가장 적절하지 않은 것은?

① 다포 양식은 공포가 기둥 위뿐만 아니라 기둥 사이에도 짜여져 있는 양식으로 황해도 사리원의 성불사 응진전은 대표적인 고려 시대 다포 양식의 건물이다.

② 신라 불상의 양식을 계승한 논산 관촉사 석조 미륵보살 입상은 균형미가 뛰어난 걸작이다.

③ 서예는 고려 전기 구양순체가 주류를 이루었고, 후기에는 송설체가 유행했다.

④ 고려 후기 왕실과 권문세족의 구복적 요구에 따라 극락왕생을 기원하는 아미타불도와 지장보살도 같은 불화가 많이 그려졌다.

🔖해설   정답 ②

'신라 불상의 양식을 계승'(전통 양식을 계승)한 '걸작'은 부석사 소조 아미타여래 좌상에 어울리는 평가이다. 이 불상은 균형미가 뛰어나다. 그러나 논산 관촉사 석조 미륵보살 입상은 '거대한 불상'으로, 큰 몸체에 관을 쓰고 있어서 균형미가 있다고 평가하기는 어렵다.

① 황해도 사리원의 성불사 응진전은 고려 시대 '다포 양식'의 건물이라는 사실뿐만이 아니라, 맞배 지붕과 배흘림 기둥을 갖추고 있는 것도 알아 두어야 한다.

③ 고려 전기에는 왕희지체와 '구양순체'가 유행했고, 후기에는 원과의 교류가 활발해지면서 송설체(조맹부체)가 들어와 유행했다.

④ 고려 후기에는 불화(佛畫)가 많이 그려졌다. 이때 그려진 불화의 내용은 왕실과 권문세족의 구복적 요구를 반영한 것들이었다.

18 고려 · 조선 시대 음악에 대한 설명으로 옳은 것은? [2011 지방직 9급]

① 고려 시대 향악은 주로 제례 때 연주되었다.

② 고려 시대에는 동동, 대동강, 오관산 등이 창작 · 유행되었다.

③ 조선 시대에는 정간보를 만들어 음악의 원리와 역사를 체계화하였다.

④ 조선 시대 가사, 시조, 가곡 등은 아악을 발전시켜 연주한 것이다.

🔍 해설 정답 ②

고려 시대 음악에서 꼭 구분해야 할 것은 '향악(속악)'과 '아악'이다. 향악은 우리 고유음악이 당악의 영향을 받아 발달한 것으로, 대표적인 작품은 동동, 대동강, 오관산 등이다. 한편 아악은 송에서 수입된 대성악이 궁중음악으로 발전한 것으로서, '제례 때 연주'되었다.

① 주로 제례 때 연주된 것은 '아악'이다.

③ 조선 세종은 소리의 장단과 높낮이를 표현할 수 있는 정간보를 창안하였다. 정간보는 전통음악의 악보일 뿐이다. 음악의 원리와 역사, 악기, 무용, 의상 및 소도구까지 망라하여 정리함으로써 전통 음악을 유지하고 발전시키는 데 기여한 것은 성종 때의 「악학궤범」이다.

④ 가사, 시조, 가곡 등은 아악의 범주에 들어가지 않는다.

19 다음과 같은 사회 현상이 일어난 시기의 사실로 옳지 않은 것은? [2012 경찰간부]

> 당시에 겁령구, 내수, 천구까지 다 사전(賜田)을 받아서 그 중 많은 자는 수백 결에 이르렀다. 그들은 보통 농민을 유인해서 전민으로 만들고 또 민전으로서 그 부근에 있는 것에 대해서는 모두 전조를 거두어들였으므로 주현에서는 세납이 들어올 곳이 없었다.

① 중추원이 밀직사로 격하되었다.

② 송설체라는 새로운 글씨체가 도입되었다.

③ 밭농사에서 2년 3작 윤작법이 점차 보급되었다.

④ 최초의 금속활자로 인쇄한 의례서가 간행되었다.

🔍 해설 정답 ④

가장 중요한 단어는 겁령구(怯怜口)이다. 겁령구는 겁련구라고도 한다. '게링구'라는 몽골어를 한문으로 쓴 것이다. 고려에서 겁령구라는 표현을 처음 쓰기 시작한 것은 충렬왕 때이다. 충렬왕이 원나라의 공주와 결혼을 하자 '원나라 공주의 개인 몸종'이 따라왔는데, 그를 겁령구라 불렀다. 이들은 종의 신분임에도 불구하고 고려 정부는 이들에게 사전(賜田)을 내려주었고, 이들은 기고만장해서 공주의 권력을 등에 업고 국정에 간여하거나, 남의 토지나 재물을 빼앗는 악행을 행하였다. 즉 '겁령구'라는 단어가 나오면 '원 간섭기'로 이해하면 된다.

④ '최초의 금속활자로 인쇄한 의례서'란 상정고금예문을 말한다. 상정고금예문은 1234년 무신정권기에 금속활자로 인쇄되었다.

20 고려 시대 문화에 대한 설명 중 옳은 것을 모두 고른 것은?　　　　　　　　[2017 경찰]

> ⊙ 임춘은 술을 의인화한 「국순전」을 저술하여 현실을 풍자했다.
> ⓒ 이제현은 삼국시대부터 고려 시대까지의 유명한 시화를 모은 「백운소설」을 저술하였다.
> ⓒ 이규보는 흥미 있는 사실, 불교, 부녀자들의 이야기를 수록한 「보한집」을 저술하였다.
> ⓔ 이인로는 「파한집」에서 개경, 평양, 경주 등 역사적 유적지의 풍속과 풍경 등을 묘사하였다.
> ⓜ 박인량의 「역옹패설」은 고려 시대의 대표적 설화문학에 해당한다.

① ⊙, ⓒ
② ⓒ, ⓔ
③ ⊙, ⓔ
④ ⊙, ⓒ, ⓜ

해설　　　　　　　　　　　　　　　　　　　　　　　　　　　　　　　정답 ③
무신 집권 시대에는 문인들이 현실을 도피하려는 경향이 생김에 따라 패관 문학이 발달하였는데, 이때의 작품으로는 문종 때 박인량의 수이전과 이인로의 파한집, 이규보의 백운소설, 최자의 보한집, 이제현의 역옹패설 등이 있다. 그리고, 문집으로는 이규보의 동국이상국집, 이제현의 익재집, 이곡의 가정집, 이색의 목은집, 정몽주의 포은집 등이 전한다.
ⓒ '이규보'는 삼국시대부터 고려 시대까지의 유명한 시화를 모은 「백운소설」을 저술하였다.
ⓒ '최자'는 흥미 있는 사실, 불교, 부녀자들의 이야기를 수록한 「보한집」을 저술하였다.
ⓜ '이제현'의 「역옹패설」은 고려 시대의 대표적 설화문학에 해당한다.

21 고려 시대 만들어진 서적에 관한 설명 중 옳은 것은?　　　　　　　　[2018 경찰간부]

① 숙종 때 서긍은 「고려도경」을 저술하였다.
② 예종 때 홍관은 「속편년통재」를 편찬하였다.
③ 인종 때 우리나라 풍수지리서의 각종 비록들을 모은 「해동비록」이 편찬되었다.
④ 충렬왕 때 민지는 「본조편년강목」을 편찬하였다.

해설　　　　　　　　　　　　　　　　　　　　　　　　　　　　　　　정답 ②
고려 초기에 삼한부터 고려 초까지의 역사를 담은 「편년통재(編年通載)」가 써졌고, 이어 「편년통재」에 감동한 예종이 홍관으로 하여금 「속편년통재(續編年通載)」를 편찬하게 하였다.
① '인종' 때 서긍은 「고려도경」을 저술하였다(1123).
③ '예종' 때 김인종 등이 「해동비록」을 편찬하였다(1106).
④ '충숙왕' 때 민지는 「본조편년강목」을 편찬하였다(1317). ● 2018 서울시 9급

22 고려 시대에 대한 설명으로 가장 적절한 것은? [2017 경찰]

① 충렬왕 때에는 경사교수도감을 설치하여 경학과 사학을 장려하였고, 유교 교육기관에 공자 사당인 문묘를 새로 건립하여 유교 교육의 진흥에 나섰다.

② 충선왕 때에는 원의 선명력을 채용하고 그 이론과 계산법을 충분히 소화하였다.

③ 예산 수덕사 대웅전은 고려 시대의 대표적인 다포식 양식 건물에 해당한다.

④ 의상은 흥왕사를 근거지로 삼아 화엄종을 중심으로 교종을 통합하려 하였다.

해설 정답 ①

충렬왕 때에는 유학 교육을 진흥하기 위해 섬학전과 경사교수도감을 설치하였다. 국학의 명칭을 성균관으로 바꾸고, 성균관에 공자 사당인 문묘를 새로 건립하였다.

② 충선왕 때에는 원의 '수시력'을 채용하고 그 이론과 계산법을 충분히 소화하였다.

③ 예산 수덕사 대웅전은 고려 시대의 대표적인 '주심포' 양식 건물에 해당한다.

④ '의천'은 흥왕사를 근거지로 삼아 화엄종을 중심으로 교종을 통합하려 하였다.

제2의 기본서와 같은 상세한 해설

이명호
한국사

이명호 한국사 상세한 해설 기출문제집

P/A/R/T

3

한국 근세사

제2의 기본서와 같은 상세한 해설
이명호 **한국사** 기출로 적중

01 근세의 정치

이명호 **한국사 기출로 적중**

01 조선 초기 왕의 업적

01 조선 사회에서 강조된 성리학적 명분론에 대한 설명으로 잘못된 것은?   [2012 기상직 9급]

① 경제적으로 지주전호제를 관철시키려 하였다.

② 사회적으로 양반 중심의 지배 질서와 가족 제도에 응용되었다.

③ 대외관계는 존화양이 사상으로 17세기에 친명배금 정책을 수립하였다.

④ 사상적으로 국초부터 성리학 이외의 사상과 학문 등은 철저히 배격하였다.

📖**해설**   정답 ④

성리학적 명분론(名分論)은 말 그대로 '이름에 맞는 분수를 지키는 것'이다. 군주는 군주의 자리를 지키고, 신하는 신하의 자리를 지키는 것, 양반은 양반의 자리를 지키고, 상놈은 상놈의 자리를 지키는 것이 곧 명분론이다. 성리학적 명분론은 수직적 인간관계 및 정통성을 중시한다. 경제적인 면에서는 지주와 전호의 관계가 수직적 관계이고, 대외관계 면에서는 한족이 세운 중국 왕조와 오랑캐가 세운 중국 왕조의 관계가 수직적 관계가 된다.

④ 조선 건국 초에는 훈구파가 집권하였다. 훈구파는 그것이 부국강병에 도움이 되기만 한다면, 성리학 이외의 학문이나 사상도 포용하는 태도를 보였다.

02 지도에 표시된 시기별 국경선 (ㄱ)~(ㅁ)에 대한 설명으로 옳은 것은?   [2011 서울시 9급]

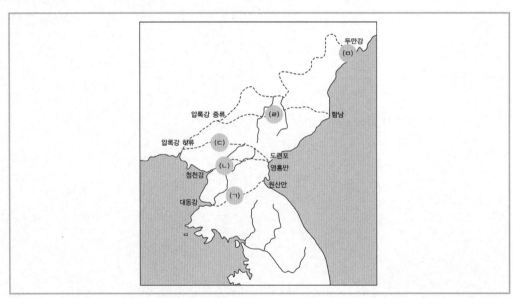

① ㉠ 신라가 삼국을 통일했을 때의 국경선이다.

② ㉡ 공민왕 때 자주정책으로 영토를 수복했을 때의 국경선이다.

③ ㉢ 고려 태조 왕건이 북진정책을 실시하여 확보한 국경선이다.

④ ㉣ 세종 때 김종서 장군이 4군 6진을 개척하여 확보한 국경선이다.

⑤ ㉤ 고려가 거란의 침략을 물리친 후 천리장성을 축조했을 때의 국경선이다.

해설 　　　　　　　　　　　　　　　　　　　　　　　　　　　　　　　　　　　정답 ①

신라 문무왕은 매소성 전투, 기벌포 전투에서 승리하면서, 평양 지역에 있던 안동 도호부를 요동으로 쫓아냈지만, 더 이상은 북쪽으로 확장하지 못하였다. 문무왕은 결국 대동강에서 원산만에 이르는 경계선으로 삼국통일을 이루었다.

㉡ 고려 태조 왕건은 북진정책을 추진하여 청천강에서 영흥만에 이르는 국경을 확보하였다.

㉢ 거란 1차 침입 때 서희의 외교 담판으로 강동 6주를 확보하게 되었는데, 이때 고려의 국경이 압록강에 닿게 되었다. 거란 침입 종결 후, 그 경계를 명확히 하고 여진과 거란의 침입을 대비하기 위해 압록강 하류에서 도련포에 이르는 천리장성을 쌓았다.

㉣ 공민왕은 쌍성총관부를 공격하여 철령 이북의 땅을 수복하였고, 압록강 중류부터 함남까지 국경을 확장하였다.

㉤ 조선 세종은 4군 6진 개척으로 여진족을 몰아내고 압록강과 두만강을 잇는 선으로 국경을 확장하였다.

03 우리나라 국경의 변화에 대한 설명으로 옳은 것은? 　　　　　　　　[2012 계리직]

① 신라는 발해와 대립하면서 국경지대에 대동강에서 원산만까지 천리장성을 쌓았다.

② 고려는 원나라가 탐라총관부를 설치한 이후 공민왕 때까지 제주도를 영토로 지배하지 못하였다.

③ 조선 태종 때에 압록강과 두만강을 경계로 하는 북방 국경선을 확정하였다.

④ 일본은 푸순광산 채굴권과 안봉선 부설권의 대가로 간도를 청의 영토로 인정하였다.

해설 　　　　　　　　　　　　　　　　　　　　　　　　　　　　　　　　　　　정답 ④

일본은 '푸순광산 채굴권과 안봉선 부설권(남만주 철도 부설권)'을 얻는 대가로 '간도'를 청의 영토로 인정하였다. 이것을 간도협약(1909)이라 한다. 19세기 후반 조선인들이 간도에 이주하여 생활의 터전을 마련하였으나, 청이 간도 개간사업을 구실로 조선인들의 철수를 요구하여 이 지역에 대한 귀속 문제가 발생하였다. 일제는 1907년 이 지역에 통감부 출장소를 설치함으로써 간도를 조선의 영토로 인정하고 있었으므로, 안봉선 부설권을 얻기 위해 '조선의 영토'인 간도를 청에 내준 것이다. 조선 세종 때 확장된 '압록강~두만강'의 경계에서 우리나라 국경의 논의를 끝내지 말라는 문제이다.

① 순서는 이렇다. 1) 고구려 천리장성, 2) 대동강에서 원산만에서 이르는 국경 확보, 3) 발해 건국, 4) 고려 천리장성

② 탐라총관부(1273~1301)는 충렬왕 때 고려에 반환되었다. 그 이후 고려 정부는 제주도를 영토로 지배하였다.

③ 조선 '세종' 때에 압록강과 두만강을 경계로 하는 북방 국경선을 확정하였다.

04 조선 초기 국왕의 업적에 대한 설명으로 옳지 않은 것은? 　　　　　　[2018 국가직 7급]

① 태조는 한양으로 천도하고 한성부로 이름을 바꾸었다.

② 태종은 창덕궁과 창경궁을 새로 건설하였다.

③ 세종은 사가독서제를 실시하여 학문 활동을 장려하였다.

④ 세조는 간경도감을 설치하여 불경을 번역하고 간행하였다.

	정답 ②

창덕궁	태종(1400~1418)이 세운 이궁(離宮)으로 후원, 돈화문 등 많은 문화재가 남아 있다. 태종이 즉위한 후 1404년(태종 4년) 한성의 향교동에 짓기 시작한 이궁은 1405년 완공되었으며, 창덕궁이라 명명하였다.
창경궁	성종(1470~1494)이 세 명의 왕대비를 위해서 지은 궁으로 조선 후기에 많이 사용된 역사적 궁궐이다. 1483년(성종 14년)에 정희왕후, 소혜왕후, 안순왕후를 위해 수강궁(壽康宮) 터에 창경궁을 지었다. 조선 시대의 궁궐 중에는 유일하게 동쪽을 향해 지어졌다.

① 1395년(태조 3년) 9월 1일, 태조는 신도궁궐조성도감(新都宮闕造成都監)을 설치하여 본격적으로 천도를 위한 토목 공사에 착수하였다. 그리고 아직 신도의 기초 공사도 이루어지기 전인 10월에 한양으로 천도하였다. 궁궐이 세워지기 전이었으므로 태조는 옛 한양부의 객사를 이궁(離宮)으로 삼았다. 12월부터 공사가 본격적으로 시작되어 1396년(태조 4년) 9월에 종묘·사직·궁전이 준공되고, 5년 정월부터 9월까지 도성과 4대문, 4소문이 준공되었다. 그 해 조정에서는 한양부를 한성부(漢城府)로 개칭하고 5부·52방으로 구획한 후 방의 명칭을 정하였다.

③ 세종은 젊고 유능한 학자들을 뽑아 집현전을 세웠으며 그들로 하여금 학문에 전념할 수 있도록 배려하고 학술적인 직무를 수행하게 하였다. 집현전은 경연(經筵)·서연(書筵)·지제교(知製敎)·사관(史官)·시관(試官) 등 학술적인 직무를 수행하였고, 젊은 문신들에게는 휴가를 주어 학문에만 전념할 수 있는 기회를 주기도 하였는데 이를 사가독서제(賜暇讀書制)라 하였다.

④ 세조는 조선 시대의 대표적 호불(숭불) 군주로서 왕자 시절부터 불교에 애착을 가졌으나 조카 단종의 왕위를 찬탈하고 즉위한 후에는 더욱 불교에 의지하였다. 세조는 간경도감(刊經都監)을 설치하여 불교 전적의 언해와 간행을 주도하였다.

05 (가) 인물의 업적으로 옳은 것은?

[2018 지방직 교행]

> 왕세자를 세우는 것은 나라의 근본을 정하는 일이다. __(가)__ 은/는 문무의 자질을 겸비하고 뛰어난 덕을 갖추었으며, 상왕께서 개국(開國)하던 때에 대의를 주장하였다. 또한 형인 과인을 호위하여 큰 공을 세웠으므로 이에 __(가)__ 을/를 왕세자로 삼는다.

① 사간원을 독립시켜 대신을 견제하였다.

② 사림을 등용하여 훈구의 독주를 막았다.

③ 경국대전을 편찬하여 통치 체제를 정비하였다.

④ 이조 전랑의 3사 관리 추천 관행을 폐지하였다.

	정답 ①

상왕이 '개국'을 할 때 대의를 주장하며 건국에 공이 큰 인물이며, '형' 다음으로 왕세자로 책봉되는 인물은 '태종(이방원)'일 가능성이 높다. 그런데 주어진 지문들을 보니, ②, ③은 성종, ④는 영조인데, 자료의 인물과 거리가 멀다.

① 사간원은 간쟁(諫諍)을 주 업무로 하는 간관이다. 고려 시대의 어사대는 조선 시대에 사헌부로 고쳐져서 정3품의 아문으로 승격되었고, 문하부(중서문하성)가 폐지되면서 낭사들은 '사간원'이라는 독립 관청이 되었다.

06 밑줄 친 '왕'의 업적으로 옳은 것은?

[2022 지방직 간호 8급]

> 왕은 6조 직계제를 시행하여 6조에서 의정부를 거치지 않고 곧바로 왕에게 재가를 받도록 함으로써 의정부의 힘을 약화시켰다. 또한 사간원을 독립시켜 대신들을 견제하였으며, 사병을 없애고 사원이 소유한 토지를 몰수하였다.

① 「정간보」를 창안하였다.　　　　② 계미자를 주조하였다.

③ 『동국병감』을 간행하였다.　　　④ 「천상열차분야지도」를 돌에 새겼다.

 해설　　　　　　　　　　　　　　　　　　　　　　　　　　　　　　　정답 ②

6조 직계제를 시행하였으며, 사간원을 독립시켜 대신들을 견제하게 한 왕은 태종(재위 1400~1418)이다. 태종은 주자소를 설치하여 계미자를 주조하였다.

① 세종 때, 「정간보」를 창안하였다.

③ 문종 때, 『동국병감』을 간행하였다.

④ 태조 때, 「천상열차분야지도」를 돌에 새겼다.

명호샘의 한마디!!

6조 직계제와 의정부 서사제를 좀 더 깊이 연구해보자.

〈6조 직계제〉	〈의정부 서사제〉
6조에서 의정부를 거치지 않고 곧바로 사안을 국왕에게 올려 재가를 받는 형식	6조에서 올라오는 모든 일을 영의정, 좌의정, 우의정이 중심이 되는 의정부에서 논한 다음, 합의된 사항을 국왕에게 올려 결재를 받는 형식
국왕 중심의 집권 체제	의정부 재상 중심의 집권 체제
태종, 세조	세종

1) 2005년 국가직 9급 문제에서는 '의정부 서사제'가 중심으로 출제되었는데, '의정부 기능의 강화로 6조 중심의 행정 체제가 유명무실해졌다.'(×)가 오답으로 출제된 적이 있다. '6조'는 6조 직계제와 의정부 서사제에서 모두 '집행'이라는 제 역할을 하였으므로 유명무실해진 것이 아니다.

2) 2004년 서울 교행 문제에서는 '6조 직계제' 자료를 주고 '규장각'을 묻는 문제가 출제되었다. 즉 6조 직계제는 '왕권 강화'의 취지에 부합하는 다른 제도들과 함께 출제될 수 있다는 점을 미리 생각해 두어야 하겠다.

<u>6조 직계제가 제시되었을 때 '같은 취지(왕권 강화)'의 답이 될 수 있는 것</u>

1. 왕위의 부자상속제

2. 율령반포, 법전 편찬

3. 관복제 도입

4. 불교 수용

5. 집사부 시중의 기능 강화

6. 지방세력 통제수단(혼인정책, 사성정책, 기인제도, 상수리제도, 사심관제도, 유향소 폐지, 서원 철폐)

7. 노비안검법

8. 신진세력 등용 및 양성 수단(과거제도, 관학, 초계문신제도)

9. 정방 폐지, 전민변정도감 설치

10. 사간원의 독립

11. 규장각 설치

12. 집사부, 의금부, 승정원 설치

13. 비변사 폐지, 도평의사사 폐지

07 다음 정치관과 관련이 깊은 정책으로 옳은 것은?

[2013 국가직 9급]

> 임금의 직책은 한 사람의 재상을 논정하는 데 있다 하였으니, 바로 총재(冢宰)를 두고 한 말이다. 총재는 위로는 임금을 받들고 밑으로는 백관을 통솔하여 만민을 다스리는 것이니 직책이 매우 크다. 또 임금의 자질에는 어리석음과 현명함이 있고 강함과 유약함의 차이가 있으니, 옳은 일은 아뢰고 옳지 않은 일은 막아서, 임금으로 하여금 대중(大中)의 경지에 들게 해야 한다. 그러므로 상(相)이라 하니, 곧 보상(輔相)한다는 뜻이다.

① 육조 직계제의 시행　　　　② 사간원의 독립

③ 의정부 서사제의 시행　　　　④ 집현전의 설치

해설

정답 ③

제시된 자료는 「조선경국전」으로, 저자인 정도전의 정치관을 살펴볼 수 있다. 재상은 '위로는 임금을 받들고' '밑으로는 만민을 다스리는' 중요한 직책이다. 또한 '임금의 자질에는 어리석은 자질도 있고 현명한 자질도 있으며, 강력한 자질도 있고 유약한 자질도 있어서 한결같지 않으니, 임금의 아름다운 점은 순종하고 나쁜 점은 바로 잡으며, 옳은 일은 받들고 옳지 않은 것은 막아서 임금으로 하여금 가장 올바른 경지에 들게 해야 한다.'고 하여 재상의 역할을 강조하였다. 정도전의 정치관을 요약하면 '민본적 재상중심의 왕도정치'이다.

재상(신하)의 권한과 역할을 강조하는 이런 정치관의 취지는 1) (의정부 재상의 의견을 들어 정책을 결정하고 집행하는) '의정부 서사제'와 유사하며, 2) 경연 제도의 시행과도 그 취지가 유사하다.

①, ② 6조 직계제는 제시된 자료와 반대되는 취지이다. 6조 직계제는 국왕 중심의 통치체제에서 비롯된 것이기 때문이다. 태종은 사간원을 독립시켜 대신들을 견제하는 한편, 언론과 언관을 억제하여 왕권을 강화시키려 하였다. '6조 직계제'와 '사간원 독립'은 취지도 유사하고, 그 실시된 시기도 비슷하므로 함께 출제되기에 좋다. 2011년 7급에서는 태종 문제로서 '6조 직계제'를 제시하고 '언론기관인 사간원을 독립시켜 대신을 견제하게 하였다'를 고르는 문제가 출제되었다.

④ 집현전은 학문 연구기관으로서 이 문제와의 관련성이 적다.

 명호샘의 한마디!!

태조 이성계의 정치 운영의 특징은 도평의사사의 관원이나 개국공신 등 다수의 관료를 동원한 것이 아니라, 정도전, 조준, 남은 등 소수의 재신을 중심으로 운영함으로써 왕권의 행사가 보다 강력할 수 있었다는 점이다. 그 중 건국의 최대공신이며, 한양 도성의 기본계획을 수립한 정도전(1342~1398)은 시험에서 매우 중요하게 다루어진다. 정도전 문제의 포인트는 '정도전이 추구한 정치방향(정치관)'이다. 그 답은 다음과 같다.

1) 재상 중심의 관료제 확립을 주장하였다. ▶ 2004 서울시 9급

2) 유교적 도덕정치를 바탕으로 한 민본적 정치를 이상으로 하고 있다. ▶ 2008 선관위

3) 조준 등과 함께 급진적인 전제개혁을 추진했으며 고려 왕조를 부정하는 역성혁명을 주장하였다.

▶ 2014 서울시 7급

<u>정도전 연보</u>

22세(1363년) – 봄에 충주목의 사록에 임명됨

30세(1371년) – 신돈이 주살되었다는 소식을 듣고 개경으로 돌아옴

33세(1374년) – 공민왕이 시해되자, 친원파 권신 이인임의 미움을 삼

34세(1375년) – 명을 협공하기 위해 입국한 북원 사신의 목을 베겠다고 저항해 전라도 나주로 귀양감

42세(1383년) – 함경도 함주막을 찾아가 이성계를 만나 혁명을 결의하고 김포로 돌아옴

<u>정도전 인물 소개 자료</u> ▶ 2015 사회복지직 9급

그는 공민왕 때에 성균관에서 성리학을 강론하였고, 이인임의 친원 외교를 비판하여 전라도 나주로 유배되었다. 조선왕조의 제도와 문물을 정리하고, 성리학을 통치 이념으로 확립하는 데에 커다란 역할을 하였다.

08 밑줄 친 '그'에 대한 설명으로 옳은 것은?

> 그는 이성계를 추대하여 조선 왕조를 개창한 공으로 개국 1등 공신이 되었으며, 의정부를 중심으로 하는 재상 중심의 관료정치를 주창하였다. 그리고 『불씨잡변』을 저술하여 불교의 사회적 폐단을 비판하였다.

① 왜구의 소굴인 쓰시마 섬을 정벌하였다.

② 백성들의 윤리서인 「삼강행실도」를 편찬하였다.

③ 여진족을 두만강 밖으로 몰아내고 6진을 개척하였다.

④ 「조선경국전」을 편찬하여 왕조의 통치 규범을 마련하였다.

해설　　　　　　　　　　　　　　　　　　　　　　　　　정답 ④

'이성계를 추대'한 조선 왕조 개창의 '1등 공신'이고, '재상 중심의 관료 정치'를 주장하였으며, 『불씨잡변』을 저술한 인물은 정도전(1342~1398)이다.

④ 정도전은 여러 차례 유배 생활을 거치는 동안 역성혁명론을 완성하면서 조선 건국에 기여했는데, 새로운 왕조 운영을 위한 경세론을 『조선경국전(朝鮮經國典)』(1394)·『경제문감(經濟文鑑)』(1395)·『경제문감별집(經濟文鑑別集)』으로 정리하여 조선의 통치 규범을 제시하였다. 또한 한양 내의 4개 산인 백악산(白岳山)·인왕산(仁旺山)·목멱산(木覓山)·낙산(駱山)에 올라 실측을 한 후, 이 산들을 연결하는 5만 9,500척의 성터를 결정하였을 뿐만 아니라, 한양 도성의 성문과 궁궐 등의 이름을 지었다. ◑ 2019 지방직 9급

> 그와 남은이 임금을 뵈옵고 요동을 공격하기를 요청하였고, 그리하여 급하게 『진도(陣圖)』를 익히게 하였다. 이보다 먼저 좌정승 조준이 휴가를 받아 집에 있을 때, 그와 남은이 조준을 방문하여, "요동을 공격하는 일은 지금 이미 결정되었으니 공(公)은 다시 말하지 마십시오."라고 말하였다. ◑ 2019 지방직 9급

① 조선 세종 때 왜구의 소굴인 쓰시마 섬을 정벌한 인물은 '이종무'이다.

② 조선 세종 때 「삼강행실도」를 편찬한 인물은 '설순' 등이다.

③ 조선 세종 때 6진을 개척한 인물은 '김종서'이다.

09 밑줄 친 '그'의 대한 설명으로 옳은 것을 [보기]에서 모두 고른 것은?

> 참찬문하부사 하륜 등이 청하였다. "정몽주의 난에 만일 그가 없었다면, 큰일이 거의 이루어지지 못하였을 것이고, 정도전의 난에 만일 그가 없었다면, 또한 어찌 오늘이 있었겠습니까? …… 청하건대, 그를 세워 세자를 삼으소서." 임금이 말하기를, "경 등의 말이 옳다."하고, 드디어 도승지에게 명하여 도당에 전지하였다. "…… 나의 동복(同腹) 아우인 그는 개국하는 초에 큰 공로가 있었고, 또 우리 형제 4, 5인이 성명(性命)을 보전한 것이 모두 그의 공이었다. 이제 명하여 세자를 삼고, 또 내외의 여러 군사를 도독하게 한다."

[보기]

ㄱ. 영정법을 도입하였다.　　　　　ㄴ. 호패법을 시행하였다.

ㄷ. 경국대전을 편찬하였다.　　　　ㄹ. 6조 직계제를 실시하였다.

① ㄱ, ㄴ　　　　　　　　② ㄱ, ㄷ

③ ㄴ, ㄹ　　　　　　　　④ ㄷ, ㄹ

해설　　　　　　　　　　　　　　　　　　　　　　　　　　정답 ③

'그'는 정몽주의 난을 진압하는 데 큰 공을 세웠다.

> 정몽주의 난 : 고려 말에 이성계의 위상이 더욱 높아지고, 조준·남은·정도전이 이성계를 왕으로 추대하려고 하자, 정몽주가 이성계를 제거하려고 하였다. 이에 이방원 세력이 선죽교에서 정몽주를 제거하였다.

'그'는 정도전의 난을 진압하는 데 큰 공을 세웠다.

> 정도전의 난 : 제1차 왕자의 난이라고도 한다. 왕위 계승을 둘러싸고 왕자 간에 싸움이 일어났으며, 이것은 정도전 세력과 이방원 세력의 권력 다툼이기도 했다.

'그'는 제2대 왕 정종의 '동복 아우'이다. '그'는 태종 이방원(재위 1400~1418)이다. 태종은 백성의 향촌 사회 이탈 방지를 위하여 호패법을 시행하였고, 왕권 강화를 위해 6조 직계제를 실시하였다.

ㄱ. 영정법을 도입한 왕은 인조이다.

ㄷ. 경국대전을 편찬한 왕은 성종이다.

10 다음의 지문과 같은 정책을 편 왕의 업적으로 가장 옳지 않은 것은?　　[2017 경찰간부 변형]

> 가. 6조를 왕이 직접 장악하여 재상중심의 정치운영을 국왕중심체제로 바꾸었다.
>
> 나. 호구와 인구 파악을 위해 호패법을 실시하였다.

① 사간원을 독립시켜 대신을 견제하게 하였다.

② 백성들의 억울함을 왕에게 호소하기 위한 제도인 신문고를 설치하였다.

③ 억울하게 공노비가 된 자를 조사하여 해방시켰다.

④ 쓰시마 도주(島主)와 계해약조를 맺어 연간 50척의 세견선을 파견할 수 있게 하였다.

해설　　　　　　　　　　　　　　　　　　　　　　　　　　정답 ④

'6조를 왕이 직접 장악'하는 통치 체제는 6조 직계제이다. 6조 직계제와 호패법을 모두 실시한 왕은 '태종'이다. 쓰시마 도주와 계해약조를 맺은 왕은 '세종'이다.

④ 이종무로 하여금 대마도를 정벌하게 한 왕은 '세종'이다.

① 태종은 언론 기관인 사간원을 독립시켜 대신들을 견제하게 하였다.

② 태종은 민의상달(民意上達) 제도로서 창덕궁 앞에 신문고(申聞鼓)를 설치하였으나, 널리 활용되지는 못하였다.

③ 노비변정도감을 설치하여 억울한 노비를 조사하여 해방시켰다.

11 다음 주장을 한 국왕이 추진한 정책으로 옳지 않은 것은? [2019 서울시 9급, 2017 법원직 9급 변형]

> 내가 일찍이 송도에 있을 때 의정부를 없애자는 의논이 있었으나, 지금까지 겨를이 없었다. 지난 겨울에 대간에서 작은 허물로 인하여 의정부를 없앨 것을 정하였으나 윤허하지 않았다. 지난번에 좌정승이 말하기를 "중국에도 승상부가 없으니 의정부를 폐지해야 한다."라고 하였다. 내가 골똘히 생각해보니 모든 일이 내 한 몸에 모이면 결재하기가 힘은 들겠지만, 임금인 내가 어찌 고생스러움을 피하겠는가.

① 사섬서를 두어 지폐인 저화를 발행하였다.

② 농민을 통제하기 위해 호패법을 실시하였다.

③ 연분 9등법과 전분 6등법을 시행하여 조세제도를 개편하였다.

④ 대신들을 견제할 목적으로 사간원을 독립시켰다.

해설
정답 ③

① 태종은 사섬서를 두어 저화를 발행하고, 주자소를 두어 계미자를 주조하고, 아악서를 두어 음악을 정리하였다.

② 호패(號牌)는 조선 시대 16세 이상의 남자가 차고 다닌 신분증명표이다. 태종실록에서는 '군민의 무리에게 모두' 호패를 주었다고 했지만, 여기에서의 '모두'는 남자(男子)만을 말한다. 이 제도의 목적은 '백성들의 유망을 근절'하는 것이었다. 즉 농민의 향촌 사회 이탈을 방지하기 위한 농민 통제책이었다. 호패법은 태종 때 처음으로 실시되었다(1413).

> 군민(軍民)의 무리에게 모두 호패를 주었습니다. 이 때문에 백성들이 유망(流亡)할 마음을 근절하여 호구가 증감하는 폐단이 없어졌습니다. 이는 세상의 변함에 따라서 법을 다루는 방법입니다. ◐태종실록

④ 태종은 의정부로부터 사간원을 독립시켜 대신들을 견제하는 한편 언론과 언관을 억제하였다.

③ 연분 9등법과 전분 6등법 즉, 공법을 시행하여 조세제도를 개편한 왕은 '세종'이다.

12 밑줄 친 '왕'이 재위하던 시기에 편찬되지 않은 것은? [2017 국가직 9급 하반기]

> 지금 우리 왕께서도 밝은 가르침을 계승하시고 다스리는 도리를 도모하시어 더욱 백성들의 일에 뜻을 두셨다. 여러 지방의 풍토가 같지 않아 심고 가꾸는 방법이 지방에 따라서 차이가 있기 때문에 옛 글의 내용과 모두 같을 수가 없었다. 이에 각 도의 감사들에게 명령하시어, 주·현의 노농(老農)을 방문하여 그 땅에서 몸소 시험한 결과를 자세히 듣게 하시었다. 또 신 정초(鄭招)에게 명하시어 말의 순서를 보충케 하시고, 신 종부소윤 변효문(卞孝文) 등이 검토해 살피고 참고하게 하여, 그 중복된 것은 버리고 절실하고 중요한 것은 취해서 한 편의 책을 만들었다.

① 『향약제생집성방』　　　② 『향약집성방』

③ 『향약채취월령』　　　　④ 『의방유취』

해설 정답 ①

'노농(老農)을 방문'하여 그 땅에서 '몸소 시험한'(경험한) 결과를 바탕으로 쓴 농서이며, 정초와 변효문이 참여한 농서는 『농사직설』이며, 이에 따라 밑줄 친 '왕'은 세종(1418∼1450)이다. 세종 때 『향약채취월령』(1431), 『향약집성방』(1433), 『의방유취』(1445)가 편찬되었다.

① 『향약제생집성방』은 태조 때 편찬한 의학서로, 『향약집성방』의 기초가 되었다.

13 다음 사건이 발생한 왕의 재위 기간 중에 일어난 역사적 사실로 옳은 것만을 모두 고르면?

[2021 국회직 9급]

> 병조에서 아뢰기를, "이번에 설치하는 경원부와 영북진에 우선 성벽을 쌓고 토관의 제도를 마련한 뒤, 그 도의 주민 중에서 1,100호는 영북진에, 1,100호는 경원부에 이주시켜야 합니다. …(중략)… 만약 그 도 안에서 이주시킬 수 있는 호가 2,200호가 못 된다면 충청도, 강원도, 경상도, 전라도 등의 도에서 자원하여 이주할 사람을 모집하되, 양민이라면 그곳의 토관직을 주어 포상해야 합니다. …(중략)…"라고 하니, 그대로 따랐다.

> ㄱ. 사병을 혁파하였다.
> ㄴ. 공법을 실시하였다.
> ㄷ. 경회루를 건설하였다.
> ㄹ. 삼강행실도를 편찬하였다.

① ㄱ, ㄴ ② ㄱ, ㄷ
③ ㄴ, ㄷ ④ ㄴ, ㄹ
⑤ ㄷ, ㄹ

해설 정답 ④

제시된 자료의 '경원부'와 '영북진'은 모두 함경북도에 위치한 지역으로 모두 6진에 속한다. 6진은 두만강 유역의 종성, 온성, 회령, 경원, 경흥, 부령의 여섯 진을 말한다. 여기에서 회령은 이 지역의 이름인 '오음회'와 방어진인 '영북진'을 합하여 부른 말이다. 조선 세종은 이 지역에 6진을 개척하고, 남부 지방의 사람들을 옮겨 살게 하는 사민 정책을 실시하고, 해당 토착민을 관리로 삼는 '토관' 제도를 두었다.

ㄴ. 세종은 수취 제도로서 공법을 실시하였다.
ㄹ. 세종은 충신, 효자, 열녀의 행적을 기록한 「삼강행실도」를 편찬하였다.
ㄱ. 사병 혁파는 태종이 실시하였다. 사실 태종은 왕자 시절에 많은 사병을 거느리고 있었는데, 요동 수복을 추진하던 정도전이 사병 혁파를 주장하면서 갈등을 빚기도 하였다. 그러나 태종은 왕이 되자 스스로 '사병 혁파'를 주장하였다.
ㄷ. 경회루는 태종이 큰 규모로 중건하였으나(1412), 임진왜란 때 불타버린 것을 흥선 대원군이 다시 재건하였다(1867).

14 밑줄 친 '왕'이 재위한 시기의 사실로 옳지 **않은** 것은?　　　　　　　　　　[2013 지방직 9급]

> 왕은 원나라의 수시력을 참고하여 역법을 만들게 하였다. 그 책의 말미에 동지·하지 후의 일출·일몰 시각과 밤낮의 길이를 나타낸 표가 실려 있는데, 우리나라 역사상 최초로 한양을 기준으로 하여 계산한 것이다.

① 집현전을 설치하여 제도, 문물, 역사에 대한 연구와 편찬 사업을 전개하였다.

② 공법 제정시 조정의 신하와 지방의 촌민에 이르기까지 18만 명의 의견을 물었다.

③ 불교 종파를 선교 양종으로 병합하고 사원이 가지고 있던 토지와 노비를 정비하였다.

④ 육전상정소를 설치하고 조선 왕조의 체계적인 법전인 「경국대전」을 편찬하기 시작하였다.

해설　　　　　　　　　　　　　　　　　　　　　　　　　　　　　　정답 ④
'원나라의 수시력'과 아라비아의 회회력을 참고하고, '한양을 기준으로' 역법을 계산하여 독자적인 역법서인 「칠정산」 내편과 외편을 완성한 왕은 세종이다. 그러나 경국대전을 편찬하기 '시작'한 왕은 세조이다. ①~③은 세종의 업적으로 '옳은' 것인데, 그냥 넘어가지 말고 모두 외우기 바란다. 특히 ③에서 '선교 양종으로 병합'이라는 것은 태종 때 11종이 7종으로 축소된 것을 교종과 선종 2개의 종으로 더욱 축소하였다는 의미이다.

15 밑줄 친 왕의 재위 기간에 있었던 사실로 옳은 것은?　　　　　　　　　　[2023 계리직 9급]

> 왕이 이순지, 김담 등에게 명하여 선명력과 수시력 등의 역법을 참조하여 새로운 역법을 만들게 하였다. 이 역법은 내편과 외편으로 구성되었다.

① 『월인석보』를 언해하여 간행하였다.

② 『이륜행실도』를 편찬하여 보급하였다.

③ 『국조오례의』와 『경국대전』 등을 완성하였다.

④ 『향약채취월령』과 『의방유취』 등을 편찬하였다.

해설　　　　　　　　　　　　　　　　　　　　　　　　　　　　　　정답 ④
'이순지, 김담 등에게 명하여 선명력과 수시력 등의 역법을 참조하여 새로운 역법'을 만들게 한 왕은 세종이다. 이 역법은 『칠정산』 내편과 외편이다. 세종은 『향약채취월령』, 『향약집성방』, 『의방유취』와 같은 의서를 편찬하였다.
① 『월인석보』를 언해하여 간행한 왕은 세조이다.
② 『이륜행실도』를 편찬하여 보급한 왕은 중종이다.
③ 『국조오례의』와 『경국대전』 등을 완성한 왕은 성종이다.

16 밑줄 친 '왕'의 업적으로 옳은 것은?

[2022 지방직 9급]

> 풍토에 따라 곡식을 심고 가꾸는 법이 다르니, 고을의 경험 많은 농부를 각 도의 감사가 방문하여 농사짓는 방법을 알아본 후 아뢰라고 왕께서 명령하셨다. 이어 왕께서 정초와 변효문 등을 시켜 감사가 아뢴 바 중에서 꼭 필요하고 중요한 것만을 뽑아 『농사직설』을 편찬하게 하셨다.

① 공법을 제정하였다.　　　　　　② 한양으로 도읍을 옮겼다.

③ 『경국대전』을 완성하였다.　　　④ 조광조를 등용하여 개혁 정치를 실시하였다.

해설　　　　　　　　　　　　　　　　　　　　　　　　정답 ①

이 문제의 자료는 '풍토'로 시작하고 있으나, 더 많은 문제에서는 '오방의 풍토'라고 표현한다. 각 지방의 풍토가 다르니 고을의 '경험' 많은 농부들을 인터뷰해서 『농사직설』을 편찬했다는 의미이다. 『농사직설』은 한문으로 써진 우리나라에서 가장 오래된 농서이다. 정초와 변효문이 저술하였으며, 중국의 농업 기술을 수용하면서, 우리 현실(실정)과 풍토(땅, 기후)에 맞는 농법을 소개한 책이다. 『농사직설』은 세종 때 써진 책이다.

① 세종 때 전분 6등법과 연분 9등법을 골자로 하는 공법을 제정하였다.

② 태조 때 한양길지설(남경길지설)에 따라 한양으로 도읍을 옮겼다(1394).

③ 세조 때 착수한 『경국대전』을 성종 때 완성하여 반포하였다.

④ 중종은 사림 세력인 조광조를 등용하여 개혁 정치를 실시하였다.

17 다음 밑줄 친 왕의 재위 시절에 있었던 과학 기술의 발달에 대한 설명 중 적절하지 않은 것은?

[2016 경찰]

> 우리 주상 전하가 근신(近臣)에게 …(중략)… 명령하여 편찬하는 일을 맡게 하였다. …(중략)… 가만히 생각건대, 임금과 어버이와 부부의 인륜인 충·효·절의의 도는 하늘이 내려 준 천성으로서 사람마다 같은 것이니, 천지의 시작과 더불어 생겨났고 천지가 끝날 때까지 없어지지 않는다.
>
> ➡ 「삼강행실도」

① 중국의 수시력과 아라비아의 회회력을 참고하여 우리나라 역사상 최초로 서울을 기준으로 천체 운동을 정확하게 계산한 역법서인 '칠정산'을 만들었다.

② 주자소를 설치하고 구리로 계미자를 주조하여 종전보다 두 배 정도의 인쇄 능률을 올렸다.

③ 우리 풍토에 알맞은 약재와 치료 방법을 개발·정리하여 '향약집성방'을 편찬하고, '의방유취'라는 의학 백과사전을 간행하였다.

④ 화약 무기의 제작과 그 사용법을 정리한 '총통등록'을 편찬하였다.

해설　　　　　　　　　　　　　　　　　　　　　　　　정답 ②

「삼강행실도」를 편찬한 왕은 세종이다. 세종 때 「칠정산」, 「향약집성방」, 「의방유취」, 「총통등록」이 편찬되었다.

② 주자소를 설치하고 구리로 계미자를 주조한 왕은 태종이다. 세종 때 동활자인 갑인자(甲寅字)를 주조하였다. 이때엔 식자판을 조립하는 방법을 창안하여 종전보다 두 배 정도의 인쇄 능률을 올리게 되었다.

18 밑줄 친 '왕'의 재위 기간에 있었던 사실로 옳지 않은 것은? [2016 지방직 9급 변형]

> 왕이 이순지, 김담 등에게 명하여 중국의 선명력, 수시력 등의 역법을 참조하여 새로운 역법을 만들게 하였다. 이 역법은 내편과 외편으로 구성되었다. 내편은 수시력의 원리와 방법을 해설한 것이며, 외편은 회회력(이슬람력)을 해설, 편찬한 것이다.

① 천체 관측 기구인 혼의, 간의 등을 제작하였다.

② 경기 지역의 농사 경험을 토대로 「금양잡록」을 편찬하였다.

③ 경자자(庚子字), 갑인자(甲寅字), 병진자(丙辰字) 등 금속 활자를 주조하였다.

④ 우리 풍토에 맞는 약재와 치료법을 정리한 「향약집성방」을 편찬하였다.

해설 　　　　　　　　　　　　　　　　　　　　　　　　　　　　　　　정답 ②

제시된 자료는 '세종' 때 편찬된 역법서인 칠정산에 대한 내용이다. 밑줄 친 '왕'인 세종은 원의 수시력과 아라비아의 회회력을 참고하여 칠정산이라는 독자적인 역법서를 제작하였다.

② 「금양잡록」은 조선 성종 때 강희맹이 편찬한 농서이다.

19 다음 정책을 추진한 국왕 대에 있었던 사실로 옳은 것은? [2019 지방직 9급]

> 옛적에 관가의 노비는 아이를 낳은 지 7일 후에 입역(立役)하였는데, 아이를 두고 입역하면 어린 아이에게 해로울 것이라 걱정하여 100일간의 휴가를 더 주게 하였다. 그러나 출산에 임박하여 일하다가 몸이 지치면 미처 집에 도착하기 전에 아이를 낳는 경우가 있다. 만일 산기에 임하여 1개월간의 일을 면제하여 주면 어떻겠는가. 가령 저들이 속인다 할지라도 1개월까지야 넘길 수 있겠는가. 상정소(詳定所)로 하여금 이에 대한 법을 제정하게 하라.

① 사형의 판결에는 삼복법을 적용하였다.

② 주자소를 설치하여 계미자를 주조하였다.

③ 국방력 강화를 위해 진관체제를 실시하였다.

④ 도평의사사를 개편하여 의정부를 설치하였다.

해설 　　　　　　　　　　　　　　　　　　　　　　　　　　　　　　　정답 ①

제시된 자료는 세종 12년 10월 19일의 사건을 다룬 「세종실록」의 기사이다. 주요 내용은 관노에게 출산 1개월 전부터 복무를 면제하라는 명령이다. 출산전 휴가 제도가 이미 세종 때 있었다는 의미이다.

> 임금이 대언(代言) 등에게 이르기를, "옛적에 관가의 노비에 대하여 아이를 낳을 때에는 반드시 출산하고 나서 7일 이후에 복무하게 하였다. 이것은 아이를 버려두고 복무하면 어린 아이가 해롭게 될까봐 염려한 것이다. 일찍 1백일간의 휴가를 더 주게 하였다. 그러나 산기에 임박하여 복무하였다가 몸이 지치면 곧 미처 집에까지 가기 전에 아이를 낳는 경우가 있다. 만일 산기에 임하여 1개월간의 복무를 면제하여 주면 어떻겠는가. 가령 그가 속인다 할지라도 1개월까지야 넘을 수 있겠는가. 그러니 상정소(詳定所)에 명하여 이에 대한 법을 제정하게 하라."하고, 또 김종서(金宗瑞)에게 이르기를 …(하략)…
> 　　　　　　　　　　　　　　　　　　　　　　　　　　　❿「세종실록」

② 주자소를 설치하여 계미자를 주조한 왕은 태종이다.

③ 국방력 강화를 위해 진관체제를 실시한 왕은 세조이다.

④ 도평의사사를 개편하여 의정부를 설치한 왕은 태종이다.

20 조선 세종 대에 있었던 사실로 옳지 않은 것은? [2023 지방직 9급]

① 갑인자를 주조하였다.

② 화통도감을 설치하였다.

③ 역법서인 『칠정산』을 편찬하였다.

④ 간의를 만들어 천체를 관측하였다.

해설 정답 ②

세종 대에 동활자 갑인자를 주조하였으며, 역법서인 『칠정산』을 편찬하였다. 또 간의를 만들어 천체를 관측하였다.

② 고려 우왕 때 화통도감을 설치하여 화포를 제작하였다.

21 다음 사건이 일어난 시기에 볼 수 있는 모습으로 가장 옳은 것은? [2023 법원직 9급]

> 전제상정소에서 다음과 같이 논의하였다. "우리나라는 지질의 고척(膏堉)이 남쪽과 북쪽이 같지 아니합니다. 하지만 그 전품(田品)의 분등(分等)을 8도를 통한 표준으로 계산하지 않고 있습니다. 다만 1도(道)로써 나누었기 때문에 납세의 경중(輕重)이 다릅니다. 부익부 빈익빈이 심해지니 옳지 못한 일입니다. 여러 도의 전품을 통고(通考)하여 6등급으로 나눈다면 전품이 바로잡힐 것이며 조세도 고르게 될 것입니다." 임금은 이를 그대로 따랐다.

① 3포 왜란으로 입은 피해를 걱정하는 어부

② 벽란도에서 송나라 선원과 흥정하는 상인

③ 농가집성의 내용을 읽으며 공부하는 농부

④ 불법적인 상행위를 감시하는 경시서 관리

해설 정답 ④

'전제상정소'가 주관하였고, '전품의 분등'을 '6등급'으로 나누는 이 제도는 전분 6등법이다. '임금'은 세종을 말한다.

④ 경시서는 고려 문종 때 설치되어, 조선 세조 때 평시서로 이름이 바뀌었다. 그러므로 세종 때에는 여전히 '경시서'라는 명칭을 사용한다.

① 3포 왜란은 조선 중종 때 일어났다. 그러므로 세종 때에는 3포 왜란을 볼 수 없다. 세종 때에는 오히려 3포(부산포, 제포, 염포)가 개항하는 것을 볼 수 있다.

② '벽란도에서 송나라 선원과 흥정하는 상인'은 고려 시대에 볼 수 있는 모습이다.

③ '농가집성의 내용을 읽으며 공부하는 농부'는 조선 효종 이후에 볼 수 있는 모습이다.

22 밑줄 친 '역법서'가 간행된 시기의 사실로 옳지 않은 것은?

[2016 기상직 9급]

> 우리나라의 역법은 고려 시대에 당의 선명력을 사용하다가 충선왕 때 원의 수시력을 채용하였고, 공민왕 때 명의 대통력을 들여온 이후 조선도 이것을 사용하였다. 그러나 이러한 역법들은 모두 우리나라의 현실과는 차이가 있었으므로 이를 기초로 새로운 <u>역법서</u>를 편찬하였다. 이는 우리나라의 실정에 맞는 조선력이었던 것이다.

① 한양의 화재 예방을 위해 금화도감을 설치하였다.

② 「향약집성방」, 「이륜행실도」가 간행되었다.

③ 혜정교와 종묘 앞에 앙부일구를 처음 설치하였다.

④ 현주일구, 천평일구가 만들어졌다.

 해설   정답 ②

원의 수시력을 참조하여 만든 조선의 독자적인 역법서는 '세종' 때 편찬된 칠정산이다.

② 세종 때 「향약집성방」, 「의방유취」 등의 의학서가 간행되었다. 윤리서로는 「삼강행실도」가 간행되었다. 그러나 「이륜행실도」는 1518년 중종 때 조신이 간행한 윤리서이다.

① 금화도감(禁火都監)은 불[火]을 금[禁]하는 소방관청이다. 1426년 세종 때 한성부 소속으로 설치되었다.

③ 세종 때 혜정교와 종묘 앞에 앙부일구(해시계)를 처음 설치하였다.

④ 현주일구, 천평일구도 세종 때 만들어진 해시계들이다.

명호샘의 한마디!!

세종(1418~1450)의 기출 문장을 정리한다.

1. '이종무의 대마도 정벌'과 '전분 6등법과 연분 9등법 시행' 사이에 「농사직설」이 편찬되었다.
   ◆ 2020 지방직 9급

2. 「농사직설」을 편찬한 왕 대에 간의(簡儀), 혼천의를 만드는 등 천문학이 발전하였다.
   ◆ 2016 경찰간부, 2015 기상직 9급

3. 농사 경험이 풍부한 각 도의 농민들에게 물어서 조선의 실정에 맞는 농법을 소개한 농서를 편찬한 왕 대에 현실 세계와 이상 세계를 표현한 「몽유도원도」가 그려졌다. ◆ 2014 국가직 9급

4. 「농사직설」을 편찬한 왕이 「삼강행실도」를 간행하였다. ◆ 2019 소방

5. 「삼강행실도」를 간행한 왕이 우리 풍토에 맞는 알맞은 약재와 치료 방법을 개발·정리하여 「향약집성방」을 편찬하고, 「의방유취」라는 의학 백과사전을 간행하였다. ◆ 2019 경찰, 2017 경찰

6. 칠정산 내편과 외편을 완성한 왕은 「향약채취월령」과 「의방유취」를 편찬하였다. ◆ 2023 계리직 9급

7. 「삼강행실도」를 간행한 왕이 압록강과 두만강 지역에 4군 6진을 설치하였다. ◆ 2017 지방직 9급(추가채용)

8. 「삼강행실도」를 간행한 왕이 일본과 계해약조를 맺어 1년에 50척으로 무역선을 제한하였다.
   ◆ 2012 국가직 7급

9. '정음 28자'를 처음으로 만든 왕이 다스리던 시대에 대마도주의 청원에 따라 삼포를 개항하여 교역을 허락하였고, 계해약조를 맺어 1년에 50척으로 무역선(세견선)을 제한하였다. ◆ 2013 경찰

10. 「삼강행실도」를 간행한 왕이 중국의 수시력과 아라비아의 회회력을 참고하여 우리나라 최초로 서울을 기준으로 천체 운동을 계산한 역법서인 「칠정산」을 만들었다. ◆ 2019 경찰

11. 원나라의 수시력을 참고하여 역법을 만들게 한 왕은 집현전을 설치하여 제도, 문물, 역사에 대한 연구와 편찬 사업을 전개하였다. ◆ 2013 지방직 9급

12. 원나라의 수시력을 참고하여 역법을 만들게 한 왕은 불교 종파를 선교 양종으로 병합하고 사원이 가지고 있던 토지와 노비를 정비하였다. ◆ 2013 지방직 9급

13. 원의 수시력과 명의 대통력을 참고하여 역법을 만들게 한 왕은 한양의 화재 예방을 위해 금화도감을 설치하였다. ⟶ 2016 기상직 9급

14. 원의 수시력과 명의 대통력을 참고하여 역법을 만들게 한 왕은 혜정교와 종묘 앞에 앙부일구를 설치하였으며, 현주일구와 천평일구를 만들었다. ⟶ 2016 기상직 9급

15. 「삼강행실도」를 간행한 왕이 화약 무기의 제작과 그 사용법을 정리한 「총통등록」을 편찬하였다.
⟶ 2019 경찰

16. 세종은 공법(貢法)을 제정할 때 조정의 신하와 지방의 촌민에 이르기까지 18만 명의 찬부를 물었다(백성의 의견을 반영하여 공법을 제정하였다). ⟶ 2021 해경간부, 2017 경찰간부

17. 경자자(庚子字), 갑인자(甲寅字), 병진자(丙辰字) 등을 주조하였고, 이를 통해 「효행록」, 「총통등록」, 「의방유취」 등을 편찬한 왕은 사형수에 대한 복심제를 시행하여 억울하게 죽는 일이 없도록 하였다.
⟶ 2017 경찰간부

18. '정음 28자'를 처음으로 만든 왕이 다스리던 시대에 백성과 더불어 즐거움을 함께 나눈다는 뜻을 가진 〈여민락〉이란 음악이 만들어졌다. ⟶ 2013 경찰

19. 경자자(庚子字), 갑인자(甲寅字), 병진자(丙辰字) 등을 주조하였고, 이를 통해 「효행록」, 「총통등록」, 「의방유취」 등을 편찬한 왕은 백성과 더불어 즐거움을 함께 나눈다는 뜻을 가진 여민락을 만들었다.
⟶ 2017 경찰간부

20. 정인지, 정초, 정흠지 등에게 명하여 우리 고유의 역법서를 만들도록 명하였던 왕은 금속 활자인 갑인자를 주조하였다. ⟶ 2018 소방

21. 전분 6등법과 연분 9등법을 시행한 왕은 소리의 장단과 높낮이를 표현할 수 있는 정간보를 창안하였다.
⟶ 2013 서울시 9급

22. 세종 대에 밀랍 대신 식자판을 조립하는 방법으로 인쇄 기술이 더욱 발전하였다. ⟶ 2015 서울시 7급

23. 세종 대에 장영실 등이 물시계인 자격루(自擊漏)와 해시계인 앙부일구(仰釜日晷) 등을 제작하였다.
⟶ 2014 지방직 7급

24. 세종 대에 간의를 만들어 천체를 관측하였다. ⟶ 2023 지방직 9급

25. 세종 대에 지리서의 편찬이 추진되어 「신찬팔도지리지」를 편찬하였다. ⟶ 2020 경찰

---

23 [보기]에서 설명하는 책의 제목으로 가장 옳은 것은?

> **[보기]**
>
> • 1433년(세종 15)에 편찬되었다.
> • 각종 병론(病論)과 처방을 적었다.
> • 전통적인 경험에 기초했다.
> • 조선의 약재를 중시했다.

① 향약집성방 ② 동의보감
③ 금양잡록 ④ 칠정산

🔎**해설** 정답 ①

'전통적인 경험'에 기초하고, '조선의 약재'를 중시하는 자주적 의학이 향약(鄕藥)이라는 명칭에 담겨 있다. 세종 때, 특히 1433년에 편찬된 의서는 「향약집성방(鄕藥集成方)」이다.

24 다음 서적을 편찬된 시기순으로 바르게 나열한 것은? [2019 서울시 9급, 2019 지방직 9급 변형]

> ㉠『의방유취(醫方類聚)』 ㉡『동의보감(東醫寶鑑)』
> ㉢『향약구급방(鄕藥救急方)』 ㉣『향약집성방(鄕藥集成方)』
> ㉤『마과회통(麻科會通)』

① ㉠ → ㉡ → ㉢ → ㉤ → ㉣ ② ㉠ → ㉢ → ㉤ → ㉡ → ㉣

③ ㉢ → ㉠ → ㉣ → ㉡ → ㉤ ④ ㉢ → ㉣ → ㉠ → ㉡ → ㉤

해설 정답 ④

제시된 의학 서적들의 편찬 시기는 다음과 같다.『삼화자향약방』,『향약제생집성방』,『향약채취월령』도 한꺼번에 정리하기 바란다.

㉢『향약구급방』 – 1236년(고종 23)
●『삼화자향약방』 – 고려 말
●『향약제생집성방』 – 1398년(태조 7)
●『향약채취월령』 – 1431년(세종 13)
㉣『향약집성방』 – 1433년(세종 15)
㉠『의방유취』 – 1445년(세종 27)
㉡『동의보감』 – 1610년(광해군 2)
㉤『마과회통』 – 1789년(정조 22)

25 다음은 조선의 어느 왕에 대한 기록이다. 이 왕의 재위기간에 있었던 일로 가장 적절하지 않은 것은? [2016 경찰]

> 상왕(단종)이 어려서 무릇 조치하는 바는 모두 대신에게 맡겨 논의 시행하였다. 지금 내가 명을 받아 왕통을 계승하여 군국 서무를 아울러 모두 처리하며, 조종의 옛 제도를 모두 복구한다.

① 집현전을 혁파하고 경연제도를 폐지하였다.

② 통치 규범을 마련하려는 목적에서 조선경국전, 경제육전 등의 법전을 편찬하였다.

③ 강력한 왕권을 행사하기 위하여 통치 체제를 다시 6조 직계제로 고쳤다.

④ 간경도감을 설치하여 불교 경전을 한글로 번역하여 간행 · 보급하였고, 원각사지 10층 석탑을 건립하였다.

해설 정답 ②

단종의 '명을 받아 왕통을 계승'하였다면, '세조'이다.

② 조선경국전, 경제육전 등은 '태조' 때 편찬하였다.

① 세조는 사육신 사건을 계기로 집현전을 폐지하였고 ➲ 2024 국가직 9급 경연 제도를 폐지하였다.

③ 세조는 세종 때 채택한 의정부서사제를 다시 6조 직계제로 고쳤다. ➲ 2024 국가직 9급

④ 세조의 숭불정책은 1) 불교 경전 간행, 2) 석탑 건립으로 요약된다. 간경도감을 설치하여 월인석보, 묘법연화경 등의 불교 경전을 간행하였고, 원각사지 10층 석탑을 건립하였다.

26 (가) 인물에 대한 설명으로 가장 옳은 것은?

> • 황보인, 김종서 등이 역모를 품고 몰래 안평 대군과 연결하고, 환관들과 은밀히 내통하여 날짜를 정하여 반란을 꾀하고자 하였다. 이에 __(가)__ 와 정인지, 한확, 박종우, 한명회 등이 그 기미를 밝혀 그들을 제거하였다.
> • __(가)__ 이/가 명하기를, "집현전을 없애고, 경연을 정지하며, 거기에 소장하였던 서책은 모두 예문관에서 관장하게 하라."라고 하였다.

① 전민변정도감을 설치하였다.

② 석보상절을 한글로 번역하여 편찬하였다.

③ 불교 종파를 선·교 양종으로 병합하였다.

④ 정여립 모반 사건을 계기로 기축옥사를 일으켰다.

📖**해설**   정답 ②

'황보인, 김종서' 등이 안평대군과 연결하여 반란을 꾀하고자 했을 때, 이들을 제거한 인물은 수양대군(세조)이다. 이것을 계유정난이라고 한다(1453년, 단종 1년). 왕위에 오른 세조는 단종 복위 사건과 관련 있다고 여겨 집현전을 폐지하였다. 그리고 경연을 중단하였다.

② 『석보상절』은 소헌왕후가 세상을 떠난 이듬해인 1447년(세종 29년)에 왕후의 명복을 빌기 위해 편찬한 책이다. 세종은 수양대군에게 명하여 『석보상절』을 편찬하게 하였다. 수양대군은 여러 불교 경전에서 내용을 뽑아 '한글'로 번역하여 이 책을 편찬하였다.

① 고려 공민왕 때, 신돈이 전민변정도감을 설치하였다.

③ 조선 세종 때, 불교 종파를 선·교 양종으로 병합하였다.

④ 조선 선조 때, 정여립 모반 사건이 일어나 기축옥사로 이어졌다(1589).

27 다음 내용들이 일어난 왕대의 사실과 가장 관련이 적은 것은?

> 이 시기 국왕은 6조를 직접 장악하면서 국정을 운영하였으며, 친위병을 강화하고 군권 관장에 유념하였다. 또한 공신을 발탁하여 의정부, 6조, 승정원과 고위 군직에 포진시켰다. 특히 재위 4년에 별시위가 3000명에서 5000명으로, 6년에 내금위가 100명에서 200명으로 늘어났다. 아울러 재위 12년에는 도절제사 이하 진관책임자의 명칭을 개정하였으며, 지방의 군사 지휘체계는 도관찰사를 정점으로 병마절도사의 지휘를 받는 육군과 수군절도사의 지휘를 받는 수군으로 정립되었다.

① 길주 지방의 토호 세력이었던 이시애의 난이 이 시기에 발생하였다.

② 사병의 혁파와 함께 도평의사사가 의정부로 고쳐졌고, 중추원은 삼군부가 되면서 삼군부의 관원은 삼군부에만 근무하고 의정부에는 합좌하지 못하게 되었다.

③ 지방재정과 군자의 부족을 보충하기 위해 각종 둔전이 증설 또는 신설되었으며, 특히 역둔전이 평안도에 설치되었고, 전국 관둔전의 면적이 종전의 두 배로 늘어났다.

④ 이 시기에 국왕은 『국조보감』과 『동국통감』 편찬을 지시하였다.

해설

6조 직계제를 채택하여 '6조를 직접 장악'하면서 국정을 운영하였고, '별시위'를 증원하였고, 육군·수군이 병마절도사·수군절도사의 지휘를 받는 군사 지휘체계를 정립한 왕은 '세조'이다.

② 사병이 혁파되고, 도평의사사가 폐지되어 의정부로 고쳐졌으며, 중추원이 삼군부가 된 때의 왕은 '태종'이다.

① 1466년(세조 12년)에 길주(吉州) 사람으로 전 회령 부사(會寧府使)였던 이시애가 아우 이시합(李施合)과 함께 반역하였다. 함흥(咸興) 이북의 주(州)와 군(郡)에서 수령을 죽이고 서로 호응하여 그 세력이 치열하였다.

③ 세조 대에 이르러 지방재정과 군자의 부족을 보충하기 위해 각종 둔전이 증설 또는 신설되었으며, 특히 역둔전이 평안도에 설치되었고, 전국 관둔전의 면적이 종전의 두 배로 늘어났다.

④ 1455년(세조 원년)에 성삼문(成三問), 유응부(俞應孚) 등 6명이 처형되었다. 1456년(세조 2년)에 상왕(上王)이 영월로 물러나니 낮추어서 노산군(魯山君)이라 하였으며, 10월에 노산군이 죽었고 신숙주(申叔舟) 등이 『국조보감』을 모아서 완성하였다. 세조 대에 『동국통감』 편찬이 지시되었다. 이후 성종 15년에 완성되었고, 성종 16년에는 사론을 다시 써넣은 『신편동국통감』이 완성되어 찬진되었다.

---

28 밑줄 친 '왕'에 대한 설명으로 옳은 것은?

[2017 서울시 9급]

> 왕은 왕권 강화를 위해 중앙 집권체제를 강화하고, 변방 중심에서 전국적인 지역 중심 방어체제로 바꾸는 등 국방을 강화하였다. 또 국가재정을 안정시키기 위해 과전을 현직 관료에게만 지급하기 시작하였다.

① 「경국대전」의 편찬을 마무리하여 반포하였다.

② 간경도감을 두어 「월인석보」를 언해하여 간행하였다.

③ 6조 직계제를 채택하고 사간원을 독립시켜 대신을 견제하였다.

④ 대마도주와 계해약조를 맺어 무역선을 1년에 50척으로 제한하였다.

해설

'왕권 강화'를 위해 6조 직계제를 부활시키는 등 국왕 중심의 집권 체제를 수립하였고, 변방 중심의 방어 체제인 영진군·익군 체제에서 '전국적인 지역 중심 방어 체제'인 진관체제로 바꾸어 국방을 강화하였으며, '과전을 현직 관료에게만 지급'한 직전법을 실시하였던 왕은 세조(1455~1468)이다.

② 세조는 숭불정책을 실시하였다. 간경도감을 두어 「월인석보」 등을 간행하였으며, 원각사지 10층 석탑을 조성하였다.

① 「경국대전」의 편찬을 마무리하여 반포한 왕은 '성종'이다.

③ 6조 직계제를 채택한 왕은 태종과 세조이다. 사간원을 독립시켜 대신을 견제한 왕은 '태종'이다.

④ 대마도주와 계해약조를 맺어 세견선을 50척으로, 세사미두를 200섬으로 제한한 왕은 '세종'이다.

29 다음은 조선 시대에 편찬된 어떤 책의 서문이다. 이 책이 편찬된 국왕 때에 일어난 일이 아닌 것은?

[2012 지방직 9급 변형]

> 전하께서는 … 신 서거정 등에게 명해 제가의 작품을 뽑아 한 질을 만들게 하셨습니다. 저희들은 전하의 위촉을 받아 삼국 시대로부터 지금에 이르기까지 사(辭), 부(賦), 시(時), 문(文) 등 여러 문체를 수집하여 이 중 문장과 이치가 순정하여 교화에 도움이 되는 것을 취하고 분류하여 130권을 편찬해 올립니다.

① 직전법의 폐단을 극복하기 위해 관수관급제를 실시하였다.

② 서울의 원각사 안에 대리석 10층탑을 건립하였다.

③ 재가녀 자손의 관리 등용을 제한하는 법을 공포하였다.

④ 정읍사, 처용가 등이 한글로 수록된 악학궤범이 편찬되었다.

⑤ 성균관에 존경각을 짓고 서적을 소장하게 하였다.

해설   정답 ②

제시된 자료는 「동문선(東文選)」의 서문이다. 「동문선」은 서거정, 노사신 등이 왕명으로 펴낸 책으로, 삼국 시대부터 조선 초기까지의 역대 시와 산문의 정수를 모은 133권의 방대한 분량의 시문집이다. 133권 중 본문이 130권, 목록이 3권이어서 총 133권이 되었는데, 이 문제에서는 본문의 130권만 말하고 있다. 이 책은 1498년, 성종 때 편찬되었다. ②의 원각사지 10층 석탑은 세조 때 건립되었다.

① 세조 때 현직관료에게만 수조권을 주는 직전법이 수탈의 폐단을 낳자, 성종 때 국가가 직접 조세를 거두어들인 다음 관리들에게 나누어주는 관수관급제를 실시하였다. ● 2018 경찰간부

③ 성종은 풍속을 교화하기 위해 신하들의 반대에도 불구하고 재가녀의 자손을 관리 등용에 제한하는 법을 공포하였다.

④ 성종 때 편찬된 「악학궤범」은 음악의 원리와 역사, 악기, 무용, 의상 및 소도구까지 망라하여 정리함으로써 전통 음악을 유지하고 발전시키는데 기여하였다.

⑤ 존경각(尊經閣)은 성종 때 성균관 안에 건립된 도서관 건물이다(1475). ● 2014 사회복지직

---

30 밑줄 친 '왕'의 재위 기간에 편찬된 서적으로 옳은 것은?

[2024 국가직 9급]

> ○ 왕은 집현전을 계승한 홍문관을 설치하고 중단되었던 경연을 다시 열었다.
> ○ 왕은 훈구 세력을 견제하기 위해 사림 세력을 등용하였다.

① 대전통편   ② 동사강목

③ 동국여지승람   ④ 훈민정음운해

해설   정답 ③

집현전을 계승한 홍문관을 설치하고, 세조 때 중단되었던 경연을 다시 열고, 훈구 세력을 견제하기 위해 사림 세력을 등용한 왕은 조선 성종(1469~1494)이다. 성종 때 동문선, 동국통감, 동국여지승람이 편찬되었다.

① 대전통편은 정조 때 편찬된 법전이다. 영조의 속대전, 흥선대원군의 대전회통과 구분해야 한다.

② 동사강목은 정조 때 안정복이 저술한 역사서이다.

④ 훈민정음운해는 영조 때 신경준이 저술한 음운 연구서이다.

02 통치체제의 정비

01 중앙 관제

01 조선 시대 여러 국가기관과 그에 대한 설명을 바르게 연결한 것을 모두 고른 것은?

[2014 서울시 7급]

> ㉠ 의정부 – 국왕 다음의 최고 권력 기관으로 백관과 서무를 총괄했다.
>
> ㉡ 사헌부 – 지관(地官)·지부(地部)라고도 하며 재무, 조세, 호구 등의 국가 업무를 관장했다.
>
> ㉢ 승정원 – 백부(柏府)·상대(霜臺)·오대(烏臺)라는 별칭이 있었으며 감찰행정을 맡았다.
>
> ㉣ 홍문관 – 궁중의 경서(經書)·사적(史籍)의 관리, 문한(文翰)의 처리 및 왕의 자문에 응하는 일을 맡았다.
>
> ㉤ 예조 – 남궁(南宮)·춘관(春官)이라고도 하며 의례, 교육, 외교 등의 국가 업무를 관장했다.
>
> ㉥ 호조 – 왕명의 출납을 담당한 기관으로 은대(銀臺)·대언사(代言司)라고 불리기도 했다.

① ㉠, ㉣, ㉤

② ㉠, ㉡, ㉥

③ ㉡, ㉣, ㉥

④ ㉡, ㉢, ㉤

⑤ ㉠, ㉢, ㉥

📝**해설**

정답 ①

㉡ 지관, 지부라는 별명을 가지고 있고, 재무 업무를 관장한 부서는 '호조'이다. 6조는 각각 하늘, 땅, 4계절을 의미하는 별명을 가지고 있었다.

이조(吏曹)	호조(戶曹)	예조(禮曹)	병조(兵曹)	형조(刑曹)	공조(工曹)
천관(天官)	지관(地官)	춘관(春官)	하관(夏官)	추관(秋官)	동관(冬官)

㉢ 백부·상대·오대라고 불리며, 감찰 행정을 맡았던 관부는 '사헌부'이다.

㉥ 왕명 출납 기관으로 은대라고 불린 관부는 '승정원'이다.

02 조선의 중앙 정치 조직에 대한 설명으로 적절하지 않은 것은?

[2016 경찰]

① 홍문관은 학술 연구, 정책 자문 등의 역할을 하였으며 장(長)은 정2품의 대제학이었다.

② 조선의 사헌부는 발해의 중정대, 고려의 어사대와 같은 역할을 하였다.

③ 의금부와 승정원은 왕권을 강화하는 데 기여하였다.

④ 교서관은 국왕의 교서를 작성하는 역할을 하였다.

정답 ④

교서관(校書館)은 조선 태조 때 설치된 서적 간행을 위한 관청이다. 교서감이라고도 하며, 성균관 · 예문관 · 승문원과 함께 사관(四館)으로 불린다. 국왕의 교서를 작성하는 관청은 예문관(藝文館)이다.

① 「경국대전」에 따르면 홍문관에는 정1품 영사 1명, 정2품 대제학 1명, 종2품 제학 1명, 정3품 당상 부제학 1명, 정3품 당하 직제학 1명 등이 배치되었다. 이중 '영사'는 상징적인 자리이므로 홍문관의 장관이라고 부르기 어렵다. 정2품 대제학은 명의상 장관이고, 전임관 중에서 가장 높은 자리는 정3품 당상 부제학(또는 당하 직제학)이다. 기준을 무엇에 두느냐에 따라 홍문관의 장관은 여러 가지로 말할 수 있다. 명의상 장관을 묻는 문제이면 '대제학'이 답이고, 실제적 장관을 묻는 문제라면 '부제학'이 답이 된다.

② 조선의 사헌부는 '감찰' 기능을 한다. 그러므로 발해의 중정대, 고려의 어사대와 같은 역할을 하였다.

③ 의금부와 승정원은 왕권을 강화하는 데 기여하였다. 반면에 3사(사헌부, 사간원, 홍문관)는 왕권을 견제하는 기능을 하였다.

03 조선의 통치체제에 대한 설명으로 옳지 않은 것은? [2010 법원직 9급]

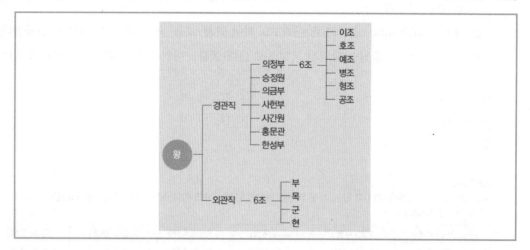

① 6조는 각 조마다 속사, 속아문을 두어 직능별로 행정을 분담했다.

② 의금부는 고려 말의 순군부를 개편한 왕 직속의 상설 사법기관이었다.

③ 승정원은 왕명의 출납을 담당하고, 도승지 이하 6승지가 6조를 분담했다.

④ 왕은 5품 이하 당하관을 임명할 때 의정부의 재상과 이조 판서의 동의를 얻어야 했다.

정답 ④

조선 시대에는 왕이 5품 이하의 관리를 등용할 때에는 서경(書經)을 거치도록 하였다. 서경이란 일종의 '임명 동의권'으로 조선 시대에는 양사(사헌부, 사간원)가 이 권한을 가지고 있었다. 의정부의 재상과 이조판서는 그 계급은 높았으나, 서경의 권한을 가지고 있지는 않았다.

① 이조, 호조, 예조, 병조, 형조, 공조는 직능별로 행정을 분담하였으며, 본 업무는 '속사'가 맡고, 지원 업무는 '속아문'이 맡았다.

② 순군부는 원간섭기에 경찰과 근위를 맡았던 기구이다. 이것은 조선 시대 의금부로 이어졌다.

③ 승정원은 왕명 출납을 담당하는 기구로서, 지금의 '대통령 비서실'과 유사한 관청이다. 도승지, 좌승지, 우승지, 좌부승지, 우부승지, 동부승지 등 6승지는 6조의 업무를 분담하였다.

04 조선 시대 관계(官階)에 대한 설명으로 옳지 <u>않은</u> 것은?

① 관료의 품계는 정1품에서 종9품까지 18등급으로 하였다.

② 행수 제도를 마련하여 가능한 관직과 관계가 일치되도록 하였다.

③ 정7품 이하는 참하관이라 하며, 목민관인 수령에 임용하였다.

④ 정3품 통정대부 이상은 당상관이라 하며, 국가의 중요한 정책을 논의하였다.

해설   정답 ③

관계(官階)란 관리의 등급을 말한다.

③ 정7품 이하는 참하관(參下官)이라 한다. 종6품 이상은 참상관(參上官)이라 한다. 참상관이 되어야 목민관인 수령에 임명될 수 있었다.

① 조선 시대 관료의 품계는 정1품에서 종9품까지 18등급으로 구성되었으며, 6품까지는 각 품이 상위, 하위로 나뉘어져 있었으므로 실제로는 총 30등급으로 구분되어 있었다.

② 품계는 높은데 낮은 관직에 임명되는 경우 관직명 앞에 행(行)을 붙였다. 6조 판서는 정2품이 임명되는데, 만약 종1품이 이조판서에 임명되었다면 이땐 '행(行)이조판서'라고 한다. 반대로 품계는 낮은데 높은 관직에 임명되는 경우 관직명 앞에 수(守)를 붙였다. 이것을 행수(行守) 제도라고 한다. 이 제도는 관직과 관계가 일치하지 않는 경우 그 일치하지 않음을 표시하려는 제도로, '관직과 관계가 일치하기를' 바라는 상황에서 만들어진 제도이다.

④ 정3품에서 당상관과 당하관이 나누어진다. 정3품 상위(통정대부) 이상은 당상관(堂上官)이라 하고, 정3품 하위(통훈대부) 이하는 당하관(堂下官)이라 한다. <u>승정원 승지(정3품), 사헌부 대사헌(종2품), 예문관 대제학(정2품), 한성부 판윤(정2품) 등이 당상관이다.</u> ◐ 2010 서울시 7급 당상관이 되어야 중앙에서는 국가의 중요한 정책을 논의하고, 지방에서는 관찰사가 될 수 있었다.

05 조선의 통치기구에 대한 설명 중 옳은 것은?

① 의정부는 최고의 행정집행기관으로 그 중요성에 의해 점차 실권을 강화하였다.

② 홍문관은 정치의 득실을 논하고 관리의 잘못을 규찰하고 풍기·습속을 교정하는 일을 담당하였다.

③ 예문관과 춘추관은 대간(臺諫)이라 불렸는데, 임명된 관리의 신분·경력 등을 심의·승인하는 역할을 담당하였다.

④ 지방관은 행정의 권한만을 위임받았는데, 자기 출신지에는 임명될 수 없었다.

⑤ 지방 양반들로 조직된 향청은 수령을 보좌하고 풍속을 바로 잡고 향리를 규찰하는 등의 임무를 맡았다.

해설   정답 ⑤

향청(鄕廳, 유향소)에는 덕망 있는 지방 인사들이 모여 좌수(座首) 혹은 별감(別監)을 선출하여 자율적으로 규약을 만들고, 수시로 향회(鄕會)를 소집하여 여론을 수렴하면서 백성을 교화하고 수령의 비행을 관찰사에게 보고하기도 했다.

① 의정부는 1) 최고의 권력기관, 2) 세 의정을 포함한 7명의 재상이 속한 합좌기관, 3) 백관과 서무(庶務)를 총괄하는 기구였다. 그 아래에 집행기관인 '6조'가 있기는 하지만, 의정부 자체를 집행기관으로 표현해서는 안 된다. 또한 '점차 실권을 강화하였다'는 표현도 잘못되었다. 6조 직계제가 시행되었을 때엔 국왕의 자문 기관에 머물러 있었으며, 비변사가 설치된 이후에는 의정부의 기능이 유명무실해졌기 때문이다.

② 정책 비판, 감찰, 풍속 교정 등은 '사헌부'의 기능이다.

③ 조선 시대의 대간은 사헌부와 사간원을 말한다.

④ 지방관은 행정권, 사법권, 군사권을 가지고 있었다. 상피제(相避制)로 인해 자기 출신지에 임명될 수 없었다는 것은 맞는 말이다.

06 조선 시대 주요 중앙기구 중 각 관부와 장관을 가장 옳게 연결한 것은? [2010 경찰]

① 의금부 – 판사 ② 사헌부 – 도승지

③ 홍문관 – 도제조 ④ 성균관 – 대제학

해설 정답 ①

② 사헌부의 장관은 '대사헌'이다.

③ 홍문관의 장관은 '대제학' 또는 '부제학(또는 직제학)'이다.

④ 성균관의 장관은 '대사성'이다.

07 다음 〈표〉는 조선의 중앙정치기구와 직무에 관한 설명이다 옳지 않은 것은? [2012 경찰간부]

관 부	직 무	별칭/별명
승정원(承政院)	㉠ 왕명출납, 비서기능	은대(銀臺)
홍문관(弘文館)	궁중 도서관리, 경연	
사헌부(司憲府)	감찰기관	㉡ 삼사(三司)
사간원(司諫院)	간쟁 및 언론 기관	
교서관(校書館)	㉢ 국왕의 교서 작성, 역사 기록	운각(芸閣)
승문원(承文院)	㉣ 외교문서 작성	괴원(槐院)

① ㉠ ② ㉡

③ ㉢ ④ ㉣

해설 정답 ③

교서관은 서적(경적)을 간행하는 관청이다. 교서관의 직무를 다른 것과 연결시켜서 틀린 것으로 해 놓은 이 문제는 교서관과 '같은 범주'에 있는 여러 관청을 확실하게 구분하라는 문제이다.

경적의 간행을 관장하는 교서관(校書館), 고등문관의 양성기관인 성균관(成均館), 국왕의 교서를 제찬하는 예문관(藝文館), 외교문서를 작성하는 승문원(承文院)을 합칭하여 4관(四館)이라 하였다. 또한 역사의 기록과 편찬을 담당한 춘추관(春秋館)이 있었는데, 이들은 '유교정치의 수행'에 있어서 반드시 필요한 기구들이었다.

08 다음 밑줄 친 부분과 관련 깊은 통치 기구에 해당하는 것을 [보기]에서 모두 고른 것은?

[2020 법원직 9급]

유교 이념에 바탕을 둔 정치를 강조한 조선은 국정 운영 과정에서 왕권과 신권의 조화를 추구하는 한편, 권력이 어느 한편으로 집중되는 문제를 막기 위한 체제를 갖추어 나갔다.

[보기]

ㄱ. 사간원　　　　　　　　　　ㄴ. 승정원

ㄷ. 사헌부　　　　　　　　　　ㄹ. 춘추관

① ㄱ, ㄴ　　　　　　　　　　② ㄱ, ㄷ

③ ㄴ, ㄷ　　　　　　　　　　④ ㄴ, ㄹ

해설　　　　　　　　　　　　　　　　　　　　　　　　　　　　정답 ②

조선 시대에 '권력이 어느 한편으로 집중되는 문제를 막기 위한 체제'로서 설치한 관청은 사헌부, 사간원, 홍문관이다. 즉 3사는 세력 균형과 견제를 위한 관청들이다. 승정원은 왕권 강화를 위한 관청이다.

 명호샘의 한마디!!

조선의 중앙 관청과 제도들을 보면 통치체제의 특징을 알 수 있다.

관 청	추론할 수 있는 조선 정치의 특징
승정원, 의금부	왕권 강화
사헌부, 사간원, 홍문관	권력 독점과 부정 방지를 위한 신권의 행사
승정원, 의금부, 사헌부, 사간원, 홍문관	왕권과 신권의 조화 ➡ 2004 강원 9급
경연, 권당, 봉박	신권 기반의 왕권 견제책 ➡ 2007 충북 기술직 9급

09 다음 밑줄 친 '이 기구'에 대한 설명으로 가장 적절하지 않은 것은?

[2014 경찰]

김익희가 상소하여 말하기를, "요즘 <u>이 기구</u>가 큰 일이건 작은 일이건 모두 취급합니다. 의정부는 한갓 겉 이름만 지니고 육조는 할 일을 모두 **빼앗기고** 말았습니다. 이름은 '변방을 담당하는 것'이라고 하면서 과거에 대한 판정이나 비빈 간택까지도 모두 여기서 합니다."라고 하였다.

① 명종 때에 을묘왜변을 계기로 처음 만들어진 임시 회의기구이다.

② 세도정치기에도 핵심적인 정치기구로 자리 잡았다.

③ 의정부의 의정과, 공조판서를 제외한 판서 등 주요 관직자가 참여하는 합좌기관이다.

④ 고종 때에 흥선 대원군에 의해 사실상 폐지되었다.

정답 ①

📖**해설**

'변방을 담당하는' 비변사에 대한 설명이다.

1. 삼포왜란을 계기로 설치된 임시관청이며, 1555년(명종 때) 을묘왜변을 계기로 정식 관청이 되었다.
2. 정청(政廳)과 권부(權府)라는 이중성이 상존된 것이며, 이의 존치는 결국 중앙 집권적 관료주의를 심화시킨 것이었다.
3. 임진왜란 이후 국정의 모든 사무를 담당하게 되면서 최고 정무기관의 역할을 담당하였다.
4. 조선 후기 확대 강화되면서 의정부와 6조를 중심으로 하던 국가행정체계를 무너뜨렸으며 왕권도 약화시켰다.

② 세도정치기에는 '비변사'와 '훈련도감'으로 권력이 집중되었다.
③ 임진왜란 이후 비변사는 의정부의 의정, 5조의 판서와 참판(공조는 제외되었으므로 5조임), 군영 대장, 대제학, 강화 유수 등의 고위관원으로 구성되어 그 힘이 막강하였다.
④ 비변사는 흥선 대원군 때 축소·폐지되었다. ➡ 2021 소방

---

10 밑줄 친 (가) 기구에 대한 설명으로 가장 적절하지 않은 것은?

[2016 법원직 9급]

> 중종 12년 6월 경술 정광필, 김응기, 신용개가 말하였다. '여진에 대비하여 성을 쌓는 것은 중요한 일입니다. 정승 가운데 한 사람이나 모두 함께 의논해서 조치하도록 하시고, 이름은 __(가)__ (이)라 하십시오.'
>
> ➡ 「중종실록」

① 흥선 대원군 집권 시기에 폐지되었다.
② 을묘왜변 이후 상설 기구로 발전하였다.
③ 의정부와 6조의 정무 기능을 분담하였다.
④ 의정부 3정승 등 고위 관료들이 참여하였다.

📖**해설**

정답 ③

중종 5년(1510년)에 3포 왜란이 일어났다. 이를 계기로 여진족과 왜구를 대비하기 위해 임시회의기구로 비변사가 설치되었다. 비변사의 기능이 강화되자, 의정부와 6조 중심의 행정 체계는 유명무실해지고, 왕권은 상대적으로 약화되었다.
① 흥선 대원군 때 비변사가 폐지되고, 의정부와 삼군부가 부활하였다.
② 비변사는 을묘왜변 이후 상설 기구로(정식관청으로) 발전하였다.
④ 임진왜란을 거치며 의정부 3정승 등 고위 관료들이 참여하여, 그 기능이 확대되었다.

11 [보기]에서 설명하고 있는 기구에 대한 설명으로 가장 옳은 것은? [2018 서울시 지방직 9급]

> **[보기]**
>
> 재신(宰臣)으로서 이 일을 맡은 사람을 지변재상(知邊宰相)이라고 불렀습니다. 그러나 이것은 일시적인 전쟁 때문에 설치한 것으로 국가의 중요한 모든 일들을 참으로 다 맡긴 것은 아니었습니다. 오늘에 와서 큰 일이건 작은 일이건 중요한 것으로 취급되지 않는 것이 없는데, 정부는 한갓 헛이름만 지니고 육조는 모두 그 직임을 상실하였습니다. 명칭은 변방의 방비를 담당하는 것이라고 하면서 과거에 대한 판하(判下)나 비빈(妃嬪)을 간택하는 등의 일까지도 모두 여기를 경유하여 나옵니다.
>
> ◉『효종실록』

① 대원군에 의해 기능이 강화되었다.

② 의정부의 기능을 약화시켰다.

③ 붕당 정치의 폐단을 막기 위해 설치되었다.

④ 왜구의 침입에 대비하여 16세기 초 상설기구로 설치되었다.

해설 　　　　　　　　　　　　　　　　　　　　　　　　　　　　정답 ②

자료 중 '지변재상'이 발전한 것이며, 명칭이 '변방의 방비를 담당하는' 기구였다는 내용을 볼 때 [보기]가 설명하는 기구는 '비변사'이다. 조선은 건국 초기부터 외적의 침입에 보다 적절하게 대응하기 위해 영의정·좌의정·우의정을 포함하는 원로 재상들과 병조, 국경 지방의 주요 관직을 역임했던 인물들을 불러 군사 대책에 대해 협의했다. 성종의 재위기 이후 이들을 지변사재상(知邊事宰相) 또는 지변재상(知邊宰相)이라고 부르게 되었다. 1510년(중종 5년) 3포 왜란이 발생하자 지변재상을 긴급하게 소집해서 왜구에 대한 방어 대책과 왜란의 수습 방안 등을 논의했다. 아울러 상황에 따라 운영했던 지변재상의 논의와 합의 체제를 고쳐 '비변사'라는 임시 기구를 설립했다.

① 비변사는 조선 후기 내내 최고 정무 기관으로 유지되다가 흥선 대원군의 개혁으로 폐지되었다.

② 비변사의 기능이 강화되면서 의정부 및 6조의 기능이 약화되었다.

④ 비변사가 '상설기구'가 된 것은 1555년(명종 10년)에 발생한 을묘왜변 이후이다. 즉 '16세기 초'가 아니라 '16세기 중엽'에 상설기구가 되었다.

12 조선 전기 언관에 대한 설명으로 옳지 않은 것은? [2011 지방직 7급]

① 관리의 비리를 감찰하고, 정사를 비판하였다.

② 어사대와 중서문하성의 낭사가 이에 속하였다.

③ 권력의 독점과 부정을 방지하는데 기여하였다.

④ '맑고 중요한 자리'라 하여 청요직(淸要職)이라 불렸다.

해설 　　　　　　　　　　　　　　　　　　　　　　　　　　　　정답 ②

언관(대간)은 서경, 간쟁, 봉박, 관리 비위(비리) 감찰 등을 담당한다. 권력(왕의 권력, 고위 관료의 권력)의 독점과 부정을 방지하는데 기여하였으며, 이를 위해서는 '맑은' 인물이 이 기능을 담당하여야 했으므로 이들을 청요직이라 불렀다. ②의 어사대와 중서문하성의 낭사는 '고려' 시대의 언관이다.

13 밑줄 친 '이것'의 역할로 옳은 것은?

[2016 기상직 9급]

> <u>이것</u>은 마땅히 명망이 우선되어야 하고 탄핵은 뒤에 해야 한다. … 천하의 득실과 백성을 이해하고 사직의 모든 일을 간섭하고 일정한 직책에 매이지 않는 것은 홀로 재상만이 행할 수 있으며 간관만이 말할 수 있을 뿐이니, 간관의 지위는 비록 낮지만 직무는 재상과 대등하다.
>
> ❍「삼봉집」

① 왕명을 출납하였다.

② 국정 운영을 총괄하였다.

③ 관리를 감찰하고 정사를 비판하였다.

④ 유학을 가르치고 역사서를 편찬하였다.

해설

정답 ③

'이것'은 대간(臺諫, 언관)이다. 제시된 자료의 '간관'은 국왕에 대한 간쟁을 맡은 관원인데, 여기에 감찰 기능을 가진 대관(臺官)이 합해지면, 이것을 대간이라 한다. ③에서 '관리를 감찰'하는 관원은 대관이고, '정사를 비판'(간쟁)하는 관원은 간관이다.

14 다음 중 조선 시대 3사에 대한 설명으로 옳은 것은?

[2013 기상직 9급]

① 사간원(司諫院)은 시정을 논평하고 모든 관원을 감찰하여 풍속을 바로 잡는 일을 관장한다.

② 언관(言官)은 양사(兩司)와 홍문관이 맡은 업무 성격 때문에 부르는 명칭이다.

③ 사헌부(司憲府)는 임금에게 간언하고 정사의 잘못을 논박하는 직무를 관장한다.

④ 홍문관은 원억(冤抑)한 일을 고소하는 자의 소장을 주관하여 관원에 제출하는 일을 맡는다.

해설

정답 ②

언관(言官)은 대간, 간관이라고도 한다. 조선 시대의 언관은 국왕과 의정부·6조의 행정계통을 견제하는 기구였다. 우선 양사(사헌부+사간원)가 언관에 속한다. 그러나 홍문관도 경적(經籍, 유교경전과 서적)을 모아 전고(典故, 전례와 고사)를 토론하고 문한(文翰, 문필에 관련된 일)을 담당하여 왕의 고문역할을 담당하는 문필기구로서 그 임무의 성격상 언관의 기능도 함께 수행하였다. 즉 3사의 업무 성격 때문에 언관이라고 부르는 것이다.

① 시정(時政)의 득실을 논하고 백관을 규찰하며 풍속을 교정하는 감찰기관은 사헌부이다.

③ '임금에게 간언하고 정사의 잘못을 논박'하는 것을 간쟁이라 한다. 간쟁은 사간원의 기능이다.

④ 원억(冤抑)이란 '원'통한 누명을 써서 '억'울한 상태를 말한다. 개인의 원억 문제를 고소하는 자의 소장은 각 사법기관(의금부, 사헌부, 형조, 한성부, 포도청, 장례원, 관찰사, 수령 등)에서 접수하여 처리한다. 홍문관은 사법기관이 아니라 문필기구이다.

02 군역 / 군사제도

15 다음에 서술된 군역제도의 양상을 시기 순으로 바르게 나열한 것은? [2016 지방직 7급]

> ⊙ 보법을 실시하여 군정수를 크게 늘렸다.
> ⓒ 지방의 각 진관에서 방군수포가 행해졌다.
> ⓒ 평민에게만 징수해 온 군포를 양반에게도 징수하는 호포제를 실시하였다.
> ② 종래 군역이 면제되었던 상층 양인들을 선무군관으로 처음 편성하여 수포하였다.

① ⊙ → ⓒ → ⓒ → ②　　　　② ⊙ → ⓒ → ② → ⓒ
③ ⓒ → ⊙ → ⓒ → ②　　　　④ ⓒ → ⊙ → ② → ⓒ

해설　　　　　　　　　　　　　　　　　　　　　　정답 ②

⊙ 보법을 실시한 왕은 '세조'이다.
ⓒ 진관 체제는 '세조' 때 수립되었다. 다만 각 진관에서 방군수포(放軍收布, 쌀이나 옷감을 받고 진관의 지휘관이 병사들을 집으로 돌려보내던 불법적인 군역회피 방식)가 행해진 것은 15세기 말부터이다. 15세기 말, 사림파가 정계에 본격적으로 등장하면서, 군역회피 현상이 가속화되었기 때문이다. 성종 23년(1492년), 평안도 병마절도사 '오순'이 쌀과 베를 받고 지방군 1,234명의 군사를 돌려보낸 것이 방군수포의 대표적인 예이다.
② '영조' 때 균역법을 실시하여 군포를 줄인 후, 재정 감소 보완책으로 결작, 선무군관포, 어장세, 염세, 선박세를 거두었다. 이 중 선무군관포는 조선 후기에 부를 축적한 양인들에게 선무군관이라는 그럴 듯한 호칭을 주고, 직부전시라는 과거도 볼 수 있게 하며, 그에 상응하여 군관포를 내게 한 수취제도를 말한다.
ⓒ 종래 양민에게만 부과하던 군포를 동포(洞布) 또는 호포(戶布)로 바꾸어 양반에게도 징수한 것은 '흥선 대원군' 때이다.

16 조선 전기의 군대 조직 및 운용에 관한 설명으로 옳은 것은? [2012 경찰간부]

① 군역의 부담이 가중되자 이를 개선하기 위해 균역법을 만들었다.
② 지방군으로 속오군이 편성되어 양인과 함께 일부 노비가 참여하였다.
③ 정규군 이외에 서리, 노비, 잡학인 등으로 구성된 잡색군이 있었다.
④ 훈련도감을 설치하여 포수와 활 그리고 창을 사용하는 삼수병제를 갖추었다.

해설　　　　　　　　　　　　　　　　　　　　　　정답 ③

이 문제는 '조선 전기'의 군대 조직 및 운용에 관하여 묻는 문제이다. '조선 전기'에 대한 정의를 정확히 하지 못하는 경우, 문제 풀이에 어려움이 있을 수 있다. 일반적인 문제에서는 1636년 병자호란을 기준으로 조선 전기와 후기를 나누어 풀면 큰 무리가 없다. 그러나 군사제도 문제에서는 1592년 임진왜란 발발을 기준으로 조선 전기와 후기를 나누어 풀어야 한다. 말하자면 5위 체제, 영진군 체제(익군 체제), 잡색군, 진관체제, 제승방략체제는 조선 전기이고, 훈련도감을 포함한 5군영 체제, 속오군체제는 조선 후기의 것으로 풀어야 한다.
① 균역법은 영조 때 실시되었으므로 '조선 후기'이다.
② 속오군에는 농민으로 구성된 정군뿐만 아니라 양반과 노비까지도 군사로 편제하였다. '양인과 일부 노비'라는 말은 맞지만, 속오군은 '조선 후기'의 군사제도이다.
④ 훈련도감은 '조선 후기'이다.

17 조선 전기의 군사제도에 대한 설명으로 옳지 않은 것은?

① 오위도총부가 군무를 통괄하였다.

② 지방의 주요 거점을 중심으로 진관을 편제하였다.

③ 잡색군은 생업에 종사하다가 일정 기간 군사 훈련을 받았다.

④ 금위영을 설치하여 도성을 수비하였다.

해설

정답 ④

금위영은 1682년 숙종 때 설치한 중앙군이다. 즉 '조선 후기'이다.

① 오위도총부는 5위를 총괄하던 최고의 군령 기관이다. 1457년 세조 때 중앙군 조직이 5위로 개편된 후, 1466년 오위도총부가 확립되었다. 5위 및 오위도총부는 '조선 전기'이다.

② 진관 체제는 '조선 전기'이다.

> 〈진관체제의 특징〉
> • 각 도에 병영과 수영을 두고 병마절도사와 수군절도사를 배치하였다.
> • 거진을 중심으로 여러 진을 예속시켜 자전자수(自戰自守)하게 하였다.
> • 양인 농민으로 구성된 정병(正兵)과 이들을 돕는 봉족(奉足)으로 구성되었다.

③ 잡색군은 '조선 전기'이다.

---

18 다음 자료는 조선 시대 어떤 군사체제의 문제점을 지적하고 있다. 이 군사체제에 해당하는 것은?

> 을묘왜변 이후 김수문이 전라도에서 처음으로 도내의 여러 읍을 순변사·방어사·조방장·도원수와 본도 병사·수사에게 소속시키니 여러 도에서 이를 본받았다. 〈중략〉 이리하여 한번 위급한 일이 있으면 반드시 멀고 가까운 곳의 군사를 모두 동원하여 빈 들판에 모아놓고 1,000리 밖에서 오는 장수를 기다리게 하였다. 그러므로 장수는 아직 때 맞추어 이르지 않았는데, 적은 이미 가까이 오게 되니 군심이 동요하여 반드시 궤멸하는 도리밖에 없다.
>
> ➡ 유성룡의 「상계」

① 진관체제   ② 5군영체제

③ 속오군체제   ④ 제승방략체제

해설

정답 ④

'을묘왜변'으로 호남 지역이 큰 어려움을 겪게 되자, '병사도 몇 명 없는' 진관체제로는 외적을 대항할 수 없다는 판단하에 제승방략체제를 도입하였다. '멀고 가까운 곳의 군사를 모두 동원'한다는 것은 총동원 체제를 의미한다. '1,000리 밖에서 오는 장수'란 한양에서 오는 지휘관인 경장(京將)을 말한다. 지휘관이 '때 맞추어 이르지 않으므로' 임진왜란 초기의 패전이 원인이 되기도 하였던 군사제도는 제승방략체제이다.

명호샘의 한마디!!

제승방략체제의 키워드는 1) 을묘왜변, 2) 경장(천리 밖에서 오는 장수), 3) 임진왜란이다. 선조실록에 기록된 제승방략체제의 내용은 다음과 같다. 유성룡의 '상계'뿐만이 아니라 조선왕조실록에서도 자료가 추출될 수 있으니, 함께 봐두기 바란다.

> 대체로 그 중 큰 요점은 한 도의 군병을 미리 순변사·방어사·조방장과 병사·수사에게 분속시켜 적에 관한 정보를 듣기만 하면 적군의 많고 적음과 적의 정세와 지세(地勢)의 험난과 평이함을 살피지 아니하고 일제히 징발하여 모두 국경 부근에 결집시키는 것입니다. 그러므로 순변사에 소속된 군병은 병사가 비록 사용하고 싶어도 할 수 없으며 그밖에 병사·수사·조방장에 소속된 군병도 이와 같지 않은 것이 없습니다. 그러므로 매번 한차례 군병을 조발하면 일개 도가 모두 움직여 다시 뒤에 남은 힘이 없는데 조정에서는 천리 밖에서 장수를 보내니 아침에 출발하여 저녁에 도착할 수 없습니다.

19 다음 내용과 관련된 군사조직에 대한 설명으로 옳은 것은?

[2012 국가직 7급]

> 외방 곳곳에서 도적들이 일어났다. … 나는 청하기를 "당속미 1천석을 군량으로 하되, 한 사람당 하루에 2승씩 급료를 준다면 사방에서 군인으로 응하는 자가 모여들 것입니다."라고 하였다. … 얼마 안 되어 수천 명을 얻어 조총을 쏘는 법과 창, 칼, 쓰는 기술을 가르치고 초관과 파총을 세워 그들을 거느리게 하였다. 또 당번을 정하여 궁중을 숙직하게 하고, 국왕의 행차가 있을 때에 이들로써 호위하게 하니 민심이 점차 안정되었다. ○「서애집」

① 양반에서부터 노비에 이르기까지 편재 대상이 되었다.

② 진도와 제주도 등을 중심으로 몽골군에 항쟁을 하였던 부대이다.

③ 서리, 잡학인, 신량역천인 등이 소속되어 유사시에 동원되었다.

④ 이 군인들은 면포와 수공업 제품의 판매를 통해 난전에 가담하였다.

⑤ 이괄의 난을 계기로 설치되었다.

해설

정답 ④

제시된 자료는 유성룡의 「서애집」에 기록된 '훈련도감'이다. 훈련도감은 '장기간을 근무하고 일정 급료를 받는 상비군'이다.
○ 2010 서울시 9급, 2008 선관위 9급 조선 후기 훈련도감의 군졸들은 급료로 받은 면포와 수공업 제품을 판매하며 난전에 가담하기도 하였다.

> 중앙군이었던 5위제는 전란 이전에 이미 제대로 운영되지 못하였고, 왜란을 당하여 결정적으로 무너져버렸다. 이에 따라 왜란 중에 군제의 개편 작업이 시작되었다. 1593년에 '훈련도감(訓練都監)'을 신설하고, 포수·사수·살수 등 삼수병을 양성하였다. 이는 일찍이 왜구 방어에 탁월한 효과를 거두었던 명나라 절강군의 병법을 채용한 것으로 훈련도감은 조선 후기 군제의 근간이 되었으며, 이후 중앙군이 계속 확충되어 마침내 5군영체제가 완성되었다

① 속오군, ② 삼별초, ③ 잡색군, ⑤ 총융청

명호쌤의 한마디!!

'서애'는 유성룡의 호이다. 「서애집」은 임진왜란을 직접 겪은 유성룡의 상세한 전란 기록이 담겨 있는 책으로, 이 문제의 자료와 유사한 사료가 다음과 같이 2010년 경찰 시험에서도 출제된 적이 있다. 숙지해두기 바란다.

> 굶주림에 시달린 이들은 인육을 먹기도 하고, 외방 곳곳에서는 도적들이 일어났다. 이때 주상께서는 군사를 훈련시키라 명하시고, 나를 도제조(都提調)로 삼으셨다. "…한사람 당 하루에 2되씩 준다 하여 모집하면 응하는 이가 모여 들 것입니다."…얼마 안 되어 수천명을 얻어 조총 쏘는 법과 창칼 쓰는 기술을 가르치고, …당번을 정하여 궁중을 숙직하게 하고, 국왕 행차가 있을 때 이들로써 호위하게 하니 민심이 점점 안정되었다.
>
> ◑ 유성룡 「서애집」

20 조선 후기의 오군영에 대한 설명으로 가장 옳지 않은 것은? [2017 경찰간부 변형]

① 임진왜란 때 유성룡의 건의로 훈련도감이 설치되었다.

② 어영청, 총융청, 수어청, 금위영의 순서로 완성되었다.

③ 수어청은 북한산성에 근거지를 두었다.

④ 훈련도감에서는 척계광의 『기효신서』를 참고하여 훈련하였다.

⑤ 금위영은 숙종 8년에 설치되었고, 기병(騎兵)이 포함되어 있었다.

해설 정답 ③

수어청은 남한산성에 근거지를 두고 수도 남부를 방어하였다.

군 영	설치 시기	체크할 내용
훈련도감	선조(1593)	삼수병으로 편성, 의무병이 아닌 직업군인(급료병)
어영청	인조(1623)	효종 때 북벌 계획에 따라 정비·강화, 이완을 어영대장으로 함
총융청	인조(1624)	이괄의 난 진압 직후 설치
수어청	인조(1626)	수도 남부(남한산성) 방어
금위영	숙종(1682)	기병으로 구성, 5군영 체제의 완성

21 (가), (나)에 대한 설명으로 옳지 않은 것은? [2021 국회직 9급]

> (가) 조선 시대에 유사시 임시 수도로 기능할 수 있도록 험준한 산세를 이용하여 축성한 것이다.
> (나) 정조가 아버지 사도(장헌) 세자의 무덤을 화산으로 옮기면서 팔달산 아래 축성한 것이다.

① (가) - 조선 후기에 5군영 가운데 수어청을 이곳에 설치하였다.

② (가) - 병자호란 때 인조가 이곳으로 피난하여 대항하였다.

③ (나) - 거중기, 녹로 등을 사용하여 축성하였다.

④ (나) - 중국의 축성 기술을 도입하여 벽돌로만 성벽을 쌓았다.

⑤ (가), (나) - 유네스코 세계 문화유산으로 등재되었다.

해설   정답 ④

(가) 조선 시대에 임시 수도로 기능할 수 있도록 축성한 것은 '남한산성'이다. 남한산성은 다른 산성과는 달리 산성 내에 종묘와 사직이 갖추어져 있다. 전쟁이나 나라에 비상이 있을 때 임금은 한양 도성에서 나와 남한산성 행궁에 머무르고, 종묘에 있는 선조의 신주(神主)를 옮길 수 있는 좌전을 마련하여 조선의 임시 수도로 역할을 하였다.

(나) 정조가 사도세자(장헌세자)의 무덤을 옮긴 곳이며, 팔달산 아래 축성한 것은 '수원 화성'이다. 정조는 사도세자의 묘(현륭원)을 화산으로 옮기고, 팔달산(수원) 아래에 화성을 세워 정치적, 군사적 기능을 부여하였다.

④ 수원 화성의 하단은 돌로 쌓고 상단은 벽돌로 쌓았다. 그러므로 '벽돌로만' 성벽을 쌓았다는 말은 틀리다.

① 인조는 남한산성에 수어청을 설치하였다(1626).

② 인조는 병자호란 때 남한산성으로 피신하였다(1636).

③ 정조는 서양 선교사 요하네스 테렌츠가 중국에서 펴낸 「기기도설」을 참고하여 거중기를 만들어 수원 화성을 축조하는데 이용하였다.

⑤ 수원 화성은 1997년에, 남한산성은 2014년에 유네스코 세계 문화유산으로 등재되었다.

22 [보기]의 조선 시대의 국방정책을 시간 순으로 바르게 나열한 것은?   [2018 서울시 9급]

> **[보기]**
> ㉠ 서울 주변의 네 유수부가 서울을 엄호하는 체제를 구축하였다.
> ㉡ 금위영을 발족시켜 5군영 제도가 성립되었다.
> ㉢ 하멜이 가져온 조총 기술을 도입하여 서양식 무기를 제조하였다.
> ㉣ 수도방어체계를 강화하고 『수성윤음』을 반포하였다.

① ㉠ → ㉡ → ㉢ → ㉣   ② ㉡ → ㉣ → ㉠ → ㉢

③ ㉢ → ㉡ → ㉣ → ㉠   ④ ㉣ → ㉢ → ㉠ → ㉡

해설   정답 ③

㉢ 핸드릭 하멜(Hendrik Hamel)은 1653년 효종 때 일행 36명과 함께 제주도에 표착(漂着)하였다. 하멜 일행은 1655년(효종 7)에 훈련도감에 배속되어 새로운 조총 제조에 참여하였다.

㉡ 금위영을 발족시켜 5군영 제도를 완성한 때는 1682년(숙종 8)이다. 금위영은 영의정 김수항이 건의하고, 이후 훈련대장 겸 병조판서 김석주가 올려서 1682년 3월 반포된 「군제변통절목(軍制變通節目)」을 근거로 정초군(精抄軍)과 훈련도감(訓鍊都監) 별대(別隊)를 합설하여 만든 군영이다.

㉣ 1751년(영조 27) 수도방어체계를 강화하고 『수성윤음(守城綸音)』을 반포하였다. 윤음에 정리된 내용을 보면, 도성의 수비를 맡은 군영은 훈련도감 · 금위영 · 어영청의 3군문이었다. 각 군문은 도성 수비를 3구분하여 담당하였는데, 도성 내의 5부 방민은 군문 구역과 거리에 따라 각 군문에 분속되었다.

㉠ 유수부(留守府)란 도읍의 주변 지역이나 군사적인 요지에 유수를 파견하던 지역을 말한다. 조선 시대에는 개성부(1438, 세종 때)와 강화부(1627, 인조 때)에 유수부가 설치되었고, 이후 정조는 수원을 유수부로 승격시켰으며(1793), 수어청의 본청을 남한산성으로 이전하면서 아울러 광주부를 유수부로 승격시켰다(1795). 즉 서울 주변의 '네 유수부'가 서울을 엄호하는 체제가 구축된 시기는 정조 때이다.

03 교육 / 과거 제도

23 [보기]에서 조선 시대 교육 제도에 대한 설명으로 옳은 것을 모두 고른 것은? [2023 계리직 9급]

> **[보기]**
> ㄱ. 성균관은 조선 왕조 최고의 교육기관이다.
> ㄴ. 기술교육은 잡학이라 불렸는데 해당 관서에서 가르쳤다.
> ㄷ. 향교는 훌륭한 유학자들을 제사 지내고, 성리학을 연구하는 사립 교육기관이다.
> ㄹ. 국가에서 전국의 모든 군현에 서원을 설치하여 종6품의 교수나 종9품의 훈도를 파견하기
>   도 하였다.

① ㄱ, ㄴ   ② ㄷ, ㄹ

③ ㄱ, ㄴ, ㄷ   ④ ㄱ, ㄴ, ㄹ

해설   정답 ①

ㄱ. 성균관이라는 명칭은 고려 충렬왕 때 쓰기 시작했다. 성균관은 조선으로 이어져 조선 왕조 최고의 교육기관이 되었다.
성균관에는 생원과 진사가 입학하는 것이 원칙이었다. 다만, 하재생 입학의 예외가 있었으므로 '성균관에는 생원이나
진사만 입학할 수 있었다'라는 문장이 오답으로 출제되기도 하였다. ● 2017 사회복지직

ㄴ. 기술교육은 잡학이라 불렸는데 해당 관서에서 가르쳤다. 기술관이 되기 위해서는 잡과에 합격해야 했다.

ㄷ. '훌륭한 유학자들을 제사 지내고, 성리학을 연구하는 사립 교육기관'은 서원이다. 향교는 지방에 있는 관학(국립 교육기
관)이다.

ㄹ. '종6품의 교수나 종9품의 훈도를 파견'한 교육기관은 향교이다.

24 조선 시대 관리 등용 제도에 대한 설명으로 옳은 것은 모두 몇 개인가? [2015 경찰]

> ⊙ 소과에는 시·부 등의 문학을 시험하는 생원시와 경서를 시험하는 진사시가 있었다.
> ⓒ 기술관을 뽑는 잡과는 2년마다 치러지는데, 분야별로 정원이 있었다.
> ⓒ 소과 합격자는 성균관에 입학하거나 문과에 응시할 수 있었으며, 하급관리가 되기도 하였다.
> ⓔ 같은 관서 또는 서로 연관이 있는 관직에 친인척을 임명하지 않도록 하거나, 지방관을
>   연고가 있는 지역으로 보내지 못하도록 한 서경제도가 있었다.

① 1개   ② 2개

③ 3개   ④ 4개

소과(생원시, 진사시) 합격자는 문과에 응시할 수 있었다. 바로 문과에 응시해도 되지만, 많은 경우 성균관에 입학하여 학업을 연마한 후 문과에 응시하였다. 또는 소과만 합격하더라도 하급관리에는 임용될 수 있었다. 그러므로 ©은 옳다.

⊙ 소과에는 생원시와 진사시가 있었다. 이 중 생원시는 경서를 시험 보는 것으로 고려 시대 이래의 명경과에 해당한다. 진사시는 시·부 등의 문학을 시험 보는 것으로 고려 시대의 이래의 제술과에 해당한다.

© 문과, 무과, 잡과 모두 원칙적으로 '3년'마다 시행되었으며, 분야별로 정원이 있었다.

② 같은 관서 또는 서로 연관이 있는 관직에 친인척을 임명하지 않도록 하거나, 지방관을 연고가 있는 지역으로 보내지 못하도록 한 제도는 상피(相避) 제도이다.

25 다음 〈표〉에서 나타내는 조선 시대 과거의 종류와 정원에 대한 설명으로 옳지 않은 것은?

[2012 국가직 7급]

종류		초 시	복 시	전 시
문과(대과)		관시 50명 한성시 40명 향시 150명	(가)	갑과 3명 을과 7명 병과 23명
소 과	생원시	한성시 200명 향시 500명	100명	–
	진사시	한성시 200명 향시 500명	100명	–
무 과		원시 70명 향시 120명	(나)	갑과 3명 을과 5명 병과 20명

① 소과의 초시와 복시는 인구 비례에 의해 지역별로 할당되었다.

② 문과(대과)의 최종 합격자는 지역과 관계없이 성적에 따라 갑, 을, 병으로 나뉘었다.

③ (가)와 (나)에 해당하는 정원은 각각 33명과 28명이었다.

④ 알성시와 증광시의 합격자 수는 이 〈표〉에 포함되지 않았다.

문과(대과), 소과(생원시, 진사시), 무과의 초시는 인구 비례에 의해 지역별로 합격자 수를 할당하지만, 복시에서는 지역을 따지지 않고 정원에 맞춰 뽑았다. 문과 식년시의 경우 초시(1차 시험)에서는 도별 인구비례로 뽑았다. ➔ 2018 경찰, 2012 경찰간부 '지역별 인구비례'와 '도별 인구비례'가 모두 맞는 표현이다. 문과(대과)와 무과의 3차 시험인 전시(殿試)에서는 갑·을·병의 석차만을 결정하였다. 문과 갑과의 1등, 즉 '장원'은 신급제자의 경우 종6품에 초임되었다.

26 다음 중 조선 전기 관리를 등용하는 제도에 대한 설명으로 옳지 않은 것은? [2013 기상직 9급 변형]

① 생진과 합격자는 백패(白牌)를, 문과(대과) 합격자는 홍패(紅牌)를 받았다.

② 재주가 부족하거나 나이가 많은 이들은 취재라는 특별채용시험을 거쳤다.

③ 고려와 달리 조선은 관직의 세습을 막고자 음서를 통한 관직 진출을 금지하였다.

④ 권력의 집중과 부정을 막고자 친인척을 같은 부서에 두지 않는 상피제가 실시되었다.

⑤ 5품 이하의 관리의 등용에는 서경을 거치도록 하였다.

해설   정답 ③

조선 시대 음서는 2품 이상 관리의 자제를 대상으로 하는 등 고려 시대에 비하여 혜택의 폭이 줄어들었다. 그러나 음서를 통한 관직 진출이 금지된 것은 아니었다.
① 백패와 홍패는 각각 흰색 종이, 붉은색 종이에 기록한 시험 합격증이다.
② 취재는 서리나 하급 관리를 선발하기 위해 한글로 실시하였던 임용 시험 제도이다.
④ 상피제는 '권력의 집중과 부정을 막기 위해' 가까운 친인척과 같은 관서에 근무하지 않도록 하거나 출신 지역의 지방관으로 임명하지 않는 제도를 말한다.
⑤ 왕이 5품 이하의 관리를 등용하기 위해서는 양사(사헌부, 사간원)의 서경을 거쳐야 했다.

27 고려와 조선 시대 과거제도에 대한 설명으로 옳은 것을 모두 고른 것은?   [2017 국가직 7급]

┌───┐
│ ㉠ 고려 시대에는 제술업이 명경업보다 중시되어 그 합격자를 중용하였다.   │
│ ㉡ 고려 시대 국자감시는 국자감의 학생만을 대상으로 치르는 시험이었다.   │
│ ㉢ 조선 시대에 잡과에 합격한 기술관은 해당 관청에서 최고 정3품까지 승진할 수 있었다.   │
│ ㉣ 조선 시대의 음서 대상도 고려시대와 동일하여 음서를 통하여 고위 관리까지 진출하였다.   │
└───┘

① ㉠, ㉢   ② ㉠, ㉣

③ ㉡, ㉢   ④ ㉢, ㉣

해설   정답 ①

㉠과 ㉢이 옳다.
㉠ 고려의 과거는 제술업(제술과), 명경업(명경과), 잡업(잡과)으로 나뉜다. 제술업은 문학적 재능과 정책 등을 시험하고, 명경업은 유교 경전에 대한 이해 능력을 시험하여 문신을 뽑는 시험이었다. 이 중 제술업이 명경업보다 중시되어 그 합격자를 중용하였다.
㉢ 조선 사회에서 잡과 출신자는 문과 출신자에 비해 차별을 받았다. 일단 잡과 출신 중인은 법적으로 '한품거관(限品去官)'이라는 규정의 적용을 받았다. 한품거관은 일정한 관품에 오르면 관직에서 물러나는 것을 말하는데 기술직 중인의 경우 정3품 당하관에서 실직이 끝나게 되어 있었다.
㉡ 「고려사」에 보면 국자감시를 이렇게 표현한다. "곧 진사시(進士試)이다. 덕종이 처음 설치하였고, 부(賦) 및 육운시(六韻詩)·십운시(十韻詩)로 시험하였다. 그 후 혹 성균시(成均試)라 칭하기도 하였다." 국자감시는 국자감의 입학시험이라고 주장하는 이들도 일부 있으나, 국자감시를 본고시인 예부시(禮部試)에 응시하기 위한 '예비고시' 성격으로 보는 견해가 일반적이다. 예비고시인 국자감시는 중앙의 국자감 학생이나 지방의 향공(鄕貢) 등이 모두 거쳐야 하는 과정이었다. 그러나 후자의 경우는 곧장 이 국자감시에 응시할 수 있었던 것이 아니라 지방에서 또 다른 한 단계의 예비고시를 통과해야만 하였다. 어떻게 보더라도 '국자감의 학생만을 대상으로 치르는 시험'이라는 표현은 잘못되었다.

ⓔ 고려 시대에 음서를 통하여 관직에 진출한 자들은 대부분 5품 이상의 고위 관직에 오를 수 있었으며, 그 중 절반은 재상에 진출하였다. 그러나 조선 시기에는 그 범위가 제한되어, 음서를 통한 관직 진출이 크게 축소되었다. 조선 시대에는 음서를 통하여 관직에 진출하여도 그 자체만으로 고위 관직 진출은 어려웠다. 16세기 이후에는 문음자가 과거에 합격하지 못하는 경우 처음 진출한 9품 참봉직에 그대로 머물렀다.

28 (가), (나)에 들어갈 말을 바르게 연결한 것은?
[2023 지방직 9급]

> 조선 시대 과거 제도에는 문과·무과·잡과가 있었는데, 이 가운데 문과를 가장 중시하였다.
> 『경국대전』에 따르면 문과 시험 업무는 ___(가)___에서 주관하고, 정기 시험인 식년시는
> ___(나)___마다 실시하는 것이 원칙이었다.

	(가)	(나)
①	이조	2년
②	이조	3년
③	예조	2년
④	예조	3년

해설 정답 ④

조선 시대 과거 제도에 있어, 문과의 시행은 예조가 담당하였다. (무과는 병조와 훈련원이 담당하였고, 잡과는 사역원·형조·전의감·관상감 등이 각각 담당하였다.) 문과, 무과, 잡과 모두 정기시험인 식년시를 치렀는데, 식년시는 3년마다 실시하는 것이 원칙이었다.

04 교통 / 통신 제도

29 우리나라 교통과 통신에 대한 시대별 설명으로 옳지 않은 것은?
[2014 계리직 9급]

① 신라 소지마립간 때 사방에 우역(郵驛)을 두고 관도(官道)를 수리하였다.

② 고려 후기에 고려가 원에 복속되면서 몽골식 역참(驛站) 제도가 시행되었다.

③ 조선 초기에 중앙과 변방을 신속하게 연결하는 군사통신 수단으로서 파발제도를 시행하였다.

④ 조선 시대에 역로(驛路) 행정의 총괄은 6조 가운데 병조(兵曹)에서 담당하였다.

해설 정답 ③

국방상의 위기에 신속하게 대처하기 위하여 낮에는 연기, 밤에는 횃불로 연락을 취하는 '봉수'가 활용되었다. 그러나 연기나 횃불이 잘 보이지 않아 연락이 제대로 전달되지 않는 단점이 있어서 임진왜란 이후에는 파발제로 변경하였다. 즉 파발제는 '조선 초기'가 아니라 임진왜란 이후이다. 계리직 시험은 그 특성상 교통·통신 제도를 중요하게 다루므로, 2012년에도 이 주제를 출제하였다. 2012년에는 '고려' 시대의 교통·통신 제도를 물었으며, 이때 '파발제 시행'을 오답으로 처리하였다.

④ 역로 행정은 행정적인 개념보다는 군사적인 기능이 중시되었으므로 병조(兵曹)에서 담당하였다. 역로 행정을 담당하는 역승(驛丞), 찰방(察訪) 등은 모두 병조 아래에 있었다.

30 조선 시대 통신수단 중 파발에 대한 설명으로 옳지 않은 것은?   [2010 기능직 10급]

① 봉수제가 유명무실해지면서 등장한 통신수단으로 임진왜란 이후 간헐적으로 시행되었다.

② 말을 사용하여 신속하게 전달하는 기발(騎撥)과 사람의 도보에 의한 보발(步撥)이 있었다.

③ 한양을 중심으로 서발, 북발, 남발 등 3개의 간선망과 그 사이에 보조 노선이 있었다.

④ 파발이 교대하는 참(站)은 대개 보발은 50리마다, 기발은 100리마다 두었다.

해설   정답 ④

조선 중기 이후에는 역참제의 쇠퇴와 군사 통신수단인 봉수제의 문란으로 명나라 제도를 본 딴 변방 문서 전달방법인 파발제가 마련되어 역참과 파발(擺撥)이 병행되었다. 파발은 크게 서발(의주~한성), 북발(경흥~한성), 남발(동래~한성) 등의 세 선로로 구성되어 있었다. 그리고 전달 수단에 따라 기발(騎撥)과 보발(步撥)로도 나누었다. 기발은 '25리'마다 1개의 참(站)을 두고 참마다 발장 1명, 군정 5명, 말 5필을 두었다. 보발은 30리마다 참을 두고, 이곳에는 발장 1명, 군정 2명을 두었다.

---

03 조선 시대 지방행정제도

01 (가)에 들어갈 말로 옳지 않은 것은?   [2021 소방]

> 변징원에게 임금이 "그대는 이미 흡곡현령(歙谷縣令)을 지냈으니 백성을 다스리는 데 무엇을 먼저 하겠는가?"라고 물었다. 그는 "마땅히 칠사(七事)를 먼저 할 것입니다."라고 하였다. 임금이 말하기를 "이른바 칠사라는 것은 무엇인가?"라고 하니 변징원이 "칠사란 __(가)__ 이 바로 그것입니다."라고 답하였다.
> ◎ 『성종실록』

① 호구를 늘게 하는 것   ② 학교 교육을 장려하는 것

③ 수령의 비리를 감찰하는 것   ④ 공정하게 세금을 징수하는 것

해설   정답 ③

(가)에 들어갈 것은 수령 7사이다. 여기에 들어갈 말은 다음과 같다.

> 임금께서 말하기를, "칠사(七事)라는 것은 무엇인가?"하니, 변징원이 대답하기를, "농상(농사와 양잠)을 성하게 하는 일, 학교를 일으키는 일, 소송을 간략하게 하는 일, 간활(간사하고 교활함)을 없애는 일, 군정(軍政)을 닦는 일, 호구를 늘리는 일, 부역을 고르게 하는 일이 바로 칠사입니다."라고 하였다. ◎ 『성종실록』 ◎ 2017 지방직 7급

③ 수령의 비리를 감찰하는 것은 관찰사가 할 일이다.

02 (가)에 들어갈 내용으로 옳은 것을 [보기]에서 모두 고른 것은?

[2023 법원직 9급]

평택현감 변징원이 하직하니, 임금이 그를 내전으로 불러 만났다. 임금이 변징원에게 "그대는 이미 수령을 지냈으니, 백성을 다스리는 데 무엇을 먼저 하겠는가?"라고 물었다. 이에 변징원 이 "마땅히 칠사(七事)를 먼저 할 것입니다"라고 하였다. 임금이 "칠사라는 것은 무엇인가?" 라고 질문하니, 변징원이 대답하기를, _____(가)_____ ◎『성종실록』

[보기]

ㄱ. 호구를 늘리는 것입니다.

ㄴ. 농상(農桑)을 성하게 하는 것입니다.

ㄷ. 역을 고르게 부과하는 것입니다.

ㄹ. 사송(詞訟)을 간략하게 하는 것입니다.

① ㄱ
② ㄱ, ㄴ
③ ㄱ, ㄴ, ㄷ
④ ㄱ, ㄴ, ㄷ, ㄹ

 해설

정답 ④

수령 칠사(七事)를 묻는 문제이다. 호구를 늘리는 것(호구 확보), 농상을 성하게 하는 것(농업 장려), 역을 고르게 부과하는 것(부역 균등), 사송을 간략하게 하는 것(소송 간결)은 모두 수령 칠사에 해당한다. 이외에도 교육 진흥, 치안 유지, 군정 안정 이 수령 칠사에 포함된다.

👨 **명호샘의 한마디!!**

고려 말, 태종 때, 성종 때의 7사가 조금씩 다르므로, 시험에서는 그 기준을 「경국대전」에 기록된 7사에 두고 있다. 7가지를 직접 물어볼 수도 있고, '수령'을 나타내는 재료로 쓰이고 있으니 알아두기 바란다.

1. 농업과 잠업(누에치기)을 장려하여 융성하게 할 것
2. 교육을 진흥할 것(학업을 장려할 것)
3. 소송을 간결히 할 것
4. 치안을 유지할 것
5. 군정을 안정시킬 것(때에 맞게 군사 훈련을 실시하고 군기를 엄히 밝힐 것)
6. 호구를 확보할 것(인구의 증가를 도모할 것)
7. 부역을 균등히 할 것(공정하게 세금을 징수할 것)

03 조선 시대 지방행정조직의 특징을 나열한 것이다. 옳지 않은 것은? [2009 서울시 9급]

① 전국을 8도로 나누고, 고을 크기에 따라 지방관 등급을 조정하였다.

② 고려 시대까지 특수 행정구역이었던 향, 부곡, 소를 일반 군현으로 승격시켰다.

③ 전국의 주민을 국가가 직접 지배하기 위해 모든 군현에 수령을 임명하고, 또 수령의 비행을 견제하기 위해 전국 8도에 관찰사를 파견하였다.

④ 기본 행정구역은 부, 목, 군, 현으로 구획하였다. 또 군·현 아래 면·리·통을 두고 10호를 하나의 통으로 편성하였다.

⑤ 암행어사를 지방에 수시로 보내기도 하고, 유향소(향청)를 운영하여 지방민 자치를 허용하기도 하였다.

해설 정답 ④

조선의 기본 행정 구역은 부·목·군·현으로, 군·현 밑에는 면·리·통을 두었으며, 5호(戶)를 하나의 통(統)으로 편성하였다. ○ 2018 서울시 7급 이것을 오가작통법(五家作統法)이라 한다. 오가작통법의 시행 목적은 1) 농민들의 도망과 이탈 방지, 2) 부세와 군역의 안정적인 확보이다. ○ 2017 국가직 9급 조선 정부는 5호(戶)를 하나의 통(統)으로 편성하고, 5개의 통을 1개의 리(里)로, 3~4개의 리를 1개의 면(面)으로 구성하였다. 이렇게 편제한 이유는 농민들의 향촌에서 이탈하는 것을 방지하기 위한 것으로, 이는 '호패법'의 목적과도 같다. 또한 오가작통법은 호(戶)의 다과를 명확히 파악하여 부세와 군역을 안정적으로 확보하기 위해서도 시행되었다.

• 무릇 민호(民戶)는 그 이웃과 더불어 모으되, 가족 숫자의 다과(多寡)와 재산의 빈부에 관계없이 다섯 집마다 한 통(統)을 만들고, 통 안에 한 사람을 골라서 통수(統帥)로 삼아 통 안의 일을 맡게 한다.
• 1리(里) 마다 5통 이상에서 10통까지는 소리(小里)를 삼고, … (중략) … 리(里) 안에서 또 이정(里正)을 임명한다.
○『비변사등록』 ○ 2017 국가직 9급

04 다음은 지방 토착 세력의 역사적 변천에 대한 서술이다. 시대순으로 바르게 나열된 것은? [2008 지방직 9급]

⊙ 속현에 감무가 파견되기 시작함으로써 자치적인 지배력에 영향을 받기 시작하였다.

○ 농민 봉기를 배경으로 각처에서 일어나 반독립적인 호족세력으로 성장하였다.

○ 사심관 제도, 기인제도를 통하여 견제를 받기 시작하였다.

○ 군공 등으로 첨설직을 가지게 된 자들이 나타나게 되었다.

① ⊙ - ○ - ○ - ○ ② ○ - ○ - ⊙ - ○

③ ○ - ○ - ○ - ⊙ ④ ○ - ○ - ○ - ⊙

해설 정답 ②

'지방 토착세력의 역사적 변천'이라는 동일한 타이틀로 2012년 해양경찰 시험에서도 출제되었던 문제이다. 문제와 답을 외우도록 한다.

ⓒ '신라 하대'에 사회가 혼란해지면서 지방에서는 호족이라 불리는 중앙 정부의 통제에서 벗어난 반독립적(半獨立的)인 세력이 성장하였다.

ⓒ '고려 초' 태조는 지방호족을 견제하고 지방통치를 보완하기 위하여 혼인정책, 사성정책, 기인제도, 사심관 제도를 실시 하였다.

㉠ 감무는 '고려 중기' 이후 중앙 정부가 속군이나 속현, 향·소·부곡 등 말단 지방 행정단위에 파견한 지방관을 말한다. 12세기 초부터 파견되기 시작하였으나, 무신집권기에 지방에서 반란이 많이 일어나자 감무의 파견이 증가하였다.

㉣ '고려 말' 공민왕 때 홍건적·왜구의 침입을 막는 과정에서 첨설직이 등장하였다.

05 밑줄 친 '이 기구'에 대한 설명으로 가장 옳지 않은 것은?

[2022 법원직 9급]

> • 앞서 <u>이 기구</u>의 사람들이 향중(鄉中)에서 권위를 남용하여 불의한 짓을 행하니, 그 폐단이 많았습니다. 그래서 선왕께서 폐지하였던 것입니다. 간사한 아전을 견제하고 풍속을 바로 잡는 것은 수령이 해야 할 일인데, 만약 모두 이 기구에 위임한다면 수령은 할 일이 없지 않겠습니까?
>
> • 전하께서 다시 <u>이 기구</u>를 세우고 좌수와 별감을 두도록 하였는데, 나이가 많고 덕망이 높은 자를 추대하여 좌수로 일컫고, 그 다음으로 별감이라 하여 한 고을을 규찰하고 관리하게 하였다.
>
> ➡『성종실록』

① 경재소를 통해 중앙의 통제를 받았다.

② 향촌 사회의 풍속을 교화하는 데 기여하였다.

③ 수령을 보좌하고 향리를 감찰하는 역할을 하였다.

④ 전통적 공동 조직에 유교 윤리를 가미하여 만들었다.

해설 정답 ④

『성종실록』에서 '선왕(先王)'이라 한다면 세조나 예종일 것이다. 향중(鄉中)에 있는 기구를 폐지했다면 세조 때 이시애의 난을 계기로 유향소를 폐지했다는 말일 것이다. 성종 때 유향소를 다시 세우고 '좌수와 별감'을 두었다. '이 기구'는 유향소이다.

① 유향소는 경재소를 통해 중앙의 통제를 받았다. 유향소는 향촌자치의 기능을 하였지만, 경재소가 유향소의 업무 연락 기관이 되면서 조선 정부는 중앙집권을 이루게 되었다.

②, ③ 유향소는 수령을 보좌 및 감시하고, 향리를 감찰하고, 백성들을 교화하는 기능을 하였다.

④ 전통적 공동 조직에 유교 윤리를 가미하여 만든 것은 향약(鄉約)이다.

06 시대별 지방 행정 제도에 대한 설명으로 옳은 것은? [2018 국가직 9급]

① 통일신라 – 촌의 행정은 촌주가 담당하였다.

② 발해 – 전국 330여 개의 모든 군현에 수령을 파견하였다.

③ 고려 – 촌락 지배 방식으로 면리제가 확립되었다.

④ 조선 – 향리 통제를 위하여 사심관을 파견하였다.

해설 정답 ①

통일신라의 지방 행정 조직은 9주 5소경 체제로 정비하여 중앙 집권을 더욱 강화하였다. 군사적 기능보다 행정적 기능을 강화하여 전국을 9주로 나누고, 주 아래에는 군이나 현을 두어 지방관을 파견하였으며, <u>그 아래의 촌은 토착 세력인 촌주가 지방관의 통제를 받으면서 다스렸다.</u> 신라의 촌주는 신라 중대까지 지방관을 보좌하며 지방의 행정과 군사 실무를 담당하였으며, 신라 하대에는 반(反) 신라적인 성격을 띠며 호족과 결탁하거나 스스로 호족이 되기도 하였다.

② '전국 330여 개의 모든 군현에 수령을 파견하였다'는 조선에 대한 설명이다. 조선은 전국을 8도로 나누고, 고을의 크기에 따라 지방관의 등급을 조정하고, <u>작은 군현을 통합하여 전국에 약 330여 개의 군현을 두었다. 전국의 주민을 국가가 직접 지배하기 위해 모든 군현에 수령을 임명하였다.</u>

③ '촌락 지배 방식으로 면리제가 확립되었다'는 조선에 대한 설명이다. 고려는 전국을 5도로 나누고, 그 아래에 주, 군, 현을 두었다. 주, 군, 현 아래의 촌(村)은 행정적인 구획은 아니었다. <u>조선은 이러한 '촌'을 정리하고, 행정적인 구획인 면리제(面里制)를 실시함으로써 중앙 집권을 강화하였다.</u> 고려 시대까지는 면리제가 시행되지 않다가 조선 시대에 면리제가 시행된 것은 자연촌의 성장을 반영한 것이다. 고려 말 조선 초에 농업 기술의 발달로 농업 생산력이 증가하면서 촌의 규모도 커졌기 때문에 이를 행정 구역화할 수 있었으며, 이에 따라 향촌에 대한 국가의 직접적인 지배력을 강화하고자 했던 것이다.

④ '향리 통제를 위하여 사심관을 파견하였다'는 고려에 대한 설명이다. <u>사심관(事審官)이란 고려 시대에 부호장(副戶長) 이하의 향리를 임명·통제하기 위해 중앙에서 임명하였던 관리로서,</u> 민심을 수습하고 지방 세력을 회유하는 역할을 하였다. 고려에 항복한 신라의 마지막 왕인 경순왕을 경주의 사심관으로 삼고 그 지방의 자치를 감독하게 한 데서 비롯된 제도이다. 향리가 지방 자치의 주체(主體)라면, 사심관은 지방 자치의 감독관(監督官)이라고 할 수 있다.

07 고려와 조선의 지방 행정 제도에 대한 설명으로 가장 옳지 않은 것은? [2018 서울시 9급]

① 조선에서 지방관은 행정·사법권을, 별도로 파견된 진장·영장은 군사권을 보유하였다.

② 고려에서 상급 향리는 과거 응시에 제한을 두지 않아 고위관리가 될 수 있었다.

③ 조선에서 지역 양반은 유향소를 구성하여 향리를 규찰하고 향촌 질서를 바로잡았다.

④ 고려의 지방은 지방관이 파견된 주현과 파견되지 않은 속현으로 구성되었다.

해설 정답 ①

진장(鎭將)·영장(營將)은 지방 군대를 통솔하는 정3품 당상직 장관(將官)을 말한다. 1627년(인조 5년)에 설치되었다. 이들은 모두 '겸직(兼職)'으로서 중앙은 판관(判官)이나 중군(中軍) 및 경기 일원의 부사·목사가 겸임하였고, 각 도는 수령(守令)이 겸하였다. 즉 진장·영장이 '별도로' 파견된 것이 아니라, 행정·사법·군사권을 모두 가지고 있는 지방관이 진장·영장을 겸하였다.

04 사화 · 붕당 정치와 탕평 정치

01 사림파와 훈구파

01 다음 자료의 ㉠에 대한 설명으로 옳은 것을 [보기]에서 모두 고르면? [2011 서울시 9급]

신진사대부	급진 개혁파(혁명파) → 훈구파
	점진 개혁파(온건파) → ㉠

[보기]

(가) 많은 토지를 소유한 대지주층으로 성장했다.
(나) 도덕과 의리를 바탕으로 하는 왕도정치를 강조하였다.
(다) 부국강병과 왕권 강화를 통한 중앙 집권 체제를 추구하였다.
(라) 서원과 향약을 통해 향촌 사회에서 꾸준히 세력을 확대했다.

① (가), (나)
② (가), (다)
③ (나), (다)
④ (나), (라)
⑤ (다), (라)

해설 정답 ④

㉠은 사림파이다.

(나) 사림파는 도덕과 의리를 바탕으로 하는 왕도정치를 강조하였다. 그렇다고 해서 훈구파가 왕도정치를 무시하였다는 의미는 아니다. 훈구파는 주된 관심이 '중앙 집권 체제 구축'에 있었다.

(라) 사림파는 '향촌 자치'를 중시하였다. 그 까닭에 '서원'과 '향약'을 중시하였다. 또한 향사례·향음주례의 보급, 사창제의 실시를 주장하였다. ➲ 2011 사회복지직 9급

명호샘의 한마디!!

조선 건국 과정에서 역성혁명을 반대한 일부는 관직 참여의 기회를 얻지 못하고 지방의 중소지주로 머물면서 향약(鄕約)·향사례(鄕射禮)·향음주례(鄕飮酒禮)의 보급, 사창제(社倉制)의 실시, 유향소 복립 운동 등을 통해 향촌에서의 세력을 구축하고 있었다. 향약, 향사례, 향음주례는 주자학적인 방도로 향촌을 교화하여 사회 질서를 확립하려는 운동이었고, 사창제는 자치적인 향촌 사회의 곡식 대여 제도로 재지사족의 경제적 원천이 되었으며, 유향소는 위의 제도를 실시하는 자치 기구로서의 기능을 가진 것이었다. 이들은 15세기 말 이후의 사회경제적 변동에 직면해서 '보'의 개발·보급 등으로 경제력을 축적하고 재지 지주로서의 지위를 상승시켜 나갔다. 이들은 훈구파의 특권적 비리 행위를 비판하는 가운데 정치 세력으로 성장해 갔다. 이들이 곧 사림파이다.

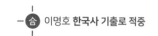

02 조선 전기 사림(士林)에 대한 설명으로 옳지 않은 것은?

[2013 국가직 9급]

① 재야에서 공론을 주도하는 지도자로서 산림(山林)이 존중되었다.

② 향촌 자치를 내세우며, 도덕과 의리를 바탕으로 한 왕도정치를 강조하였다.

③ 3사의 언관직을 차지하고, 자신들의 의견을 공론으로 표방하였다.

④ 중소지주적인 배경을 가지고, 지방 사족이 영남과 기호 지방을 중심으로 성장하였다.

해설

정답 ①

사림(士林)과 산림(山林)은 구분해야 한다. 모두 지방에 근거지를 두고 있는 양반들을 의미하지만, '산림'은 붕당 정치기에 여전히 지방에 머물면서 '공론을 주도하는 지도자' 역할을 한 양반들을 특별히 말하기 때문이다. 산림에 의해 형성된 공론은 중앙 정계에 영향을 주어 붕당 정치의 도구로 활용되었다. 이에 따라 붕당을 약화시키고자 했던 18세기 영조는 산림을 부정하였다. '재야에서 공론을 주도하는 지도자로서 산림이 존중'된 시기는 조선 후기이다.

명호쌤의 한마디!!

사림파와 훈구파는 그 대립적인 성격이 시험에 자주 출제된다.

구분	훈구파	사림파
대표적 인물	정도전, 유자광	김종직, 조광조
서적	「주례」 중시 ● 2014 국가직 9급	「춘추」 중시
통치관	중앙집권(부국 강병) ● 2011 서울시 9급, 2007 서울시 9급	향촌 자치(왕도 정치) ● 2013 국가직 9급, 2011 서울시 9급, 2007 서울시 9급, 2005 국가직 9급
경제	대지주 ● 2011 서울시 9급, 2007 서울시 9급	중소 지주 ● 2013 국가직 9급, 2007 서울시 9급
관직	고위 관직 독점	이조전랑과 삼사의 언관직 차지 ● 2013 국가직 9급, 2005 국가직 9급
과학기술	우대	천시
역사관	자주적 사관(단군 중시)	존화적 사관(기자 중시)
단점	대토지 소유	군역 회피

03 조선 시대의 사상에 대한 설명으로 옳은 것은?

[2014 국가직 9급]

① 정도전은 성리학에만 국한하지 않고 다양한 사상을 포용하였으며, 특히 「춘추」를 국가의 통치 이념으로 중요하게 여겼다.

② 이황은 16세기 조선사회의 모순을 극복하는 방안으로 통치체제의 정비와 수취제도의 개혁 등을 주장하였다.

③ 18세기에는 인간과 사물의 본성이 다르다고 주장하는 호론과, 이를 같다고 주장하는 낙론 사이에서 논쟁이 벌어졌다.

④ 유형원과 이익의 사상을 계승한 김정희는 토지제도 개혁론을 비롯하여 많은 저술을 남겼다.

정답 ③

17세기에 이기론 논쟁이 있었다면, 18세기에는 인물성동이론 논쟁이 있었다. 서울·경기 지역 노론(낙론)은 인물성동론을, 충청 지역 노론(호론)은 인물성이론을 주장하였다.

① 훈구파와 사림파는 중시한 경전이 달랐다. 훈구파가 중국 주나라의 예법서인「주례」를 중시했다면, 사림파는「소학」, 「가례」,「춘추」를 더 중시하였다. 정도전은 훈구파이므로 성리학 이외의 다양한 사상을 포용한 것은 맞지만, '춘추'를 중시 여긴 것은 아니었다.

② '통치체제의 정비와 수취제도의 개혁'은 '이이'에 어울리는 말이다.

④ 유형원과 이익의 사상을 계승한 실학자는 '정약용'이다.

02 사 화

04 다음 글을 쓴 인물에 대한 설명으로 옳은 것은?   [2013 법원직 9급]

> 꿈속에 신선이 나타나서 "나는 초나라 회왕 손심인데 서초패왕에게 살해되어 빈 강에 버려졌다"고 말하고 사라졌다. 잠에서 깨어나 생각해보니 회왕은 중국 초나라 사람이고, 나는 동이 사람으로 거리가 만리(萬里)나 떨어져 있는데 꿈에 나타난 징조는 무엇일까? 역사를 살펴보면 시신을 강물에 버렸다는 기록이 없으니 아마 항우가 사람을 시켜서 회왕을 죽이고 시체를 강물에 버린 것인지 알 수 없는 일이다. 이제야 글을 지어 의제를 조문한다.

① 최초의 서원인 백운동서원을 세웠다.

② 길재의 학통을 이어받고 김굉필 등 제자들을 길렀다.

③「소학」보급을 통해 유교 윤리를 확산시키려 하였다.

④ 유교 경전의 독자적 해석을 시도하여 사문난적으로 몰렸다.

정답 ②

제시된 자료는 김종직이 쓴 '조의제문'이다. 김종직은 사림파로서 길재의 학통을 이어받고 김굉필 등의 제자들을 길렀다. 사림파의 계보는 '정몽주 – 길재 – 김숙자 – 김종직 – 김굉필 – 조광조 – 이황·이이'의 순으로 이어진다.

① 주세붕, ③ 조광조, ④ 윤휴·박세당

05 밑줄 친 '그'와 관련된 설명으로 옳지 않은 것은?   [2014 국가직 7급]

> 임금이 교지를 내렸다. "지금 그의 제자 김일손이 찬수한 사초 내에 부도덕한 말로 선왕의 일을 터무니없이 기록하였다. …(중략)… 성덕을 속이고 논평하여 김일손으로 하여금 역사에 거짓을 쓰는 지경에까지 이르렀다."

① 조의제문을 지어 무오사화의 원인이 되었다.

② 길재의 학통을 잇고 세조 대에 정계에 나아갔다.

③ 제자들이 과거를 통해 주로 삼사 언관직에 진출하였다.

④ 국가의 여러 행사 규범을 담은「국조오례의」편찬에 관여하였다.

[해설]   정답 ④

사림파의 계보는 '정몽주 – 길재 – 김숙자 – 김종직 – 김굉필 · 김일손 · 정여창'으로 이어진다. 김일손이 제자라면, '그'는 김종직이다.

① 「성종실록」을 편찬하면서 김종직이 쓴 조의제문(弔義帝文)의 내용이 발단이 되어서, 무오사화(1498)가 일어났다.

② 김종직은 길재의 학통을 이은 사림파이다. 김종직은 세조 때 문과(대과)에 급제하여 처음 벼슬에 나아갔다. 성종 때 대제학이 되어 그의 제자들을 대거 이끌었으므로, '사림파가 중앙 정계에 진출'한 것은 성종 때로 보면 되겠지만, 김종직 개인이 첫 벼슬을 한 것이 언제인지를 묻는다면 그것은 '세조' 때가 된다.

③ 김종직의 제자들은 주로 삼사 언관직에 진출하였다. 이것이 초기에 사림파가 진출하였던 통로였다.

④ 「국조오례의」 편찬에 관여한 대표적인 인물은 '신숙주'이다.

 명호쌤의 한마디!!

2017년 기상직 7급 시험에서 정리한 '김종직'에 대한 정보는 다음과 같다. 이 중 일부가 '문제'로 제시되고 나머지에서 '답'이 나올 것이다. 꼭 외워두길!

1. 김숙자의 아들로 호는 점필재이다.
2. 성종 때에 이조참판, 형조판서, 홍문관 제학 등을 역임하였다.
3. 문하에서 정여창, 김굉필, 김일손 등이 수학하였다.
4. 무오사화의 단서를 제공한 조의제문을 지었다.
5. 온건파 신진사대부인 길재의 학통을 계승하였다.

06 다음 가상 대본과 관련된 사건에 대한 설명으로 가장 옳은 것은? [2016 법원직 9급]

> 이극돈 : (능청맞게) 여보게, 계운(김일손의 호) 자네가 이번 사초에 내가 정희왕후 국상 중에 관기를 불러 주연을 베푼 사실을 썼다던데, 그것 좀 빼주면 안되겠나?
>
> 김일손 : (단호한 어조로) 그건 불가하오.

① 명종 대에 일어났다.

② 폐비 윤씨 사건과 연관이 있다.

③ 위훈 삭제에 반발하여 일어났다.

④ 김종직의 제자들이 피해를 입었다.

[해설]   정답 ④

관련 사건은 1498년 연산군 때 일어난 무오사화(戊午史禍)이다. 무오사화의 직접적인 원인을 말한다면 김종직이 쓴 「조의제문(弔義帝文)」이 '사초'에 올라간 일이다. 여기에 하나의 원인을 더 말한다면, 세조비 정희왕후의 국상 중에(장례 기간 중에) 전라감사 이극돈이 기생과 어울렸다는 불미스러운 일이 '사초'에 올라간 일이다. 성종실록을 편찬하기 위해 사초를 검토하던 중 이 두 가지 일이 알려지게 되었고, 집권 세력은 김종직의 제자 김일손을 처형하고, 김종직을 부관참시하였다. 사초(史草) 문제로 일어난 사화(士禍)이므로, 무오사화(戊午史禍)라고 한다. 제시된 자료에서 중요한 표현은 김일손과 이극돈이라는 이름 이외에도, '사실을 썼다'라는 말이다. '사실을 썼다'는 것은 사초에 기록하였다는 뜻이다.

① 을사사화(1545, 명종 때), ② 갑자사화(1504, 연산군 때), ③ 기묘사화(1519, 중종 때)

07 다음 사건을 일어난 순서대로 나열한 것으로 옳은 것은?

[2014 서울시 9급]

> ㉠ 김종직의 무덤을 파헤쳐 시신을 참수하였다.
>
> ㉡ 조광조가 능주로 귀양 가서 사약을 받고 죽었다.
>
> ㉢ 명종을 해치려 했다는 이유로 윤임 일파가 몰락하였다.
>
> ㉣ 연산군은 생모 윤씨의 폐비 사건에 관여한 사람을 몰아냈다.

① ㉠ - ㉡ - ㉢ - ㉣　　　　② ㉠ - ㉣ - ㉡ - ㉢

③ ㉡ - ㉠ - ㉢ - ㉣　　　　④ ㉡ - ㉢ - ㉣ - ㉠

⑤ ㉢ - ㉡ - ㉠ - ㉣

해설　　　　　　　　　　　　　　　　　　　　　　　　　　　　　정답 ②

㉠ 연산군 4년(1498), 사림파 김일손이 지은 사초(史草)에 김종직이 쓴 〈조의제문〉이 수록된 것이 문제되어 김일손을 포함한 표연말, 정여창, 최부 등 수십 명의 사림파가 사형되거나 유배되었다. 그리고 이미 죽은 김종직의 무덤을 파헤쳐 시신을 참수했다. 이것을 무오사화라고 한다.

㉣ 연산군 10년(1504), 사림을 몰아낸 연산군은 훈구파도 제거하여 자신의 권력을 강화하려고 하였다. 그러던 중 자신의 생모 윤씨가 윤필상 등 훈구파들의 주청으로 폐비사사(廢妃賜死)된 것을 알고 이 사건에 관여한 훈신들과 사림을 몰아냈다. 이것을 갑자사화라 한다.

㉡ 반정 공신의 횡포를 견제하기 위하여 사림을 등용한 중종은 처음에는 사림들을 크게 신임하였으나, 점차 지나치게 임금을 압박하는 데 싫증을 느끼게 되었다. 이런 분위기를 이용하여 중종 14년(1519)에 남곤, 심정, 홍경주 등 공신들은 조광조 일파에게 반역죄의 누명을 씌워 대거 죽이거나 귀양을 보냈다. 이때 조광조는 능주(綾州)로 귀양 가서 사약을 받고 38세의 나이로 죽었다.

㉢ 중종이 죽은 후, 둘째 왕비 장경왕후의 소생인 인종이 즉위하고 왕비의 동생인 윤임(대윤)이 세력을 떨쳤으나 인종이 재위 8개월 만에 죽었다. 이어 셋째 왕비 문정왕후 소생 명종이 왕위에 올랐는데 명종도 어렸으므로 문정왕후가 수렴청정하고 그 동생인 윤원형(소윤)이 세력을 잡았다. 이들은 인종의 외척들이 명종을 해치고자 했다고 하여 윤임 일파를 몰아냈다. 이것이 을사사화이다.

구 분	시 기	사화 발생 원인
무오사화	연산군 때(1498)	김종직의 조의제문(弔義帝文) 문제
갑자사화	연산군 때(1504)	윤씨(연산군 생모)의 복위 문제
기묘사화	중종 때(1519)	위훈삭제 사건(조광조의 급진적 개혁 추진)
을사사화	명종 때(1545)	외척의 왕위 계승 문제

08 다음 사건과 관련 있는 내용으로 가장 옳은 것은?

[2023 법원직 9급]

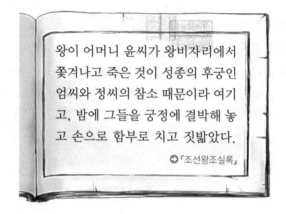

왕이 어머니 윤씨가 왕비자리에서 쫓겨나고 죽은 것이 성종의 후궁인 엄씨와 정씨의 참소 때문이라 여기고, 밤에 그들을 궁정에 결박해 놓고 손으로 함부로 치고 짓밟았다.

➡『조선왕조실록』

① 수양대군이 단종을 내쫓고 왕위에 올랐다.

② 조광조를 비롯한 많은 사림이 피해를 입었다.

③ 연산군이 훈구파들을 제거하고 권력을 강화하였다.

④ 이조 전랑의 임명 문제를 둘러싸고 사림간 대립이 일어났다.

해설

정답 ③

'어머니 윤씨가 왕비자리에서 쫓겨나고 죽은 것'이란 연산군의 생모인 윤씨가 폐비된 사건을 말한다. 이 사건을 원인으로 하여 발생한 사화는 갑자사화이다(1504). 이로 인해 연산군은 윤씨 폐위와 사사에 찬성했던 김굉필, 윤필상 등을 사형에 처하고, 이미 죽은 한명회, 정여창 등을 부관참시하였다. 이 사건으로 인하여 사림파와 훈구파가 모두 크게 화를 당하였으므로 '연산군이 훈구파들을 제거하고 권력을 강화하였다'는 문장은 옳은 것으로 보아야 한다.

① 수양대군이 단종을 내쫓고 왕위에 오른 사건은 계유정난이다(1453).

② 조광조를 비롯한 많은 사림이 피해를 입은 사건은 기묘사화이다(1519).

④ 이조 전랑의 임명 문제를 둘러싸고 사림간 대립이 일어난 것은 을해당론(1575, 붕당 정치의 시작)이다.

09 (나) 시기에 일어난 사실로 옳은 것은?

[2023 국가직 9급]

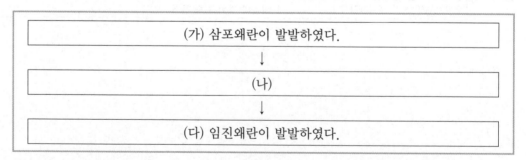

(가) 삼포왜란이 발발하였다.
↓
(나)
↓
(다) 임진왜란이 발발하였다.

① 을사사화가 일어났다.

② 『경국대전』이 반포되었다.

③ 『향약집성방』이 편찬되었다.

④ 금속활자인 갑인자가 주조되었다.

해설 정답 ①

(가) 삼포왜란은 1510년(중종 5년)에 일어났다. (다) 임진왜란은 1592년(선조 25년)에 일어났다. 그 사이에 을사사화가 일어났다(1545, 명종 즉위년).

② 성종 때 『경국대전』이 반포되었다.

③ 세종 때 『향약집성방』이 편찬되었다.

④ 세종 때 금속활자인 갑인자가 주조되었다.

10 조선 시대에 발생한 다음 정치 사건에 대한 설명으로 옳은 것은? [2012 계리직]

> ㉠ 김종직의 「조의제문」을 빌미로 다수의 신진관료들이 죽거나 처벌을 당하였다.
>
> ㉡ 도덕정치를 실현하려고 한 조광조의 개혁에 대해 훈신들이 반격을 가하였다.
>
> ㉢ 인종과 명종의 왕위 계승 문제로 외척 간의 대립이 정쟁으로 표면화되었다.

① '㉠'은 왕권이 약화된 틈을 타서 훈구세력이 산림(山林)을 견제할 목적으로 일으킨 사건이다.

② '㉡'에 서술된 개혁을 추진한 세력은 중앙 집권과 부국강병을 주장하였다.

③ '㉡'과 '㉢'에 따른 정치적 갈등의 결과 사림세력이 큰 피해를 입었다.

④ '㉢'의 대립이 심화된 결과 동인과 서인의 붕당이 출현하였다.

해설 정답 ③

㉠은 무오사화(1498), ㉡은 기묘사화(1519), ㉢은 을사사화(1545)이다.

① 무오사화는 연산군 때 일어났다. 연산군은 훈구와 사림을 모두 견제하여 왕권을 강화하려고 하였다. 그런데 사림파가 언론활동을 통해 연산군의 왕권을 견제하려고 하자, (짜증이 난) 연산군은 사림파를 싫어하게 되었다. 이 틈을 타 훈구파들이 김일손이 지은 사초를 문제 삼아 사림파를 탄압한 사건이 무오사화이다. '왕권이 약화된 틈'이 아니라 '왕이 사림파를 싫어하게 된 틈'이어야 한다.

② 조광조는 사림파이므로, 조광조의 개혁은 '향촌 자치'와 '왕도정치'를 강조하였다.

④ 인종의 외척(대윤)과 명종의 외척(소윤)의 대립이 심화되어 을사사화가 일어났다. 외척의 왕위 계승 문제로 인하여 사화가 일어난 것을 묻는 문제일 뿐, 30년 후 척신정치 청산 문제로 동인과 서인으로 갈라지는 을해당론(1575)과의 관련성을 묻는 문제는 아니다. 외척 간의 대립 문제와 척신정치에 대한 입장 차이 문제는 구분해야 한다.

명호샘의 한마디!!

'윤원형 일파'라고 하면 '명종의 외척'이며, '소윤'이다. 을사사화는 '윤원형 등의 간사한 무리들이 일을 꾸미면서 윤임 등을 축출한 사건'이다. 율곡 이이도 윤원형 등을 다음과 같이 부정적으로 묘사하였다. 을사사화와 관련하여 '윤원형'이라는 '간사한' 인물을 기억하기 바란다.

> 을사사화 때 여러 현인은 성군을 만나 세도를 회복시키고자 하면서 공론을 견지하였는데 윤원형·정순붕·이기 등의 무리가 권세를 이용하여 사화를 꾸며 한때의 훌륭한 사람들을 모두 잡아 반역의 깊은 구렁텅이 속으로 몰아 넣었습니다.
>
> ◐ 「율곡전서」

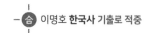

11 다음 시의 지은이와 관련이 없는 것은?

> 임금 사랑하기를 어버이 사랑하듯이 하고 / 나라를 내 집안 근심하듯이 했노라. / 밝은 해가
> 이 땅을 비치고 있으니 / 내 붉은 충정을 밝혀 비추리라.

① 군주의 마음을 바르게 하는 것이 중요하다고 믿어 경연을 강화하였다.

② 자신들의 의견을 공론이라고 표방하면서 급진적 개혁을 요구하였다.

③ 〈조의제문〉으로 인해 사화를 당하였다.

④ 도교 및 민간 신앙을 배격하였다.

해설 정답 ③

'애군여애부(愛君如愛父)…'로 시작되는 제시된 시(詩)는 조광조가 죽임을 당하기 직전에 지은 절명시(絶命詩)이다. 조광조는 중종 때 왕도정치의 이상을 추구하고 성리학적 도덕 정치를 실현하기 위해 훈구파와 투쟁하였으나, 위훈삭제 등 급진적 개혁으로 인하여 중종과 훈구파의 반발을 초래하여 기묘사화로 사사되었다.

조광조와 그 일파는 삼사의 언관직에 등용되어 그들의 의견을 공론(公論)이라고 하며, 급진적인 개혁을 추진하였다. 이들은 전(前) 왕이었던 연산군의 학정을 되풀이하지 않도록 군주의 마음을 바르게 하는 것이 중요하다고 하며, '경연'을 강화하였다. 또한 불교, 도교, 민간 신앙 행사를 금지하고, 도교의 초제를 거행하던 소격서의 폐지를 주장하였다.

③ 조광조는 기묘사화로 사사되었다. 〈조의제문〉은 무오사화의 원인이며, 이 사화로 희생당한 인물들은 김일손 등 김종직 문인으로 구성된 영남사림이었다.

12 다음 정책을 추진한 인물에 대한 설명으로 옳은 것은?

> • 소격서 폐지   • 위훈삭제   • 방납의 폐단 시정

① 경연을 강화하고 언론활동을 활성화하였다.

② 갑자사화를 주도하여 훈구세력을 몰아내었다.

③ 소수서원을 설립하여 유교윤리를 보급하였다.

④ 관리들에게 '신언패(愼言牌)'를 차고 다니게 하였다.

해설 정답 ①

도교를 억압하기 위해 소격서를 폐지하고, 중종반정의 위훈(가짜 공훈)을 삭제하고, 방납의 폐단을 시정하기 위해 대공수미법을 주장한 인물은 '조광조'이다. 조광조는 군주가 연산군처럼 되면 안 된다며 '경연을 강화'하고 '언론 활동을 활성화(강화)'하였다.

② 무오사화로 사림파를 몰아냈고, 이어 훈구파도 제거하기 위해 '갑자사화'를 주도한 인물은 '연산군'이다.

③ 중종 말기(1543)에 주세붕이 안향을 제사 지내기 위해 백운동 서원을 세웠다. 이 서원은 그 후 명종 때(1550) 풍기군수로 새로 부임한 '이황'이 임금에게 주청하여 '소수서원'이라는 편액을 하사받고 토지와 노비, 서적 등을 아울러 받았다.

④ 두 번의 사화(무오사화, 갑자사화)로 자신을 비판하던 세력들을 거의 숙청한 연산군은 호화로운 잔치와 사냥에 빠지고 왕실의 토지를 늘려가는 등 실정을 거듭하였다. 또한 관인들에게 신언패(愼言牌)라는 팻쪽을 차고 다니게 하여 말조심을 하게 하였다.

13 (가) 인물에 대한 설명으로 옳은 것은?

> ☐ (가) ☐ 이/가 올립니다. "지방의 경우에는 관찰사와 수령, 서울의 경우에는 홍문관과 육경(六卿), 그리고 대간(臺諫)들이 모두 능력 있는 사람을 천거하게 하십시오. 그 후 대궐에 모아 놓고 친히 여러 정책과 관련된 대책 시험을 치르게 한다면 인물을 많이 얻을 수 있을 것입니다. 이는 역대 선왕께서 하지 않으셨던 일이요, 한나라의 현량과와 방정과의 뜻을 이은 것입니다. 덕행은 여러 사람이 천거하는 바이므로 반드시 헛되거나 그릇되는 일이 없을 것입니다."

① 기묘사화로 탄압받았다.　　　　② 조의제문을 사초에 실었다.

③ 문정왕후의 수렴청정을 지지하였다.　④ 연산군의 생모 윤씨를 폐비하는 데 동조하였다.

해설　　　　　　　　　　　　　　　　　　　　정답 ①

천거하는 제도이며, 한나라의 현량과와 방정과의 뜻을 이은 제도는 조선 중종 때 조광조가 실시한 현량과이다. (가)의 인물은 조광조이다. 조광조는 기묘사화로 탄압을 받아 죽었다.

② 조의제문을 쓴 사람은 김종직이고, 이것을 사초에 실은 사람은 그의 제자인 김일손이다. 조의제문은 무오사화의 원인이 되었다.

③ 명종이 어린 나이로 즉위하자 문정왕후가 수렴청정을 하였다. 이것을 지지한 사람은 을사사화 때 권력을 잡은 윤원형이다.

④ 연산군의 생모 윤씨를 폐비하는 데 동조한 인물은 성종의 신하들이다. 윤씨의 폐비 사건은 나중에 갑자사화의 원인이 되었다.

03 붕당 정치

14 조선 시대 붕당의 상황에 대한 설명으로 옳지 않은 것은?

① 선조 대 – 사림이 동인과 서인으로 분열하였다.

② 광해군 대 – 북인이 집권하였다.

③ 인조 대 – 남인이 정권을 독점하였다.

④ 숙종 대 – 서인이 노론과 소론으로 갈라졌다.

해설　　　　　　　　　　　　　　　　　　　　정답 ③

조선 시대 붕당 정치에서는 각 붕당의 분당(分黨)의 원인을 잘 알아야 한다.

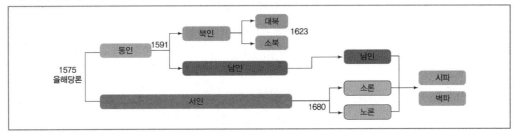

③ 인조 대에 서인이 우세한 가운데 남인과 연합·공존하였다.

① 선조 대에 사림이 동인과 서인으로 분열하면서(을해당론, 1575), 붕당 정치가 시작되었다.

② 임진왜란 직전에 동인이 북인과 남인으로 갈라졌고, 임진왜란이 끝난 광해군 대에 북인이 집권하였다.

④ 숙종 대에 경신환국(1680)을 거치며 서인이 노론과 소론으로 갈라졌다.

15 ⊙, ⓒ에 들어갈 붕당에 대한 설명으로 가장 옳은 것은?

[2012 법원직 9급]

> 김효원이 알성 과거에 장원으로 합격하여 이조 전랑의 물망에 올랐으나, 그가 윤원형의 문객이었다 하여 심의겸이 반대하였다. 그 후에 심의겸의 동생 심충겸이 장원 급제하여 전랑으로 천거되었으나, 외척이라 하여 김효원이 반대하였다. 이때 이들을 지지하는 세력이 서로 상대방을 배척하여 붕당이 형성되었다. 심의겸을 지지하는 기성 사림을 중심으로 (⊙)이 형성되고, 김효원을 지지하는 신진 사림을 중심으로 (ⓒ)이 형성되었다.

① ⊙은 이황·조식·서경덕의 문인이 가담하였다.
② ⓒ은 정여립 모반 사건을 계기로 분열하였다.
③ ⊙과 ⓒ의 대립으로 예송 논쟁이 발생하였다.
④ ⊙은 광해군 때, ⓒ은 인조 때 정권을 장악하였다.

해설 정답 ②

⊙은 서인, ⓒ은 동인이다. 선조 8년(1575), 최초로 붕당이 형성될 때 심의겸을 추종하는 기성 사림은 서인(西人)을 구성하고, 김효원을 영수로 하는 신진 사림은 동인(東人)을 구성하였다. 서인/동인 분당(分黨)의 원인은 1) 척신 정치 청산에 대한 입장 차이(외척의 정치 참여 문제), 2) 이조전랑 자리 다툼 문제이다. 동인은 다시 1) 정여립 모반 사건(기축옥사, 1589), 2) 정철의 건저의 문제, 3) 정철에 대한 처벌 수준 문제로 남인/북인으로 갈라졌다.

구 분	세 력	척신정치 청산	학문 계승
동 인	김효원 중심 (신진 사림)	적극적	이황, 조식, 서경덕
서 인	심의겸 중심 (기성 사림)	소극적	이이, 성혼

① 서인에는 이이와 성혼의 문인이 가담하였다.
③ 예송논쟁은 동인과 서인의 대립이 아니라, 서인과 남인의 대립이다.
④ 동인은 을해당론(1575)으로 최초 붕당이 생길 때 집권하였고, 서인은 인조반정(1623)으로 집권하였다.

16 다음 지문의 작가가 속한 붕당에 대한 설명으로 옳은 것은?

[2020 국회직 9급]

> 江湖(강호)애 病(병)이 깁퍼 竹林(듁님)의 누엇더니,
> 關東(관동) 八百里(팔빅니)에 方面(방면)을 맛디시니,
> 어와 聖恩(셩은)이야 가디록 罔極(망극)ᄒ다. ◎「관동별곡(關東別曲)」

① 이황과 조식의 문인으로 이루어져 있다.
② 이조전랑 자리를 두고 다툰 김효원을 추종하는 세력이다.
③ 광해군을 세자로 책봉하자고 건의한 사건으로 피해를 입었다.
④ 정여립 모반사건에 연루되어 많은 사람들이 실각하였다.
⑤ 선조가 사망하고 광해군이 즉위하자 실권을 장악하였다.

해설

관동별곡은 정철(1536~1593)이 지은 가사이다. 정철의 당파는 서인이다. 정여립 모반 사건의 위관(수사지휘관)으로 임명된 정철은 정여립의 반역을 사실로 인정하고, 동인들이 공조하였다고 판정하였다. 이후 정철을 포함한 서인은 선조에게 광해군을 세자로 책봉하자고 건의하였다가 선조의 심기를 건드려 큰 피해를 입었다. 이를 정철의 건저의사건(建儲議事件)이라고 한다. 건저(建儲)는 '왕세자를 세운다'는 뜻으로 세자 책봉을 의미하는 단어이다.

① 동인은 이황과 조식의 문인으로 이루어져 있다. 이후 이황의 제자는 남인으로, 조식과 서경덕의 제자는 북인으로 갈라진다.

② 이조전랑 자리를 두고 다툰 김효원을 추종하는 세력은 동인이다.

④ 정여립 모반사건에 연루되어 많은 사람들이 실각한 붕당은 동인이다. 이를 기축옥사라 한다(1589).

⑤ 선조가 사망하고 광해군이 즉위하자 실권을 장악한 붕당은 북인이다.

17 (가) 붕당에 대한 설명으로 옳은 것만을 [보기]에서 모두 고른 것은?

> __(가)__ 은/는 반정을 주도하여 정권을 잡은 이후 훈련도감을 비롯하여 새로 설치된 어영청, 총융청, 수어청의 병권을 장악하여 권력 유지의 기반으로 삼았다.

[보기]

ㄱ. 북벌론을 주장하였다.

ㄴ. 인목대비의 폐위를 주장하였다.

ㄷ. 조식 학파를 중심으로 형성되었다.

ㄹ. 예송 논쟁으로 남인과 대립하였다.

① ㄱ, ㄴ   ② ㄱ, ㄹ

③ ㄴ, ㄷ   ④ ㄷ, ㄹ

해설

'(인조)반정을 주도'하였고, 훈련도감(선조 때 설치) 및 어영청·총융청·수어청(인조 때 설치)을 권력 유지의 기반으로 삼았던 (가) 붕당은 '서인'이다.

ㄱ. 효종은 송시열, 이완 등을 등용해 무기를 개량하고 군대를 양성하였다. 정권을 잡고 있던 서인이 효종의 북벌을 지지하였다.

ㄹ. 서인은 두 차례에 걸친 예송 논쟁(기해예송, 갑인예송)에서 남인과 대립하였다.

ㄴ. (영창대군의 생모인) 인목대비의 폐위를 주장한 붕당은 북인이다.

ㄷ. 조식 학파(남명학파)를 중심으로 형성된 붕당은 북인이다.

18 (가)~(라) 시기에 있었던 사실로 옳은 것은?

[2017 국가직 9급]

	(가)	(나)	(다)	(라)	
연산군 즉위		중종 즉위	효종 즉위	영조 즉위	정조 즉위

① (가) – 현량과를 실시하였다.

② (나) – 무오사화와 갑자사화가 일어났다.

③ (다) – 두 차례에 걸친 예송이 일어났다.

④ (라) – 신해통공으로 금난전권을 폐지하였다.

해설

정답 ③

두 차례에 걸친 예송(기해예송, 갑인예송)은 모두 (다)에 들어간다.

	(가)	(나)	(다)	(라)	
	무오사화 (1498) 갑자사화 (1504)	현량과 실시 (1519)	기해예송 (1659) 갑인예송 (1674)		신해통공 (1791)
연산군 즉위 (1494)		중종 즉위 (1506)	효종 즉위 (1649)	영조 즉위 (1724)	정조 즉위 (1776)

19 조선 후기 예송에 대한 설명으로 옳지 않은 것은?

[2014 지방직 9급]

① 갑인예송에서 남인은 조대비가 9개월복의 상복을 입어야 한다고 주장하였다.

② 기해예송은 서인의 주장대로 조대비가 효종을 위해 1년복을 입는 것으로 결정되었다.

③ 기해예송은 효종이 사망하자 조대비가 상복을 3년복으로 입을 것인가, 1년복으로 입을 것인가를 둘러싸고 일어났다.

④ 갑인예송은 효종비가 사망하자 조대비가 상복을 1년복으로 입을 것인가, 9개월복으로 입을 것인가를 둘러싸고 일어났다.

해설

정답 ①

갑인예송(1674)에서 9개월복을 주장한 당파는 '서인'이다. ①~④에 모두 등장하는 '조대비'는 효종의 어머니이다. 조대비(趙大妃)라고도 하고, '자의대비'라고도 한다. 효종과 효종의 비(妃)가 죽었을 때 조대비가 상복을 몇 년을 입어야 하는가에 대해 서인과 남인 사이에 시비가 일어난 것이 예송논쟁이다.

구 분	원 인	서 인	남 인
기해예송(1659)	효종의 죽음(조대비 복제 문제)	1년복(채택)	3년복
갑인예송(1674)	효종 비의 죽음(조대비 복제 문제)	9개월복	1년복(채택)

20 다음에 제시된 내용은 양난 이후 전개된 예송논쟁에서 서로 다른 주장을 나타낸 것이다. ㉠과 ㉡의 주장에 해당하는 인물을 바르게 연결한 것은? [2009 서울시 9급]

> ㉠ 왕과 사대부는 동일한 예가 적용되어야 한다고 보고 자의대비의 복상에 대해 1년설을 주장하였다.
>
> ㉡ 왕과 일반 사대부는 서로 다른 예가 적용되어야 한다고 보고 자의대비의 복상에 대해 3년설을 주장하였다.

	㉠		㉡
①	허목, 허적	–	송시열, 송준길
②	송시열, 송준길	–	허목, 허적
③	허목, 송시열	–	허적, 송준길
④	송시열, 윤선도	–	송준길, 김집
⑤	허적, 윤선도	–	송시열, 김집

🔖해설   정답 ②

예송논쟁에서 '송시열, 송준길' 등의 서인은 효종의 정통성을 인정하지 않았기 때문에, 왕과 사족, 서민의 예(禮)가 같아야 한다는 이유로 "천하의 예는 모두 같은 원칙에 따라야 합니다."라고 하며 상복을 짧게 입을 것을 주장하였다. 그러나 '허목, 허적' 등의 남인은 왕과 사(士), 서(庶)의 예가 같을 수 없다는 입장에서 "임금의 예는 보통 사람과 다릅니다."라고 주장하며 상복을 길게 입을 것을 주장하였다. 기해예송(1659)과 갑인예송(1674)에서 나타나는 예론(禮論)의 차이는 신권을 강화하려는 서인과 왕권을 강화하려는 남인의 정체(政體)의 차이를 의미하는 것이기도 하였다.

21 ㉠~㉢에 대한 설명으로 옳지 않은 것은? [2018 국가직 7급]

> 예조가 아뢰기를, "㉠ 자의 왕대비께서 선왕의 상에 입어야 할 복제를 결정해야 하는데, ㉡ 어떤 사람은 삼년복을 입어야 한다고 하고 ㉢ 어떤 사람은 기년복(期年服)을 입어야 한다고 하니 어떻게 결정해야 할지 모르겠습니다."라고 하였다. 이에 국왕은 여러 대신에게 의견을 물은 다음 ㉣ 기년복으로 결정하였다.
>
> ➡ 『조선왕조실록』

① ㉠ – 인조의 계비 조대비를 가리킨다.

② ㉡ – 윤휴는 왕통을 이었으면 적장자로 보아야 하므로 3년복을 입어야 한다고 주장하였다.

③ ㉢ – 송시열은 '체이부정(體而不正)'을 내세워 기년복을 입어야 한다고 주장하였다.

④ ㉣ –『국조오례의』의 상복 규정에 따라 기년복으로 결정되었다.

해설 정답 ④

예송논쟁이 기록된 것으로 보아 제시된 자료의 출처인 『조선왕조실록』은 『현종실록』일 것이다. 제시된 사료는 1659년(현종 즉위년)에 발생한 기해예송을 기록한 『현종실록』의 일부이다.

> 예조가 또 주달하기를, "자의 왕대비(慈懿王大妃)가 대행 대왕을 위하여 입을 복제(服制)가 《오례의》에는 기록되어 있는 곳이 없습니다. 혹자는 당연히 3년을 입어야 한다고 하고, 혹자는 1년을 입어야 한다고 하는데, 상고할만한 근거가 없습니다. 대신들에게 의논하소서."하니,
>
> 영을 내리기를, "두 찬선(贊善)에게 모든 것을 문의하라."하였다. 영돈녕부사 이경석, 영의정 정태화, 연양 부원군(延陽府院君) 이시백, 좌의정 심지원, 원평 부원군(原平府院君) 원두표, 완남 부원군(完南府院君) 이후원은 아뢰기를, "옛 예는 비록 잘 알 수가 없으나, 시왕(時王)의 제도를 상고한다면 1년복이 맞을 것 같습니다."하였고, 이조 판서 송시열, 우참찬 송준길은 아뢰기를, "예율(禮律)이란 시대의 고금에 따라 다를 수도 같을 수도 있는 것이고, 제왕의 예제에 있어서는 더욱 가벼이 논의하기 어려운 일입니다. 여러 대신들이 이미 시왕의 제도로 논의를 드렸으니, 신들로서는 감히 다시 다른 말을 할 수가 없습니다."하니, 왕세자가 의논대로 따르라고 영을 내렸다.
>
> … 태화가 말하기를, "이른바 4종의 설이란 무엇을 말하는 것입니까?"하니, 시열이 하나하나 들어 해석을 하였는데, '정이불체(正而不體)·체이부정(體而不正)'이라는 대목에 와서 말하기를, "인조의 입장에서 말하자면 소현(昭顯)의 아들은 바로 '정이불체'이고 대행 대왕은 '체이부정'인 셈입니다."하자, 태화가 깜짝 놀라 손을 흔들며 말을 못하게 하고 말하기를,
> "예는 비록 그렇다 하더라도 지금 소현에게 아들이 있는데, 누가 감히 그 설을 인용하여 지금 논의하는 예의 증거로 삼겠습니까?《예경(禮經)》의 깊은 뜻은 나는 깜깜합니다만, 국조 이래로는 아버지가 아들 상에 모두 1년을 입었다고 들었습니다. 내 뜻은 국제(國制)를 쓰고 싶습니다."하니, 시열이 말하기를,
> "《대명률(大明律)》복제 조항에도 그 복제가 기록되어 있습니다. 오늘 그대로 따르더라도 불가할 것이 뭐가 있겠습니까."하였다. 태화가 국제의 부모가 자식을 위하여는 장자·차자를 가리지 않고 모두 1년복을 입는다는 조항을 채택하여, 자의 왕대비가 대행 대왕을 위하여 1년복을 입게끔 결정하였다. ◑ 『현종실록』 1권, 현종 즉위년 5월 5일

① 예송(禮訟)이란 효종(1649~1659)과 효종비 인선왕후가 사망하였을 때, 인조의 계비인 장렬왕후(莊烈王后)의 복상(服喪) 기간을 둘러싸고 서인과 남인이 두 차례에 걸쳐 벌인 논쟁을 말한다. 인조의 계비이자, 효종의 계모인 '장렬왕후'를 '자의대비 조씨' 또는 '조대비'라 한다.

② 송시열, 송준길 등 서인은 효종이 소현세자의 동생이므로 기년복을 입어야 한다고 주장했으며, 허목, 허적, 윤휴 등 남인은 국왕의 지위를 갖고 있는 효종은 일반 백성의 예(禮)와는 다르게 3년복을 입어야 한다고 주장했다.

③ 위 해설에 있는 원문 사료를 보면 송시열은 '인조의 입장에서 말하자면 소현(昭顯)의 아들은 바로 정이불체(正而不體)이고 대행 대왕은 체이부정인 셈입니다'라고 하였다. 송시열은 왕위를 계승하였지만 3년복을 입지 못하는 네 가지 경우를 들어 설명하였는데, 이것을 이른바 사종설(四種說)이라고 부른다. 첫 번째는 정체부득전중(正體不得傳重)으로 적자에게 질병이 있어 종묘의 제사를 감당하지 못하는 경우, 두 번째는 전중비정체(傳重非正體)로 서손(庶孫)으로 후사를 삼은 경우, 세 번째는 체이부정(體而不正)으로 서자를 세워 대를 이은 경우, 네 번째는 정이불체(正而不體)로 적손을 세워 후사로 삼은 경우이다. 이 사종설 중에서 문제가 된 것은 세 번째 체이부정 항목이었다.

④ 기해예송(己亥禮訟)은 효종의 죽음으로 인해 효종의 계모인 장렬왕후가 기년복(朞年服)을 입을 것인가, 3년복을 입을 것인가를 두고 벌인 논쟁이었다. 『주자가례(朱子家禮)』에 따르면 장자(長子)가 죽으면, 그 어머니는 3년복(만2년)을 입고, 차자(次子) 이하 아들이 죽으면 기년복(1년)을 입도록 규정되어 있었다. 그러나 기해예송 때 기년복으로 결정된 근거는 『경국대전(經國大典)』으로 보는 것이 옳겠다. 위 해설에 있는 사료에서 '시왕(時王)의 제도'란 '경국대전'을 의미하기 때문이다. 또 해설 사료의 앞부분을 보면 '자의 왕대비(慈懿王大妃)가 대행 대왕을 위하여 입을 복제(服制)가 《오례의》에는 기록되어 있는 곳이 없습니다'라고 하였는데, 이것은 『국조오례의(國朝五禮儀)』에는 당시 상황에 맞는 규정이 없었다는 것을 의미한다.

22 밑줄 친 '신'이 속한 붕당에 대한 설명으로 가장 옳은 것은?

[2023 법원직 9급]

> 소현 세자가 일찍 세상을 뜨고 효종이 인조의 제2 장자로서 종묘를 이었으니, 대왕대비께서 효종을 위하여 3년의 상복을 입어야 할 것은 예제로 보아 의심할 것이 없는데, 지금 그 기간을 줄여 1년으로 했습니다. 대체로 3년의 상복은 장자를 위하여 입는데 그가 할아버지, 아버지의 정통을 이을 사람이기 때문입니다. 지금 효종으로 말하면 대왕대비에게는 이미 적자이고, 또 왕위에 올라 존엄한 몸인데, 그의 복제에서는 3년 상복을 입을 수 없는 자와 동등하게 되었으니, 어디에 근거를 둔 것인지 신(臣)은 모르겠습니다.

① 노론과 소론으로 분열되었다.
② 기사환국을 통해 재집권하였다.
③ 인목대비의 폐위를 주장하였다.
④ 성혼의 학파를 중심으로 형성되었다.

🔍 **해설**
정답 ②

효종을 '제2 장자'로 표현하고, '3년의 상복은 장자를 위하여 입는데 그가 할아버지, 아버지의 정통을 이을 사람이기 때문'이라고 주장하는 붕당은 남인이다. 남인은 갑인예송 때 집권하였고, 다시 정권을 빼앗겼다가 기사환국을 통해 재집권하였다.
① '노론과 소론으로 분열'된 붕당은 서인이다.
③ '인목대비의 폐위를 주장'한 붕당은 북인이다.
④ '성혼의 학파를 중심으로 형성'된 붕당은 소론이다.

23 다음과 같이 상소한 인물이 속한 붕당에 대한 설명으로 옳은 것만을 모두 고르면?

[2023 국가직 9급]

> 상소하여 아뢰기를, "신이 좌참찬 송준길이 올린 차자를 보았는데, 상복(喪服) 절차에 대하여 논한 것이 신과는 큰 차이가 있었습니다. 장자를 위하여 3년을 입는 까닭은 위로 '정체(正體)'가 되기 때문이고 또 전중(傳重: 조상의 제사나 가문의 법통을 전함)하기 때문입니다. … (중략) … 무엇보다 중요한 것은 할아버지와 아버지의 뒤를 이은 '정체'이지, 꼭 첫째이기 때문에 참최 3년복을 입는 것은 아닙니다."라고 하였다. ◉『현종실록』

> ㄱ. 기사환국으로 정권을 장악하였다.
> ㄴ. 인조반정을 주도하여 집권세력이 되었다.
> ㄷ. 정조 시기에 탕평정치의 한 축을 이루었다.
> ㄹ. 이이와 성혼의 문인을 중심으로 형성되었다.

① ㄱ, ㄴ
② ㄱ, ㄷ
③ ㄴ, ㄹ
④ ㄷ, ㄹ

해설 　　　　　　　　　　　　　　　　　　　　　　　　　　　　　　　　정답 ②
서인 '송준길'의 의견에 반대하고 있고, '첫째이기 때문에 3년복을 입는 것은 아니다'라고 주장하는 붕당은 남인이다.
ㄱ. 남인은 갑인예송과 기사환국 때 정권을 장악하였다.
ㄷ. 남인과 소론은 정조 시기에 탕평정치의 한 축을 이루었다.
ㄴ. '인조반정을 주도하여 집권세력'이 된 붕당은 서인이다.
ㄹ. '이이와 성혼의 문인을 중심으로 형성'된 붕당은 서인이다.

24 다음과 같이 주장한 붕당에 대한 설명으로 옳은 것은? 　　　　　[2016 지방직 9급]

> 기해년의 일은 생각할수록 망극합니다. 그때 저들이 효종 대왕을 서자처럼 여겨 대왕대
> 비의 상복을 기년복(1년 상복)으로 낮추어 입도록 하자고 청했으니, 지금이라도 잘못된
> 일은 바로잡아야 하지 않겠습니까?

① 인조반정으로 몰락하였다.
② 기사환국으로 다시 집권하였다.
③ 경신환국을 통해 정국을 주도하였다.
④ 정제두 등이 양명학을 본격적으로 수용하였다.

해설 　　　　　　　　　　　　　　　　　　　　　　　　　　　　　　　　정답 ②
제시된 자료는 효종의 상 때 자의대비의 복제 문제로 발생한 기해예송(1659) 때, 3년복을 주장한 남인의 주장이다. 남인은
장희빈 아들 균(경종)의 세자 책봉 문제로 일어난 기사환국(1689)에서 세자 책봉을 지지하면서 다시 집권하였다.
① 북인, ③ 서인에 대한 설명이다.
④ 양명학은 17세기 후반 정제두 등의 소론 학자들에 의해 본격적으로 수용되었다.

남 인	효종은 임금이셨으니 새 어머니인 인조 임금의 계비는 돌아가신 효종에 대해 3년 상복을 입어야 합니다. 임금의 예는 보통 사람과 다릅니다.
서 인	효종은 형제 서열상 차남이셨으니 새 어머니인 인조 임금의 계비는 돌아가신 효종에 대한 1년복만 입어야 합니다. 천하의 예는 모두 같은 원칙에 따라야 합니다.

25 조선 숙종대의 정국에 대한 옳은 설명으로만 묶인 것은? 　　　　　[2008 지방직 9급]

> ㉠ 지금까지의 당파연립 방식을 버리고 붕당을 자주 교체하는 방식이 대두하였다.
> ㉡ 강력한 왕권을 바탕으로 왕은 붕당 사이의 치열한 다툼을 억눌렀다.
> ㉢ 서인은 송시열을 영수로 하는 노론과 윤증을 중심으로 하는 소론으로 갈라졌다.
> ㉣ 이조전랑이 후임자를 천거하는 관행을 없앴다.

① ㉠, ㉡ 　　　　　　　　　　　　　　② ㉠, ㉢
③ ㉡, ㉢ 　　　　　　　　　　　　　　④ ㉡, ㉣

🔍 **해설** 정답 ②

숙종(1674~1720) 때에는 집권 붕당이 자주 교체되었다. 이것을 '환국(換局)'이라 한다. 서인과 남인은 집권을 할 때마다 상대 붕당에 대한 가혹한 보복과 탄압을 가하였다. 경신환국(1680)으로 남인이 몰락할 때, 남인에 대한 처벌 수준 문제로 강경파인 노론과 온건파인 소론으로 갈라졌다. 이때 노론(老論)의 영수는 '송시열', 소론(少論)의 영수는 '윤증'이 되었다.

ⓒ 숙종은 극심해지는 붕당의 대립을 조정하기 위해 탕평 교서를 내리기도 하였지만 제대로 실시되지 못하였다. 그러므로 영조와 정조에게는 '탕평 정치' 또는 '탕평책'이라는 표현을 쓰지만, 숙종에게는 '탕평론'이라는 표현만 쓴다. 숙종은 <u>인사 관리를 통하여 세력 균형을 유지하려는 탕평론을 제시하였으나, 명목상의 탕평에 그쳤다.</u> ❍ 2017 경찰

ⓔ 이조전랑의 후임자 천거권과 3사 관리 선발권을 폐지하여 이조전랑의 권한을 약화시킨 왕은 '영조'이다.

26 (가)~(라)에 들어갈 내용으로 옳은 것은?

[2012 법원직 9급]

① (가) – 왕위 계승 문제를 둘러싼 소론의 노론 공격
② (나) – 남인이 역모 혐의를 받아 몰락하고 서인 정권 수립
③ (다) – 폐비 민씨의 복위로 서인 정권 재수립
④ (라) – 장희빈의 소생이 세자가 되면서 남인 재집권

🔍 **해설** 정답 ③

① 갑술환국 이후 장희빈의 아들인 경종이 왕위에 올랐으나, 노론이 경종 즉위 후 1년 만에 연잉군(영조)을 세제(世弟)로 책봉하고, 세제로 하여금 대리청정을 강행하려 하였다. 소론이 이에 반발하여 노론을 탄핵하여 정국을 주도하였는데, 이를 신임사화(1721~1722)라 한다. '왕위 계승 문제를 둘러싼'이라는 말은 '경종과 영조의 왕위 계승 문제'를 말한다. 이 내용은 (라)에 들어가야 한다.

② 남인의 허적의 유악 사건과 허적의 서자 허견의 역모 사건으로 인하여 몰락한 사건은 경신환국(1680)이다. (가)에 들어가야 한다.

③ 갑술환국(1694)은 인현왕후가 복위하면서, 서인이 다시 권력을 잡게 된 사건을 말한다.

④ 장희빈의 아들(경종)이 세자로 책봉되면서, 이를 지지한 남인이 재집권하고 서인이 몰락한 사건은 기사환국(1689)이다. (나)에 들어가야 한다.

경신환국 (숙종 6)	기사환국 (숙종 15)	갑술환국 (숙종 20)	신임사화 (경종 1~2)	이인좌의 난 (영조 4)
허적의 유악 사건, 허견의 역모 사건	경종의 세자책봉 문제	민씨 복위 문제	경종에 대한 신임 문제	경종의 사인 문제, 노론 중심의 편당적 조처
서인 집권 (남인 축출)	남인 집권 (서인 축출)	서인 집권 (남인 축출)	소론 집권 (노론 축출)	반란 진압 후 노론 집권 (반란 주도 : 남인·소론 강경파)

27 다음 두 사건에 대한 설명이 가장 옳은 것은? [2016 법원직 9급]

> (가) 효종이 승하한 후 효종의 계모(繼母)인 자의대비의 복상 문제로 서인과 남인들 사이에 논쟁이 벌어졌다.
> (나) 숙종 14년 소의 장씨가 아들을 낳자 숙종은 이듬해 이 아들을 원자로 삼아 정호할 것을 명하였으나 송시열이 이에 대해 강력하게 반대하였다.

① (가) - 서인들은 자의대비의 복상을 9개월로 정하였다.
② (가) - 남인들은 자의대비가 둘째 아들의 복상을 입어야 한다고 주장했다.
③ (나) - 서인의 몰락과 남인의 집권으로 이어졌다.
④ (나) - 서인이 노론과 소론으로 분화되는 결과를 초래하였다.

해설 정답 ③

(가) '효종이 승하'하여 '자의대비의 복상 문제'를 두고 기해예송(1659)이 발생하였다.
(나) 숙종의 왕비였던 인현왕후가 아들을 낳지 못하자, 숙종은 후궁이었던 '장씨'(후에 희빈으로, 다시 왕비가 됨)가 낳은 아들을 원자(왕세자 책봉 전에 부르던 호칭)로 정하였다. 송시열 등 서인(노론) 계열이 강력하게 반대하다가, 남인이 집권하고 서인이 크게 타격을 받았다. 이를 기사환국(1689)이라 한다.
① 기해예송 때 서인들은 자의대비의 복상을 '1년'으로 정하였다. 서인이 '9개월복'을 주장한 것은 효종의 비가 죽은 갑인예송(1674) 때이다.
② 자의대비가 둘째 아들의 복상을 입어야 한다고 주장한 당파는 '서인'이다.
④ 서인이 노론과 소론으로 분화되는 결과를 초래한 사건은 경신환국(1680)이다.

28 (가)와 (나) 사이의 시기에 있었던 사실로 옳은 것은? [2022 소방]

> (가) 허적과 허견의 사가(私家)의 부가 왕실보다 많은 것은 백성의 피땀을 뽑아낸 물건이 아닌 것이 없으며, 복선군 이남은 집 재물이 허적과 허견보다 많으니, 지금 적몰한 뒤에는 모두 백성을 구호해 주는 비용으로 돌리면 어찌 조정의 아름다운 뜻이 아니겠습니까.
> (나) 송시열은 산림의 영수로서 나라의 형세가 고단하고 약하여 인심이 물결처럼 험난한 때에 감히 송의 철종을 끌어대어 오늘날 원자의 명호를 정한 것이 너무 이르다고 하였으니, 이런 것을 그대로 두면 무도한 무리들이 장차 연달아 일어날 것이니 당연히 멀리 내쫓아 야 할 것이다.

① 서인이 정국을 주도하였다.
② 정여립 모반 사건이 발생하였다.
③ 노론이 연잉군의 세제 책봉을 주장하였다.
④ 자의 대비의 복상 문제로 붕당 간 대립이 발생하였다.

정답 ①

⚡해설

(가) 허적과 그의 서자 허견이 함께 언급되는 것으로 보아 경신환국일 가능성이 높다. 허견은 복선군 이남을 왕으로 추대하려고 했다는 역모죄로 의심을 받아 처형되었다. '허적, 허견, 복선군'이 모두 등장하는 것으로 보아 경신환국이 확실하다(1680).

(나) '원자의 명호를 정한 것'이 문제가 되었다는 것은 희빈 장씨가 낳은 아들 이윤의 원자 정호를 두고 하는 말이다. 이 때 서인 송시열이 유배되었고, 결국 사약을 마시고 죽었다. 기사환국에 대한 내용이다(1689).

① (가) 경신환국과 (나) 기사환국 사이에 들어갈 수 있는 사실로 특별한 것은 없다. 그러므로 답은 (가)의 결과일 것이다. 경신환국의 결과 서인이 정국을 주도하게 되고, 남인이 축출되었다.

② 정여립 모반 사건은 임진왜란 직전인 1589년(선조 22년)에 일어났다.

③ 노론이 연잉군의 세제 책봉을 주장하다가 오히려 당한 사건은 신임사화이다. 신임사화는 경종 때인 1721~1722년에 일어났다.

④ 자의 대비의 복상 문제로 붕당 간 대립이 발생한 시기는 현종 재위 기간이다. 기해예송은 1659년에, 갑인예송은 1674년에 일어났다.

04 탕평 정치

29 (가) 시기에 볼 수 있는 장면으로 적절한 것은?

[2014 지방직 9급]

① 당백전으로 물건을 사는 농민

② 금난전권 폐지를 반기는 상인

③ 전(錢)으로 결작을 납부하는 지주

④ 경기도에 대동법 실시를 명하는 국왕

⚡해설

정답 ③

이인좌의 난(1728)은 '영조 초기'를 의미하고, 규장각 설치(1776)는 '정조 즉위'를 의미한다. 즉 (가)는 영조 재위 기간이다. 이때는 균역법을 실시하면서, 재정 감소 보완책으로 '결작'을 징수하였다. 결작은 1결당 2두씩 거두었으므로, 땅을 가진 '지주'가 납부하여야 했다.

① 당백전은 흥선 대원군 때 경복궁 중건에 필요한 재원을 확보하기 위해 발행한 화폐로 1866년에 발행되었다.

② 육의전을 제외한 금난전권은 정조 때 신해통공으로 폐지되었다. 이것은 1791년의 일로, 정조 말기에 있었다.

④ 임진왜란 후 경기도에 대동법이 시범적으로 실시되었다. 이것은 1608년의 일로, 광해군 때이다.

30 제시된 자료를 읽고 다음 전교를 내린 임금에 대한 설명으로 옳은 것을 [보기]에서 고르시오.

[2014 서울시 7급]

> 붕당의 폐단이 요즈음보다 심한 적이 없었다 … 다른 붕당의 사람들을 모조리 역당으로 몰고 있다.… 사람을 임용하는 것은 모두 같은 붕당의 인사들만이니 이렇게 하고도 천리의 공(公)에 부합하고 온 세상의 마음을 복종시킬 수 있겠는가 … 귀양 간 사람들은 그 경중을 참작하여 풀어주고 관리의 임용을 담당하는 관서에서는 탕평(蕩平)하게 거두어 쓰도록 하라.

> **[보기]**
> ㉠ 가혹한 형벌을 폐지하였으며 속대전을 편찬하여 법전체제도 정비하였다.
> ㉡ 정국을 주도하는 붕당과 견제하는 붕당이 급격히 교체되는 이른바 환국이 일어났다.
> ㉢ 통치체제를 재정비하여 세도정치의 문제점을 해결하고자 하였다.
> ㉣ 백성들의 군역 부담을 완화하기 위해 균역법을 시행했다.
> ㉤ 군대를 양성하고 성곽을 수리하는 등 북벌을 준비하였다.

① ㉠, ㉣   ② ㉡, ㉤

③ ㉠, ㉤   ④ ㉡, ㉢

⑤ ㉢, ㉣

해설 　　　　　　　　　　　　　　　　　　　　　　　　　　　　　　정답 ①

제시된 자료는 영조의 탕평교서이다. '역당(逆黨)'을 '반역자'로, '귀양 간 사람들'을 '유배된 사람'으로 번역한 부분이 차이가 있지만 '탕평'이라는 단어는 동일하게 등장하는 다음과 같은 탕평교서 사료도 확인하기 바란다. 빨리, 정확하게 풀어야 하니까.

> 우리나라는 원래 땅이 협소하여 인재 등용의 문도 넓지 못하였다. 그런데 근래에 와서 인재 임용이 당에 들어 있는 사람만으로 이루어지고, 조정의 대신들이 서로 공격하여 공론이 막히고 서로를 반역자라 지목하니 선악을 분별할 수 없게 되었다. 지금 새로 일으켜야 할 시기를 맞아 과거의 허물을 고치고 새로운 정치를 펴려 하니, 유배된 사람은 경중을 헤아려 다시 등용하되 탕평의 정신으로 하라. 지금 나의 이 말은 위로는 종사를 위하고 아래로 조정을 진정하려는 것이니, 이를 어기면 종신토록 가두어 내가 그들과는 나라를 함께 할 뜻이 없음을 보이겠다.
> ●탕평교서, 2020 경찰

> • 영조는 가혹한 형벌을 폐지하고, 사형수에 대한 삼복법을 엄격히 시행하였다. 또한 속대전을 편찬하여 법전 체제도 정비하였다.
> • 영조는 백성들의 군역 부담을 줄여주기 위하여 군포를 1년에 1필로 줄여주었다. 이를 균역법이라 한다. 균역법 시행으로 인한 재정 감소를 보완하기 위해 결작을 징수하였다.
> • 영조는 신문고 제도를 부활시키고 『동국문헌비고』 등을 편찬하여 문물과 제도를 정비하였다. 　●2020 경찰

㉡ 환국이 일어난 것은 '숙종' 때이다.

㉢ 세도정치의 '왕권 약화', '삼정 문란'의 문제점을 해결하기 위해 통치체제를 재정비한 것은 '흥선 대원군' 때이다.

㉤ 군대를 양성하고 성곽을 수리하는 등 북벌 운동이 왕성하게 전개된 것은 '효종' 때이다. 효종은 북벌을 위해 <u>남한산성을 복구하고 어영청을 확대하였다.</u> ●2018 지방직 9급

명호샘의 한마디!!

숙종은 '탕평 정치'를 하지는 않았지만, 탕평론을 제기하는 수준에는 이르렀다. 반면에 영조와 정조는 탕평 정치를 하였으나, 이것이 붕당의 폐단을 근본적으로 해결한 것은 아니었다.

1. 숙종은 인사 관리를 통하여 세력 균형을 유지하려는 탕평론을 제시하였으나, 명목상의 탕평에 그쳤다.(○)
   ➡ 2017 경찰
2. 박세채는 탕평이란 말을 사용하면서 서인과 남인을 서로 조정하여 화합시켜 붕당정치 형태를 회복할 것을 촉구했다.(○)
   ➡ 2018 해양경찰
3. 영·정조의 탕평 정치 결과 모든 정파가 골고루 등용되어 공평한 권력 배분이 이루어졌다.(×)
   ➡ 2011 경찰
4. 영조의 탕평책은 붕당의 폐단을 근본적으로 해결하였다.(×)
   ➡ 2007 충북 9급

31 (가)에 들어갈 왕의 업적으로 옳은 것은?

[2012 법원직 9급]

적전(籍田)을 가는 쟁기를 잡으시니 근본을 중시하는 거동이 아름답고, 혹독한 형벌을 없애라는 명을 내리시니 살리기를 좋아하는 덕이 성대하였습니다. …(중략)… 정포(丁布)를 고루 줄이신 은혜로 말하면 천명을 받아 백성을 보전할 기회에 크게 부합되었거니와 위를 덜어 아래를 더하며 어염세(魚鹽稅)도 아울러 감면되고, 여자·남자가 기뻐하여 양잠·농경이 각각 제자리를 얻었습니다.
➡ ____(가)____ 대왕 시책문

① 서원을 대폭 정리하였다.　　　　② 초계문신 제도를 실시하였다.
③ 청에서 사용하는 시헌력을 채택하였다.　④ 청과 국경을 확정하여 정계비를 세웠다.

🔍 **해설**　　　　　　　　　　　　　　　　　　　　　　　　　　　　정답 ①

(가)는 영조(1725~1776)이다. 영조는 '혹독한 형벌을 없애라는 명'을 내렸으며, 균역법을 실시하여 '정포(丁布)를 고루 줄였다'. 위와 같은 자료를 주고 2016 경찰 시험에서는 '속대전을 편찬하여 법전 체계를 정리하였다.'를 고르는 문제가 출제되었다.
② 신진 인물이나 중하급 관리 중에서 유능한 인사를 재교육하는 제도인 초계문신 제도는 '정조' 때 실시되었다.
③ 시헌력은 서양 선교사 아담 샬이 중심이 되어 만든 역법으로 청나라에서 사용되었다. 우리나라에서는 '효종' 때 김육, 김상범의 노력으로 청나라를 통해 시헌력을 도입하였다. ➡ 2016 경찰
④ 백두산 정계비는 '숙종' 때 세워졌다.

32 조선 영조 때의 역사적 사실로 옳지 않은 것은?

[2013 국가직 9급]

① 「속대전」을 편찬하여 법전체계를 정비하였다.
② 군역의 부담을 줄여주기 위해 균역법을 시행하였다.
③ 산림(山林)의 존재를 인정하지 않고, 그들의 본거지인 서원을 상당수 정리하였다.
④ 각 붕당의 주장이 옳은지 그른지를 명백히 가리는 적극적인 탕평책을 추진하였다.

해설 정답 ④

영조 문제의 대표적인 오답은 '정조'이다. '각 붕당의 주장이 옳은지 그른지를 명백히 가리는 적극적인 탕평책'은 정조의 준론탕평이다. 이외에도 정조의 '(친위 부대) 장용영', '(통공정책을 통한) 금난전권 폐지' 등이 영조의 오답으로 출제된 적이 있다.

① 「속대전」은 「경국대전」을 보완하기 위해 '영조' 때 편찬한 법전이다. 영조는 「속대전」, 「속오례의」 등을 편찬하였다.
　➡ 2022 지방직 간호 8급

② '영조'는 백성들의 군역부담을 완화하기 위해 1750년 균역법(均役法)을 시행하였다.

③ '영조'는 붕당의 뿌리를 제거하기 위하여 배후세력인 재야 산림의 이른바 공론(公論)을 인정하지 않았고, 그들의 본거지인 서원(書院)을 대폭 정리하였다.

---

33 다음에서 설명하는 제도가 시행되었던 왕대의 상황에 대한 설명으로 옳은 것은?

[2009 국가직 9급]

> 양인들의 군역에 대한 절목 등을 검토하고 유생의 의견을 들었으며, 개선 방향에 관한 면밀한 검토를 거친 후 담당 관청을 설치하고 본격적으로 시행하였다. 핵심 내용은 1년에 백성이 부담하는 군포 2필을 1필로 줄이는 것이다.

① 증보문헌비고가 편찬, 간행되었다.

② 노론의 핵심 인물이 대거 처형당했다.

③ 통공정책을 써서 금난전권을 폐지하였다.

④ 청계천을 준설하여 도시를 재정비하고자 하였다.

해설 정답 ④

영조 때 실시한 균역법에 대한 설명이다. 1750년(영조 26)부터 시행된 균역법은 종래 16개월마다 받던 군포 2필을 12개월마다 1필을 납부하는 것으로 경감한 제도이다.

④ 영조는 1760년(영조 36)에 서울 시민의 자발적인 협조를 얻어 수해가 심했던 청계천을 준설하여 도시를 재정비하였다.
　➡ 2020 법원직 9급　또한 왕도(王都)와 상업도시로 번영하는 서울의 위상을 과시하기 위해 서울지도를 제작하기도 하였다.

① 「증보문헌비고」는 영조 때의 「동국문헌비고」의 증보판이다. 두 백과사전 모두 '홍봉한'이 주도적으로 저술하였다.

② 영조는 완론탕평을 내세웠지만, 실제로는 노론 중심으로 정치가 운영되었다. 그러므로 노론의 핵심 인물이 대거 처형당할 수는 없다. '노론 처형'에 가장 어울리는 사건은 경종 때의 '신임사화'이다.

③ 신해통공(1791)을 시행한 왕은 정조이다. ➡ 2021 지방직 9급

34 영조 집권 초기에 일어난 다음 사건과 관련된 설명으로 옳지 않은 것은? [2009 국가직 9급]

> 충청도에서 정부군과 반란군이 대규모 전투를 벌였으며 전라도에서도 반군이 조직되었다. 반란에 참가한 주동자들은 비록 정쟁에 패하고 관직에서 소외되었지만, 서울과 지방의 명문 사대부 가문 출신이었다. 반군은 청주성을 함락하고 안성과 죽산으로 향하였다.

① 주요 원인 중의 하나는 경종의 사인에 대한 의혹이다.

② 반란군이 한양을 점령하고 왕이 피난길에 올랐다.

③ 탕평책을 추진하는 데 더욱 명분을 제공하였다.

④ 소론 및 남인 강경파가 주동이 되어 일으킨 것이다.

해설 정답 ②

'관직에서 소외되었지만 서울과 지방의 명문 사대부 가문 출신'이었던 이들은 '소론과 남인'을 말한다. '청주성'을 함락하고 안성과 죽산으로 향하였다는 표현에서 이 반란은 '이인좌의 난(1728)'임을 확정할 수 있다.

영조는 집권 초기인 1728년(영조 4)에 소론계 이인좌의 도전을 받았다. 이인좌의 난은 영조의 편당적 조처에 불만을 가지고 있던 소론 강경파와 남인 일부 세력이 '영조와 노론 세력에 의해 경종이 독살당하였다'고 주장하면서 영조와 노론을 제거하고 밀풍군(密豊君) 탄(坦)을 추대하려고 했던 반란이다.

② 반란군은 청주성을 함락시켰지만, 한양까지 점령하지는 못하였다. 반란군은 한 달도 안 되어 죽산에서 관군에게 진압되었다.

35 밑줄 친 '나'가 국왕으로 재위하던 기간에 있었던 일은? [2022 지방직 9급]

> 팔순 동안 내가 한 일을 만약 <u>나</u> 자신에게 묻는다면
> 첫째는 탕평책인데, 스스로 '탕평'이란 두 글자가 부끄럽다.
> 둘째는 균역법인데, 그 효과가 승려에게까지 미쳤다.
> 셋째는 청계천 준설인데, 만세에 이어질 업적이다.
> …(하략)…
>
> ◆ 『어제문업(御製問業)』

① 장용영이 설치되었다.

② 나선정벌이 단행되었다.

③ 홍경래의 난이 발생하였다.

④ 『동국문헌비고』가 편찬되었다.

해설   정답 ④

1694년에 출생하여 1776년에 사망한 영조(재위 1724~1776)가 '팔순' 동안 한 일을 되돌아 보고 있다. 영조는 '탕평책'을 시행하여, 당파를 불문하고 온건하고 타협적인 인물을 등용하려 하였다(완론탕평). 그러나 실제로는 노론 중심의 편당적 인사가 이루어져서 영조는 '탕평이란 두 글자가 부끄럽다'고 회고하고 있다. 영조는 '균역법'을 시행하여, 1년에 내야 하는 군포를 2필에서 1필로 줄여 주었다(1750). 그리고 수해가 심했던 '청계천'을 준설하여(1760), 하수 처리 문제(홍수 문제) 및 실업 문제를 해결하였다. 이 고백을 담은 어제문업(御製問業)은 재위 49년째(1773년) 80세를 맞이하여 재위 기간의 치적을 6가지로 정리한 4언 8구체 율문이다. 이 문제에서 소개되지는 않았지만, 영조가 어제문업에서 밝힌 나머지 세 가지 치적은 다음과 같다.

> 넷째, 옛 정치의 뜻을 회복하여 여종에 부과되는 공역을 폐지하였다.
> 다섯째, 서얼들에 청요직을 개방한 것은 유자광 이후 처음이다.
> 여섯째, 예전 정치의 법을 개정하여 속대전(續大典)을 편찬하였다.

④ 영조 때 홍봉한은 우리나라의 역대 문물을 정리한 한국학 백과사전 『동국문헌비고』를 편찬하였다(1770). 영조는 이외에도 『속병장도설』, 『무원록』 **○** 2011 서울시 9급, 『속오례의』, 『속대전』, 『동국여지도』, 『택리지』 등을 편찬하여 문물을 재정비하였다.
① 정조는 친위부대인 장용영을 설치하였다.
② 효종 때 두 차례에 걸쳐 나선정벌이 단행되었다.
③ 세도정치기의 초기인 순조 때 홍경래의 난이 발생하였다.

---

36 다음 정책을 시행한 왕에 대한 설명으로 옳은 것은?   [2016 지방직 9급]

> • 속대전을 편찬하여 법령을 정비하였다.
> • 사형수에 대한 삼복법(三覆法)을 엄격하게 시행하였다.
> • 신문고 제도를 부활시켜 백성들의 억울함을 풀어주고자 하였다.

① 신해통공을 단행해 상업 활동의 자유를 확대하였다.

② 삼정이정청을 설치해 농민의 불만을 해결하려 하였다.

③ 붕당의 폐단을 제거하기 위해 서원을 대폭 정리하였다.

④ 환곡제를 면민이 공동출자하여 운영하는 사창제로 전환하였다.

해설   정답 ③

위 정책을 시행한 왕은 조선 '영조'이다. 영조는 붕당의 폐단을 제거하기 위해 붕당의 근거지인 서원을 대폭 정리하였다.
① '정조'는 신해통공(1791)으로 육의전을 제외한 금난전권을 폐지하고 자유로운 상업 행위를 허락하였다.
② 삼정이정청은 '철종' 때 임술 농민 봉기를 비롯한 삼남 지방의 농민 봉기를 수습하기 위해 만들어진 관청이다.
④ '흥선 대원군'은 환곡제를 상당부분 폐지하고, 면민들이 공동 출자하여 운영하는 사창제를 실시하였다.

37 다음 ㉠~㉢에 들어갈 말이 바르게 짝지어진 것은?

> • 박세채는 (㉠)이란 말을 사용하면서 서인과 남인을 서로 조정하여 화합시켜 붕당 정치 형태를 회복할 것을 촉구했다.
>
> • 영조는 법전체계를 수정·보완하여 (㉡)을 편찬하였다.
>
> • 정조는 노비추쇄를 금지하는 등 노비제를 완화하고 나아가 혁파할 뜻이 컸지만 이루지 못하고 순조 1년에 (㉢)의 부분 혁파 조치만이 이루어지게 된다.

	㉠	㉡	㉢		㉠	㉡	㉢
①	탕평	대전통편	사노비	②	탕평	속대전	공노비
③	환국	속대전	사노비	④	환국	대전통편	공노비

해설   정답 ②

㉠ 박세채(朴世采)는 '탕평(蕩平)'이란 말을 처음 사용하면서 서인과 남인을 다시 조정하여 화합하게 하여 붕당 정치 형태를 시급히 회복할 것을 촉구했다. 이는 남인에 대한 관용론으로서 서인의 주류가 남인에 대한 공격을 심하게 하고 있는 상황을 견제한 주장이었다.

㉡ 「속대전」은 「경국대전」의 속전으로, 「경국대전」 시행 이후에 공포된 법령 중에서 시행할 만한 법령만 추려서 편찬한 통일법전이다.

㉢ 정조 때의 노비제 혁파의 뜻은 이루어지지 못하였다. 순조 즉위 직후인 1801년 공노비(중앙 관서의 노비) 6만 6천여 명이 해방되어 양인이 되었다. 즉 모든 공노비가 해방된 것은 아니며, 지방관아에는 일부 노비가 아직 남아 있었다. (사노비 제도는 그대로 있었다.)

38 다음 비문(碑文)을 세운 조선 후기 왕(王)의 활동에 대한 설명 중 가장 적절하지 않은 것은?

> 두루 하면서 무리 짓지 않는 것이 곧 군자의 공심이고
> 무리 짓고 두루 하지 않는 것은 바로 소인의 사심이다.
> (周而不比 乃君子之公心 比而不周 寔小人之私心)

① 전국적인 지리지와 지도의 편찬을 활발하게 추진하여 「여지도서」, 「동국여지도」 등이 간행되었다.

② 당파의 옳고 그름을 명백히 가리는 적극적인 준론탕평(峻論蕩平) 정책을 추진하였다.

③ 양역의 군포를 1필로 통일하는 균역법을 시행하였고, 「수성윤음」을 반포하여 수도방어체제를 개편하였다.

④ 국가의 문물제도를 시의에 맞게 재정비하려는 목적으로 「속대전」, 「속오례의」, 「속병장도설」 등 많은 편찬사업을 이룩하였다.

⑤ 붕당을 없애자는 논리에 동의하는 관료들을 중심으로 탕평 정국을 운영하였다.

해설

정답 ②

제시된 자료는 영조가 탕평정책의 결심을 밝히기 위해 성균관 입구에 세운 '탕평비(蕩平碑)'의 비문이다. ● 2024 법원직 9급
영조는 요·순과 같은 중국 고대의 성왕(聖王)을 자처하면서 자신을 임금인 동시에 스승이라고 하며, '군사(軍師)의 초월적인 군주상'을 수립하였다. 영조는 이러한 사상을 기반으로 당파의 시비를 가리지 않고 어느 당파든 온건하고 타협적인 인물이 있다면 등용하여 왕권에 순종시키는 것에 주력하였다. 이것을 완론탕평(緩論蕩平)이라고 한다. 준론탕평은 정조가 추진한 탕평책이다.

① 영조 때에는 국토의 심층적 파악과 국가경영의 효율성을 높이기 위한 지리지와 지도의 편찬이 활발하게 추진되었다. 성종 때 편찬된 「동국여지승람」이 그동안 변화된 지리 지식을 반영하지 못하고 있었으므로, 이를 개편하여 방대한 「여지도서」를 완성했다(1765). 그리고 1770년에는 신경준을 시켜 「동국여지도」라는 8권의 채색지도집을 편찬하였다.

39 [보기 1]의 조선 법전들이 편찬된 국왕대와 [보기 2]의 정치 상황을 바르게 연결한 것은?

[2011 사회복지직 9급]

[보기 1]	
㉠ 경국대전	㉡ 속대전
㉢ 대전회통	㉣ 대전통편

[보기 2]	
A. 갑술환국	B. 탕평 정치
C. 사림 등장	D. 세도정치

① ㉠ – D

② ㉡ – B

③ ㉢ – C

④ ㉣ – A

해설

정답 ②

㉠ 「경국대전」은 세조 때 편찬하기 시작하여 '성종' 때 완성되었다. 지방 '사림'이 처음으로 정계에 등장한 것은 '성종' 때이다. → (C)

㉡ 「속대전」은 「경국대전」의 속전으로, '영조' 때 편찬되었다. 붕당의 폐해를 경험한 영조는 탕평책으로 붕당의 폐해를 극복하려 하였다. → (B)

㉢ 「대전회통」은 조선왕조 법전의 종합서인데, 고종 2년(1865), 즉 '흥선 대원군 집권기'에 조두순 등에 의하여 편찬되었다. → 마땅히 연결시킬 사건이 없다.

㉣ 「대전통편」은 「경국대전」과 「속대전」 및 그 뒤의 법령을 통합해 편찬한 통일 법전으로 '정조' 때 편찬되었다. 영조의 뒤를 이은 '정조'도 붕당의 폐해를 극복하기 위해 탕평의 원칙을 계승하였다. → (B)

40 밑줄 친 '왕'이 실시한 정책으로 옳은 것은?

> 민생의 안정과 문화 부흥에 힘쓴 왕은 「홍재전서」라는 방대한 저술을 남긴 학자 군주였다. <u>왕</u>은 서얼과 노비에 대한 차별을 완화하였으며, 재정 수입을 늘리고 상공업을 증진시키기 위하여 통공정책을 시행하였다.

① 인문종합지리서인 「신증동국여지승람」을 편찬하였다.

② 창덕궁 안에 명나라 신종을 제사하는 대보단을 설치하였다.

③ 백성의 여론을 직접 정치에 반영하기 위하여 신문고제도를 부활하였다.

④ 강화도에 외규장각을 두어 왕실의 행사를 기록한 의궤 등 서적을 보관하였다.

해설 　　　　　　　　　　　　　　　　　　　　　　　　　　　　　정답 ④

밑줄 친 왕은 '정조'이다. 「홍재전서(弘齋全書)」(1799)는 정조의 개인 문집으로, 정조가 쓴 시나 산문으로 구성된 184권 분량의 책이다. 정조는 즉위년(1776년)에 궁내에 규장각을 설치하고, 5년 후(1781년) 강화도에 외규장각을 설치하여 왕실 관계 서적을 보관하였다.

① 「신증동국여지승람」은 성종 때의 「동국여지승람」을 증보하여 편찬한 인문 지리지로, 중종 때(1530) 편찬되었다.

② 창덕궁은 태종 때 건립되었지만, 창덕궁 안에 대보단(大報壇)을 설치한 것은 숙종 때(1704)이다. 대보단은 임진왜란 때 지원군을 보내 준 명나라 황제인 신종(神宗)을 제사하는 사당이다. (송시열의 유언에 따라 지은 '만동묘'와는 다른 것이다.)

③ 영조는 일반민의 여론을 직접 정치에 반영하기 위해 신문고 제도를 부활하고, 궁 밖에 자주 나가서 직접 민의를 청취하였다.

41 밑줄 친 '국왕'의 정책으로 옳지 않은 것은?

> '<u>국왕</u>'께서 왕위에 즉위한 첫 해에 맨 먼저 도서집성 5천여 권을 연경의 시장에서 사오고, 또 옛날 홍문관에 간직했던 책과 강화부 행궁에 소장했던 책과 명에서 보내온 책들을 모았다. … 창덕궁 안 규장각 서남쪽에 열고관을 건립하여 중국본을 저장하고, 북쪽에는 국내본을 저장하니, 총 3만 권 이상이 되었다.

① 통치규범을 재정리하기 위하여 대전통편을 편찬하였다.

② 당파와 관계없이 인물을 등용하는 완론탕평을 실시하였다.

③ 당하관 관료의 재교육을 위해 초계문신제도를 시행하였다.

④ 왕권을 강화하기 위해 장용영이라는 친위부대를 창설하였다.

해설 　　　　　　　　　　　　　　　　　　　　　　　　　　　　　정답 ②

정조는 '즉위한 첫 해'(1776)에 창덕궁에 규장각을 설치하였다. 규장각에는 여러 부속 건물이 있었는데, 그 중 <u>열고관(閱古觀)과 개유와(皆有窩)에는 중국본을 보관하고, 열고관 북쪽의 서고(西庫)에는 조선본(국내본)을 보관하였다.</u> ◐ 2017 경찰간부 규장각 설치 당시 장서는 약 3만 권에 달하였다.

② 당파와 관계없이 인물을 등용하는 완론탕평은 영조의 탕평책이다. 정조는 영조의 완론탕평과 달리 당파의 옳고 그름을 명백히 가리는 적극적인 '준론탕평'을 시행하였다.

42 밑줄 친 ( ) 기구에 대한 설명으로 옳은 것은?

[2022 계리직 9급]

> 이 제도는 젊고 재능 있는 문신들을 의정부에서 선발하여 (_____)에 위탁 교육을 시키고, 40세가 되면 졸업시키는 인재 양성의 장치였다. 교육 과정은 과강(課講)·과제(課製)의 강제 (講製)가 주축이었다. 전자는 매달 15일 전과 20일 후에 행해졌고, 후자는 20일 후에 실시되었다. 이 제도는 국왕의 친위 세력을 육성하고자 하는 목적에서 시행되었다고 평가되고 있다.

① 학문 및 정책 연구를 위하여 경복궁 안에 설치되었다.

② 왕명 출납 등 국왕 측근에서 비서실의 기능을 하였다.

③ 정책을 비판하는 삼사의 하나로 국왕의 자문에 응하였다.

④ 창덕궁 후원에 설치되어 수만 권의 서적을 보관하였다.

해설   정답 ④

'젊고 재능 있는 문신'들을 선발하여 교육하는 제도이며, '40세가 되면 졸업시키는 인재 양성의 장치'는 초계문신 제도이다. 규장각은 초계문신 제도를 주관하던 기구였다. 규장각은 창덕궁 궁내에 설치되어 많은 책을 보관한 도서관이며 학문 연구소였다.

① 규장각은 창덕궁에 설치되었다.

② 왕명 출납을 하였던 조선의 관청은 승정원이다.

③ 삼사의 하나로 국왕의 자문에 응했던 관청은 홍문관이다.

43 다음의 정책을 시행한 왕대에 편찬된 서적은?

[2012 국가직 7급]

> 대유둔전이라는 국영농장을 설치하고 만석거, 만년제 등의 수리시설을 정비하였다.

① 「동국여지도」   ② 「속대전」

③ 「동문휘고」   ④ 「고금도서집성」

해설   정답 ③

제시된 자료는 '수원 화성(華城)'과 관련된 것이다. 정조는 서양의 건축 기구들을 참고하여 정약용 등 실학자들로 하여금 거중기, 녹로 등을 제작하게 하였고, 당시로서는 최신의 과학적 공법으로 '팔달산 아래'에 화성을 건축하였다. 화성에는 행궁과 장용영의 외영을 두었으며, '대유둔전'이라는 국영 농장을 설치하여 화성의 경비에 충당하고, '만석거'와 '만년제' 등 수리 시설을 두었다.

> 정조는 수원으로 사도세자의 묘를 이전하고 화성을 세워 정치적·군사적 기능을 부여하여 상공인을 유치하여 자신의 정치적 이상을 실현하기 위한 상징적 도시로 육성하려고 하였다.   ➡ 2006 대구교행 9급

> 정조는 수원 화성의 건설을 통해 개혁의 이상을 과시하고자 하였다.   ➡ 2012 서울시 9급

③ 정조 때 「대전통편」, 「동문휘고」, 「일성록」, 「홍재전서」 등이 편찬되었다. 이 중 특히 「동문휘고」는 조선 후기의 대청·대일 관계의 외교문서를 집대성한 책이다.

④ 「고금도서집성」은 중국 문화를 전반적으로 이해하기 위하여 청나라로부터 수입한 책이다. 정조 때 '편찬'한 책은 아니다. 「고금도서집성」은 '수입한 것(○), 가져온 것(○), 구해온 것(○)'이다.

①, ② 영조 때

44 밑줄 친 '국왕'이 실시한 정책으로 옳은 것은?

[2014 국가직 9급]

> 국왕은 행차 때면 길에 나온 백성들을 불러 직접 의견을 들었다. 또한 척신 세력을 제거하여 정치의 기강을 바로 잡았고, 당색을 가리지 않고 어진 이들을 모아 학문을 장려하였다. 침전에는 '탕탕평평실(蕩蕩平平室)'이라는 편액을 달았으며, "하나의 달빛이 땅 위의 모든 강물에 비치니 강물은 세상 사람들이요, 달은 태극이며 그 태극은 바로 나다."라고 하였다.

① 병권 장악을 위해 금위영을 설치하였다.

② 명에 대한 의리를 지켜 청에 복수하자는 북벌을 추진하였다.

③ 육의전을 제외한 시전 상인의 특권을 폐지하였다.

④ 백성의 여론을 정치에 반영하기 위해 신문고제도를 부활하였다.

해설

정답 ③

'탕탕평평실'이라는 말에서 영조 또는 정조임을 알 수 있다. 그런데 '행차'는 아버지인 사도세자(장헌세자)의 능을 찾아가기 위해 혜경궁 홍씨와 함께 '수원으로 행차'하였던 정조에게 어울리는 단어이다. 또한 "하나의 달빛이 땅 위의 모든 강물에 비치니 강물은 세상 사람들이요, 달은 태극이며 그 태극은 바로 나다."라는 말은 정조의 '만천명월주인옹자서'에 등장하는 말이다.

③ 정조는 육의전을 제외한 시전 상인의 특권(금난전권)을 폐지하였다. 이를 신해통공이라 한다.

> 채제공이 아뢰기를, "평시서로 하여금 30년 이내에 신설된 시전을 모두 혁파하게 하십시오. 형조와 한성부에 분부하여 육의전 이외에는 금난전권을 행사하지 못하게 하십시오."라고 하니, 왕이 허락하였다.
> ◐ 2017 지방직 교행

① 금위영은 5군영 중 마지막으로 설치된 중앙군으로서, 조선 숙종 때 설치되었다.

② 왕 중심으로 북벌이 추진된 때는 효종 때이다.

④ 신문고제도가 태종 때 생겼다가 폐지되고, 이 제도가 다시 부활된 것은 영조 때이다.

45 다음과 같이 주장한 인물에 대한 설명으로 옳은 것은?

[2018 국가직 9급]

> 달은 하나이나 냇물의 갈래는 만 개가 된다. … (중략) … 나는 그 냇물이 세상 사람들이라는 것을 안다. 빛을 받아 비추어서 드러나는 것은 사람들의 상이다. 달이라는 것은 태극이요, 태극은 나이다.

① 『해동농서』를 편찬하도록 하였다.

② 갑인예송에서 왕권을 강조하며 기년복을 주장하였다.

③ 이순신에게 현충이라는 시호를 내리고 강감찬 사당을 건립하였다.

④ 민간의 광산개발 참여를 허용하는 설점수세제를 처음 실시하였다.

정답 ①

해설

제시된 자료는 스스로를 '만천명월주인옹'이라고 부른 '정조'가 쓴 글로, 제목은 '만천명월주인옹자서(萬川明月主人翁自序)'이다. 이 글은 정조가 1798년에 군주(君主)와 민(民)의 관계에 대하여 쓴 것으로 정조의 개인문집인 「홍재전서」에 수록되어 있다.

① 『해동농서(海東農書)』는 정조 때(1798년), 서호수가 편찬하였다.

② 갑인예송에서 왕권을 강조하며 기년복(1년복)을 주장하였던 인물은 남인에 속하는 허목, 허적 등이다.

③ '숙종'은 충무공 이순신을 기리기 위한 사우를 세우고 현충사(顯忠祠)를 사액하였으며, 이순신에게는 현충이라는 시호를 내렸다(1707). ◑ 2018 서울시 7급 또한 거란군을 물리친 강감찬 장군을 기리기 위해 강감찬 사당을 건립하였다(1709).

④ 설점수세제(設店收稅制)란 당시 수요가 많았던 연(鉛)이나 은(銀) 생산지에 '설점(設店)'한 뒤 세금을 거두는 방식을 말한다. '효종'은 민간의 광산개발 참여를 허용하는 설점수세제를 처음 실시하였다(1651).

46 아래 그림의 기구가 만들어지던 임금 때의 시대적 배경과 거리가 먼 것은?　　[2012 경찰간부]

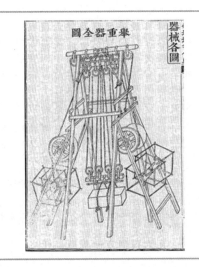

① 「기기도설」 등에 담긴 서양 과학기술이 축성에 활용되었다.

② 당시 임금은 실학자들이 고문을 모범으로 하지 않고 패관소품의 문체로 글쓰기를 한다며 자기 반성을 요구했다.

③ 통공정책을 시행하였다.

④ 지도 제작술이 절정에 달해 대축척 지도와 군현지도의 전통이 결합해 조선 시대 최고로 정밀한 지도인 「대동여지도」가 만들어졌다.

해설

정답 ④

제시된 그림은 정약용이 개발한 '거중기'이다. 정조가 청으로부터 5천여 권의 「고금도서집성」을 사들여 오자 그 속에 실린 테렌츠의 「기기도설」을 참고하여 정약용이 거중기 등 건축기계를 제작하였다. 정약용은 수원 화성을 '축성'할 때 거중기를 사용하여 공사기간을 단축하고 공사비를 줄이는 데 이바지하였다.

② 18세기 중엽 이후 성리학의 문학관에 변화가 나타나, 박지원·홍대용 등 북학파 인사들은 이른바 신체문을 만들어냈다. 이 신체문이 지나치게 품위를 상실하고, 또 이 문체가 자신의 정치노선에 대한 도전이라고 생각한 '정조'는 문체반정(文體反正)을 일으켜 신체문을 억압하고 도문(道文)일치로 나아가려고 하였다.

④ 김정호의 「대동여지도」는 '철종' 때 제작되었다(1861).

47 밑줄 친 '상(上)'의 재위 시에 있었던 일로 옳은 것은?

> 이 책이 완성되었다. … 곤봉 등 6가지 기예는 척계광의 기효신서에 나왔는데 … 장헌세자가
> 정사를 대리하던 중 기묘년에 명하여 죽장창 등 12가지 기예를 더 넣어 도해로 엮어 새로
> 신보를 만들었고, 상(上)이 즉위하자 명하여 기창 등 4가지 기예를 더 넣고 또 격구, 마상재를
> 덧붙여 모두 24가지 기예가 되었는데, 검서관 이덕무, 박제가에게 명하여 … 주해를 붙이게
> 했다.

① 민(民)의 상언과 격쟁의 기회를 늘려주었다.
② 대전회통을 편찬하여 통치 체제를 재정리하였다.
③ 군역의 부담을 줄이기 위해 균역법을 시행하였다.
④ 5군영 대신 무위영과 장어영 등 2영을 설치하였다.

해설   정답 ①

제시된 자료는 정조 때 편찬된 「무예도보통지」의 서문이다. 밑줄 친 상(上)은 '정조'이다. 자료에서는 정조가 이 책을 편찬한
동기를 간략하게 밝히고 있다.
① 백성들이 행차 도중의 왕을 직접 만나서 억울한 일을 호소하는 것을 당시 상언(上言), 격쟁(擊錚)이라 하였는데, 정조는
   격쟁·상언 등의 제도를 활성화하였다.
② 흥선 대원군(고종), ③ 영조, ④ 민씨 세력(고종)

48 다음 문헌들과 관련된 왕의 업적으로 옳은 것은?

> · 동문휘고   · 추관지   · 홍재전서

① 〈고금도서집성〉을 저술하였다.   ② 청계천 준설을 시작하였다.
③ 수원 화성의 건설을 시작하였다.   ④ 이인좌의 난을 진압하였다.

해설   정답 ③

외교문서 모음집 「동문휘고」, 형조의 소관 사례 모음집 「추관지(秋官志)」, 왕의 개인문집 「홍재전서」는 모두 '정조' 때 간행
된 서적이다. 이때 거중기를 이용하여 수원 화성의 건설을 시작하였다.
① 〈고금도서집성〉을 '저술'하지는 않았다. 〈고금도서집성〉은 청에서 수입한 것(구해온 것)이다.
② 청계천 준설을 시작한 왕은 '영조'이다.
④ 이인좌의 난을 진압한 왕은 '영조'이다.

49 (가), (나) 국왕에 대한 설명으로 가장 옳은 것은?

[2022 법원직 9급]

> • __(가)__ 은/는 붕당의 이익을 대변하던 이조 전랑의 후임자 천거권과 3사 관리 선발 관행을 혁파하고, 탕평 의지를 내세우기 위해 성균관 앞에 탕평비를 세웠다.
> • __(나)__ 은/는 초계문신제를 실시하여 개혁 세력을 육성하였으며, 통공 정책을 실시하여 육의전을 제외한 시전의 금난전권을 폐지하였다.

① (가) – 장용영을 설치하여 군사권을 장악하였다.

② (가) – 조선과 청의 국경을 정하는 백두산정계비를 세웠다.

③ (나) – 대전통편을 편찬하여 법령을 정비하였다.

④ (나) – 삼정의 문란을 개혁하기 위해 삼정이정청을 설치하였다.

해설   정답 ③

(가) 붕당정치의 뿌리를 제거하기 위해 이조 전랑의 후임자 천거권과 3사 관리 선발 관행을 없앤 왕은 영조이다. 영조는 탕평비를 세우고, 탕평교서를 발표하였다.

(나) 초계문신제와 통공정책을 실시한 왕은 정조이다.

① 정조가 장용영을 설치하였다.

② 숙종이 백두산정계비를 세웠다.

③ 정조가 대전통편을 편찬하였다.

④ 철종이 삼정이정청을 설치하였다.

05 세도 정치와 농민의 봉기

01 세도 정치

01 다음과 같은 정치상황 하에서 나타난 현상으로 옳은 것은?

[2009 지방직 9급]

> 19세기의 정치는 권력구조 면에서 고위직만 정치적 기능을 발휘하여 그 아래의 관리들은 행정 실무만 맡게 되었고, 비변사가 핵심적인 정치기구로 자리 잡았다.

① 왕에게 모든 권력이 집중되었다.

② 남인·소론·지방 선비들이 권력에서 배제되어 사회 통합에 실패하였다.

③ 공론이 중지되면서 이조전랑의 권한이 강화되었다.

④ 예송논쟁이 일어나 붕당 간 대립이 격화되었다.

해설   정답 ②

세도정치의 중심 권력기관은 비변사로서 당상자리를 차지한 약 300여 명이 핵심 정치집단을 형성하여 모든 권력을 장악하였다. 의정부, 6조, 삼사는 고유기능을 상실하고 행정실무를 집행하는 기구로 변질되었다. 세도 정권은 19세기 상업발달과 서울의 도시적 번영 속에서 자족하고, 정조가 포용했던 재야세력인 남인, 소론, 지방 선비들을 권력에서 배제하여 사회통합에 실패하였다.

④ 예송논쟁으로 붕당 간 대립이 격화된 것은 17세기이다. 붕당 정치는 16세기 후반에 시작되어 17세기에 격화되고, 18세기에는 위축되었다. 세도 정치로 인해 붕당의 대립은 물론, 탕평파와 반탕평파 같은 정치 집단 사이의 대립적인 구도도 없어졌다.

 명호샘의 한마디!!

세도정치기 문제의 답으로 나올 수 있는 것들은 다음과 같다.

1. 소수의 가문이 권력을 독점하였다. = 왕실 외척 중심의 유력 가문이 정치를 주도했다. (○)

2. 사회 통합에 실패하였다. (○)

3. 언관의 정치적 기능이 약화되었다. (○)

4. 정치 운영의 핵심 기구는 비변사였다. = 비변사와 훈련도감으로 권력이 집중되었다. (○)

5. 관직을 팔고 사는 현상이 성행하였다. (○)

6. 전정, 군정, 환곡의 삼정이 문란해졌다. (○)

02 다음 글을 남긴 국왕의 재위 기간에 일어난 사실로 옳은 것은? [2014 국가직 9급]

> 보잘 것 없는 나, 소자가 어린 나이로 어렵고 큰 유업을 계승하여 지금 12년이나 되었다. 그러나 나는 덕이 부족하여 위로는 천명(天命)을 두려워하지 못하고 아래로는 민심에 답하지 못하였으므로, 밤낮으로 잊지 못하고 근심하며 두렵게 여기면서 혹시라도 선대왕께서 물려주신 소중한 유업이 잘못되지 않을까 걱정하였다. 그런데 지난번 가산(嘉山)의 토적(土賊)이 변란을 일으켜 청천강 이북의 수많은 생령이 도탄에 빠지고 어육(魚肉)이 되었으니 나의 죄이다.
>
> ➡ 「비변사등록」

① 최제우가 동학을 창도하였다.

② 공노비 6만 6천여 명을 양인으로 해방시켰다.

③ 미국 상선 제너럴 셔먼 호가 격침되었다.

④ 삼정 문제를 해결하기 위해 삼정이정청을 설치하였다.

해설   정답 ②

'가산'에서 시작하여 '청천강 이북'을 점령한 반란은 홍경래의 난이다(1811). '보잘 것 없는 나, 소자'는 순조이다. 1800년 정조가 죽은 후 '큰 유업을 계승'한 순조가 즉위 '12년' 될 때 일어난 난이므로 홍경래의 난(1811년)임을 사료 앞부분에서 확증할 수 있다. 순조 때 6만 6천여 명의 공노비(내사노비)가 해방되었다.

① 최제우가 동학을 창시한 것은 1860년, 철종 때이다.

③ 박규수가 제너럴 셔먼호를 격침시킨 것은 1866년, 고종 때이다.

④ 삼정이정청이 설치된 것은 1862년의 임술 농민 봉기의 결과이다. 철종 때이다.

02 농민의 봉기

03 다음의 자료를 통해 알 수 있는 조세 제도에 대한 설명으로 옳지 않은 것은? [2015 국회직 9급]

> 갈밭마을 여인 울음도 서러워라. 현문(懸門) 향해 울부짖다 하늘보고 호소하네. 군인 남편 못 돌아옴은 있을 법도 한 일이나, 예부터 남절양(男絶陽)은 들어보지 못했노라. 시아버지 죽어서 이미 상복 입었고, 갓난아인 배냇물도 안 말랐는데, 3대의 이름이 군적에 실리다니. 달려가서 억울함을 호소하려 해도 범 같은 문지기 버티어 있고, 이정(里正)이 호통하여 단벌 소만 끌려가네. 남편 문득 칼을 갈아 방안으로 뛰어들자, 붉은 피 자리에 낭자하구나. 스스로 한탄하네. '아이 낳은 죄로구나.'
>
> ➡ 「목민심서」 「애절양(哀絶陽)」

① 족징(族徵), 인징(隣徵), 백골징포(白骨徵布), 황구첨정(黃口簽丁) 등의 폐단이 있었다.

② 폐단을 시정하기 위해 숙종~영조 대에 걸쳐 다양한 양역변통론이 제기되었다.

③ 상층 양인 일부에게 선무군관(選武軍官)이라는 칭호를 주는 대신 군포를 부과하였다.

④ 토지 1결당 미곡 12두를 거두어 세입의 결손을 보완하고자 하였다.

⑤ 균역청에서 어세, 염세, 선세를 관할하게 하였다.

해설   정답 ④

'시아버지 죽어서 이미 상복 입었고'는 백골징포를 의미하고, '갓난아인 배냇물도 안 말랐는데'는 황구첨정을 의미한다. 이것들은 모두 '군정의 문란'과 관련되어 있다. 정약용은 '애절양'에 군정의 문란을 폭로하였다.

① 족징, 인징, 백골징포, 황구첨정은 모두 군정의 문란을 지적하는 말이다. 이 문제를 해결하기 위해 영조가 균역법을 시행하였다.

② '숙종~영조' 대에 다양한 양역변통론이 제기되었지만 실효성 있는 것이 없었다. 그래서 영조가 균역법을 시행하였다.

③ 균역법 시행으로 재정 수입이 감소하자, 일부 상층 양인에게 선무군관이라는 호칭을 주고 군포를 부과하였다.

⑤ 균역법 시행으로 재정 수입이 감소하자, 어장세 · 염세 · 선박세 등을 징수하였다.

④ 토지 1결당 미곡 12두를 거둔 것은 대동법 실시로 인해 현물 대신 대동미를 거둔 것을 말한다. 재정 감소 보완책이 아니다.

🧑‍🏫 **명호샘의 한마디!!**

환곡 제도의 문란을 뜻하는 한자 표현으로는 반작(反作), 분백(分白), 반백(半白) 이외에도 늑대와 허류가 있다. 늑대(勒貸)란 관리들이 필요 이상의 양을 강제로 분급하는 것을 말한다. 늑(勒)이란 무엇인가를 강제한다는 의미이다. (늑대 같은 관리들!!) 허류(虛留)란 창고에는 곡식이 하나도 없으면서 장부상에는 있는 것처럼 꾸미는 것을 말한다.

🧑‍🏫 **명호샘의 한마디!!**

토지를 누락시키는 은결(隱結), 황폐한 진전에서도 세를 징수하는 백지징세(白地徵稅), 관리들이 사적으로 써버린 공금을 보충하기 위해 정액 이상의 세를 징수하는 도결(都結)은 '전정의 문란'과 관련된 용어들이다.

---

04 다음에서 서술하고 있는 인물에 대한 설명으로 옳은 것은?   [2014 지방직 9급]

> 이 인물을 중심으로 한 도적 무리는 조선 전기 도적 가운데 그 세력이 가장 컸으며, 명종 14년부터 명종 17년까지 주로 활동하였다. 이들이 거점으로 삼았던 지역은 백정들이 많이 사는 지역과 공물이 운송되며 사신들의 왕래가 빈번하여 농민들의 부담이 무거웠던 역촌(驛村) 지대 및 주변에 갈대밭이 많은 곳 등이었다. 이들은 이러한 곳을 거점으로 약탈 · 살인 · 방화를 서슴지 않았다.

① 광대 출신으로 승려 세력과 함께 봉기하여 서울로 들어가려고 하였다.

② 허균이 이 인물을 주인공으로 하여 정치의 부패상을 비판한 소설을 썼다.

③ 황해도를 중심으로 경기 · 강원 · 평안 · 함경도 주변 지역에서 활동하였다.

④ 대동계라는 비밀결사를 조직하여 새 왕조를 세우려는 역성혁명을 꿈꾸었다.

 해설   정답 ③

임꺽정의 난의 키워드는 1) 명종 때, 2) '백정 + 몰락한 사림', 3) '경기도와 황해도' 또는 '구월산'이다. 16세기 명종 때 윤원형 등의 외척이 세력을 제멋대로 부리고, 관리들의 수탈이 심해지자 백정 출신 임꺽정(?~1562)이 몰락한 사림, 농민 등을 규합하여 반란을 일으켰다.

① 광대 출신으로 승려, 서얼 등과 함께 반란을 일으킨 인물은 숙종 때의 '장길산'이다.

② 허균이 '홍길동전'에서 주인공으로 하였던 '홍길동'은 연산군 때 활동한 도적이다.

④ 호남 지역에 대동계(大同契)라는 비밀결사를 조직한 인물은 '정여립'이다. 정여립은 동인을 남인과 북인으로 분리시킨 '정여립 모반사건'의 주인공으로, 선조 때 활동한 인물이다.

05 다음 글에 나타난 '무리들'에 대한 설명으로 옳은 것은? [2017 국가직 7급]

> 그 무리들이 번성한 지 벌써 십 년이 지났으나 아직 잡지 못하고 있다. 지난 번 양덕에서 군사를 징발하여 그 무리들을 체포하려고 포위하였지만 끝내 잡지 못하였으니 역시 그 음흉함을 알 만하다. 지금 이영창의 심문 기록을 살펴보니 더욱 통탄스럽다.

① 양주 백정 출신인 임꺽정을 중심으로 황해도에서 활동하였다.

② 장길산을 우두머리로 하여 황해도와 평안도 등지에서 활동하였다.

③ 실존 인물인 홍길동이 이 집단의 우두머리로 충청도에서 활동하였다.

④ 몰락 양반인 홍경래를 중심으로 영세농과 광산노동자 등이 가세하였다.

해설 정답 ②

장길산은 숙종대 산적 두목으로 유명했던 실존 인물이다. 그는 광대 출신으로 원래 활동 무대는 황해도였다. 그 무리가 많아 조정에서 큰 걱정거리로 여기다가, 결국 신엽(申曄)을 황해도 감사로 삼아 체포하도록 지시했다. 그러나 조정의 체포 노력은 수포로 돌아가고 장길산은 이후 행방을 감춰 버렸다. 10여 년간이나 민중의 신망을 받으며 투쟁하였던 장길산 무장 세력과 연대하려는 세력들이 있었는데, 그 중 하나는 승려 '여환'의 세력이었다. 제시된 자료의 '이영창'은 '여환' 세력의 인물 중 하나로, 그의 심문 기록에는 '여환'이 연대하려고 했던 '장길산'에 대한 내용이 들어있다.

「숙종실록」에 보면, '도둑의 괴수 장길산이 양덕(陽德) 땅에 숨어 있으므로, 포도청(捕盜廳)에서 장교(將校)를 보내어 덮쳐서 잡도록 했었는데 관군(官軍)이 놓쳐 버렸다. 대신이 그 고을 현감(縣監)을 죄주어 다른 고을들을 경계하도록 청하니, 임금이 옳게 여겼다.'는 기록이 있는데, 문제에서 제시된 자료의 앞부분은 바로 '양덕에서 장길산을 잡지 못한 사건'(숙종 18년, 1692년)을 언급하고 있다.

'무리들이 번성한 지 벌써 십 년'이 지났고 '양덕'에서 체포하려고 하였으나 놓쳤고, '이영창'이라는 인물과 관련된 '무리들'은 '장길산의 무리들'이다.

06 19세기 조선 사회에 대한 설명으로 옳은 것만을 모두 고르면? [2011 국가직 9급]

> ㉠ 순조 초에 훈련도감이 벽파 세력에 의해 혁파되고, 군영 대장 후보자를 결정할 권한은 당시 권력 집단이 장악한 비변사가 가지고 있었다.
>
> ㉡ 중앙 정치 참여층이 경화 벌열로 압축되고 중앙 관인과 재지사족 간에 존재했던 경향의 연계가 단절되면서 전통적인 사림의 공론 형성은 거의 불가능해졌다.
>
> ㉢ 환곡은 본래 진휼책의 하나였지만, 각 아문에서 환곡의 모곡을 재정 수입의 주요 항목으로 이용하면서 부세와 다름없이 운영되었다.
>
> ㉣ 홍경래 난을 계기로 국가는 삼정이정청을 설치하여 삼정의 개선 방안을 모색하였으며, 각지의 사족들 또한 상소문을 올려 해결 방안을 제시하였다.

① ㉠, ㉡, ㉢

② ㉡, ㉢

③ ㉡, ㉢, ㉣

④ ㉢, ㉣

> **해설**
>
> 정답 ②
>
> ⓒ 세도정치기에는 중앙 정치 참여층이 경화벌열(京華閥閱, 경화세족)로 압축되었다. 경화(京華)란 '서울'을 말하며, 벌열(閥閱)은 벼슬을 얻어 권력을 차지한 이들을 말한다. 즉 서울 지방의 권세가들이 외척이 되어 중앙 정치권을 장악하자, 지방의 '재지사족'은 소외되었으며, 이론 인하여 경향(京鄕), 즉 서울과 시골의 연계가 단절되었다. 이에 따라 재지사족으로서 공론의 형성을 담당하였던 산림(山林)의 영향력도 약해졌다.
>
> ⓒ 세도정치기에는 삼정이 문란해졌고, 그 중의 하나인 환곡도 문란해졌다. 지방관아의 재정이 궁핍해지자, 환곡의 이자를 세금 형식으로 토지나 호구에 배당하는 등, 환곡을 '부세 형식'으로 바꾸었다.
>
> ⓒ 비변사는 세도정치의 중심 권력 기관이 되었다. 비변사의 당상 자리를 차지한 약 3백여 명이 핵심 정치집단을 형성하며 모든 권력을 장악하였다. 그러나 이때 훈련도감이 혁파된 것은 아니다. 훈련도감은 1881년에 중앙군인 5군영이 2영(무위영, 장어영)으로 축소되면서 혁파되었다.
>
> ⓒ '삼정이정청'은 철종 때(1862) 임술 농민 봉기를 비롯한 삼남 지방의 농민 봉기를 수습하기 위하여 만들어진 관청이다.

07 평안도 농민전쟁(홍경래의 난)의 역사적 배경으로 옳지 않은 것은?

[2010 지방직 9급]

① 평안도민은 중앙 관직에 진출할 수 있는 기회가 매우 제한되었다.

② 봉기에 대한 호응이 전국적으로 일어날 만큼 지역 차별이 극심하였다.

③ 세도 정권이 서울 특권상인의 이권을 보호하기 위해 평안도민의 상공업 활동을 억압하였다.

④ 평안도민 중 대외 무역과 광산 개발에 참여하여 부호로 성장한 인물이 많았다.

> **해설**
>
> 정답 ②
>
> 홍경래의 난은 평안도민에 대한 지역 차별이 원인이 되어 발생하였으나, 전국적으로 확산되지는 않았다. 전국적으로 확산된 것은 '임술 농민 봉기'이다.
>
> ① 평안도민이 과거에 합격을 해도 요직을 주지 않는 차별은 왜란 이후로 이미 있어 왔다. 이것은 단군ㆍ기자조선의 문화전통을 계승했다고 자부하는 평안도민들에게 정신적 상처를 주었으며, 이것이 반란의 원인이 되었다.
>
> ③ 세도 정권과 결탁한 일부 어용 상인들에게만 특권이 허용되자, 평안도민들이 불만을 가지게 되었고, 이 또한 반란의 원인이 되었다.
>
> ④ 평안도 지방은 광산이 많고 만상(의주 상인)ㆍ유상(평양 상인) 등이 대외무역을 통하여 대상인(大商人)으로 성장한 사람이 많았다. 그러나 중앙에서는 이들을 차별하였고, 지역 차별에 대한 불만이 반란의 원인이 되었다.

08 다음의 사건이 발생한 시기의 집권 세력에 대한 설명으로 옳지 않은 것은? [2008 국가직 9급]

> 서토(西土)에 있는 자 어찌 억울하고 원통하지 않을 자 있겠는가. 막상 급한 일을 당해서는
> … 과거에는 반드시 서로(西路)의 힘에 의지하고 서토의 문을 빌었으니 400년 동안 서로의
> 사람이 조정을 버린 일이 있는가. 지금 나이 어린 임금이 위에 있어서 권세 있는 간신배가
> 날로 치성하니 … 흉년에 굶어 부왕 든 무리가 길에 널려 늙은이와 어린이가 구렁에 빠져
> 산 사람이 거의 죽음에 다다르게 되었다.

① 왕실의 외척이 세도를 명분으로 정권을 잡았다.

② 호조와 선혜청의 요직을 차지하여 재정 기반을 확보하였다.

③ 의정부와 병조를 권력의 핵심 기구로 삼고 인사권을 장악하였다.

④ 과거 시험의 합격자를 남발하고 뇌물이나 연줄로 인사를 농단하였다.

해설 　　　　　　　　　　　　　　　　　　　　　　　　　　　　정답 ③

제시된 자료는 홍경래의 난 격문 중 일부이다. '서토(西土)'는 서북 지역인 평안도를 뜻하며, '나이 어린 임금'이란 순조를
말한다. 이 시기(세도정치기)에는 '외척'들이 집권하였으며, 의정부와 6조가 유명무실해지고, 비변사와 훈련도감으로 권력
이 집중되었다.

> 주민 수만 명이 머리에 흰 수건을 두르고 손에 나무 몽둥이를 들고 무리를 지어 진주 읍내에 모여 서리들의 가옥
> 수십 호를 불사르고 부셔서 그 움직임이 결코 가볍지 않았다. 병사가 해산시키고자 하여 장시에 나가니 흰 수건을
> 두른 백성들이 땅 위에서 그를 빙 둘러싸고는 … (중략) … 여러 번 문책했는데, 조금도 거리낌이 없었다. 그리고
> 병영으로 병사를 잡아 들어가서는 이방 권준범과 포리 김희순을 곤장으로 수십 대 힘껏 때리니 여러 백성들이 두
> 아전을 그대로 불 속에 던져 넣어 태워버렸다.

09 다음의 자료들은 1862년 임술 농민 봉기에 관한 설명이다. 봉기의 발생배경과 결과에 대한 설
명 중 옳은 것을 아래에서 모두 고른 것은? [2012 경찰간부]

> ㉠ 정부는 농민들의 요구를 해결하기 위해 지주제를 부분적으로 개혁하였다.
> ㉡ 농민들은 소청이나 벽서 등 소극적인 운동을 병행하였다.
> ㉢ 농민 스스로의 힘으로 사회모순을 변혁시키려 했다.
> ㉣ 부세문제의 해결을 위한 정부의 삼정이정책이 시행되었다.
> ㉤ 반상(班常)의 상징인 군역세가 혁파되고 호포제가 전개되었다.

① ㉠, ㉡ 　　　　　　　　　　　　　② ㉡, ㉢

③ ㉡, ㉣ 　　　　　　　　　　　　　④ ㉢, ㉤

해설 정답 ②

1862년, 병사 백낙신의 가렴주구를 참다못해 향임 유계춘의 지도 아래 진주의 농민들이 일어났다. 이들은 머리에 흰 두건을 쓰고 스스로를 초군이라 부르면서 죽창과 곤봉을 들고 일어나 관아를 부수고 부민들을 습격한 후 스스로 해산하였다. 이것이 임술 농민 봉기이다.

㉠ '지주제 개혁'은 토지 분배가 이루어질 때 쓰는 말이다. 임술 농민 봉기 때 토지 개혁은 이루어지지 않았다.

㉣ 정부가 삼정의 문란을 고치기 위해 '삼정이정청'을 설치하기는 하였지만, 정책이 제대로 시행되지는 못하였으므로 '삼정이정책 시행'이라고 표현해서는 안 된다.

㉤ 호포제는 흥선 대원군 때 실시되었다.

 명호샘의 한마디!!

임술 농민 봉기(1862)와 관련된 사료를 알아두자.

철종 때에 일어난 최초의 민란이었던 이 사건은 1862년 2월 진주에서 일어났다. 유계춘 등의 주모자들은 초군(樵軍)을 규합하고 격문을 배포하였다. 이어서 철시를 단행하고 관가를 습격하였다.

임술년 2월 19일 진주 백성 수만 명이 무리를 지어 진주 읍내에 모여, 서리의 가옥 수십 호를 불지르고 부셔서 그 움직임이 가볍지 않았다.

최근 남쪽에서 일어나는 난은 양민이 일으키는 것이 아니라 궁민(窮民)이 일으킨다. 이들은 생활할 만한 자산이 없으므로 밤낮 원망하고 난을 생각한 지 오래되었다. 비록 의리를 말하면서 그들을 타일러도 따르지 않는다. 요사이 남쪽 농민들의 소란은 대개 이들이 주동한 것이며 양민은 단지 협조자일 뿐이다.

◐ 「고환당수초」 ◐ 2012 지방직 7급

---

10 (가)와 (나) 사건 사이에 있었던 사실로 옳은 것은? [2016 국가직 7급]

> (가) 평서대원수는 급히 격문을 띄우노니 관서의 부로자제와 공사천민은 모두 이 격문을 들으라. …(중략)… 조정에서 관서를 버림이 분토와 다름없다. 심지어 권세가의 노비도 서토의 사람을 보면 반드시 '평한(平漢)'이라고 말한다.
>
> (나) 백성들이 소동을 일으킨 것은 우병사 백낙신이 탐욕을 부려 침학하였기 때문입니다. 환포와 도결 6만 냥을 가호(家戶)에 배정하여 백징(白徵)하였으므로 백성들이 봉기했던 것입니다.

① 정약용이 유배 중 목민심서를 저술하였다.

② 흥선 대원군이 경복궁을 중건하였다.

③ 이승훈이 사행 중 천주교 세례를 받고 돌아왔다.

④ 양헌수가 정족산성에서 프랑스군을 격퇴하였다.

해설   정답 ①

(가) '평서대원수는 급히 격문을 띄우노니'로 시작하는 이 글은 '홍경래의 난 격문'이다(1811). '평서대원수'는 홍경래가 민란의 대장으로서 스스로 만든 호칭이다. 그러므로 '평서대원수'가 언급되면 이것은 '홍경래의 난'일 수밖에 없다. 여기에 '평한(평안도놈)'이 붙거나, 아래와 같이 '김조순, 박종경의 무리'가 붙으면 확실히 홍경래의 난이 된다.

> 평서대원수는 급히 격문을 띄우노라 … 지금 나이 어린 임금이 위에 있어서 권신들의 간악한 짓은 날이 갈수록 더 심해지고, <u>김조순, 박종경의 무리</u>가 국가의 권력을 제멋대로 하니, 어진 하늘이 재앙을 내려 겨울 번개와 지진이 일어나고 큰 흉년이 거듭 들고, 굶어 황폐 든 무리가 길에 널려 늙은이와 어린이가 구렁에 빠져서 산 사람이 거의 죽음에 다다르게 되었다. 그러나 다행히 오늘 세상을 구제할 성인이 나타나 철기 10만으로 부정부패를 숙청할 뜻을 가지셨다.
> ❯ 2016 소방간부

(나) '백낙신'의 탐욕으로 '백징'하여 '백성들이 봉기'하였다면, 이 봉기는 임술 농민 봉기이다(1862). 백징(白徵)이란 전정의 문란 중의 하나로, 농사도 짓지 않는 땅을 징세안에 올려 놓고 강제적으로 징수하는 일을 말한다. 이렇게 '백낙신'과 삼정의 문란 문제가 함께 언급되거나, 아래와 같이 반란 주동자인 '유계춘'이 함께 언급되면 이것은 임술 농민 봉기일 수밖에 없다.

> 1862년에는 진주에서 몰락 양반 유계춘을 중심으로 경상 우병사 백낙신의 부정부패에 항의하는 농민 봉기가 일어나 진주성이 점령되었다. 이후 삼남 지방의 70여 곳에서 농민들이 봉기하였고, 곧이어 북쪽의 함흥 지역에서부터 남쪽의 제주도에 이르기까지 전국적으로 확산되었다. 농민 봉기에 당황한 세도 정권은 (삼정이정청)을 설치하고 개혁에 착수하여 민심의 동요를 진정시키고자 하였다.
> ❯ 2017 기상직 7급

> 이번에 진주의 난민들이 큰 소동을 일으킨 것은 오로지 <u>백낙신이 탐욕을 부려</u> 백성들을 수탈하였기 때문입니다. 병영에서 이미 써버린 환곡과 전세 6만 냥 모두를 집집마다 배정하여 억지로 받아내려 하였습니다. 이로 인해 진주 지역의 인심이 들끓게 되었고 많은 사람들의 분노가 폭발하여 결국 큰 반란(임술 농민 봉기)이 발생하게 되었던 것입니다.
> ❯ 『철종실록』 ❯ 2021 소방

① (가)와 (나) 사건 사이라면, 1811년(홍경래의 난)과 1862년(임술 농민 봉기) 사이이다. 왕으로는 순조, 헌종, 철종 때이다. 정약용이 유배 중에 목민심서를 발표한 때는 1818년(순조 18년)이다.

② 흥선 대원군은 1865년(고종 2년)부터 1872년(고종 9년)까지 경복궁을 중건하였다.

③ 이승훈은 1783년 사행 중 친척 이벽의 부탁에 따라 서학 서적을 구하러 베이징 천주당에 찾아갔다가, 루이 그라몽 신부에게 세례(영세)를 받고 한국 최초의 세례자가 되었다. 이승훈은 1801년(순조 1년) 신유박해(신유사옥) 때 서소문 밖에서 참수당했다.

④ 양헌수는 1866년(고종 3년) 병인양요 때 정족산성의 수성장(守城將)이 되었다. 프랑스 함대의 로즈(Rose) 제독이 보낸 군대 160명을 맞아 싸운 끝에 6명을 사살하고 많은 부상자를 내어 프랑스군이 퇴각하는 데 결정적인 역할을 했다.

11 다음 연표에서 (가)~(라) 시기의 정치적 상황으로 옳은 것은?   [2016 사회복지직]

1776		1800		1834		1849		1863
	(가)		(나)		(다)		(라)	
정조 즉위		순조 즉위		헌종 즉위		철종 즉위		고종 즉위

① (가) - 홍경래의 난이 일어나 평안도 청천강 이북 지역을 장악하였다.

② (나) - 이인좌는 소론·남인 세력을 규합하여 난을 일으켰다.

③ (다) - 천주교 신자를 박해하는 과정에서 '황사영 백서사건'이 일어났다.

④ (라) - 농민들의 불만을 무마하기 위해 삼정이정청을 설치하였다.

해설

정답 ④

① 홍경래의 난은 1811년 12월부터 다음해 4월까지 약 5개월간에 걸쳐 일어난 반란이다. → (나)

② 이인좌의 난(무신란)은 영조 초기인 1728년에 일어났다. → 정조 즉위 전

③ 1801년의 황사영 백서사건은 '신유박해'의 연장선상에서 일어난 사건이다. → (나)

④ 삼정이정청은 1862년 임술 농민 봉기의 결과로 설치되었다. → (라)

12 (가)와 (나)사이에 들어갈 내용으로 가장 적절한 것은?

[2016 법원직 9급]

> (가) 백낙신의 폭정을 견디다 못한 진주 백성 수만 명이 무리를 지어 서리들의 가옥 수십 호를 불사르고 부수며, 아전들을 둘러싸고 백성의 재물을 횡령한 일, 환곡을 포탈하거나 강제로 징수한 일들을 면전에서 문책하였다.
>
> (나) 철종이 후사 없이 사망하면서 고종이 어린 나이에 즉위하였다. 그러자 고종의 아버지인 흥선 대원군이 실권을 잡았다. 대원군은 삼정의 문란을 진정시키기 위한 각종 정책을 폈다.

① 삼정이정청을 설치하고 수취 제도 개혁을 강구하였다.

② 군정의 문란을 해결하기 위하여 호포제가 실시되었다.

③ 농민들이 집강소를 설치하고 폐정 개혁을 추진하였다.

④ 홍경래를 중심으로 한 세력이 청천강 이북을 점령하였다.

해설

정답 ①

(가)는 1862년의 임술 농민 봉기이고, (나)는 1863년의 흥선 대원군 집권이다. (가)와 (나)의 얼마 안 되는 기간 사이에 있을 수 있는 일은 (가) 사건의 결과일 것이다. 정부는 임술 농민 봉기의 결과 삼정의 문제를 해결하기 위해 '삼정이정절목'을 공포하였고, 삼정이정청을 설치하였다. ⊙ 2021 소방 삼정이정청은 임술 농민 봉기의 안핵사였던 박규수가 건의하여 반란이 일어났던 그 해, 즉 1862년에 설치되었다. ⊙ 2017 기상직 7급 그러나 같은 해에 삼정이정청은 폐지되었고, 삼정의 업무는 비변사에서 관장하게 되었다.

② 호포제는 1871년(고종 8년)에 대원군에 의해 실시되었다.

③ 집강소는 1894년(고종 31년)에 전주화약 이후 전라도 53개 고을에 설치되었다.

④ 홍경래의 난은 1811년(순조 11년)에 일어났다.

06 | 조선의 대외 관계

01 밑줄 친 '갈등'에 대한 설명으로 옳지 않은 것은?

[2012 지방직 9급]

> 이성계는 즉위 직후 명에 사신을 보내어 조선의 건국을 알리고, 자신의 즉위를 승인해줄 것과 국호의 제정을 명에 요청하였다. 명으로부터 승인을 받아 국내의 정치상황을 안정시키기 위함이었다. 그러나 이후 조선은 명과 외교적 <u>갈등</u>을 빚었다.

① 조선으로 넘어온 여진인의 송환을 명이 요구함으로써 생긴 갈등

② 조선이 명에 보낸 외교문서에 무례한 표현이 있다는 명의 주장에 따른 갈등

③ 이성계가 이인임의 아들이었다는 중국 측 기록을 둘러싼 갈등

④ 조선의 조공에 대한 명 황제가 내린 회사품의 양과 가치가 지나치게 적은 데 따른 갈등

해설   정답 ④

태종 이방원이 즉위하면서 명나라와의 관계가 호전되었지만, 그 이전까지는 명나라와 3가지 문제로 외교적 갈등을 빚었다. 첫째, 조선으로 넘어온 여진 유민의 쇄환(송환) 문제. 둘째, 조선이 명에 보낸 외교문서에 무례한 표현이 있다는 이른바 표전문 사건. 셋째, 이성계가 명의 '대명회전'에 권신 이인임의 아들로 기록되어 있어 이에 대한 정정을 요구하였으나 명이 받아들이지 않아서 생긴 종계변무 문제

④ 조선과 명은 책봉과 조공이라는 형식으로 외교를 하였다. 조공을 받은 명은 적절한 회사품을 보내야 했다. 조선과 명 사이에 회사품의 양과 가치로 인한 갈등은 없었다. 다만 양국이 주장하는 조공 주기에는 차이가 있었는데 명은 3년 1공을, 조선은 1년 3공을 주장하였다. 조선이 더 잦은 조공을 원했던 것은 명에 대한 조공관계를 통해 진헌에 대한 회사물로서 중국의 발달한 문물을 받아들이고 경제적인 실리를 취할 수 있었기 때문이다.

02 고려 말에서 조선 초에 있었던 요동정벌 운동을 설명한 것으로 옳지 않은 것은?

[2016 서울시 9급]

① 우왕 때 최영은 명이 철령위 설치를 통고하자 요동을 공격할 계획을 세웠다.

② 태조 이성계는 요동정벌을 추진하였고 정도전과 남은은 군사 훈련을 강화하였다.

③ 명은 정도전을 조선의 화근이라며 명으로 압송할 것을 요구하였다.

④ 이방원은 태조의 요동정벌 운동을 적극 지지하였다.

해설   정답 ④

조선 태조 때 표전문 사건이 원인이 되어 정도전을 중심으로 요동 수복이 시도되었다. 이를 위하여 진법과 진도가 제작되고, 사병 혁파가 주장되었다. 그러나 태종 이방원 때 명과의 관계가 호전되었고, 명으로부터 조선 국왕을 승인 받고, 요동 수복을 보류하였다.

03 다음 중 조선 초기의 대외관계에 대한 설명으로 옳지 <u>않은</u> 것은?　　　　　　　[2010 서울시 9급]

① 명나라와 태종 이후로 관계가 좋아져 교류가 활발하였다.

② 세종 때 4군 6진이 설치되어 오늘과 같은 국경선이 확정되었다.

③ 여진족에 대한 토벌 위주의 정책을 추진하였다.

④ 화약 무기를 개발하여 선박에 장착하는 등 왜구 격퇴에 노력을 기울였다.

⑤ 류큐에 불경, 유교경전, 범종 등을 전해주어 문화 발전에 기여하였다.

해설　　　　　　　　　　　　　　　　　　　　　　　　　　　　　　정답 ③

조선 초기의 대외관계는 화이관(華夷觀)이라는 세계관에 바탕을 두고 사대교린(事大交隣)을 기본정책으로 삼았다.
◐ 2019 서울시 9급

③ 조선은 여진족에 대하여 '회유+강경'의 교린 정책을 취하였다. '강경책'에는 세종 때의 4군 6진 개척이 있다. '회유책'에
　는 1) (4군 6진 지역의) 토관(土官) 제도, 2) 무역소 설치, 3) 북평관 설치, 4) 여진족의 귀화 권유 등이 있다.

① 요동 정벌을 추진하던 정도전을 죽이고 태종이 즉위하자 명과 조선의 관계는 호전되었다.

② 세종 때 압록강과 두만강 유역의 여진족을 몰아낸 후, 평안도 북부 압록강변에 4군을, 함경도 북부 두만강 연안에 6진을
　설치하였다. 이로써 우리나라의 국경이 지금의 압록강과 두만강을 잇는 선으로 확장되었다.

④ 고려 말부터 조선 초까지 계속된 왜구의 침략으로 폐해가 심각해지자 조선은 수군을 강화하고 화약 무기를 개발하는
　등의 노력을 기울였다. 고려 말 최무선에 의해 창안된 화약무기는 조선 초기에 더욱 개량되어 그 성능이 크게 높아졌는
　데, 대포의 사정거리는 최대 1천보(步)에 이르러 종전보다 4~5배나 커졌다.

⑤ 조선 초기에는 동남아시아의 류큐(유구), 시암, 자바 등과 같은 나라들과 조공과 진상의 형식으로 물자를 교류하였는
　데, 특히 불경, 유교 경전, 범종, 부채 등을 전해주어 문화 발전에 기여하였다. 「조선왕조실록」에 의하면 경복궁 대궐
　앞에는 일본 및 동남아에서 온 사신들로 붐볐다고 한다. 조선은 류큐 및 동남아시아에서 물소뿔, 침향을 들여왔다.
　◐ 2016 국가직 7급

명호샘의 한마디!!

'조선 초기의 대외관계' 또는 '조선 전기의 대외관계'라는 말을 주의해서 보아야 한다. 조선 후기로 넘어가면서 왜란
과 호란이 발생하고, 중국의 왕조도 명에서 청으로 바뀌면서 대외관계의 원칙이 수정되었기 때문이다. 조선 초기
의 대외관계를 한 마디로 '사대+교린'이라 한다면, 조선 후기의 대외관계는 '중립외교 → 친명배금', '북벌 → 북학'
이라 할 수 있을 것이다.

04 조선 시대의 대외관계에 대한 설명으로 가장 옳은 것은?　　　　　　　[2018 서울시 9급]

① 태조는 북방의 여진족을 몰아내고 4군 6진을 개척하였다.

② 왜란이 끝난 후 조선은 일본에 통신사를 파견하여 국교 재개를 요청하였다.

③ 조선후기 북학운동의 한계를 느낀 지식인들은 북벌운동을 전개하였다.

④ 조선후기 중국과의 외교와 무역에 은이 대거 소비되면서 은광이 활발하게 개발되었다.

해설

정답 ④

조선후기 중국과의 외교와 무역에 은이 대거 소비되면서 은광이 활발하게 개발되었다. 그리하여 17세기 말에는 근 70개소 가까운 은점(銀店)이 설치되었다. 그러다가, 18세기 중엽부터는 농민들이 광산에 너무 모여들어 농업에 지장을 주는 것을 고려하여 공개적인 채취를 금지하였다. 그러나, 상인들은 광산 개발이 이득이 많았으므로 금광, 은광을 몰래 개발하여 이른 바 잠채(潛採)가 날로 번창하여 갔고, 큰 자본을 모은 이도 발생하였다.

① '세종'은 북방의 여진족을 몰아내고 4군 6진을 개척하였다.
② 임진왜란 이후 조선은 일본과의 외교 관계를 단절하였으나, 일본의 에도 막부(도쿠가와 막부)가 국교 재개를 요청해 왔다. 조선이 국교 재개를 요청한 것이 아니다.
③ 북벌 운동은 17세기에, 북학 운동은 주로 18세기와 19세기에 전개되었다.

05 다음의 묘사와 관련된 외교 사절에 대한 설명으로 옳지 않은 것은?

[2008 국가직 9급]

> 일본 사람이 우리나라의 시문을 구하여 얻은 자는 귀천현우(貴賤賢愚)를 막론하고 우러러보 기를 신선처럼 하고 보배로 여기기를 주옥처럼 하지 않음이 없어, 비록 가마를 메고 말을 모는 천한 사람이라도 조선 사람의 해서(楷書)나 초서(草書)를 두어 글자만 얻으면 모두 손으로 이마를 받치고 감사의 성의를 표시한다.

① 1811년까지 십여 차례 수행되었다.
② 일본의 정한론을 잠재우는 데 기여하였다.
③ 일본 막부가 자신의 권위를 높이려는 목적도 있었다.
④ 18세기 후반 일본에서 국학 운동이 일어나는 자극제가 되었다.

해설

정답 ②

일본 사람들에게 시문을 써주고, 서예 작품을 주기도 하였다면 이것은 '일본에 문화를 전파'하는 사절단이다. 일본은 조선의 선진 문화를 받아들이고, 에도 막부의 쇼군(將軍)이 바뀔 때마다 그 권위를 국제적으로 인정받기 위하여 조선에 사절의 파견 을 요청해 왔다. 그리하여 조선에서는 1607년부터 1811년까지 12회에 걸쳐 통신사(通信使)라는 이름으로 사절을 파견하 였다. 일본은 통신사 사절 접대비로 한 주(州)의 1년 경비를 소비할 정도로 통신사를 성대하게 맞이하였다. 통신사가 한 번 다녀가면 일본 내에 조선 붐이 일고, 일본의 유행이 바뀔 정도로 통신사는 일본 문화의 발전에 큰 영향을 주었다. 그러나 18세기 후반 이후 통신사 접대에 대한 경제적 부담과 조선에 대한 일본의 저자세에 대한 비판과 함께 일본혼을 강조하는 국학(國學) 운동이 일어났다. 19세기에 들어서는 반한적(反韓的)인 국학 운동이 더욱 발전하여 1811년에 파견된 통신사는 겨우 대마도에서 일을 보고 돌아왔다. 이것으로 통신사 파견은 막을 내렸다. 그 후 일본에서는 국학 운동이 해방론(海防論) 으로 발전해 갔고, 19세기 중엽부터는 심지어 조선을 무력으로 침략하자는 정한론(征韓論)이 대두하였다.

06 조선 시대의 사행(使行)에 대한 설명으로 옳지 않은 것은?

[2016 지방직 7급]

① 조선 전기 명에 파견된 사신은 조천사, 조선 후기 청에 파견된 사신은 연행사로 불렸다.
② 임진왜란 이후 일본으로 통신사를 매년 파견하여 교류하였다.
③ 북경에 사신으로 다녀온 인물들을 중심으로 북학이 전개되었다.
④ 조선 후기 사행에서 역관들은 팔포무역 등을 통해 국제무역의 활성화에 기여하였다.

해설

정답 ②

사행(使行)이란 사신 또는 사절단의 파견을 말한다. 통신사는 임진왜란 이후 매년 파견한 것이 아니라, '에도 막부의 쇼군이 바뀔 때마다' 파견하였다.

① 명나라의 사행은 조천사(朝天使)라고 했는데, 이는 천조(天朝)인 중국에 신하된 입장에서 나아간다는 뜻이다. 청나라의 사행은 연행사(燕行使)라고 했는데, 이는 수도인 연경(燕京, 북경)에 간 사행이라는 뜻이다.

③ 호란으로 조선을 짓밟은 '오랑캐 나라'에 연행사를 파견한다는 것은 조선에게 큰 굴욕이었지만, 점차 청의 문물을 배워야 한다는 주장이 커졌고 이에 따라 북학이 전개되었다.

④ 팔포(八包) 무역이란, 사행의 공식 수행원들이 스스로 여비를 마련하기 위해 인삼 80근(10근씩 여덟 꾸러미)을 가져가서 무역을 했던 것을 말한다. 그러나 꼭 인삼만 허용되었던 것은 아니고, 은이나 각종 잡화를 가져가서 무역을 할 수도 있었다. 사행의 정사, 부사 뿐만이 아니라 역관, 군관 등에게도 팔포가 허용되었는데, 이 중 특히 역관은 팔포무역을 통해 이윤을 추구했고, 조선의 대외무역 활성화에 기여하였다.

07 조선 시대에 전개된 일본과의 대외관계에 대한 설명으로 옳지 않은 것은? [2008 선관위 9급 변형]

① 임진왜란이 끝난 뒤 일본의 도쿠가와 막부의 강화 요청을 받아들여 국교를 재개하였다.

② 조선 초 일본인들의 경제적 욕구를 충족시켜 주기 위해 3개의 항구를 열어 제한적으로 교역을 허락하였다.

③ 세종대 이종무가 쓰시마 섬을 정벌하여 쓰시마 도주의 항복을 받았다.

④ 17세기 초부터 일본이 개항할 때까지 정기적으로 통신사를 통한 활발한 교류를 진행시켰다.

⑤ 「해동제국기」는 신숙주가 세종 때 일본에 다녀왔던 경험을 기록한 견문기이다.

해설

정답 ④

통신사 파견은 1607년부터 1811년까지만 이루어졌다. '일본이 개항할 때'란 미일수호통상조약을 맺을 때인 1858년을 말하므로, 시기가 맞지 않는다.

① 왜란 후 조선과 일본과의 외교 관계는 끊어졌다. 그러나 도요토미 가문이 몰락한 후 들어선 도쿠가와 막부(에도 막부)가 국교 재개를 요청해 오자, 조선은 일본의 요청을 받아들여 사명당 유정을 파견하여 조선인 포로 7천여 명을 되돌려 받은 뒤 1607년 국교를 재개하였다.

② 세종 때 대마도 정벌 이후 일본들의 무역요구를 적당한 선에서 들어주기 위해 1426년 남해안의 세 항구, 즉 삼포를 열어 무역을 허용하였다. 삼포는 동래의 부산포, 창원의 제포(혹은 내이포), 울산의 염포를 말한다.

③ 조선 개국 후 일본과의 선린을 유지하기 위하여 일본의 무역요구를 일부 승인하였다. 그러나 밀무역과 해적이 줄어들지 않자, 세종 원년인 1419년에 왜구의 본거지인 쓰시마 섬(대마도)을 '쓸어버리기 위해' 이종무를 지휘관으로 삼고 227척의 함선과 1만 7천여 명의 수군으로 구성된 원정군을 파견하였다. 약 보름간에 걸친 토벌 작전 끝에 쓰시마 도주의 항복을 받고 거제도로 돌아왔다. 이를 기해동정(己亥東征)이라 한다.

⑤ 신숙주는 세종 때 일본에 다녀와서 당시 일본과 유구(오키나와)의 정치, 경제, 지리, 풍속 등을 자세히 소개한 「해동제국기」를 편찬하였다. 주의할 점은 '세종' 때 다녀왔지만, 책은 '성종' 때(성종 2년, 1471년) 편찬되었다는 점이다. ➡ 2018 서울시 7급

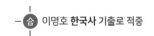

08 다음 내용이 포함된 조약으로 옳은 것은?

[2016 서울시 7급]

> 1. 대마도주(對馬島主)의 세사미두(歲賜米豆)는 100석으로 한다.
> 1. 대마도주의 세견선(歲遣船)은 20척으로 한다.
> 1. 왜관의 체류 시일은 대마도주가 특별히 보낸 사람은 110일, 기타 세견선은 85일이고, 표류인 등을 송환할 때는 55일로 한다.

① 기유약조
② 임신약조

③ 정미약조
④ 계해약조

해설 정답 ①

세종 때 계해약조는 세견선 50척, 세사미두 200석이다(1443). 중종 때의 임신약조는 세견선 25척, 세사미두 100석이다 (1512). 임진왜란 후 광해군 때 기유약조는 세견선 20척, 세사미두 100석이다(1609).

09 조선 전기 일본과 관계된 주요 사건이다. (가)~(라) 각 시기에 있었던 사건으로 옳지 않은 것은?

[2016 서울시 9급]

1392		1419		1510		1592		
	(가)		(나)		(다)		(라)	
조선 건국		쓰시마 토벌		3포왜란		임진왜란		

① (가): 부산포, 제포, 염포 등 3포를 개항하였다.

② (나): 계해약조를 체결하여 쓰시마 주의 제한적 무역을 허락하였다.

③ (다): 왜선이 침입하여 을묘왜변을 일으켰다.

④ (라): 조선은 포로의 송환 교섭을 위해 일본에 사신을 파견하였다.

해설 정답 ①

세종 때 이종무로 하여금 쓰시마를 정벌하게 하고, 이후 일본이 사죄하자 3포(부산포, 제포, 염포)를 개항하였다. 즉 '부산포, 제포, 염포 등 3포를 개항하였다'는 (나)에 들어가야 한다.

② '쓰시마 정벌 → 3포 개항 → 계해약조'의 순서로 사건이 발생하였다.

③ 3포왜란은 중종 때, 을묘왜변은 명종 때 일어났다.

④ 임진왜란 후 조선은 사명대사를 파견하여 일본과 강화하고 조선인 포로를 데려왔다.

10 다음 내용의 밑줄 친 부분과 같은 사실이 임진왜란 때 나타나게 된 직접적인 배경으로 가장 적절한 것은?

[2006 소방직]

> …… 적장 소서행장은 평양에 이르러 글을 보내 말하기를 "일본의 수군 10만여 명이 또 서해로부터 올 것입니다. 알지 못하겠습니다만 대왕의 행차는 이로부터 어디로 가시겠습니까?"
> 하였는데 ……. 소서행장은 비록 평양성을 빼앗았다고 하더라도 그 형세가 외로워서 감히 다시는 전진하지 않았다.

① 이순신의 승리로 왜의 수륙 병진 작전이 좌절되었기 때문이다.

② 속오법에 의해 지방군 편제가 개편되었기 때문이다.

③ 명과 일본 사이에 휴전 회담이 전개되었기 때문이다.

④ 각지에서 의병들의 활동이 활발하게 전개되었기 때문이다.

⑤ 의병 부대의 편입으로 관군의 전투능력이 강화되었기 때문이다.

해설   정답 ①

제시된 자료는 유성룡이 쓴 「징비록」의 일부이다. '소서행장'은 왜군 장수이고, '대왕의 행차'는 선조의 몽진(왕의 피난)을 말한다. "일본의~가시겠습니까?"라는 부분은 소서행장의 부대가 4월에 부산에 상륙한 이후 두 달 만에 평양까지 들어가자 다시 '의주'로 피난 가는 선조를 조롱하기 위해 보낸 편지의 일부분이다. 그러나 이순신의 등장으로 소서행장의 '형세는 외로워졌다'. 이것은 군사의 지원과 물자·식량 보급이 원활하지 않았음을 보여준다. 왜군은 육군 부대가 먼저 내륙으로 북상하고, 수군이 남해와 황해로 들어와 물자를 보급하는 방식인 '수륙병진작전'이었는데, 이순신이 이끄는 수군이 물자 보급로를 차단하였기 때문이다.

> 이보다 먼저, 정작 평행장(소서행장)이 평양에 이르러 편지를 보냈다. '일본의 수군 10여만 명이 또 서해로부터 옵니다. 알지 못하거니와 대왕의 행차는 여기서 어디로 가시렵니까?' 대체로 적은 본래 수군과 육군이 합세하여 서쪽으로 내려오려고 하였던 것이다. 그런데 이 한 번의 싸움에 힘입어 드디어는 그 한 팔이 끊어져 버렸다. 그래서 소서행장은 비록 평양성을 빼앗았다고 하더라도 그 형세가 외로워서 감히 다시는 전진하지 않았다. 이로 인하여 나라에서는 전라도와 충청도를 확보할 수 있었고 아울러 황해도와 평안도 연안 일대도 보전할 수 있었고, 군량을 조달하고 호령을 전달할 수가 있어서 나라의 중흥을 이룩할 수 있었다. 요동의 금주, 복주, 해주, 개주와 청진 지역도 동요하지 않게 되어 명나라 군사가 육로로 와서 구원하여 적을 물리칠 수 있었다. 모두 이순신이 한 번 싸움에 승리한 공이었다. 아아, 이 어찌 하늘의 도움이 아니겠는가?
>
> ○ 유성룡, 「징비록(懲毖錄)」

11 임진왜란 때의 주요 전투를 벌어진 순서대로 바르게 나열한 것은?

[2016 국가직 9급]

> ㉠ 권율 장군이 행주산성에서 왜군을 크게 무찔렀다.
>
> ㉡ 조선과 명나라 군대가 합세하여 평양성을 탈환하였다.
>
> ㉢ 진주목사 김시민이 왜의 대군을 맞아 격전 끝에 진주성을 지켜냈다.
>
> ㉣ 이순신 장군이 한산도 앞바다에서 왜의 수군을 격퇴하고 제해권을 장악하였다.

① ㉠ → ㉡ → ㉢ → ㉣   ② ㉠ → ㉢ → ㉡ → ㉣

③ ㉣ → ㉡ → ㉢ → ㉠   ④ ㉣ → ㉢ → ㉡ → ㉠

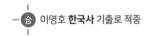

정답 ④

ⓔ 이순신의 한산도 대첩(1592. 7) → ⓒ 김시민의 진주대첩(1592. 10) → ⓛ 명군의 평양성 전투 승리(1593. 1) → ⑦ 권율의 행주 대첩(1593. 2)

 명호샘의 한마디!!

진주대첩(1차 전투, 2차 전투)

김시민은 1592년 8월에 진주목사로 부임하였다. 10월에 2만여 명의 왜군이 진주성을 포위하였으나 불과 3,800여 명의 병력으로 7일간의 치열한 공방을 벌여 진주성을 지켜냈다. 그러나 이 싸움에서 적탄을 맞고 부상 당하였다가 곧 죽었다. 이 전투에서 의병장 곽재우가 관군을 지원하였다. 1593년 6월 다시 왜의 대군이 진주성을 공격하였는데(2차 전투) 이때 의병장 김천일이 지원하였다.

---

12 다음 전투가 벌어졌던 시기의 상황으로 가장 적절한 것은? [2016 법원직 9급]

> ○○○이(가) 진도에 도착해 보니 남아 있는 배가 10여 척에 불과하였다. …… 적장 마다시가 200여 척의 배를 거느리고 서해로 가려다 진도 벽파정 아래에서 ○○○과(와) 마주치게 된 것이다. 12척의 배에 대포를 실은 ○○○은(는) 조류의 흐름을 이용하기로 하였다. 물의 흐름을 이용해 공격에 나서자 그 많은 적도 당하질 못하고 도망치기 시작하였다. ◎「징비록」

① 조선 수군이 쓰시마를 정벌하였다.

② 일본군의 재침으로 정유재란이 일어났다.

③ 외적의 침입으로 국왕이 남한산성에 피신하였다.

④ 조선과 명의 연합군이 평양성 전투에서 승리하였다.

정답 ②

1597년 9월 정유재란이 일어났다. 모함을 받아 감옥에 투옥되었다가 다시 삼도수군통제사로 임명된 이순신은 진도와 육지 사이의 해협인 울돌목(명량)에서 일본 수군을 크게 이겼다. 이것이 바로 명량대첩이다.

13 다음에서 말하는 사건 이후 조선에 나타난 현상으로 옳지 않은 것은? [2013 기상직 9급]

> 어느 명나라 병사가 마산으로 가는 길에 어린아이가 죽은 어머니에게로 기어가서 가슴을 헤치고 그 젖을 빨고 있는 것을 보고 너무 가여워서 데려다가 군중에서 길렀다. 그는 나에게 말하기를 '왜적은 아직 물러가지 않고 백성들은 이처럼 처참한 형편이니 장차 어떻게 하겠습니까?' 하고 탄식하기를 …
>
> ➲ 유성룡, 「징비록」

① 훈련도감 등 5군영이 설치되어 남인의 권력을 뒷받침하였다.

② 비변사의 기능이 강화되어 의정부 6조 체제가 약화되었다.

③ 선상의 활동으로 전국의 포구가 하나의 유통권으로 형성되어 갔다.

④ 서당교육의 보급으로 서민문화가 발달하면서 풍속화와 민화가 크게 유행하였다.

해설 정답 ①

'왜적'과 '명나라 병사'가 함께 등장하는 전쟁은 임진왜란이다. 출처인 유성룡의 「징비록」을 통해 임진왜란 때의 자료임을 확정할 수 있다. 「징비록」은 유성룡이 임진왜란 때 겪은 일을 후세에 남기기 위하여 쓴 책이기 때문이다. 임진왜란의 영향으로 훈련도감이 설치되었고, 여기에 어영청, 총융청, 수어청, 금위영 등이 추가되어 5군영이 완성되었다. 병자호란 이후 어영청은 북벌을 구실로 '서인'의 권력 유지 방편이 되었으며, 세도정치기에 들어 훈련도감은 권력의 핵심이 되었다. '남인'의 권력을 뒷받침하지는 않았다.

> 경성에는 종묘, 사직, 궁궐과 나머지 관청들이 또한 하나도 남아 있는 것이 없으며, 사대부의 집과 민가들도 종루 이북은 모두 불탔고 이남만 다소 남은 것이 있으며, 백골이 수북이 쌓여서 비록 치우고자 해도 다 치울 수 없다. 경성의 수많은 백성들이 도륙을 당했고 남은 이들도 겨우 목숨만 붙어 있다. 굶어 죽은 시체가 길에 가득하고 진제장(賑濟場)에 나아가 얻어먹는 자가 수천 명이며 매일 죽는 자가 60~70명 이상이다.
>
> ➲ 성혼(1535~1598), 『우계집』 ➲ 2019 지방직 9급

② 임진왜란을 거치며 비변사의 기능이 확대되어, 국방에 대한 문제뿐만이 아니라 일반 행정에도 널리 관여하였다. 이로 인하여 비변사의 기능이 의정부를 능가하게 되었고, 6조 체제도 약화되었다.

③ 조선 후기에는 사상들이 활발한 상업 활동을 전개하였다. 그러나 육상 교통이 발달하지 못하였으므로, 상업의 중심지로서 포구가 성장하게 되었다. 특히 18세기에는 포구 상업이 크게 발달하였는데, 이런 포구를 기반으로 선상(船商)들이 나타났다. 이들은 선박을 이용하여 각 지방의 물품을 구입해 와 포구에서 처분하는 방식으로 전국의 포구를 하나의 유통권으로 형성시켰다.

④ 조선 후기에는 서당 교육에 힘입어 서민의식이 성장하고, 이에 따라 서민 문화가 크게 발달하였다.

14 임진왜란의 전개 과정에 대한 설명으로 옳지 않은 것은? [2017 지방직 9급]

① 휴전협상이 진행되는 동안 조선은 훈련도감을 설치해 군대의 편제를 바꾸었다.

② 조선군은 명나라 지원군과 연합하여 일본군에게 빼긴 평양성을 탈환하였다.

③ 전세가 불리해지고 도요토미 히데요시가 죽자 일본군이 철수함으로써 전란이 끝났다.

④ 첨사 정발은 부산포에서, 도순변사 신립은 상주에서 일본군과 맞서 싸웠지만 패배하였다.

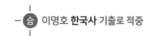

정발이 부산포(부산성)에서 싸운 것은 맞지만, 신립이 '상주'에서 싸웠다는 표현은 잘못되었다. 신립은 '충주' 탄금대에서
배수의 진을 치고 싸웠으나 패배하였다.

① '휴전협상이 진행되는 동안'이란 임진왜란(1592~1593)과 정유재란(1597~1598) 사이를 말한다. 이 사이에 훈련도감
이 설치되었다(1593).

② 조선군은 이여송이 이끄는 명군과 연합하여 고니시 유키나가의 왜군에 빼앗겼던 평양성을 탈환하였다.

③ 정유재란으로 왜군이 다시 쳐들어왔으나 이순신의 활약으로 왜군의 전세가 불리해졌다. 왜군은 도요토미 히데요시가
죽자 일본으로 철수하였다.

15 다음 사건을 발생한 순서대로 바르게 나열한 것은?   [2018 지방직 9급]

> ㉠ 이순신이 명량에서 일본 수군을 격파하였다.
>
> ㉡ 의주로 피난했던 국왕 일행이 한성으로 돌아왔다.
>
> ㉢ 권율이 행주산성에서 일본군의 공격을 격파하였다.
>
> ㉣ 원균이 이끄는 조선 수군이 칠천량에서 크게 패배하였다.

① ㉡ → ㉢ → ㉠ → ㉣   ② ㉡ → ㉢ → ㉣ → ㉠

③ ㉢ → ㉡ → ㉠ → ㉣   ④ ㉢ → ㉡ → ㉣ → ㉠

㉢ 벽제관 전투(1593. 1)로 명군이 후퇴하자, 권율의 군대가 행주산성에서 일본군에 포위되었다. 이에 권율이 이끄는 관군
과 백성들이 합심하여 일본군의 공격을 격파하였다(행주대첩, 1593. 2).

㉡ 일본군이 남쪽으로 퇴각하자, 의주로 피난했던 선조 일행도 한성으로 돌아왔다(1593. 10).

㉣ 이순신은 원균의 모함과 왜군의 모략으로 옥에 갇혔고(1597. 2), 원균이 이끄는 조선 수군은 칠천량에서 크게 패배하였
다(1597. 7).

㉠ 이순신은 구루시마가 이끄는 130여 척의 연합 함대를 명량(울돌목)에서 크게 격파하였다(1597. 9).

16 임진왜란으로 발생한 문제를 해결하기 위해 광해군 재위 기간 중에 추진된 정책에 해당하지 않는 것은?   [2017 서울시 9급]

① 토지 대장과 호적을 새로 정비하였다.

② 공납제도의 문제점을 보완하기 위해 대동법을 실시하였다.

③ 임진왜란 때 활약한 충신과 열녀를 조사하여 추앙하였다.

④ 진관체제에서 제승방략체제로 변경하였다.

'광해군 재위 기간 중' 전후 복구 사업의 일환으로, 양전 사업을 통해 토지 대장을 정비하고, 호적을 새로 작성하였고, 국가재
정을 확보하고 민심을 수습하는 과정에서 대동법을 실시하였다. 한편 임진왜란 때 활약한 충신과 열녀를 조사하여 추앙하였
는데, 이는 전란으로 인해 혼란해진 사회의 성리학적 질서를 회복시키기 위한 것이었다.

④ 제승방략체제는 임진왜란 초기 패전의 원인이 되었다. 임진왜란을 거치며 진관체제 복구론이 등장하여, 왜란 후에는 속
오군체제가 수립되었다.

17 다음 사건 이후 전개된 사실로 옳은 것은?

[2017 기상직 9급]

> 명의 사신이 배에 오르자 우리 사신 일행도 배에 올랐다. 이에 앞서 사카이(界)에 도착했을 때, 우리나라에서 잡혀온 사람들이 앞을 다투어 찾아왔다. … 왜장들도 말하기를 화친이 이루어지면 사신과 함께 포로들을 돌려보내겠다고 하더니 … 이때에 이르러 화친이 성사되지 못해 다시 죽이려 한다는 말을 듣게 되자 목 놓아 우는 포로들이 얼마인지 알 수 없었다.
>
> ◉ 일본왕환일기

① 조선은 일본과 기유약조를 체결하여 제포만 개항하고 세견선 25척, 세사미두 100석의 제한된 교역을 허용하였다.

② 조선은 기민구제와 정병양성을 목적으로 훈련도감을 설치하였다.

③ 조선을 도우러 온 명군이 충청도 직산에서 왜군과 맞붙어 승리하였다.

④ 이순신이 사천해전에서 거북선을 처음 사용하였다.

📖**해설**   정답 ③

1596년(선조 29년) 9월 4년에 걸친 강화 회담이 결렬되었다. 제시된 자료는 그 회담이 결렬되자 포로로 잡혀 갔던 조선의 백성들이 슬퍼하는 장면을 그리고 있다. 1597년(선조 30년) 1월 일본군은 다시 침략을 하였다. 이를 정유재란(丁酉再亂)이라 부른다. 그렇지만 이순신은 1597년 2월 삼도수군통제사의 자리에서 모함을 받아 감옥에 갇히고, 원균이 그 자리에 임명되었다. 판중추부사 정탁(鄭琢)이 구원하는 상소를 올린 후 이순신은 백의종군(白衣從軍)하게 되었다. 이때 원균이 이끈 수군은 4월에 칠천량해전에서 왜군의 공격을 받아 패배하였다. 이때 전라 수사 이억기, 충청 수사 최호(崔湖)의 수군이 전멸하였다. 일본군은 그 해 8월 전라도 남원을 함락하는 등 기세를 올렸다. 그러나 조선과 명의 연합군은 9월 초 직산에서 일본군을 격퇴시켜 일본군의 북방 진출을 막았다.

① 정유재란(1597~1598) 이후에 기유약조(1609)를 맺은 것은 사실이지만, 약조의 내용이 잘못되었다. 「기유약조」는 일본이 사신을 조선에 보내는 정례적인 송사(送使)와 통상의 절차를 13개 항목에 걸쳐 규정하고 있다. 그 내용을 살펴보면, 임진왜란 이전과 비교할 때 대마도주에게 대단히 불리한 조건이었다. 대마도주의 세견선과 특송선은 「임신약조」의 25척에서 5척이 감소한 20척에 불과했고, 특송선은 사실상 금지된 것과 같았다.

② 훈련도감은 임진왜란 때 선조가 몽진(蒙塵)을 갔다가 서울로 다시 돌아온 1593년(선조 26년) 10월 설립되었다. 임진왜란 초반에 패전으로 국가의 존립이 위험한 상황에서 왜군의 조총에 대항하는 군사력을 키우고 국왕의 시위, 서울의 경비를 강화하는 차원에서 나타난 논의가 훈련도감의 창설로 이어졌다.

④ 부산포 등지가 일본군에 함락된 후 이순신이 거느린 수군은 1592년(선조 25년) 5월 초 옥포에서 처음 일본군에 승리를 거두었다. 5월 말에서 6월 초에는 이억기가 이끄는 전라 우수영, 원균이 이끄는 경상 우수영과 함께 사천, 당포, 당항포 등지에서 대승을 거두었다. 특히 사천해전에서는 거북선이 처음 등장하여 승리를 거두기도 하였다.

18 임진왜란과 관련된 다음 설명 중 옳은 것을 모두 고르시오. [2012 해양경찰]

> 가. 임진왜란의 3대첩은 한산도대첩, 진주대첩, 행주대첩을 말한다.
> 나. 이순신의 3대첩은 옥포해전, 한산도대첩, 명량해전을 말한다.
> 다. 이순신은 옥포해전에서 거북선을 최초로 사용하여 승리를 거두었다.
> 라. 이순신이 학익진 진법으로 승리를 거둔 전투는 한산도대첩이다.
> 마. 임진왜란 발발 이전인 1591년 2월 이순신이 전라좌수사로 부임한 곳은 여수이다.

① 가, 라, 마   ② 나, 다, 라

③ 다, 라, 마   ④ 가, 나, 다

해설   정답 ①

나. 이순신의 3대첩은 한산도대첩, 명량대첩, 노량해전이다.
다. 이순신이 거북선을 최초로 사용한 전투는 사천해전(사천포 해전)이다.

임진왜란 3대첩	한산도대첩(이순신), 진주대첩(김시민), 행주대첩(권율)
이순신의 3대첩	한산도대첩, 명량대첩, 노량해전

19 밑줄 친 '곽재우'에 대한 설명으로 옳지 않은 것은? [2023 지방직 9급]

> 여러 도에서 의병이 일어났다. … (중략) … 도내의 거족(巨族)으로 명망 있는 사람과 유생
> 등이 조정의 명을 받들어 의(義)를 부르짖고 일어나니 소문을 들은 자들은 격동하여 원근에서
> 이에 응모하였다. … (중략) … 호남의 고경명·김천일, 영남의 곽재우·정인홍, 호서의 조헌
> 이 가장 먼저 일어났다.
> ◆『선조수정실록』

① 홍의장군이라 칭하였다.

② 의령을 거점으로 봉기하였다.

③ 행주산성에서 일본군을 크게 무찔렀다.

④ 익숙한 지리를 활용한 기습 작전으로 일본군에 타격을 주었다.

해설   정답 ③

③ '행주산성에서 일본군을 크게 무찌른' 인물은 권율이다.
곽재우(1552~1617)는 임진왜란 당시 진주성 전투, 화왕산성 전투에 참전한 의병장이다. 붉은 옷을 입고 의병을 지휘하여 홍의장군(紅衣將軍)이라고 불렸다. 곽재우는 경상남도 의령 출생으로, 의병 활동 초기에는 고향인 의령에 지휘 본부를 설치하고 거병하였다. 익숙한 지리를 활용하여 적진에 돌진하거나, 위장 전술을 펴거나, 적을 유인하여 급습을 가하는 등 일본군에 큰 타격을 주었다.

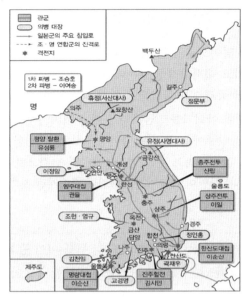

● 의병과 관군의 활동

20 왜란이나 호란에 관련된 설명으로 옳지 않은 것은?

[2015 사회복지직]

① 강홍립은 후금의 감정을 자극하지 않기 위해 후금과 휴전을 맺었다.

② 병자년에 청군이 서울을 점령하자 인조는 강화도로 피난하여 항전하였다.

③ 이순신이 이끄는 수군이 적군을 맞아 첫 승리를 한 것은 옥포해전이다.

④ 권율의 행주대첩, 김시민의 진주대첩, 이순신의 한산도대첩은 모두 승리한 싸움이다.

┌ 해설 ┐

정답 ②

1636년(인조 14년, 병자년) 12월, 청군이 침입하였다. 청군이 평양을 거쳐 개성까지 지났다는 소식을 듣고, 세자빈, 봉림대군, 인평대군 등이 강화도로 피신하였다. 인조도 강화도로 향했으나 청군이 강화도로 가는 길을 차단하여, 인조는 세자와 함께 남한산성으로 들어갔다. 청태종이 남한산성을 포위하고 성에서 나올 것을 요구하자, 예조판서 김상헌은 자결을 시도하며 극구 반대하였지만, 인조는 결국 항복하고 말았다. 즉 인조는 '강화도로 피난'하지 못했다.

① 강홍립은 오직 패하지 않는 전투를 하라는 광해군의 지시에 따라 후금과 휴전을 맺었다.

③ 이순신이 이끄는 첫 승리를 한 것은 옥포해전이다. 처음으로 거북선이 출현한 싸움인 사천해전(사천포해전)과 구분해야 한다.

④ 권율의 행주대첩, 김시민의 진주대첩, 이순신의 한산도대첩을 임진왜란 3대첩이라 한다. 이 대첩들은 모두 승리한 싸움이다.

21 (가), (나) 사이의 시기에 있었던 사실로 옳은 것은?   [2010 지방직 9급, 2015 법원직 9급]

> (가) 적선이 바다를 덮어오니 부산 첨사 정발은 마침 절영도에서 사냥을 하다가, 조공하러 오는 왜라 여기고 대비하지 않았는데 미처 진(鎭)에 돌아오기도 전에 적이 이미 성에 올랐다. 이튿날 동래부가 함락되고 부사 송상현이 죽었다.
>
> (나) 정주 목사 김진이 아뢰기를, "금나라 군대가 이미 선천·정주의 중간에 육박하였으니 장차 얼마 후에 안주에 도착할 것입니다." 하였다. 임금께서 묻기를, "이들이 명나라 장수 모문룡을 잡아가려고 온 것인가, 아니면 전적으로 우리나라를 침략하기 위하여 온 것인가?"하니, 장만이 아뢰기를, "듣건대 홍태시란 자가 매번 우리나라를 침략하고자 했다고 합니다." 하였다.

> ㉠ 선조가 왜란이 끝나기 전에 사망하자 그의 뒤를 이어 광해군이 왕위에 올랐다.
> ㉡ 동인 중에서 이황 문인을 제외한 파벌들이 연합한 붕당이 광해군을 추종하였다.
> ㉢ 광해군은 명과 후금 사이의 싸움에 말려들지 않는 실리정책을 폈다.
> ㉣ 인조반정으로 권력을 잡은 정권은 광해군의 대외정책을 계승하였다.

① ㉠, ㉡   ② ㉡, ㉢

③ ㉠, ㉢   ④ ㉠, ㉣

해설   정답 ②

(가)는 '정발'과 '송상현'이 언급되는 것으로 보아 임진왜란 초기이다. (나)는 모문룡을 잡아가려고 '우리나라'를 침략하는 것으로 보아 가도사건이다. 가도사건의 결과 정묘호란이 발생하였다. 즉, 이 문제는 전형적인 '왜란과 호란 사이'의 문제이다. (가)와 (나) 사이에는 다음과 같은 일들이 있었다.

1607	일본과의 국교 재개(선조)
1608	광해군 즉위, 대동법 실시(경기)
1614	광해군이 인목대비를 폐하고, 영창대군을 살해함(폐모살제)
1618	1) 후금 누르하치가 명을 공격하여 무순(푸순)을 점령함 2) 재조지은(再造之恩)을 내세우며, 이이제이(以夷制夷)의 한 방편으로 명은 조선에 후금을 공격하기 위한 원정군을 요청함 3) 강홍립이 출병하여 광해군의 밀명에 따라 후금에 항복함
1623	1) 모문룡이 이끄는 명나라 군대가 후금에 밀려서 우리나라의 '가도'에 주둔하게 됨 2) 인조반정으로 서인이 집권하여 친명배금(親明排金) 정책을 시행함
1624	이괄의 난
1627	정묘호란(후금의 침입)

㉡ 북인은 동인 중에서 이황 문인을 제외한 파벌들(서경덕 학파 + 조식 학파)이 연합한 붕당이었다. 동인이 1) 정여립 모반 사건, 2) 정철의 건저의 문제, 3) 정철에 대한 처벌 수준 문제로 남인과 북인으로 분리된 것은 1591년, 즉 임진왜란 직전이지만 '북인이 광해군을 추종'한 것은 광해군 즉위(1608) 이후이다.

동인	이황 학파	남인(온건파)
(이황, 서경덕, 조식 학파)	서경덕, 조식 학파	북인(급진파)

ⓒ 광해군의 외교상 실리정책은 '중립외교', '등거리외교'라고도 한다. 이러한 외교 정책을 보여주는 대표적인 사건은 1608년 조명 연합군이 후금을 공격했을 때의 '강홍립의 항복(투항)'이다.

㉠ 선조는 왜란이 끝난 후, 재위 40년 만인 1608년에 붕어(崩御)하였다.

㉣ 인조반정(1623)으로 정권을 잡은 서인은 광해군의 중립외교를 비판하며, 친명배금 정책을 내세웠다.

> 광해는 … 기미년에 중국이 오랑캐를 정벌할 때 장수에게 사태를 관망하여 향배(向背)를 결정하라고 은밀히 지시하여 끝내 우리 군사 모두를 오랑캐에게 투항하게 하여 추악한 명성이 온 천하에 전파되게 하였다. … 이러한 죄악을 저지른 자가 어떻게 나라의 임금으로서 백성의 부모가 될 수 있으며, 조종의 보위에 있으면서 종묘사직의 신령을 받들 수 있겠는가. 이에 그를 폐위시키노라. **⊙**「인조실록」

> 대금국 한(大金國汗)은 조선국 왕제(朝鮮國王弟)에게 글을 전한다. 당시 우리 두 나라가 서로 우호를 맺어 피차 무사하였다가 뒤에 모적(毛賊)으로 인하여 사단이 생겼다. 그런데 뜻하지 않게도 두 나라가 도로 우호하는 교분이 있어서 하늘이 거듭 화친을 맺게 하였으니, 피차가 우호를 잘 지켜 나간다면 두 나라가 함께 끝없는 복을 누릴 뿐만 아니라 아름다운 명예가 멀리 천하에 전파될 것이다. 그러나 혹 마음 가짐이 부정하여 다시 화친의 일을 무너뜨리는 자는 하늘의 죄를 피하기 어려울 것이다. **⊙**「인조실록」 **⊙** 2017 경찰

22 (가) 시기에 있었던 사실로 옳지 않은 것은?

[2023 지방직 9급]

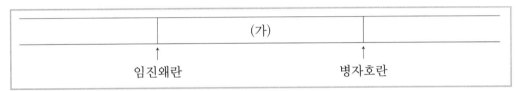

① 인조반정이 발생하였다.

② 영창 대군이 사망하였다.

③ 강홍립이 후금에 항복하였다.

④ 청에 인질로 끌려갔던 봉림 대군이 귀국하였다.

해설

정답 ④

임진왜란(1592~1598)과 병자호란(1636~1637) 사이에는 광해군의 즉위(1608)와 폐위(1623, 인조반정)가 있다. 광해군은 왕으로 재위하는 기간 중 이복동생 영창대군을 죽이고, 강홍립으로 하여금 후금에 항복하게 하였다.

④ 봉림 대군은 병자호란이 끝나고 강화가 성립되자 청나라에 볼모로 끌려갔다(1637). 봉림 대군은 1645년에 돌아와 세자로 책봉되었고, 1649년 인조가 죽자 왕(효종)으로 즉위하였다.

23 제시된 자료를 읽고 이 자료에 등장하는 사건과 가장 가까운 시대에 일어난 사건을 고르시오.

[2014 서울시 7급]

> 국왕이 도원수 강홍립에게 지시하였다. 원정군 가운데 1만은 조선의 정예병만을 선발하여 훈련했다. 그러니 그대는 명군 장수의 명령을 그대로 따르지만 말고 신중히 처신하여 오직 패하지 않는 전투가 되도록 최선을 다하라.

① 신윤복은 주로 도회지 양반의 풍류 생활과 부녀자의 풍습 그리고 남녀 간의 애정을 감각적이고 해학적으로 묘사하였다.

② 종래의 공물을 현물 대신 토지의 결수에 따라 쌀, 삼베나 무명, 동전 등으로 납부하는 제도인 대동법이 경기도에서 시범적으로 실시되었다.

③ 일본인의 무역 요구가 늘어난 것에 대해 조선 정부가 통제를 강화하자 일본인들이 부산포, 제포, 염포 등 삼포에서 변란을 일으켰다.

④ 조선과 청의 대표가 백두산 일대를 답사하고 국경을 확정하여 정계비를 세웠다.

⑤ 기술직에 종사하며 상당한 재산을 축적하고 탄탄한 실무 경력을 쌓은 중인들이 신분 상승 운동을 전개했다.

해설

정답 ②

일반적으로 '광해군의 밀지를 받은 강홍립이 전세를 관망하다가 후금에 투항(항복)하였다'고 공부하고 있지만, 이 주장은 사실 일본 학자에 의해 주장된 것이다. 정확하게 문헌상으로 입증할 만한 자료는 이 문제에서 출제된 실록의 내용이다. 광해군은 강홍립에게 '오직 패하지 않는 전투가 되도록 최선을 다하라'고 말하였다. 문제에서 '이 자료에 등장하는 사건과 가장 가까운 시대'란 광해군 때, 또는 17세기 전반일 것이다. 광해군 즉위년인 1608년에 경기도에서 대동법이 시범적으로 실시되었다.

① 도회지 양반의 풍류 생활과 부녀자의 풍습, 남녀 간의 애정을 감각적이고 해학적으로 묘사하였던 신윤복은 1758년 영조 때 태어난 화가이다. 언제 사망하였는지는 알 수 없으나, 주로 18세기 후반부터 활동하였음을 추정해 볼 수 있다.

③ 부산포, 제포, 염포의 삼포는 세종 때 개항되었다. '삼포에서 변란(3포왜란)'이 일어난 것은 16세기 중종 때(1510)이다.

④ 백두산 정계비는 18세기 초 숙종 때(1712) 세워졌다.

⑤ 중인들이 신분 상승 운동을 전개한 것은 일반적으로 '조선 후기'로 이해하면 된다. 그러나 이 문제처럼 정확한 시기를 묻는다면 19세기 '철종 때'로 이해하면 된다. 왜냐하면 철종 때 중인들이 대규모 소청 운동을 전개하였기 때문이다. 물론 조선 정부는 중인들의 요구를 받아들이지 않았다.

24 다음은 17세기에 발생한 두 차례의 호란에 관련된 사안이다. 당시 국내외 상황을 잘못 설명한 것은?

[2005 선관위 9급, 2011 경찰]

① 정묘호란 시 조선은 척화 주전론으로 일관하였다.

② 이괄의 일파는 후금의 조선 침입을 종용하였다.

③ 광해군은 명의 출병 요구에 신중한 외교로 대응하였다.

④ 효종 때 '복수설치(復讐雪恥)'라는 정치적 의식이 대두되었다.

⑤ 윤집 등 성리학자들은 척화 주전론을, 최명길 등의 양명학자들은 주화론을 주장하였다.

해설 정답 ①

병자호란 때와 마찬가지로 정묘호란 때에도 척화주전론과 주화론이 대립하였다. 그러나 후금군이 평산에 이르자 정부는 화의를 청하였고, 이에 후금은 형제의 맹약을 맺고 조공과 국경에서의 관무역을 하는 조건으로 철군하였다.

② 인조반정의 공신이었던 이괄이 2등 공신으로 책정되고 좌천된 것에 대해 불만을 품고 평안북도에서 난을 일으켰다(이괄의 난, 1624). 이들은 서울까지 점령하였다가 곧 관군에 의해 진압되었다. 반란에 실패한 이괄의 잔당이 후금으로 도망가서 인조가 부당하게 즉위했다고 호소하였는데, 침략기회를 노리고 있던 후금의 태종은 광해군을 위하여 보복한다는 명분으로 정묘호란을 일으켰다(1627).

③ 광해군의 '신중한 외교'란 실리적 외교를 말한다.

④ 복수설치(復讐雪恥)는 청을 치는 것이 군부국(君父國)인 명에 대한 신자국(臣子國)의 당연한 의무라는 의식이다. 효종(1649~1659)은 청에 인질로 잡혀갔던 수모를 설욕하기 위해 적극적인 북벌운동을 계획하고 어영청을 확대하고, 친청파 대신을 몰아냈다. 이때 바탕이 되었던 사상이 1) 복수설치, 2) 존명배청, 3) 소중화 의식이다.

⑤ 후금은 1636년 국호를 청으로 바꾸고, 조선에 군신관계를 요구해왔다. 이에 조정은 외교적 교섭을 통하여 문제를 해결하자는 주화파와, 무력으로 맞서야 한다는 척화주전론으로 갈라졌다.

구 분	주전파	주화파
주 장	척화론	강화론
성 향	도덕, 의리, 대의명분 중시	현실, 실리, 국익 중시
사 상	성리학	양명학
인 물	김상헌, 3학사(윤집, 홍익한, 오달제)	최명길

25 다음 자료와 관련된 설명으로 옳은 것은?

[2010 지방직 7급, 2012 지방직 9급]

> (가) 최명길이 말하기를 "우리들이 비록 만고의 죄인이 될지라도 차마 임금을 망할 땅에 둘 수는 없으니, 오늘의 화친은 하지 않을 수 없을 것이다."라고 하였다.
>
> (나) 정온이 상소를 올려 "예로부터 지금까지 천하 국가에 어찌 영원히 존속하며 망하지 않은 나라가 있겠습니까마는, 남에게 무릎을 꿇고 사는 것이 어찌 바른 도리를 지키면서 사직을 위해 죽는 것보다 낫겠습니까."라고 하였다. ●「연려실기술」

① 광해군대 후금과의 전쟁을 앞둔 정부의 대책 논의이다.

② (가)의 입장에 동조하는 정파는 패전 직후 북학운동을 적극 추진하였다.

③ (나)의 입장에 동조하는 정파는 이후 패전의 책임을 지고 정권에서 완전히 축출되었다.

④ 전쟁이 끝난 후 조선은 청과 러시아 간의 충돌 시 청의 군사 요청에 응할 수밖에 없었다.

⑤ 전쟁의 패배로 인해 청에 대한 문화적 열등감이 팽배해졌다.

정답 ④

병자호란 당시 대립하였던 (가) 주화론과 (나) 척화주전론이다. (가)에서 '임금'이란 인조이고, ①∼⑤에서 '전쟁'이란 병자호란을 말한다. 병자호란 당시에는 주화론과 척화주전론이 대립하였지만, 전쟁이 끝난 후에는 청에 인질로 잡혀갔다 돌아온 효종이 척화주전을 강하게 내세우며 북벌(北伐)을 준비하였다. 그러나 북벌은 청의 국세가 점점 커지자 그 발동 시기를 잡지 못하고 있다가, 1654년 청과 러시아 사이에 국경 충돌이 일어나자 청의 군사 요청에 따라 수백 명의 조총 부대를 길림 영고탑으로 파견하는 웃지 못할 일이 벌어졌다. 두 차례에 걸친 러시아 정벌을 나선 정벌(1654, 1658)이라 한다.

① 광해군은 중립외교를 펼쳤으므로 후금과의 전쟁은 일어나지 않았다. 주화론과 척화주전론의 대립은 인조 때의 일이다.

② '패전'이란 병자호란의 패배를 말하는 것으로, 1637년경을 말한다. 북학운동은 18세기에 등장하였다. 패전 '직후'가 아니다.

③ 척화주전론을 주장하였던 세력은 전쟁이 끝난 후 오히려 북벌을 위한 국방력의 강화를 주장하며 권력을 유지하였다.

⑤ 호란으로 인해 정치적, 군사적으로 큰 피해를 입었지만 문화적으로는 '우월감'이 커졌다. 명(明)이라는 '중화'가 사라진 이후, 이제 남은 중화는 조선이라는 '소중화' 밖에 없다는 의식이 커졌기 때문이다.

26 (가) 인물에 대한 옳은 설명을 [보기]에서 고른 것은?

[2012 법원직 9급 변형]

> 내가 비록 부덕하더라도 일국의 국모 노릇을 한 지 여러 해가 되었다. (가)은(는) 선왕(先王)의 아들이다. 나를 어미로 여기지 않을 수 없는데도 내 부모를 죽이고 품속의 어린 자식을 빼앗아 죽였으며, 나를 유폐하여 곤욕을 치루게 했다. 어디 그뿐인가, 중국이 우리나라를 다시 일으켜 준 은혜를 저버리고, 속으로 다른 뜻을 품고 오랑캐에게 성의를 베풀었다. ● 「계축일기」

[보기]

㉠ 북벌 운동을 전개하였다.	㉡ 이괄의 난을 진압하였다.
㉢ 동의보감을 편찬하게 하였다.	㉣ 경기도에 대동법을 시행하였다.
㉤ 비변사를 설치하였다.	㉥ 사고(史庫)를 재건하였다.

① ㉠, ㉡, ㉢   ② ㉠, ㉢, ㉣

③ ㉡, ㉣, ㉤   ④ ㉢, ㉣, ㉥

⑤ ㉢, ㉤, ㉥

정답 ④

'나'는 인목대비, (가)는 광해군, '선왕'은 선조, '품 속의 어린 자식'은 영창대군, '중국이 우리나라를 다시 일으켜 준 은혜'는 재조지은(再造之恩), '오랑캐'는 후금을 말한다. 1608년에 즉위한 광해군은 왜란의 상처를 복구하는 데 힘을 쏟았다. 방납의 폐단 문제를 해결하기 위해 경기도에 대동법을 시행하였으며(1608), 전쟁 후 질병이 만연한 조선을 위하여 허준으로 하여금 「동의보감」을 편찬하게 하였다(1610). ● 2024 지방직 9급 또한 왜란 중 파괴된 성곽을 수리하고, 불타버린 사고를 다시 건축하였다.

㉠ 북벌 운동은 효종 때(서인 중심)와 숙종 초(남인 중심)에 전개되었다.

㉡ 광해군은 인조반정(1623)으로 물러났다. 이괄의 난은 그 다음해에 일어난 사건이다(1624).

㉤ 비변사는 중종 때 설치되었다(1517).

27 (가)와 (나) 사이에 있었던 사실로 가장 옳은 것은?

[2024 법원직 9급]

> (가) 명군 도독 이여송이 대병력의 관군을 거느리고 곧바로 평양성 밖에 다다라 제장에게 부서를 나누어 본성을 포위하였습니다. … 조선의 장군들이 군사를 거느리고 가서 매복하고 함께 대로로 나아가니 왜적들은 사방으로 도망가다가 복병의 요격을 입었습니다.
>
> (나) 화의가 나라를 망친 것은 어제 오늘의 일이 아니고 옛날부터 그러하였으나 오늘날처럼 심한 적은 없었습니다. 명은 우리나라에는 부모의 나라이고 노적은 우리나라에는 부모의 원수입니다. … 어찌 차마 이런 시기에 다시 화의를 제창할 수 있겠습니까?

① 강홍립이 이끄는 조선군은 후금에 항복하였다.

② 신립 장군은 충주에서 일본군에게 패배하였다.

③ 인조는 삼전도에 나가 굴욕적인 항복을 하였다.

④ 조선은 왜구의 약탈을 근절하고자 대마도를 정벌하였다.

해설

정답 ①

이 문제는 구체적인 연도로 푸는 것보다는 '큰 사건' 중심으로 푸는 것이 좋다. (가)는 이여송과 평양성이 언급되는 '임진왜란'이다. (나)는 화의와 명이 언급되는 '병자호란'(더 정확하게는 병자호란 때의 주전파의 주장)이다. 임진왜란은 '일본'이 쳐들어온 것이고, 정묘호란은 '후금'이 쳐들어온 것이고, 병자호란은 '청'이 쳐들어온 것이다.

임진왜란 (1592~1598)	⇒	정묘호란 (1627)	⇒	병자호란 (1636~1637)

① '일본'과 '청'의 침입 사이에 '후금'이 있다. 강홍립이 이끄는 조선군이 사르후 전투에서 후금에 항복한 시기는 정묘호란 직전인 1619년이다. 그러나 연도로 이 문제를 풀기보다는 '후금'이라는 국호로 이 지문을 찾아내는 것이 좋다.

② 신립 장군은 임진왜란 때 충주 탄금대에서 일본군에게 패배하였다. 그러나 이것은 이여송의 평양성 전투 이전이다. (임진왜란 7단계를 기억하라.)

③ 인조는 병자호란 때 패배하여 삼전도에 나가 굴욕적인 항복을 하였다. (나)는 병자호란 중의 주장이고, 삼전도 굴욕으로 삼전도비가 세워진 때는 그 이후이다. ➜ 2024 국가직 9급

④ 조선이 왜구의 약탈을 근절하고자 이종무를 보내 대마도를 정벌한 시기는 세종 때이다.

28 다음 자료의 주장이 제기된 시기를 아래 연표에서 고르면?

[2008 서울시 9급]

> 화의로 백성과 나라를 망치기가 오늘날과 같이 심한 적은 없습니다. 명나라는 우리나라에 있어서 곧 부모요, 오랑캐(청)는 우리나라에 있어서 곧 부모의 원수입니다. 신하된 자로서 부모의 원수와 형제가 되어서 부모를 저버리겠습니까? 하물며 임진왜란의 일은 터럭만한 것도 황제의 힘이어서 우리나라가 살아 숨 쉬는 한 잊기 어렵습니다. …… 차라리 나라가 없어질지라도 의리는 저버릴 수 없습니다. …… 어찌 차마 화의를 주장하는 것입니까?

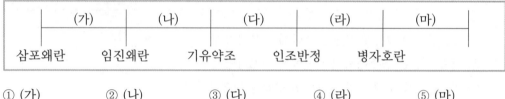

```
        (가)      (나)      (다)      (라)      (마)
  삼포왜란    임진왜란    기유약조    인조반정    병자호란
```

① (가) ② (나) ③ (다) ④ (라) ⑤ (마)

 해설   정답 ④

제시된 자료는 윤집의 상소문에 나타난 '척화주전론'이다. 윤집은 홍익한, 오달제와 함께 삼학사(三學士)로 불린다. 이들은 병자호란 때 청과의 강화를 반대하고 결사항전을 주장하였던 '척화주전파'의 대표적인 인물들이다. 이 문제는 주화론과 주전론의 대립이 언제 있었는가를 묻는 문제이다. 이 대립에서 주전론이 우세해져 청의 군신 관계 요구를 받아들이지 않아 청 태종이 침입한 것이 병자호란이다. 순서는 이렇다.

1) 청의 군신 관계 요구 → 2) 주화론과 주전론의 대립(주전론 우세) → 3) 청 태종의 침입 → 4) 주화론 우세 → 5) 삼전도 굴욕

 명호샘의 한마디!!

지천(遲川)은 최명길의 호이다. 「지천집」이라는 출처가 주어지면 최명길의 주화론을 떠올릴 수 있어야 한다. 문제에서 제시된 부분 이외에도 다음 부분도 자주 출제되니 함께 알아두기 바란다.

> 정묘년의 맹약을 아직 지켜서 몇 년이라도 화를 늦추고, 그 동안을 이용하여 인정을 베풀어서 민심을 수습하고 성을 쌓으며, 군량을 저축하여 방어를 더욱 튼튼하게 하되 군사를 집합시켜 일사불란하게 하여 적의 허점을 노리는 것이 우리로서는 최상의 계책일 것입니다. ◑ 최명길의 주화론, 「지천집」

명호샘의 한마디!!

「지천집」에 기록된 '최명길의 주화론' 만큼이나 중요한 것이 「인조실록」에 기록된 '윤집의 주전론'이다. '화의가 나라를 망친 것은 어제오늘의 일이 아닙니다(화의로 백성과 나라를 망치기가 오늘날과 같이 심한 적은 없습니다).'로 시작하는 윤집의 글이 출제되면 이 주장에 동조하는 이들에게 명나라는 '부모의 나라'이다. 그러므로 이들에게는 다음과 같은 문장이 어울린다. ◑ 2007 세무직 9급

1) 대보단을 세우고 명나라 황제를 제사 지냈다. (○)
2) 북벌을 추진하였다(국왕의 친위군과 수도를 경비하는 군사력을 강화하였다). (○)

29 조선 후기에는 청나라에 대한 복수를 하자는 북벌(北伐) 사상이 중심을 이루면서도 서서히 청나라의 선진 문물을 수용하자는 북학(北學)의 움직임이 대두되었다. 아래에 제시된 내용 중 북학 사상과 연관이 되는 것끼리 바르게 연결한 것은?

[2012 경찰간부]

> ㉠ 송시열의 유지(遺志)에 따라 괴산에 만동묘(萬東廟)를 세웠다.
> ㉡ 사행에 참여한 자제군관(子弟軍官)들이 청나라 문물을 보고 왔다.
> ㉢ 의리, 명분 보다는 이용후생(利用厚生)에 관심을 가졌다.
> ㉣ 창덕궁 안에 대보단(大報壇)을 설치했다.
> ㉤ 조선이 중화(中華)라는 소중화사상이 발전하였다.

① ㉠, ㉡, ㉢   ② ㉡, ㉢

③ ㉣, ㉤   ④ ㉢, ㉣, ㉤

해설

정답 ②

중국 대륙을 장악한 청은 국력이 날로 커져갔다. 청은 중국의 전통 문화를 수용하는 한편, 서양의 문물까지 받아들여 문화국가로서의 면모를 갖추어 나갔다. 이렇게 되자 조선에서도 18세기 영정조 대에 들어서는 청을 오랑캐로 배척하지 말고 청의 선진 문물을 수용하자는 현실적인 부국강병론이 등장하였다. 이것이 '북학'으로 발전하였다.

㉡ 사행(使行)이란 사신들이 청나라에 다녀오는 것을 말한다. 수도인 연경(북경)에 간다고 하여 연행(燕行)이라고도 한다. '자제군관'이란 사신들이 개인 수행원으로 데려간 아들이나 제자들로, 이들은 청의 문물을 직접 보고 돌아와 선진 문물을 배울 것을 주장하였다.

㉢ 북학 운동은 18세기부터 19세기에 걸쳐 활발하였다. 실학자 중 중상학파는 대부분 '북학파'로 이들은 백성들의 삶을 '이롭고 풍요롭게'하기 위해서 자연과학의 도입, 기술 혁신, 통상의 증진 등을 강조하였다. '생활을 이롭게 하고 삶을 풍요롭게 하는 것'을 이용후생(利用厚生)이라고 한다.

㉠ 송시열은 효종 때 북벌을 주장하였던 중심인물로, 명나라 신종을 제사 지내는 만동묘(萬東廟)를 설치할 것을 유언하였다. 북학 사상과는 반대 입장이다.

㉣ 대보단(大報壇)은 명나라 신종을 제사 지내는 제단으로 숙종 때 창덕궁 안에 세워졌다(1704). 영조 때 명나라 의종의 위패가 추가되었다. 만동묘와 대보단은 모두 '존명' 사상에 바탕을 둔 것으로, 북학 사상의 반대이다.

㉤ 조선은 건국 초기부터 명(明)은 중화(中華)로, 조선은 소중화(小中華)로 자처하였다. '중화'가 멸망하자 이제 '소중화'만 남았다는 의식이 발전하였다는 것은 '존명배청' 사상이 더 커졌다는 것을 의미한다.

명호샘의 한마디!!

병자호란 후 제기된 북벌론(北伐論)과 어울리는 용어들은 다음과 같다.

• 존명배청(尊明排清) : 명을 따르고 청을 배척한다.
• 복수설치(復讐雪恥) : 청에 복수하고 패배를 설욕한다.
• 소중화(小中華) 의식 : 조선이 유일하게 정통성을 가진 나라이다.
• 존주론(尊周論) : 주(周) 나라를 숭상한다(성리학의 명분론 중시).
• 존왕양이론(尊王攘夷論) : 임금을 숭상하고 오랑캐를 물리친다.
• 만동묘, 대보단 : 명나라 황제를 제사 지내는 사당과 제단

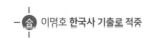

30 조선 시대 북방 정책과 관련된 인물에 대한 설명으로 옳은 것은? [2016 사회복지직]

① 최명길 – 청나라의 군신관계 요구에 대해 무력항쟁을 주장하였다.

② 남이 – 기병을 주축으로 하는 별무반을 조직하여 여진과의 싸움에 대비하였다.

③ 김종서 – 세종의 명으로 두만강 유역의 여진족을 몰아내고 6진을 개척하였다.

④ 임경업 – 효종을 도와 북벌을 계획하고 국방력 강화에 주력하였다.

해설　　정답 ③

김종서(1383~1453)는 세종의 신임을 크게 받았다. 1433년 함길도도관찰사가 되어 6진(六鎭)을 개척해 두만강을 국경선으로 확정하였다. 1451년(문종 1년)「고려사」를 편찬하였고, 1452년(문종 2년)「고려사절요」를 편찬하였다. 1452년 단종이 즉위하자 좌의정이 되어 세력을 행사하다가 1453년 계유정난 때 수양대군에 의해 살해되었다.

① 최명길(1586~1647)은 청나라의 군신관계 요구에 대해 주화(主和)라는 현실론을 내세웠다.

② 남이(1441~1468)는 1467년(세조 13년) 이시애의 난을 토벌하였다. 별무반을 조직하여 여진과의 싸움에 대비한 인물은 윤관(1040~1111)이다.

④ 임경업(1594~1646)은 병자호란 때 백마산성을 굳게 지켰다. 효종 때 추진되었던 북벌 '계획'은 실상 왕이 주도하였으므로, 그 신하들 중의 누군가를 북벌 계획의 중심인물로 꼽는 것이 무리일 수 있으나, 그래도 두 사람을 뽑자면 송시열과 이완이다.

* 송시열(1607~1689)은 존주대의(尊周大義, 춘추대의에 의거하여 명은 중화로, 청은 오랑캐로 명확히 구별함)와 복수설치(復讐雪恥, 청에 당한 수치를 복수하고 설욕함)를 역설하여 북벌 계획의 중심 인물로 발탁되었다.

* 이완(1602~1674)은 효종이 북벌을 위한 군비확충을 추진할 때, 북벌의 선봉 부대인 어영청의 대장이 되었고, 이에 효종의 북벌계획에 깊이 관여하며 신무기를 제조하고 성곽을 개수하는 등 여러 대책을 세우는데 기여하였다.

31 다음 역사적 사실을 순서대로 바르게 나열한 것은? [2017 서울시 7급]

> ㉠ 청의 요청으로 조선은 나선(러시아) 정벌에 조총병을 파병하였다.
>
> ㉡ 청의 정세 변화를 이용하여 윤휴를 중심으로 북벌 움직임이 제기되었다.
>
> ㉢ 조선과 청의 두 나라 대표가 백두산 일대를 답사하고, 국경을 확정하는 백두산정계비를 세웠다.
>
> ㉣ 안용복은 울릉도에 출몰하는 일본 어민들을 쫓아내고, 일본에 건너가 울릉도와 독도가 조선의 영토임을 확인받고 돌아왔다.

① ㉠ – ㉡ – ㉢ – ㉣　　　　　　　　② ㉠ – ㉡ – ㉣ – ㉢

③ ㉡ – ㉠ – ㉢ – ㉣　　　　　　　　④ ㉡ – ㉠ – ㉣ – ㉢

해설　　정답 ②

숙종(1674~1720) 대의 주요 사건은 순서대로, 북벌(1674), 상평통보(1678), 경신환국(1680), 금위영설치(1682), 기사환국(1689), 안용복 활약(1693, 1696), 갑술환국(1694), 무고의 옥(1701), 대보단설치(1704), 대동법 전국 시행(1708), 백두산 정계비 건립(1712)이다.

㉠ 1차 나선정벌(효종, 1654), 2차 나선정벌(효종, 1658)

㉡ 윤휴의 북벌 주장(숙종 초, 1674)

㉣ 안용복의 활약(숙종, 1693, 1696)

㉢ 백두산 정계비 건립(숙종, 1712)

32 다음 보고를 받은 왕의 재위 기간에 있었던 사실로 옳은 것은?

[2021 경찰]

> 박권이 보고하였다. "총관이 백두산 산마루에 올라 살펴보았는데, 압록강의 근원이 산허리의
> 남쪽에서 나오기 때문에 이미 경계로 삼았으며, 토문강의 근원은 백두산 동쪽의 가장 낮은
> 곳에 한 갈래 물줄기가 동쪽으로 흘렀습니다. 총관이 이것을 가리켜 두만강의 근원이라 하고
> 말하기를, '이 물이 하나는 동쪽으로 하나는 서쪽으로 흘러서 나뉘어 두 강이 되었으니 분수령
> 고개 위에 비를 세우는 것이 좋겠다.'라고 하였습니다."

① 신해통공이 단행되었다.　　　② 괴산에 만동묘가 건립되었다.

③ 정여립 모반 사건이 일어났다.　④ 황사영 백서 사건이 발생하였다.

해설　　　　　　　　　　　　　　　　　　　　　　　　　　　　　　　　　정답 ②

박권(1658~1715)은 숙종이 백두산정계비를 세울 때 정계사(定界使)로 삼아 청나라에서 보낸 목극등(穆克登)과 함께 백두
산에 경계를 정한 인물이다. 사신을 접대한 일을 맡았다고 하여 접반사(接伴使)라고도 한다.

> 군려대성(軍旅大成)에 이르길, "숙종 38년(1712)에 오라총관(烏喇總管) 목극등(穆克登)이 시위(侍衛) 포소륜, 주
> 사(主事) 악세와 함께 국경을 정하기 위해 백두산 아래에 이르렀다. 우리나라에서는 접반사(接伴使) 박권, 함경도
> 순찰사 이선부, 역관 김경문 등을 보내 이들을 만나게 하였다.　　　　　　　　　　　　○ 「만기요람」

② 충북 괴산군에 <u>만동묘가</u> 건립된 것은 숙종 때이다. 송시열이 기사환국으로 사사(賜死)될 때 그의 제자인 권상하에게 만동
묘 건립을 부탁하고 죽었다. 이에 따라 1703년에 만동묘를 창건하고 명나라의 신종과 의종의 신위를 봉안하여 제사지냈
다. 그러나 만동묘는 흥선 대원군 때 철폐되었다.

① 신해통공은 정조 때 행해졌다(1791). 신해통공에 따라 육의전을 제외한 시전 상인의 금난전권이 폐지되었다.

③ 정여립 모반 사건은 선조 때 일어났다(1589). 정여립 모반 사건, 정철의 건저의 문제, 정철에 대한 처벌 수준 문제로 동인
은 남인과 북인으로 갈라졌다.

④ 황사영 백서 사건은 순조 때 일어났다(1801). 신유박해로 인해 천주교 박해가 심해지자 황사영은 베이징 주교(북경 주교)
에게 도움을 요청하는 편지를 보내려다가 발각되었다.

33 밑줄 친 내용과 관련된 사실로 가장 옳지 않은 것은?

[2017 사회복지직]

> 전일 ㉠ 세자가 심양에 있을 때 집을 지어 고운 빨간 빛의 흙을 발라서 단장하고, 또 ㉡ 포로로
> 잡혀간 조선 사람들을 모집하여 둔전을 경작해서 곡식을 쌓아 두고는 그것으로 진기한 물품과
> 무역을 하느라 ㉢ 관소의 문이 마치 시장 같았으므로, ㉣ 임금이 그 사실을 듣고 불평스럽게
> 여겼다.

① ㉠ 세자 – 북경에서 아담 샬과 만나 교류하였다.

② ㉡ 포로 – 귀국한 여성 중에는 가족들의 천대와 멸시를 받는 이도 있었다.

③ ㉢ 관소 – 심양관은 외교적 기능을 담당하기도 하였다.

④ ㉣ 임금 – 전쟁의 치욕을 벗기 위해 북벌론을 적극 추진하였다.

해설   정답 ④

병자호란 때 삼전도에서 굴욕적인 항복을 한 후, 소현세자와 봉림대군은 중국의 심양(瀋陽)에 인질로 가게 되었다. 그러나 소현세자는 단순한 인질이 아닌 심양관으로서 대사(大使) 이상의 외교관 역할을 하였고, 북경에 들어가 독일인 신부 아담 샬과 교류하며 천문, 수학, 천주교 등을 수용하려고 노력하기도 했다. 소현세자는 1645년에 귀국하여 갑자기 병사하였고, 그 직후 귀국한 봉림대군은 1649년이 되어 왕이 되었으니 바로 효종이다.

> 소현 세자의 졸곡제(卒哭祭, 곡을 끝내는 제사)를 행하였다. 전일 세자가 심양에 있을 때 집을 지어 단확(丹艧, 고운 빨간 빛의 흙)을 발라서 단장하고, 또 포로로 잡혀간 조선 사람들을 모집하여 둔전(屯田)을 경작해서 곡식을 쌓아 두고는 그것으로 진기한 물품과 무역을 하느라 관소(館所)의 문이 마치 시장 같았으므로, 상(임금)이 그 사실을 듣고 불평스럽게 여겼다.
> ○『인조실록』

④ '임금'은 소현세자의 아버지인 '인조'이다. 인조는 북벌론을 '적극 추진'하지는 않았다.

34 밑줄 친 (   )의 행적에 대한 설명으로 옳은 것은?   [2023 계리직 9급]

> (   )은/는 본국에 돌아온 지 얼마 되지 않아 병을 얻었고, 병이 난 지 수일 만에 죽었다. 온몸이 전부 검은빛이었고, 이목구비의 일곱 구멍에서는 모두 선혈이 흘러나왔다. 검은 천으로 그 얼굴 반쪽만 덮어놓았으나, 곁에 있는 사람도 그 얼굴빛을 분변할 수 없어서 약물에 중독되어 죽은 사람과 같았다.
> ○『조선왕조실록』

① 청에 복수하고 치욕을 갚기 위해 북벌을 주장하였다.
② 청을 왕래하며 얻은 경험으로 『의산문답』 등을 저술하였다.
③ 서양인 신부 아담 샬과 교류하면서 서양 문물을 들여왔다.
④ 에도 막부에게서 울릉도와 독도가 조선 영토임을 확인하는 문서를 받아왔다.

해설   정답 ③

본국에 돌아와 병으로 죽었는데, (약물에 중독되어 죽은 것처럼) 온몸이 전부 검은빛이었고, 이목구비의 일곱 구멍에서 모두 선혈이 흘러나온 조선 시대의 인물은 소현세자(1612~1645)이다. 소현세자는 중국 심양에 볼모로 가 있는 동안 서양인 신부 아담 샬과 교류하였고, 귀국할 때 서양 문물을 들여왔다.

① '북벌을 주장'한 왕은 효종이고, 이에 동조하였던 신하들은 송시열, 이완 등이다.
② 『의산문답』 등을 저술'한 인물은 홍대용이다.
④ '에도 막부에게서 울릉도와 독도가 조선 영토임을 확인하는 문서를 받아온' 인물은 안용복이다.

02 근세의 사회

01 양반 관료 중심의 사회

01 조선 시대 신분제에 대한 설명으로 가장 옳지 않은 것은?

[2018 서울시 9급]

① 중앙관직에 진출할 수 있던 고려시대의 향리와 달리 조선의 향리는 수령을 보좌하는 아전으로 격하되었다.

② 유교의 적서구분에 의해 서얼에 대한 차별이 심했기 때문에 서얼은 관직에 진출하지 못하였다.

③ 뱃사공, 백정 등은 법적으로는 양인으로 취급되기도 했으나 노비처럼 천대받으며 특수직업에 종사하였다.

④ 순조는 공노비 중 일부를 양인으로 해방시켜 주었다.

해설

정답 ②

조선 시대에 서얼에 대한 차별이 심했던 것은 맞지만, 그렇다고 해서 서얼이 관직에 진출하지 못한 것은 아니다. 『경국대전(經國大典)』에 서얼은 과거의 문과뿐만 아니라 생원시, 진사시에도 응시하지 못한다고 규정되었다. 혹시 관직에 진출하였다 하더라도 승진에 제한을 받거나 청요직(淸要職)으로 진출하는 것이 불가능하였다. 그나마 일반 관료가 아닌 기술직 관료로는 진출이 가능하였는데, 이 경우에도 아버지의 관품과 어머니의 신분에 따라 승진에 제한이 따랐다. 특히 얼자는 아버지의 관품이 동일하더라도 서자에 비하여 승진이 더욱 제한되었다.

조선 후기에는 서얼이 기술직 등으로 관직에 진출하였으며, 중인(中人)들과 비슷한 사회적 신분을 형성하기에 이르렀다. 또 이들 서얼 출신 중에서 많은 학자와 예술가들이 배출됨에 따라 서얼들을 관료에 등용하자는 의견도 꾸준히 제기되기 시작하였다. 이에 정조(正祖, 재위 1776~1800) 대에는 규장각(奎章閣)의 관원으로 서얼이 등용되기도 하였다. 서얼에 대한 차별 금지는 1894년(고종 31) 갑오개혁(甲午改革)에 이르러서야 법으로 규정되었다.

> 이들의 과거 응시와 벼슬을 제한한 것은 우리나라의 옛 법이 아니다. 그런데 『경국대전』을 편찬한 뒤부터 이들을 금고(禁錮)하였으니, 아직 백 년이 채 되지 않았다. 또한 다른 나라에 이러한 법이 있다는 말은 듣지 못했다. 경대부(卿大夫)의 자식인데 오직 어머니가 첩이라는 이유만으로 대대로 이들의 벼슬길을 막아, 비록 훌륭한 재주와 쓸만한 자질이 있어도 이를 발휘할 수 없게 하였으니, 참으로 안타깝다. ● 2022 지방직 9급

① 고려 시대의 향리는 조선 시대의 향리와는 달리 지방의 실질적인 지배자로서의 역할을 하였는데, 부호장(副戶長) 이상은 과거에 응시할 수 있었으며 실제로 향리 출신으로 재상이 된 경우도 있었다.

③ 뱃사공(진척), 백정(화척), 철간, 염간, 봉수간, 해척 등 끝이 '간(干)'이나 '척(尺)'으로 끝나는 이들은 신량역천(身良役賤)이라 하였다. 이들의 신분은 양인이었으나 천대 받으며 특수한 직업에 종사하였다. 조선 시대의 신량역천은 점차 수군, 조례(관청의 잡역 담당), 나장(형사 업무 담당), 일수(지방 고을 잡역), 봉수군(봉수 업무), 역졸(역에 근무), 조졸(조운 업무)의 일곱 가지 역에 종사하는 사람으로 정리되어 갔는데, 이를 칠반천역이라고 한다.

④ 순조는 1801년에 공노비(중앙관서의 노비) 중 6만 6천여 명을 양인으로 해방시켜 주었다.

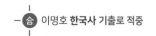

02 다음 자료에 나타난 시기의 사회 모습에 대한 설명으로 옳은 것은? [2016 지방직 9급]

> 옷차림은 신분의 귀천을 나타내는 것이다. 그런데 어찌된 까닭인지 근래 이것이 문란해져 상민
> · 천민들이 갓을 쓰고 도포를 입는 것을 마치 조정의 관리나 선비와 같이 한다. 진실로 한심스럽
> 기 짝이 없다. 심지어 시전 상인들이나 군역을 지는 상민들까지도 서로 양반이라 부른다.

① 불교의 신앙 조직인 향도가 널리 확산되었다.
② 서얼의 청요직 진출이 부분적으로 허용되었다.
③ 양민의 대다수를 차지한 농민을 백정(白丁)이라고 하였다.
④ 선현 봉사(奉祀)와 교육을 위한 서원이 설립되기 시작하였다.

해설 정답 ②
상민이나 천민이 도포를 입고 마치 조정의 관리나 선비와 같이 행세하는 시대는 양반 중심의 신분제가 붕괴된 '조선 후기'이
다. 조선 후기에 들어 서얼이 청요직(사헌부, 사간원, 홍문관의 3사 및 이조전랑직)에 진출하는 것이 허용되기 시작하여,
철종 때에는 완전한 청요직 허통이 이루어졌다.
① 불교의 신앙 조직인 향도가 널리 확산된 것은 고려 시대이다.
③ 농민을 백정(白丁)이라고 부른 시대는 고려 시대이다.
④ 서원이 설립되기 '시작'한 것은 16세기이므로, 조선 중기이다.

03 다음 직업을 가진 사람들에 대한 설명으로 옳은 것을 [보기]에서 고른 것은? [2017 기상직 9급]

> 수군, 조례, 나장, 일수, 봉수군, 역졸, 조졸

> [보기]
> ㉠ 사람들이 기피하는 천한 역을 담당하였다.
> ㉡ 법제상 양인에 속해 있었다.
> ㉢ 매매 · 상속 · 증여의 대상이 되는 비자유민이었다.
> ㉣ 수령의 행정 실무를 보좌하는 역할을 담당하였다.

① ㉠, ㉡   ② ㉠, ㉢
③ ㉡, ㉢   ④ ㉡, ㉣

해설 정답 ①
제시된 '직업을 가진 사람들'은 신량역천(身良役賤)이다. 초기에는 척(尺)이나 간(干)으로 불렀으나, 나중에는 칠반천역(七
般賤役)이라 하여 양인으로서 천역을 담당하였다. 수군, 조례(관청의 잡역 담당), 나장(형사 업무 담당), 일수(지방 고을 잡
역), 봉수군(봉수 업무), 역졸(역에 근무), 조졸(조운 업무) 등 힘든 일에 종사한 일곱 가지 부류가 이에 해당한다. 이들은 사람
들이 기피하는 천한 역을 담당하였지만, 법제상 엄연한 양인이었다.
㉢ 비자유민은 '천민'을 말한다.
㉣ 수령을 보좌하는 세습적인 아전은 '향리'이다.

04 다음 밑줄 친 ㉠~㉢에 대한 설명 중 옳은 것은?

[2012 기상직 9급]

> 조선 시대에는 양반과 상민 사이에 있는 중간계층을 중인이라 하였다. 중인에는 ㉠ 좁은 의미 의 중인과 ㉡ 넓은 의미의 중인이 있었다. 한편 ㉢ 양반 첩에게서 태어난 서얼은 중인과 같은 신분적 대우를 받았다.

① ㉠에는 의관, 역관, 천문관과 향리 등이 포함되었다.

② 중앙 관청의 서리는 ㉡에 해당되었다.

③ ㉠, ㉡에게는 문과 응시가 금지되었으나 ㉢에게는 허용되었다.

④ ㉡, ㉢은 조선 후기에 이르러 청요직에도 오를 수 있었다.

해설

정답 ②

① 좁은 의미의 중인은 '기술관'을 말한다. 기술관에는 의관, 역관, 율관, 산관 등이 있다. 그러나 '향리'는 좁은 의미의 중인에 는 포함되지 않는다.

③ ㉠, ㉡에게는 문과 응시가 허용되었으나 ㉢에게는 금지되었다.

④ ㉢은 조선 후기에 이르러 청요직에도 오를 수 있었다.

구 분	넓은 의미의 중인		
	좁은 의미의 중인	–	–
	기술관 (의관, 율관, 역관, 산관)	서리, 향리, 군교 등	서얼
과거 응시	문과, 무과, 잡과 응시 가능		문과 응시 제한, 무과, 잡과에 응시
청요직 허통	실패		성공 (철종 때 완전한 허통)

05 다음 밑줄 친 '이들'에 관한 설명으로 옳은 것을 [보기]에서 고른 것은?

[2012 지방직 9급]

> 이들은 본시 모두 사대부였는데 또는 의료직에 들어가고 또는 통역에 들어가 그 역할을 7~8
> 대나 10여 대로 전하니 사람들이 서울 중촌(中村)의 오래된 집안이라고 불렀다. 문장과 대대
> 로 쌓아 내려오는 미덕은 비록 사대부에 비길 수 없으나 유명한 재상, 지체 높고 번창한 집안
> 외에 이들 보다 나은 자는 없다. 비록 나라의 법전에 금지한 바 없으나 자연히 명예롭고 좋은
> 관직으로의 진출은 막히거나 걸려 수백 년 원한이 쌓여 펴지 못한 한이 있고 이를 호소할
> 기약조차 없으니 이는 무슨 죄악이며 무슨 업보인가?
>
> ▶ 「상원과방」

[보기]

ⓐ 이들은 문과와 생원, 진사시에 응시할 수 있었다.
ⓑ 조선 후기에는 시사(詩社)를 조직하여 문예활동을 하였다.
ⓒ 정조 때 이덕무, 박제가 등이 규장각 검서관으로 기용되어 활동하였다.
ⓓ 연합 상소 운동이 성공하여 명예롭고 좋은 관직(청요직)으로 진출하게 되었다.
ⓔ 개항 전후에 외세 침략에 맞서 위정척사운동을 주도하였다.
ⓕ 직역과 신분이 대대로 세습되는 경우가 많았다.

① ⓐ, ⓑ, ⓕ
② ⓑ, ⓓ, ⓔ
③ ⓒ, ⓓ, ⓔ
④ ⓐ, ⓑ, ⓒ
⑤ ⓑ, ⓓ, ⓕ

해설

정답 ①

'의료직', '통역'이라는 말을 통해 이들이 기술관임을 알 수 있다. 「상원과방」에는 조선 시대 기술관들의 소청 운동 내용이
담겨 있다. '나라의 법전'인 경국대전에 이들은 '양인'으로만 표현되어 있으므로 법제적으로는 관직 진출에 제한이 있을 리
없지만 실제로는 '명예롭고 좋은 관직으로의 진출'은 막혀 있었다.

ⓐ 중인은 문과(대과)와 소과(생원시, 진사시)에 모두 응시할 수 있었고, 무과·잡과에도 응시할 수 있었다. 다만 중인 중
  '서얼'은 「경국대전」에 따라 문과 및 생원시·진사시의 응시가 금지되었다.

ⓑ 19세기 중인들은 경제력이 높아서 서울의 여러 곳에 시사(詩社)를 조직하여 양반들과 어울려 문예활동을 하였다.

ⓕ 국초에는 전문기술직에 종사하는 가문이나 신분이 따로 있었던 것은 아니었으나, 기술의 전문성 때문에 직업이 세습되
  면서 중인이라는 특수 계급집단이 형성되었다. 중앙과 지방에 있는 관청의 서리와 향리 및 기술관은 직역을 세습하고,
  같은 신분 안에서 혼인하였으며, 관청에서 가까운 곳에 거주하였다. ▶ 2017 경찰

ⓒ, ⓓ 서얼에 대한 설명이다. 서얼은 집단상소운동을 수차례 전개하여 관직 진출 제한의 철폐를 요구하였다. 이러한 노력과
  국가의 정책적 배려로 18세기 후반 정조 때 유득공. 박제가, 이덕무 등은 규장각 검서관으로 등용되기도 하였다. 1851년
  철종 때 신해허통을 통해 청요직 허통이 이루어졌다. 서얼의 청요직 허통에 자극을 받아 중인들도 1850년대에 대대적인
  연합 상소 운동을 벌였으나, 그 세력이 미미하여 허통운동은 실패로 돌아갔다.

ⓔ 위정척사운동을 주도한 세력들은 이항로, 기정진 등 보수적인 유학자들이다. 중인은 신분상승에는 실패하였지만 새로운
  사회수립에 이바지하였다. 특히 역관은 외교 업무에 종사하면서 서학을 비롯한 외래문화 수용에 있어서 선구적 역할을
  수행하였으며, 성리학적 가치 체계에 도전하는 새로운 사회의 수립을 추구하였다.

명호샘의 한마디!!

서얼은 중인에 속하지만, 시험에서는 '(일반적인) 중인'과 '서얼'을 구분하여 출제하는 경우가 많다. 그러므로 중인 자료가 제시되었을 때 서얼 포함 여부를 반드시 체크해야 한다. 다음 자료의 (가)나 '공'은 모두 '역관'이다. 모두 '(서얼을 제외한) 중인'에 대한 질문을 하기 위한 자료였다. 아래에서 「완암집」은 역관이었던 정내교의 문집이다.

> 청나라로 가는 사신단 가운데 <u>(가)</u> 의 인원이 지나치게 많습니다. 그들 가운데 한두 명을 제외하고는 명색이 <u>(가)</u> 인데도 중국어를 거의 하지 못하여, 직무는커녕 청나라 사람들과 일상적인 대화조차도 어려워하니 몹시 한심스럽습니다.

> <u>공(公)</u>은 열일곱에 사역원(司譯院) 한학과(漢學科)에 합격하여, 틈이 나면 성현(聖賢)의 책을 부지런히 연구하여 쉬는 날 없었다. 경전과 백가에 두루 통달하여 드디어 세상에 이름이 났다. … 공은 평생 고문을 좋아하였다.
> ◐ 「완암집」

---

06 우리나라 족보에 대한 설명으로 옳지 않은 것은?

[2017 지방직 9급]

① 조선 후기에 부유한 농민들은 족보를 사거나 위조하기도 하였다.

② 조선 초기의 족보는 친손과 외손을 구별하지 않고 모두 수록하였다.

③ 현존하는 가장 오래된 족보는 성종 7년에 간행된 『문화류씨가정보』이다.

④ 조선 시대에는 족보가 배우자를 구하거나 붕당을 구별하는 데 중요한 자료로 활용되기도 하였다.

해설

정답 ③

현존하는 가장 오래된 족보는 조선 성종 7년(1476년)에 간행된 '안동권씨성화보'이다. 여기에는 약 9천 명의 인물이 기록되어 있으며, 외손까지도 포함되어 있다.

> 내가 생각하건대 옛날에는 종법이 있어 대수(代數)의 차례가 잡히고, 적자와 서자의 자손이 구별 지어져 영원히 알 수 있었다. 종법이 없어지고는 족보가 생겨났는데, 무릇 족보를 만듦에 있어 반드시 그 근본을 거슬러 어디서부터 나왔는가를 따지고, 그 이유를 자세히 적어 그 계통을 밝히고 친함과 친하지 않음을 구별하게 된다.
> ◐ 「안동 권씨 성화보」

① 조선 후기에 부유한 농민들은 족보를 사거나 위조하여 신분을 상승시키기도 하였다.

② 고려 시대부터 '조선 초기'까지의 족보는 친손과 외손을 모두 기재하였다.

④ 조선 시대에는 족보를 통해 안으로는 종족 내부의 결속을 강화시키고, 밖으로는 다른 종족이나 하급 신분에 대해서 문벌의 권위를 과시하는 데 이용되었다. 또한 족보는 결혼 상대자를 구하거나 붕당을 구별하는 데 있어서도 중요한 자료가 되었다.

07 다음 글은 우리나라 전근대사회 결혼풍습을 시대순으로 나열한 것이다. (다)의 시기에 나타난 양상으로 옳지 않은 것은?

[2009 지방직 7급]

> (가) 형이 죽은 뒤에 동생이 형수와 같이 사는 풍습이 있었다.
>
> (나) 친족 간의 혼인이 성행하여 이를 금하였으나 쉽게 사라지지 않았다.
>
> (다) _____
>
> (라) 부계 중심의 가족제도가 강화되어 혼인 후 주로 남자 집에서 결혼 생활이 이루어졌다.

① 제사는 계층에 따라 봉사(奉祀)의 범위를 3대, 2대, 부모 제사로 지낼 것을 법제화하였다.

② 여자가 친정으로부터 가져온 재산의 처분권은 남편에게 있었다.

③ 제사는 윤회봉사, 분할봉사 그리고 외손봉사가 행해졌다.

④ 혼인은 법적으로 남자 15세, 여자 14세 이상이면 가능하였지만, 그렇지 않은 경우도 있었다.

🔖해설

정답 ②

(가) 형사취수제는 부여와 초기 고구려에 있었던 혼인 풍습이다.

(나) 고려 초 왕실에서는 근친혼이 성행하였다.

(라) 17세기 이후 부계 중심의 가족 제도가 정착되면서, 친영(시집살이)이 행해졌다.

② 고려 초와 조선 후기 사이에 있는 (다)는 조선 전기이므로, 아직까지는 가족 내 여성의 지위가 낮지 않다. 고려 시대부터 16세기까지(조선 중기까지)는 여자가 친정으로부터 가져온 재산의 처분권이 여자에게 있었다.

① 『경국대전』에 법제화된 내용이다.

③ 윤회봉사, 분할봉사, 외손봉사가 모두 행해졌던 시기는 고려 시대부터 16세기까지이다. ➡ 2017 국가직 9급

윤회봉사(輪廻奉祀)	딸들을 포함해 모든 자식들이 돌려가며 제사를 모심
분할봉사(分割奉祀)	재산 상속에서 특혜를 받은 한 자식이 고정적으로 제사를 모심
외손봉사(外孫奉祀)	딸의 자식(= 외손자)들이 제사를 모심

④ 『경국대전』에 '남자는 15세, 여자는 14세가 되면 혼인하는 것을 허락한다'라는 규정이 있지만, 그 이전에 조혼(早婚)하는 경우도 있었다.

08 다음 자료가 작성된 시기의 사회상으로 적절한 것을 [보기]에서 고른 것은? [2016 기상직 9급]

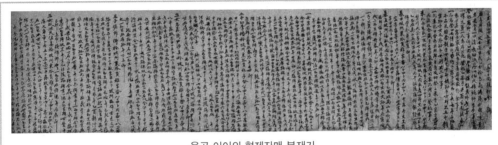

율곡 이이의 형제자매 분재기

[보기]

㉠ 남녀 차등 상속이 원칙이었다.

㉡ 성리학적 사회 질서의 확립에 따른 재산 상속의 특성이 나타나 있다.

㉢ 제사를 승계하는 자식에게 재산의 5분의 1을 더 배정하고 나머지는 균분했다.

㉣ 〈경국대전〉의 재산 분배 원칙을 따랐다.

① ㉠, ㉡

② ㉡, ㉢

③ ㉢, ㉣

④ ㉠, ㉣

해설   정답 ③

분재기(分財記)란 재산의 상속과 분배에 관한 문서이다. 율곡 이이의 형제자매 분재기(율곡선생남매분재기)는 보물 제477호로 지정되어 있다. 이 분재기에는 조선 전기 자녀 균분상속의 특성이 나타난다. 자녀 균분 상속(평균 분급)은 경국대전의 재산 분배 원칙으로서, 아직까지는 성리학적 사회 질서(성리학적 종법 질서)가 완전히 정착되지 못한 상황을 보여 준다. 이 분재기에는 9남매가 노비를 나눠 가질 때, '큰아들 108구, 둘째 아들 88구, 큰딸 84구, 셋째 아들 79구, 넷째 아들 82구, 다섯째 아들 79구, 둘째 딸 78구, 여섯째 아들 82구, 일곱째 아들 78구'로서 큰 아들이 20% 정도를 더 가지고, 나머지는 균분한 것을 볼 수 있다.

09 다음 자료를 통해 알 수 있는 시기의 사회 모습에 대한 적절한 설명을 [보기]에서 모두 고른 것은?

[2012 계리직 변형]

> (가) 오늘날 세상 풍속에 비록 아들이 없더라도 외손이 있으면 남의 아들로 양자 삼는 사람이 없다.
>
> (나) 임금이 명령을 내리기를, "만일 지금 재가를 금지하는 법령을 세우지 않는다면 음란한 행동을 막기 어렵다. 이제부터 재가한 여자의 자손은 관료가 되지 못하게 하여 풍속을 바르게 하라."고 하였다.

> [보기]
> ㉠ 동족 부락이 만들어져 족보 편찬이 성행하였다.
> ㉡ 부계 위주의 족보 편찬이 일반화되었다.
> ㉢ 재산상속은 자녀 균분이 관행이었다.
> ㉣ 부인의 덕을 지키지 못한 여자의 자손에게 벼슬을 제한하는 법도 만들었다.

① ㉠, ㉡   ② ㉡, ㉢

③ ㉢, ㉣   ④ ㉠, ㉡, ㉣

⑤ ㉠, ㉢, ㉣

🔍 **해설**

정답 ③

(가) 제사를 지낼 때 아들이 없는 경우 양자를 들이지 않고 딸(사위)이 제사를 지냈던 시기는 '고려~16세기'이다.

(나) 재가한 여자의 자손의 관직 진출에 제한을 두는 것은 조선 시대이다. 그러므로 (가)와 (나)를 합하면 이 문제에서 묻는 '시기'는 조선 전기(15세기~16세기)이다.

㉠, ㉡ : 조선 후기

㉢, ㉣ : 조선 전기

10 혼인풍습 중 친영제도가 정착되었던 시기의 사회상에 대한 설명으로 가장 적절한 것은?

[2011 법원직 9급 변형]

① 여성의 재가가 비교적 자유롭게 이루어졌다.

② 장남 이외의 아들은 제사에서 그 권리를 잃어갔다.

③ 자녀는 연령순으로 호적에 기재되는 것이 일반적이었다.

④ 일부일처를 기본으로 하여 남자들은 첩을 들일 수 없었다.

⑤ 사위가 처가의 호적에 입적하여 처가에서 생활하는 것이 일반적이었다.

해설

'친영제도(시집살이)가 정착되었던 시기'란 17세기 이후를 말한다. 17세기 이후 재산상속과 제사에 있어 장남이 우대되는 경향이 뚜렷해졌다.

① 효와 정절을 강조하며, 여성의 재가가 원칙적으로 금지되었다.

③ 고려 시대부터 16세기까지는 남녀의 구별 없이 출생순(연령순)으로 호적을 기록하였으나, 17세기부터는 남녀순으로 기록하였다.

④ 17세기부터 첩을 들이는 경우가 많아졌다.

⑤ 16세기까지는 처가살이가 많았다.

11 조선 후기 가족제도의 모습으로 가장 적절한 것을 [보기]에서 고른 것은?　[2014 계리직]

[보기]

㉠ 아들이 없을 경우 양자(養子)를 맞는 풍속이 보편화되었다.

㉡ 호적에 아들과 딸의 구분 없이 출생 순서대로 기록하는 것이 일반화되었다.

㉢ 사대부 가문에서의 4대 봉사(奉祀)가 점차 사라졌다.

㉣ 남귀여가혼(男歸女家婚)이 점차 쇠퇴한 반면, 친영제(親迎制)가 확산되어 갔다.

① ㉠, ㉡　　　　　　　　　　　　　② ㉡, ㉢

③ ㉢, ㉣　　　　　　　　　　　　　④ ㉠, ㉣

해설

조선 후기에는 아들이 없는 경우 양자를 들이는 것이 보편화되었으며, 친영제가 확산되어 갔다. 남귀여가혼(男歸女家婚)은 남자가 여자집으로 가서 혼례를 치른 후 처가에서 아이를 낳아 기르다가 자녀가 성장하면 본가로 돌아오는 방식으로 조선 중기까지 유행하였다. 이것은 현대의 '처가살이'라는 표현과는 다소 다른 것이다. '남귀여가혼'이라는 정확한 표현을 알아두길.

㉡ 고려 시대부터 조선 중기까지는 호적을 출생 순서로 기록하였다.

㉢「경국대전」에서는 사회 계층에 따라 봉사(奉祀)의 범위를 달리 하여, 6품 이상은 3대까지, 7~9품은 2대까지, 일반평민은 부모만 제사하도록 하였다. 그러나 조선 후기에 들어 주자가례에 따라 4대까지 봉사하는 것이 관행이 되었다.

12 다음에서 설명하고 있는 조선 시대 호적에 대한 내용으로 적절한 것을 [보기]에서 모두 고른 것은? [2020 경찰]

> 국가는 재정의 토대가 되는 수취 체제를 운영하기 위해 토지 대장인 양안과 인구 대장인 호적을 작성하였다. 이를 근거로 전세, 공납, 역을 백성에게 부과하였다.

[보기]
- ㉠ 호적은 3년에 한 번씩 관청에서 호주의 신고를 받아 작성하였다.
- ㉡ 호적에 관료였던 양반은 관직과 품계를 기록하고 관직에 몸담지 않은 양반은 유학이라고 기록하였다.
- ㉢ 호적에는 호의 소재지, 호주의 직역과 성명, 호주와 처의 연령, 본관과 4조(부, 조부, 증조부, 외조부) 등을 적었다.
- ㉣ 호적에 평민은 보병이나 기병 등 군역을 기록하였으며, 노비는 이름을 기록하였다.

① ㉠
② ㉠, ㉡
③ ㉠, ㉡, ㉢
④ ㉠, ㉡, ㉢, ㉣

해설   정답 ④

호적(戶籍)은 국가에서 백성들을 파악하기 위하여 호(戶) 단위로 백성들의 인적 정보를 수록한 장부이다. 우리나라는 고대 사회부터 호적을 작성하였고, 조선 역시 건국 초부터 호적을 작성하였다.

1. 3년마다 호구조사를 실시하여 호적을 개정하는 법제가 마련되어 있었다.
2. 호주가 호구단자(戶口單子) 2부를 관아에 제출하면 관에서는 내용 확인 후 1통은 돌려주고, 나머지 1통을 근거로 각 고을의 향리 등 실무자들이 호적을 작성하였다.
3. 호적에는 호주의 성명과 직역(職役), 나이, 아버지, 할아버지, 증조할아버지, 외할아버지의 성명 및 직역 등이 기재되었다.
4. 호적에는 호 내에 거주하는 사람들의 성명, 나이, 직역 등의 정보가 수록되었고, 집안에 소속된 노비들의 이름도 함께 기재되었다.
5. 호적에 관직이 있던 양반은 관직과 품계를 기록하고, 관직이 없는 양반은 유학(幼學)이라고 기록하였다. 조선 시대에 유학이라 칭하며 불법적으로 신분상승을 하는 방법을 모칭유학(幼學冒稱)이라고 하였다.

02 | 사회정책과 법률 제도

01 조선 시대 사회정책에 대한 설명으로 옳지 않은 것은? [2010 서울시 9급]

① 농민의 생활이 어려워졌을 때 지방자치적으로 의창과 상평창을 설치하였고, 환곡제를 실시해 농민을 구제하였다.

② 범죄 중 가장 무겁게 취급된 것은 반역죄와 강상죄였다.

③ 의료 시설로 혜민국, 동·서 대비원, 제생원, 동·서 활인서 등이 있었다.

④ 재판에 불만이 있을 때 사건의 내용에 따라 다른 관청이나 상부 관청에 소송을 제기할 수 있었다.

⑤ 농본정책을 실시해 양반 지주들의 토지 겸병을 억제하고, 농민의 토지 이탈을 방지하고자 하였다.

해설 정답 ①

환곡제는 국가가 춘궁기에 양식과 종자. 곡물을 빌려주고 추수기에 이를 회수하는 제도이다. 태조 때는 임시기구 성격의 의창을 상설기구화하여 무이자를 원칙으로 환곡제를 운영하였다. 그러나 원곡이 부족하게 되어 세조 때에는 물가조절을 맡은 상평창이 이를 대신 운영하게 되었다. 상평창에서는 환곡 또는 모곡이라 하여 10%의 이자를 거뒀는데, 실제로는 10% 이상의 이자를 내는 경우가 많아서 점차 고리대로 변질되어 갔다. 환곡이 '국가의 농민 안정책'인데 반해, 사창은 '지방자치적인, 양반의 농민 안정책'이다. 사창(社倉)은 각 지방 군현에 설치된 곡물대여 기관으로, 의창이 관설기구인 데 반하여 사창은 촌락[社]을 기반으로 한 자치 기구인 점에서 차이가 있었다. 사창제도는 양반지주들이 향촌의 농민생활을 안정시켜 양반 중심의 향촌질서를 유지하기 위한 방법이었다. 이 역시 고리대로 전락되었다.

② 고려 시대와 마찬가지로 조선 시대에도 반역죄와 강상죄가 가장 무겁게 취급되었다. 강상죄는 삼강오륜과 같은 유교윤리를 어긴 죄이다.

③ 혜민국과 동서대비원은 수도에서 의료 및 구제를 담당하였고, 제생원은 지방민을 구제하고 진료하는 업무를 담당하였다. 동서활인서는 수도에서 유랑자의 수용과 구휼을 담당하였다.

④ 재판에 불만이 있을 때에는 사건의 내용에 따라 다른 관청이나 상부관청에 소송을 제기할 수 있었다. 조선도 3심제를 실시하였는데, 특히 사형집행은 반드시 세 번 심리를 거치도록 하였다.

⑤ 조선은 기본적으로 농본억상(農本抑商) 정책을 실시하였다. 양반들이 토지에 토지를 덧붙여 겸병(兼倂)하는 것을 억제하였고, 오가작통법 및 호패법을 통해 농민의 토지 이탈을 막았다.

02 다음 자료의 ㉠에 해당하는 것은? [2016 사회복지직]

> 호조에서 아뢰기를, ㉠ 은(는) 진제(賑濟)와 환상(還上)을 위해 설치한 것이고, 국고(國庫)는 군국(軍國)의 수요에 대비한 것입니다. 최근 몇 년 사이에 여러 번 흉년이 들어, 백성의 생활이 오로지 진제와 환상만 바라고 있으니, 이 때문에 ㉠ 이(가) 넉넉하지 못하므로 부득이 국고로 지급하여 구휼하게 되어 군수(軍需)가 점차로 거의 없어지게 되니 진실로 염려할 만한 일입니다. ➡ 「세종실록」

① 흑창 ② 의창

③ 광학보 ④ 제위보

정답 ②

진제(賑濟)는 궁핍한 백성에게 곡식을 나눠주는 제도이고, 환상(還上)은 봄에 곡식을 대여하고 가을에 받는 제도 즉, 환곡제이다. 환곡제는 1392년(태조 때) 임시기구 성격의 의창을 상설기구화하여 무이자를 원칙으로 운영하였지만, 원곡이 부족하게 되어 1457년(세조 때)에는 상평창에서 대신 운영하게 되었다. '세종' 때에는 환곡제를 아직 의창이 담당하고 있었다.

① 흑창(黑倉)은 고려 태조 때의 진대기관이다.
③ 광학보(廣學寶)는 고려 시대에 설치한 불교 기금이다.
④ 제위보(濟危寶)는 고려 광종 때의 빈민 구휼 기금이다.

---

03 향촌 사회의 조직과 운영

01 다음 자료를 토대로 조선 후기 향촌 사회에 올바른 설명을 [보기]에서 모두 고른 것은?

[2004 서울시 9급]

> • 영덕의 구향(舊鄕)은 사족이며 소위 신향(新鄕)은 모두 향리와 서리의 자식입니다. 근래 신향들이 향교를 주관하면서 구향들과 서로 마찰을 빚고 있습니다. ➡ 「승정원일기」 영조 23년
> • 요사이 수령들이 한 고을을 제멋대로 다스려 다른 사람이 그 잘못을 고칠 수가 없습니다. 수령이 옳다고 하면 좌수 이하 모두 그렇다고 합니다. ➡ 「비변사 등록」 영조 36년

[보기]
㉠ 향촌 사회는 관권이 강화되고 아울러 향리 세력이 강화되었다.
㉡ 전통적으로 향촌 사회를 지배하였던 사족들이 부농층의 도전을 받게 되었다.
㉢ 양반들은 향약을 바탕으로 군현 단위의 농민지배를 계속 유지하였다.
㉣ 향회는 주로 수령이 세금을 부과할 때 의견을 묻는 자문기구로 변하였다.

① ㉠, ㉡   ② ㉢, ㉣
③ ㉠, ㉡, ㉣   ④ ㉡, ㉢, ㉣
⑤ ㉠, ㉡, ㉢, ㉣

정답 ③

'승정원 일기'에 기록된 구향과 신향의 마찰을 향전(鄕戰)이라 한다. '비변사 등록'에 기록된 좌수(座首)란 향청(鄕廳, 유향소의 바뀐 명칭)의 가장 높은 자리 또는 그 자리에 오른 사람으로 수령 아래에서 6방 중 이방과 병방 업무를 주로 담당하였다. '향전'이 일어나고 '수령과 향리가 결탁'한 시대는 조선 후기이다.

㉠, ㉡ 조선 후기에는 양반(재지사족)의 영향력이 약해진 반면, 서로 결탁하였던 관권(官權, 수령+향리)과 부농층의 영향력이 커졌다. 수령과 향리의 1차적인 결탁이 일어나고, 여기에 부농층이 붙어서 향촌에서의 지위를 확보하였다.

㉣ 향회는 이제껏 '양반의 것'이었으나 조선 후기에 들어 부농층을 중심으로 한 평민층의 향회 참여가 늘어났다. 이로 인해 종래 양반의 이익을 대변하던 향회는 수령이 세금 부과를 할 때 논의를 하는 자문 기구로 그 성격이 바뀌었다. '부농층은 종래의 재지사족(在地士族)이 담당하던 정부의 부세제도에 적극 참여하였다.'는 표현이 나오면 이것은 '조선 후기'이다.

㉢ 향촌에서의 지위가 하락한 조선 후기 양반들은 군현 단위로 농민을 지배하기 어렵게 되었다. 그래서 촌락 단위의 동약을 실시하거나 족적 결합을 강화하였다.

명호샘의 한마디!!

조선 후기 향촌 사회는 1) 양반의 지위 하락(한편으로는 지위를 상승시키기 위한 여러 가지 노력들), 2) 관권 강화 (수령과 향리의 결탁), 3) 관권과 부농층의 결탁으로 요약된다. 1), 3)으로 인하여 양반(구향)과 부농층(신향)의 대립이 일어났는데 이를 4) 향전이라 한다. 이렇게 어지러운 상황 속에서 5) 영세한 농민들은 임노동자로 전락하고, 6) 도참 등 예언사상이 유행하게 되었다. '조선 후기 향촌의 상황'으로 제시되었던 다음의 기출자료도 함께 봐두기 바란다.

지방 고을의 향전(鄕戰)은 마땅히 금지해야 할 것이다. 그런데 수령이 일에 따라 한쪽을 올리고 내리는 경우가 없지 않으니, 어찌 한심한 일이 아니겠는가. …… 반드시 가볍고 무거움에 따라 양쪽의 주동자를 먼저 다스려 진정시키고 향전을 없애는 것을 위주로 하는 것이 옳다. 일부 아전들도 한쪽으로 쏠리는 일이 있으니 또한 반드시 아전의 우두머리에게 엄하게 타일러야 한다. 향임을 임명할 때 한쪽 사람을 치우치게 쓰지 않는 것이 좋다.

〉「거관대요」 〉 2007 국가직 9급

• 매향(賣鄕)에는 여러 가지 방법이 있다. 돈을 받고 향임에 임명하는가 하면, 사례비를 받고 향안(鄕案)이나 교안(향교의 학생 명단)에 올려준다. … 한번 향임을 지내거나 향안, 교안에 오른 자들은 대개 군역과 요역에서 벗어난다.

〉「정조실록」

• 그런데 요즘 몇몇 탐학한 수령이 매향에 방해되는 것을 꺼려, 향전(鄕戰)을 빌미 삼아 향안을 불살라 버렸다. 이로 말미암아 고을의 기강이 문란해지고 위아래의 구별이 없게 되었다.

〉「일성록」 〉 2005 인천시 9급

양 반 : 나는 사대부의 자손인데.
선 비 : 아니, 나는 팔대부의 자손인데.
양 반 : 팔대부는 또 뭐야?
선 비 : 아니, 양반이라는 게 팔대부도 몰라? 팔대부는 사대부의 갑절이지 뭐…
양 반 : 첫째, 지식이 있어야지. 나는 사서삼경을 다 읽었네.
선 비 : 뭣이, 사서삼경? 나는 팔서육경도 읽었네.
양 반 : 도대체 팔서육경이 뭐냐?
초랭이 : 나도 아는 육경, 그걸 몰라? 팔만대장경, 중의 바라경, 봉사 안경, 처녀 월경, 약국 길경(도라지), 머슴 새경(품삯)

〉「하회탈춤」 〉 2010 서울시 9급

근래 아전의 풍속이 나날이 변하여 하찮은 아전이 길에서 양반을 만나도 절을 하지 않으려 한다. 아전의 아들, 손자로서 아전의 역을 맡지 않은 자가 고을 안의 양반을 대할 때 맞먹듯이 너, 나 하며 자(字)를 부르고 예의를 차리지 않는다.

〉「목민심서」 〉 2012 경찰

02 다음 향촌 사회 변화에 대응한 양반층의 움직임으로 옳은 것은?

[2013 지방직 9급]

지금까지 향촌 사회에서 영향력을 행사하였던 양반은 새로 성장한 부농층의 도전을 받았다. 경제력을 갖춘 부농층은 수령을 중심으로 한 관권과 결탁하여 향안에 이름을 올리는가 하면, 향회를 장악하여 향촌 사회에서 영향력을 키우려고 하였다. 부농층은 종래의 재지사족이 담당하던 정부의 부세제도 운영에 적극 참여하였으며 향임직에 진출하거나 기존 향촌 세력과 타협하면서 상당한 지위를 얻었다.

① 향도를 조직하여 공동으로 신앙 활동을 하였다.
② 양반층의 결속을 위한 납속책 확대 시행을 지지하였다.
③ 문중의식을 고양하고 문중서원이나 사우 건립을 확대하였다.
④ 향회를 통한 수령권의 견제와 이서층의 통제를 강화하였다.

📖해설
정답 ③

조선 후기에 약화된 권위(지위)를 회복시키기 위하여 양반들은 문중을 중심으로 서원과 사우를 많이 세웠다. (조선 전기에는 '문중의식을 고양하고 문중서원이나 사우 건립이 활발해졌다'라는 표현을 써서는 안 된다. ➊ 2016 지방직 9급)

서원과 사우는 모두 '양반들이 모이는 곳'이지만, 의미 차이가 있다. 서원(書院)은 조선 중기 이후 설립된 사설 '교육 기관'이자 향촌 자치 운영 기구이고, 사우(祠宇)는 조선 시대 지방에서 어질다고 이름난 사람을 제사지내는 '사당'이다.

① 향도(香徒)는 고려 시대 이래의 대표적인 불교의 신앙 조직으로, 점차 농민 조직으로 발전해갔다. 양반층과는 거리가 멀다.

② 양반 중심의 신분 체제를 붕괴시킨 주된 원인 중의 하나가 '납속과 공명첩'이므로, 이것들을 양반층이 확대 시행하자고 지지했을 리 없다.

④ 조선 후기의 향회에는 부농층을 중심으로 한 평민층의 참여가 늘어나면서 그 성격이 변화하였다. '수령'과 '이서층'은 관권을 말하는데, 향회는 관권의 통제를 강화할 수 없었다. 이서층(吏胥層)이란 관아에서 일하는 중인을 말하는데, '향리'라고 이해하면 된다.

> 양반의 지위 유지 노력
> 1. 동성 촌락을 형성하였다.
> 2. 사우를 세워 조상을 봉사하였다.
> 3. 향약을 면리 단위의 동약으로 넓혀갔다.
> 4. 서얼과 재가녀 자손의 문과 응시를 금지하였다.
> 5. 국가로부터 관직이나 관품을 받은 문무 품관 집단만 양반으로 공인하여 「세종실록지리지」에 토성으로 기록하였다.
> 6. 서리와 기술관, 군교, 역리 등을 피지배층 신분인 중인으로 격하하여 양인과 중인 신분을 고정하였다.

03 16~17세기 재지사족의 향촌 지배와 운영에 대한 설명으로 옳지 않은 것은?

[2010 지방직 7급, 2012 국가직 9급 변형]

① 수령과의 관계를 원활히 하면서 경재소를 만들어 중앙 진출의 발판으로 삼았다.

② 유향소를 통해 조세의 부과 및 수세 과정에 관여하며 향리와 농민을 통제하였다.

③ 향약 조직을 만들어 마을 공동체에 영향력을 행사하였다.

④ 임진왜란 이후에는 향촌 사회의 안정을 위해 사족들의 동계와 농민들의 향도계가 하나로 합쳐지기도 하였다.

⑤ 향안은 임진왜란 전후 시기에 각 군현마다 보편적으로 작성되었다.

📖해설
정답 ①

경재소(京在所)는 중앙 정부와 유향소 사이의 업무 연락을 위하여 설치되었다. 16~17세기가 아닌 '조선 초기'에 설치되었고, 재지사족(지방 양반)이 아닌 '정부'가 설치한 것이다.

② 재지사족은 유향소를 통해 향리를 규찰하고 농민을 교화하며 이들에 대한 지배력을 강화하였다. 유향소가 향촌 사회에 기여한 것이라면 1) 재지사족 중심의 향촌 질서 확립, 2) 농민에 대한 지배력 강화, 3) 유교 의식 정착을 들 수 있다.

③ 향약은 재지사족의 향촌 지배력을 강화하였다. 향약은 중종 때 조광조가 처음 시행한 이후 전국적으로 확산되었다.
➊ 2016 경찰

④ 동계는 재지사족이 향촌의 촌락민들을 지배하기 위하여 만든 사족들의 촌락 단위 조직이다. 임진왜란 이후에는 농민들의 조직인 향도계와 합쳐져서 양반과 평민이 함께 참여하는 형태로 전환되었다.

⑤ 유향소의 회원 명부인 향안은 임진왜란을 전후하여 향촌 사회에서 보편적으로 작성되었다.

명호샘의 한마디!!

'향약 문제'의 재료로 쓰일 수 있는 것들을 미리 체크해보자.

1. 향약은 지역마다 차이가 있었으나 여씨향약에서 밝힌 4대 덕목은 공통이었다. 이것이 향약 문제의 제시문이 될 수 있다.

덕업상권(德業相勸)	착한 일을 서로 권한다.
과실상규(過失相規)	나쁜 행실을 서로 규제한다.
예속상교(禮俗相交)	서로 예절을 지킨다.
환난상휼(患難相恤)	어려운 일을 서로 돕는다.

2. 다음과 같이 규약 형식으로 시험에 출제될 수도 있다.

   1) 선적(善籍)만 기록하고 악적(惡籍)은 폐기할 것
   2) 사족(士族)이 적은 곳은 수령이 약정을 겸하게 할 것
   3) 매월 개최되는 강신회(講信會)는 몇 개월에 1회로 바꿀 것
   4) 강신회의 장소는 향교로 한정하지 말고 면·리에서도 할 것

3. 다음과 같이 향약의 일부분을 원문 그대로 보존하여 출제할 수도 있다.

   무릇 선악의 장부는 모두 약(約)에 참여한 뒤부터 기록하고, 참약하기 전에는 비록 잘못이 있었더라도 모두 말소를 허락하고 다시 논하지 않으며, 반드시 예전 그대로 고치지 않는 뒤에야 이내 장부를 기록한다. 악적(惡籍)은 허물을 고친 것을 분명히 안 뒤에야 집회 때에 모두 의논하여 지워 버리고, 선적(善籍)은 비록 허물이 있더라도 지우지 않으며, 반드시 부모에게 불효하거나, 형제간에 우애하지 않거나 음간(淫姦)으로 금령(禁令)을 범하거나 장오(臟汚: 옳지 않게 재물을 취함)로 몸을 욕되게 하는 등의 크게 윤리에 어긋나는 행위가 있은 뒤에야 선적에서 지우고 약에서 쫓아낸다.
   ➲ 해주향약(일부)

---

04 다음 자료와 같은 현상이 나타난 시기의 사회 모습에 대한 설명으로 옳지 않은 것은?

[2016 국가직 9급]

> 근래 세상의 도리가 점점 썩어가서 돈 있고 힘 있는 백성들이 갖은 방법으로 군역을 회피하고 있다. 간사한 아전과 한통속이 되어 뇌물을 쓰고 호적을 위조하여 유학(幼學)이라 칭하면서 면역하거나 다른 고을로 옮겨 가서 스스로 양반 행세를 하기도 한다. 호적이 밝지 못하고 명분의 문란함이 지금보다 심한 적이 없다.
> ➲ 「일성록」

① 사족들이 형성한 동족 마을이 증가하였다.

② 향회가 수령의 부세자문기구로 변질되었다.

③ 유향소를 통제하기 위하여 경재소가 설치되었다.

④ 부농층이 관권과 결탁하여 향임직에 진출하였다.

해설 정답 ③

호적을 위조하여 유학(幼學)이라 칭하는 것을 모칭유학(冒稱幼學)이라 한다. 환부역조(換父易祖)와 모칭유학은 '조선 후기'의 불법적인 신분 상승 방법이었다.

③ 유향소는 수령을 보좌하고 향리를 감찰하며 향촌 사회의 풍속을 바로잡기 위한 기구였다. ◑ 2016 경찰 경재소는 중앙 정부가 현직 관료로 하여금 연고지의 유향소를 통제하게 하는 제도로서, 중앙과 지방의 연락 업무를 맡았다. ◑ 2016 경찰 경재소는 '조선 초기'에 설치되었으며, 1603년 선조 때 폐지되므로, '조선 후기'에는 영향을 줄 수 없다. ◑ 2020 국가직 9급

① 조선 후기에 재지사족들은 약화된 양반의 지위를 다시 강화하기 위해 촌락 단위의 동약을 실시하거나 족적 결합을 강화하였다. 이에 따라 동족(同族) 마을이 증가하고, 문중을 중심으로 서원, 사우가 많이 세워졌다.

② 조선 후기에는 재지 사족의 이익을 대변하여 왔던 향회가 수령이 세금을 부과할 때에 의견을 물어보는 자문 기구로 역할이 변하였다.

④ 조선 후기에는 부농층이 지방 수령, 향리 등의 관권과 결탁하였다. 이들은 향안에 이름을 올리고, 향회를 장악하였으며, 향임직에 진출하였다. 또한 종래의 재지사족이 담당하던 정부의 부세 제도 운영에 적극 참여하였다.

05 다음 조직에 대한 설명으로 옳지 않은 것은? [2013 국가직 9급]

> 가입하기를 원하는 자에게는 반드시 먼저 규약문을 보여주고, 몇 달 동안 실행할 수 있는가를 스스로 헤아려 본 뒤에 가입하기를 청하게 한다. 가입을 청하는 자는 반드시 단자에 참가하기를 원하는 뜻을 자세히 적어 모임이 있을 때에 진술하고, 사람을 시켜 약정(約正)에게 바치면 약정은 여러 사람에게 물어서 좋다고 한 다음에야 글로 답하고, 다음 모임에 참여하게 한다.
>
> ◑ 「율곡전서」 중에서

① 향촌 사회의 질서를 유지하고 치안을 담당하는 향촌의 자치 기능을 맡았다.

② 전통적 미풍양속을 계승하면서 삼강오륜을 중심으로 한 유교 윤리를 가미하였다.

③ 어려운 일이 생겼을 때에 서로 돕는 역할을 하였고, 상두꾼도 이 조직에서 유래하였다.

④ 지방 유력자가 주민을 위협, 수탈하는 배경을 제공하는 부작용도 있었다.

해설 정답 ③

'규약문'이나 '율곡전서'에서도 힌트를 얻을 수 있지만, 이 '조직'의 가장 중요한 단서는 '약정'이다. 약정(約正)과 직월(直月)은 향약의 임원으로 이들이 언급되면 '향약' 문제이다.

① 향약은 1) 향촌 사회의 질서를 유지하였다. 2) 향촌 사회의 질서유지와 치안을 담당하였다. 3) 지방 사림의 농민 지배를 강화하였다. 4) 훈척의 비리를 배제하고 당시의 소농민층의 유망을 방지하여 향촌의 근본적인 안정을 달성하고자 도입되었다.

② 조선 초기부터 군현 단위로 유향소의 조직과 권능을 규정한 향규와 재난과 어려운 일을 당했을 때 서로 돕는 각종 계가 있었다. 향약은 이러한 전통적 향촌 규약을 계승하고 유교질서에 입각한 삼강오륜의 윤리를 더하여 향촌 교화의 규약으로 발전시킨 자치조직으로, 일반 백성에게 성리학적 윤리를 확산시키는 데 크게 기여하였다.

④ 조선 후기에는 향약이 더욱 발전하여 마을 단위, 친족 단위, 사족 단위 등으로 확산되어 가면서 양반·사족층의 단결과 향촌 지배력이 커지고 도덕규범이 뿌리내리는 데 기여하기도 했다. 그러나 시간이 지날수록 양반·사족층이 보수화되면서 향약은 농민층을 억압하는 수단으로 악용되었다. 18세기 말의 정약용은 '향약의 폐단이 도적보다도 심하다'고 악평하기도 했다.

③ 상두꾼이란 사람이 죽어 장례를 치를 때 상여를 메는 사람으로 상여꾼·향도꾼(香徒軍)이라고도 한다. 상두꾼이 유래한 조직은 향약이 아니라 향도(香徒)이다.

06 다음 [보기]와 관련된 조선 시대 조직으로 가장 적절한 것은?

> **[보기]**
> 경남 사천에서 발견된 사천 매향비는 향나무를 묻고 세운 것으로, 내세의 행운과 국태민안(國泰民安)을 기원하는 내용을 담고 있다.

① 두레 ② 향약
③ 향도 ④ 동계

해설　　　　　　　　　　　　　　　　　　　　　　　정답 ③

향도(香徒)는 매향(埋香) 활동을 하는 무리이다. 매향이란 불교신앙적 행위의 하나로 미륵을 만나 구원받고자 향나무를 바닷가에 묻는 활동이다. 고려 전기의 향도는 군현을 아우르는 전국적인 규모의 불교 신앙조직이었으나 고려 후기에는 촌 단위로 규모가 축소되었고, 마을의 공동체 생활을 주도하는 농민조직으로 발전하였다. 조선 후기에는 두레가 성행하면서 종래의 자치적인 공동체 조직인 향도는 단순히 상장(장례)을 도와주는 기능으로 바뀌어 갔고, 상두꾼(상여를 메는 사람)으로 잔존하게 되었다.

04　조선 후기 사회 변혁의 움직임

01 다음과 같은 주장이 제기된 시기의 사회상에 대한 설명으로 적절하지 않은 것은?

> 지금 양반이 명분상으로 상공업에 종사하는 것을 부끄러워 하지만 그들의 비루한 행동이 상공업자보다 심한 자가 많다. (중략) 상공업을 두고 천한 직업이라 하지만 본래 부정하거나 비루한 일은 아니다.

① 이익, 정약용 등이 토지제도의 개혁을 주장하였다.
② 미륵 사상이나 〈정감록〉 등이 민중에게 널리 전파되었다.
③ 정부는 교정청을 설치하여 삼정 문란을 바로잡고자 노력하였다.
④ 풍속화, 한글 소설, 판소리 등이 유행하였다.

해설　　　　　　　　　　　　　　　　　　　　　　　정답 ③

제시된 자료에서는 양반의 비루한 행동이 비난을 받고 있다. 상공업을 중시하는 인식이 담겨 있다. 이것으로 보아 '조선 후기'임을 알 수 있다. 이 자료는 상공업 진흥과 사농공상의 직업적 평등화를 주장하였던 유수원의 「우서」에 담긴 글이다.
③ 임술 농민 봉기(1862)를 계기로 삼정의 문란을 바로잡기 위해 만든 관청은 '삼정이정청'이다. '교정청'은 동학농민운동(1894)에서 전주화약의 결과로 정부가 설치한 자주적인 개혁기구이다.
① 조선 후기 실학자였던 이익과 정약용은 현실의 문제를 토지 개혁을 통한 자영농 육성으로 해결하려고 하였다. 이익은 한전론을, 정약용은 여전론과 정전론을 주장하였다.
② 사회 분위기가 어지럽다보니 미륵사상이나 예언사상이 유행하였다.
④ 서민의 경제력이 향상되고 서당교육이 확대되면서 서민층이 새로운 문화주체로 성장하여 풍속화, 한글 소설, 판소리 등이 유행하였다.

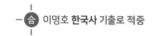

02 (가) 종교에 대한 설명으로 옳은 것은?

[2013 법원직 9급]

> 우리나라에서 (가)을/를 금하시는 것은 그 뜻이 정녕 어디에 있습니까? 먼저 그 뜻과 이치가 어떠한지 물어보지도 않고 지극히 죄악이라는 말로 사교(邪敎)라 하여 반역의 법률로 다스려 신유년 앞뒤로 인명이 크게 손상하였으나 한 사람도 그 원인을 알아보지 않았습니다. … (중략) … 이 도는 천자로부터 서민에 이르기까지 날마다 사용하고 늘 실행해야 할 도리이니 가히 해가 되고 난(亂)으로 된다고 할 수 없습니다.
> ◐ 정하상, 「상재상서」

① 시천주와 인내천 사상을 강조하였다.

② 홍경래의 난에 사상적 영향을 끼쳤다.

③ 남인 계열의 실학자들이 신앙으로 받아들였다.

④ 안동 김씨의 세도 정치 시기에 더욱 탄압받았다.

해설

정답 ③

정조 때 '사교(邪敎)'로 규정되고(1785), '신유년 앞뒤로 인명이 크게 손상(신유박해, 1801)'된 (가)는 천주교이다. 이 글의 출처인 「상재상서」는 '재상에게 올리는 글'이라는 뜻으로 (정약용의 조카이자 천주교인인) 정하상이 (이후 1839년에 기해 박해의 주동자가 된) 우의정 이지연에게 올린 글이다. 「상재상서」는 대표적인 호교론(護敎論, 종교를 보호 및 인정해 달라는 호소문) 자료이다.

③ 천주교는 17세기경 중국을 왕래하는 사신들이 서양관련 서적을 국내에 가져오는 과정에서 서학(西學)으로 소개되었다. 처음에는 실학자들이 학문적으로 연구하다가 18세기 후반에 이르러 남인계열의 일부 실학자들에 의해 신앙으로 받아들여지기 시작하였다. 특히, 이승훈이 1784년 북경에 갔다가 서양인 신부로부터 세례를 받고 귀국하면서 신앙열은 고조되었고, 남인들은 신앙조직을 만들고 포교에 들어갔다.

① 마음속에 천주를 모시는 시천주(侍天主)와 '사람이 곧 하늘'이라는 인내천(人乃天) 사상을 강조한 것은 최제우가 1860년에 창시한 '동학'이다.

② 세도정치기에 일어난 홍경래의 난(1811)은 말세에 새로운 세상을 여는 진인(眞人)이 나타난다는 예언서인 '정감록'의 영향을 받았다.

④ 정조가 죽자마자 수렴청정(1800~1804)을 하였던 정순왕후는 노론벽파 세력으로 천주교를 탄압하였다. 이 기간 중에 신유박해(1801)가 일어났다. 그러나 그 이후 권력을 잡은 안동 김씨 세력은 천주교에 우호적인 시파에 가까워 이 시기에는 천주교의 탄압이 완화되었다.

03 조선 후기 천주교와 관련된 설명으로 옳지 않은 것은?

[2014 국가직 9급]

① 기해사옥 때 흑산도로 유배를 간 정약전은 그 지역의 어류를 조사한 「자산어보」를 저술하였다.

② 안정복은 성리학의 입장에서 천주교를 비판하는 「천학문답」을 저술하였다.

③ 1791년 윤지충은 어머니 상(喪)에 유교 의식을 거부하여 신주를 없애고 제사를 지내 권상연과 함께 처형을 당하였다.

④ 신유사옥 때 황사영은 군대를 동원하여 조선에서 신앙의 자유를 보장받게 해달라는 서신을 북경에 있는 주교에게 보내려다 발각되었다.

해설
정답 ①

정약전(1758~1816)은 1) 정약용의 형, 2) 실학자, 3) 천주교 전도가이다. 정약용과 함께 유배를 갔다가 결국 흑산도에서 죽었다. 정약전은 기해사옥 때 유배를 간 것이 아니라 정약용과 마찬가지로 '신유박해(신유사옥)' 때 유배를 갔다.

② 천학(天學)이란 천주교를 말한다. 안정복은 정약용, 정약전 등 남인 세력이 사학(邪學)인 천주교를 가까이 하는 것을 못 마땅하게 여겨 천주교를 비판하는 「천학문답」을 저술하였다. ➲ 2019 지방직 9급

③ 정조 때(1791) 윤지충의 신주소실 사건이 원인이 되어 신해박해가 일어났다.

④ 정약용과 정약전이 유배를 가게 된 신유박해(1801) 때 황사영 백서사건이 일어났다.

---

04 다음은 조선 후기의 종교를 나타낸 것이다. (가), (나) 종교에 관한 설명으로 옳지 않은 것은?

[2009 법원직 9급]

> • 죽은 사람 앞에 술과 음식을 차려 놓은 것은 (가)에서 금하는 일입니다. 살아 있을 동안에도 영혼은 술과 밥을 받아먹을 수 없는데, 하물며 죽은 뒤에 영혼이 어찌하겠습니까? ······ 자식된 도리로 어찌 허위와 가식의 예(禮)로써 이미 죽은 부모를 섬기겠습니까?
>
> ➲ 「상재상서」
>
> • 사람이 곧 하늘이라. 그러므로 사람은 평등하며 차별이 없나니 사람이 마음대로 귀천을 나눔은 하늘을 거스르는 것이다. 우리 (나)는 차별을 없애고 선사의 뜻을 받들어 생활하기를 바라노라.

① (가) : 17세기 프랑스 신부에 의하여 우리나라에 서학으로 처음 소개되었다.

② (가) : 정조 때에는 비교적 관대하였으나, 순조가 즉위한 직후 대탄압이 가해졌다.

③ (나) : 주문과 부적 등 민간 신앙의 요소들을 결합하여 민중적 성격을 지녔다.

④ (나) : 동경대전과 용담유사를 펴내어 교리를 정리하였다.

해설
정답 ①

(가)는 천주교, (나)는 동학이다. (가)에서 정하상은 천주교가 무부무군(無父無君)의 종교가 아님을 강조하고, 제사를 지내는 것이 옳지 않음을 주장하였다. (나)는 최시형(동학의 2대 교주)의 설법문으로 '사람이 곧 하늘'이라는 동학의 기본 교리가 나타난다.

① 천주교는 17세기에 베이징을 왕래하던 조선의 사신에 의해 서학(西學)이라는 학문 형식으로 조선에 소개되었다.

④ 동학 사상을 바탕으로 『동경대전』과 『용담유사』가 편찬되었다. ➲ 2020 국가직 9급

05 다음 (가)~(다)의 설명에 해당하는 인물을 바르게 연결한 것은?

[2016 서울시 9급]

> (가) 스승 이벽의 권유로 북경에 갔다가 서양인 신부의 세례를 받고 귀국하였다.
> (나) 성리학의 입장에서 천주교를 비판하는 「천학문답」을 저술하였다.
> (다) 신부가 되어 충청도 당진(솔뫼)을 근거로 포교하다가 붙잡혀 처형되었다.

	(가)	(나)	(다)
①	이가환	안정복	황사영
②	이승훈	이기경	황사영
③	이승훈	안정복	김대건
④	이가환	이기경	김대건

해설 정답 ③

(가) 스승 이벽으로부터 천주교를 소개받았고, 북경에 가서 서양인 선교사 그라몽으로부터 세례를 받고 귀국하여, 한국인 최초의 세례자(영세자)가 된 인물은 이승훈(1756~1801)이다. 신유박해 때(1801) 처형되었다.

(나) 안정복은 1785년 「천학문답」을 저술하여 천주교를 논리적으로 비판하였다. 이 책에서 안정복은 문답 형식으로 천주교가 사교임을 주장하였다.

(다) 우리나라 최초의 신부로서 1846년 처형된 인물은 김대건(1821~1846)이다. 출신지인 충남 당진 지역에서 포교활동을 벌이다가 병오박해 때(1846) 처형되었다.

06 천주교가 전래됨에 따라 일어난 사건을 시간 순으로 나열한 것으로 가장 옳은 것은?

[2017 경찰간부]

> 가. 주문모 신부 입국   나. 안정복 『천학문답』 작성
> 다. 윤지충 신주소각 사건   라. 김대건 신부 처형
> 마. 황사영 백서 사건

① 다 - 가 - 나 - 라 - 마   ② 가 - 나 - 다 - 마 - 라

③ 나 - 다 - 가 - 마 - 라   ④ 가 - 나 - 다 - 라 - 마

🔍**해설** 　　　　　　　　　　　　　　　　　　　　　　　　　　　　　　　　　　　정답 ③

나. 1785년(정조 9년) 안정복은 천주교를 배척하는 내용의 『천학고(天學考)』와 『천학문답(天學問答)』을 저술하였다. 안정복은 이벽, 권철신, 정약전, 정약종 등 당시의 남인 소장학자들이 유교의 정학을 하였으면서도 사학(邪學)인 서학서의 한역본을 가까이하여 사교에 빠져듦을 안타까이 여기고, 그들의 미혹을 깨우치고자 『천학고』와 함께 『천학문답』을 편술한다고 하였다.

> 어떤 사람이 묻기를, "근래의 이른바 천학이라는 것이 옛날에도 있었습니까?" 하므로, 대답하기를 "있다. 『서경(書經)』에 말하기를, '위대하신 상제(上帝)께서 지상의 사람들에게 참된 진리를 내리셨으니, 그 변함없는 본성을 따라서 그 올바른 도리를 실천한다면' 하였으며, 『시경(詩經)』에 말하기를, '문왕(文王)께서는 삼가고 조심하여 상제를 잘 섬긴다' 하였고, 또 말하기를, '하늘의 위엄을 두려워하여 이 유업(遺業)을 보전하리라' 하였으며, 공자(孔子)는 '천명(天命)을 두려워한다' 하였고, 자사(子思)는 '하늘이 명한 것을 일러 성(性)이라 한다' 하였으며, 맹자(孟子)는 '마음을 보존하여 본성(本性)을 배양하는 것이 하늘을 섬기는 일이다' 하였다. 우리 유자(儒者)의 학문 또한 하늘을 섬기는 것에 불과하다. 동중서(董仲舒)가 이른바 '도(道)의 큰 근원은 하늘에서 나온 것이다'는 것이 이것이다" 하였다.
>
> ◆『천학문답(天學問答)』

다. 1791년(정조 15년), 윤지충은 어머니 상(喪)에 유교 의식을 거부하여 신주를 없애고 제사를 지내 권상연과 함께 처형을 당하였는데, 이를 신해박해라 한다.

가. 1795년(정조 19년), 중국인 주문모 신부가 입국하여 세례를 베풀었다.

마. 1801년(순조 2년), 신유박해라는 대규모 천주교 박해가 일어났다. 대탄압 과정에서 황사영은 군대를 동원하여 조선에서 신앙의 자유를 보장받게 해달라는 서신을 북경에 있는 주교에게 보내려다 발각되었다.

라. 1846년(헌종 12년), 충청도 당진을 근거로 포교하던 김대건 신부가 잡혔다. 프랑스의 동양함대 사령관 세실(Cecil)이 군함을 이끌고 와서 기해박해의 책임을 묻자, 긴장한 조선 정부는 김대건 신부 외 천주교인 9명을 처형하였다.

07 (가)~(다) 사건을 일어난 순서대로 옳게 나열한 것은?
　　　　　　　　　　　　　　　　　　　　　　　　　　　　　　　　　　　　[2024 법원직 9급]

> (가) 황사영 백서 사건이 일어났다.
>
> (나) 이승훈이 최창현 · 홍낙민 등과 함께 서소문 밖에서 참수되었다.
>
> (다) 윤지충과 권상연을 사형에 처하고, 진산군(珍山郡)은 현(縣)으로 강등하라는 명이 내려졌다.

① (가)-(나)-(다)　　　　　　　　② (나)-(가)-(다)

③ (다)-(가)-(나)　　　　　　　　④ (다)-(나)-(가)

🔍**해설** 　　　　　　　　　　　　　　　　　　　　　　　　　　　　　　　　　　　정답 ④

(다) 윤지충 신주 소실 사건(진산 사건)은 신해박해(1791)의 직접적인 원인이다. 신해박해로 윤지충과 권상연이 사형에 처해지고, 진산군은 현으로 강등되었다.

(나) 이승훈이 세례를 받고 귀국한 시기는 정조 때(1784)이지만, 이승훈이 신유박해로 참수된 시기는 순조 때(1801)이다.

(가) 신유박해의 대탄압 과정에서 황사영 백서 사건이 일어났다(1801). 윤지충의 신주 소실 사건은 신해박해의 '원인'이고, 황사영 백서 사건은 신유박해의 '결과'이다. 순서 문제를 풀 때 주의하자.

03 근세의 경제

01 다음 제시문의 수취제도가 만들어질 당시의 농업 발달 특징으로 옳은 것을 모두 고르면?

[2010 서울시 9급 변형, 2011 국가직 9급, 기상직]

> 각 도의 수전(水田), 한전(旱田)의 소출 다소를 자세히 알 수가 없으니, 공법(貢法)에서의 수세액을 규정하기가 어렵습니다. 지금부터는 전척(田尺)으로 측량한 매 1결에 대하여, 상상(上上)의 수전에는 몇 석을 파종하고 한전에서는 무슨 곡종 몇 두를 수확하며, 하하년에는 수전은 몇 석, 한전은 몇 석을 수확하는지, … 각 관의 관둔전에서도 과거 5년간의 파종 및 수확의 다소를 위와 같이 조사하여 보고하도록 합니다.

> ㉠ 쌀의 수요가 늘면서 밭을 논으로 바꾸는 현상이 활발하였다.
> ㉡ 모내기가 전국적으로 보급되어 벼, 보리의 이모작이 가능해졌다.
> ㉢ 시비법의 발달로 경작지를 묵히지 않고 계속 농사지을 수 있게 되었다.
> ㉣ 조·보리·콩의 2년 3작이 널리 행해졌다.
> ㉤ 철제 농기구를 일반 농민에게 보급하고 우경을 장려하였다.

① ㉠, ㉡
② ㉠, ㉡, ㉤
③ ㉢, ㉣
④ ㉠, ㉢, ㉣
⑤ ㉣, ㉤

해설

정답 ③

조선 전기 세종 때 시행된 공법(貢法)에 대한 글이다. 이 시기에는 시비법이 발달하여 휴경지가 소멸하였다(경작지를 묵히지 않고 계속 농사지을 수 있게 되었다). 2년 3작의 윤작법이 보급된 것은 고려 시대이지만, 2년 3작이 '널리 행해진' 시대는 조선 전기이다.

㉠ 밭을 논으로 바꾸는 현상이 활발해진 시기는 조선 후기, 특히 18세기이다.

㉡ 모내기(이앙법)가 '전국적'으로 확대된 것은 조선 후기이다.

㉤ '철제 농기구의 보급'은 삼국 시대이다. 우경을 장려한 것도 삼국 시대(지증왕 때)이다. 철제 농기구의 보급부터 우경 장려까지는 4세기~6세기 정도로 보면 된다.

02 밑줄 친 ㉠~㉣과 관련된 임란 이후 경제에 대한 설명으로 옳지 <u>않은</u> 것은? [2019 국가직 9급]

> - ㉠ <u>서울 안팎과 번화한 큰 도시에 파·마늘·배추·오이 밭 따위는 10묘의 땅에서 얻은 수확이 돈 수만을 헤아리게 된다. 서도 지방의 ㉡ <u>담배</u> 밭, 북도 지방의 삼밭, 한산의 모시밭, 전주의 생강 밭, 강진의 ㉢ <u>고구마</u> 밭, 황주의 지황 밭에서의 수확은 모두 상상등전(上上等 田)의 논에서 나는 수확보다 그 이익이 10배에 이른다.
> - 작은 보습으로 이랑에다 고랑을 내는데, 너비 1척, 깊이 1척이다. 이렇게 한 이랑, 즉 1묘마다 고랑 3개와 두둑 3개를 만들면, 두둑의 높이와 너비는 고랑의 깊이와 너비와 같아진다. 그 뒤 ㉣ <u>고랑에 거름 재를 두껍게 펴고, 구멍 뚫린 박에 조를 담고서 파종한다.</u>

① ㉠ - 신해통공을 반포하여 육의전의 금난전권을 폐지하였다.

② ㉡ - 인삼과 더불어 대표적인 상업작물로 재배되었다.

③ ㉢ - 『감저보』, 『감저신보』에서 재배법을 기술하였다.

④ ㉣ - 밭농사에서 농업 생산력의 발전을 가져온 농법이었다.

해설   정답 ①

정조는 신해통공을 반포하여 '육의전(명주, 종이, 어물, 모시, 삼베, 무명)을 제외한' 금난전권을 폐지하였다(1791).

② 담배는 조선 후기에 인삼, 쌀, 목화, 채소류 등과 함께 대표적인 상업작물(상품작물)로 재배되었다.

③ 조선 후기에 들어 고구마가 널리 재배되었다. 중남미가 원산지인 고구마는 콜럼버스의 아메리카 진출 후 유럽으로 전파되었다가 필리핀-중국-유구-일본(대마도)을 거쳐 조선에 전래되었다. 1763(영조 39)년 조선 통신사로 일본에 간 조엄(趙曮)은 대마도에서 고구마를 보고 부산에 종자를 보냈다. 조엄이 대마도에서 고구마 종자를 부산에 보낸 이듬해 봄 부산진 첨사 이응혁은 절영도(부산 영도)에서 시험 재배를 시작하였고, 1765년 동래 부사 강필리(姜必履)는 고구마 재배에 관심을 기울였다. 특히 강필리는『감저보(甘藷譜)』를 저술하여 고구마 보급에 공헌하였다. 이후 고구마는 남부 지방을 중심으로 급속하게 보급되었고 이와 함께 관련 저술도 이어졌다. 이 중 대표적인 것이 김장순의『감저신보(甘藷新譜)』(1813)와 서유구의『종저보(種藷譜)』(1834)이다.

④ '고랑에 거름 재를 두껍게 펴고, 구멍 뚫린 박에 조를 담고서 파종'하는 농법을 견종법이라 한다. 견종법은 밭작물을 파종하는 방식으로 이랑과 이랑 사이에 작물을 재배하는 방법이다. 이랑과 이랑 사이를 견(畎, 고랑)이라고 하는데, 견에 파종한다는 의미로 견종법이라고 칭한다. 이는 이랑에만 파종을 하는 농종법(壟種法)과 차이가 있다. 견종법이 확산되기 이전에는 이랑과 이랑 사이는 물이 배수되는 공간으로 인식되어 별달리 활용되지 않았다. 그러나 17세기 이후 기장이나 보리와 같은 겨울 작물들을 고랑에 파종하기 시작했다. 고랑에는 작물이 겨울을 지나는 사이 얼어 죽지 않을 정도의 생육 환경이 마련되었고, 비교적 강수량이 적은 시기에는 보습 효과까지 기대할 수 있어서 생산량의 증가로 이어졌다. 지역적 편차는 있지만 견종법은 밭작물을 중심으로 조선 후기에 확산되어 농업 생산력 향상에 크게 기여하였다.

03 다음 민요에서 보이는 경제활동에 대한 조선 전기의 모습을 설명한 것으로 옳지 않은 것은?

[2013 국가직 9급]

> 짚신에 감발차고 패랭이 쓰고
> 꽁무니에 짚신 차고 이고 지고
> 이 장 저 장 뛰어가서
> 장돌뱅이들 동무들 만나 반기며
> 이 소식 저 소식 묻고 듣고
> 목소리 높여 고래고래 지르며
> … (중략) …
> 손잡고 인사하고 돌아서네
> 다음 날 저 장에서 다시 보세

① 15세기 후반 이후 장시는 점차 확대되었다.
② 보부상은 장시에서 농산물, 수공업제품 등을 판매하였다.
③ 정부가 조선통보를 유통시킴으로써 동전화폐 유통이 활발해졌다.
④ 농업생산력의 발달에 힘입어 지방에서 장시가 증가하였다.

해설   정답 ③

'짚신에 감발차고 패랭이 쓰고' 다니는 '장돌뱅이들'이란 보부상을 말한다. 보부상은 일용잡화나 농산물·수산물·약재 등을 가지고 다니면서 판매하였다. ❍ 2009년 지방직 9급 보부상이 뛰어다녔다는 '이 장 저 장'이란 농촌 시장인 장시를 말한다. 조선 시대에 장시가 처음 등장한 것은 15세기 말이었으며, 이후 점차 확대되어 16세기에는 전국적으로 확대되었고, 18세기 중엽에는 전국의 장시가 1,000여 곳에 달하게 되었다.
③ 조선통보는 세종 때 유통되었던 동전이다. 그러나 그 유통이 활발하지는 않았다. 동전화폐의 유통이 활발해진 것은 17세기 말 상평통보가 발행되면서부터이다.

04 조선 시대 상업의 추이에 대한 설명으로 옳은 것을 모두 고른 것은?

[2010 국가직 7급, 2012 지방직 9급]

> ㉠ 15세기에 한양의 운종가에 시전이 세워지면서 시전 상인들에게 사상을 단속하는 금난전권이 부여되었다.
> ㉡ 시전은 보부상을 관장하여 독점판매의 혜택을 오래 누렸다.
> ㉢ 조선 후기에 장시가 전국적으로 확대되었고, 그 시기에 활동했던 보부상은 국가로부터 행상허가를 받아야 했다.
> ㉣ 순조 때 일어난 서울의 '쌀 폭동'은 경강상인이 도성 안의 미전상인을 움직일 정도로 성장했음을 보여주는 사건이었다.

① ㉠

② ㉠, ㉡

③ ㉡, ㉢

④ ㉣

⑤ ㉢, ㉣

[해설]　　　　　　　　　　　　　　　　　　　　　　　　　　　　　　　　　정답 ④

포구상인의 대표격인 경강상인은 한강을 무대로 활동하였던 사상이다. 이들의 주요 거래 품목은 쌀, 소금, 어물이었다. 이들은 막대한 양의 쌀을 거래하면서, 쌀의 가격에도 인위적으로 영향을 주어서 마침내 (그러지 않아도 힘들게 살고 있는 세도정치기에) 쌀 폭동을 일으키게 만들어 백성들을 더욱 힘들게 하였다.

㉠ 시전 상인은 왕실이나 관청에 물품을 공급하는 대신에 특정 상품에 대한 독점판매권을 부여받았다. **◎ 2009년 지방직 9급** 그러나 서울 도성 안과 도성 아래 10리까지의 지역에서 난전의 활동을 규제할 수 있는 권리인 금난전권(禁難廛權)은 '17세기'에 부여되었다. 상업이 크게 발달하고 있는 17세기에 금난전권이 부여되었다는 것은 '시대에 역행'하는 조치였다. 결국 18세기 정조 때 신해통공에 따라 금난전권이 폐지되었다(1791).

㉡ 조선 국내 상인의 큰 축은 1) 시전 상인, 2) 보부상, 3) 포구상인이다. 시전과 보부상은 별개이다.

㉢ 장시가 전국적으로 확대된 것은 16세기이다.

---

05 다음 중 조선 전기의 수공업에 대한 설명으로 옳지 않은 것은?　　　　　[2006 국가직 9급]

① 관장들은 공장안에 등록되고 중앙과 지방의 관청에 소속되었다.

② 관장들은 매년 일정 기간 책임량을 제조하여 납품하였다.

③ 관장이 관청에서 근무하는 대가로 국가는 녹봉을 지급하였다.

④ 관장의 주요 생산품은 의류, 활자, 무기, 문방구, 그릇 등이었다.

[해설]　　　　　　　　　　　　　　　　　　　　　　　　　　　　　　　　　정답 ③

관장은 국역의 의무로 근무하는 것이었다. 식비 정도가 지급되었을 뿐, 원칙상 녹봉이 지급되지는 않았다.

명호샘의 한마디!!

조선 전기의 수공업자, 즉 공장(工匠)은 원칙적으로 공장안(工匠案)에 등록된 관장(官匠)이었다. 이들 관장에는 양민이 있기는 했지만 그 수는 많지 않았고, 대부분이 '공노비'였다. 관장과 관련된 다음의 두 문장을 기억해 두기 바란다.

1) 중앙의 공조와 기타 관아에 소속된 사람을 경공장, 지방의 각 도와 군현의 관아에 소속된 사람은 외공장이라 불렀다. (○)

2) 관장들은 자신의 책임량을 초과한 생산품에 대하여 소정의 공장세를 납부하면 판매할 수 있었다. (○)

06 조선 후기 이앙법(모내기법)이 도입되면서 나타난 현상이 아닌 것은? [2014 서울시 7급]

① 일부 자영농이 임노동자로 전락하였다.

② 수리 시설이 크게 확충되었다.

③ 벼농사에서 이모작이 가능해졌다.

④ 보리 등을 이랑에 심는 방식이 확산되었다.

⑤ 넓은 토지를 경작하는 광작이 성행했다.

해설 정답 ④

이앙법이 도입되면서, 봄에 작은 논에서 큰 논으로 모를 옮겨 심을 때까지 겨울작물인 보리의 수확을 마무리할 수 있게 되었다. 즉 이앙법이 이모작을 가능하게 하였고, 그 결과 보리 재배가 늘어났다. 보리는 겨울작물이므로 밭의 고랑에 씨를 뿌려 한파에 대처하여야 한다. 그러므로 조선 후기에는 고랑에 씨를 심는 견종법이 확산되었다.

① 광작 농업으로 농가의 소득이 늘어나자 부농으로 성장하는 이들이 생긴 반면에 일부 자영농은 임노동자로 전락하기도 하였다.

② 당진의 합덕지, 연안의 남대지 등 수리 시설이 크게 확충되었다. 저수지 축조가 증가하자 정조 때에는 저수지 축조와 관련된 '제언절목'이 반포되었다.

---

07 다음과 같은 상황을 극복하기 위해 조선 정부가 시행한 정책으로 가장 적절한 것은?

[2012 국가직 9급]

> 임진왜란과 병자호란을 거치면서 농촌 사회는 심각하게 파괴되었다. 수많은 농민이 전란 중에 사망하거나 피난을 가고 경작지는 황폐화되었다. 그러나 농민의 조세부담은 줄어들지 않았다. 양난 이후 조선 정부의 가장 큰 어려움은 농경지의 황폐와 전세 제도의 문란이었다.

① 양전 사업 실시   ② 군적수포제 실시

③ 연분 9등법 실시   ④ 오가작통제 실시

해설 정답 ①

세종 때만 해도 농경지가 160만 결에 달하였다. 그러나 임진왜란으로 농토가 황폐화되면서 30만 결로 급감하였다. 왜란 후 광해군이 즉위하면서 농경지 황폐와 전세 제도의 문란 문제를 해결하기 위해 양전 사업을 실시하였다.

08 다음 자료와 관련하여 당시 농촌 사회의 모습을 추론한 것으로 옳지 않은 것은?

[2008 법원직 9급, 2010 지방직 7급]

> 농민이 밭에 심는 것은 곡물만이 아니다. 모시, 오이, 배추, 도라지 등의 농사도 잘 지으면 그 이익이 헤아릴 수 없이 크다. 도회지 주변에는 파밭, 마늘밭, 배추밭, 오이밭 등이 많다. 특히 서도 지방의 담배밭, 북도 지방의 삼밭, 한산의 모시밭, 전주의 생강밭, 강진의 고구마밭, 황주의 지황밭에서의 수확은 모두 상상등전(上上等田)의 논에서 나는 수확보다 그 이익이 10배에 이른다.
>
> ◯ 「경세유표」

① 부농층의 성장으로 관권이 약화되었다.

② 소작료가 도조법 방식으로 변화되었다.

③ 제언사가 설치되고 제언절목이 반포되었다.

④ 지주와 전호가 경제적 관계로 바뀌어 갔다.

해설   정답 ①

농사의 '이익'을 말하는 것은 이것이 자급자족형 농업이 아니라 상업형 농업으로 변하였다는 것을 의미한다. 상품작물이 생겨나고, '담배와 고구마'가 재배되었던 조선 후기의 사회 모습을 묻는 문제이다. 「경세유표」가 조선 후기 정약용의 저서라는 것도 문제를 확실히 푸는 단서가 된다.

① 조선 후기에는 관권이 강화되었으며, 여기에 부농층이 결탁하였다.

② 소작료가 정액제 형태인 도조법 방식으로 변화되었다.

③ 제언사(堤堰司)는 조선 시대 저수지와 둑의 축조, 수리 행정을 담당한 관청이다. 조선 초에 설치된 적이 있었으나 폐지되었다가, 양란 후 현종 때(1662) 다시 설치하여 비변사에 소속되었다. 제언절목(堤堰節目)은 정조 때(1778) 비변사에서 제정하여 시달한 저수지와 둑의 축조 및 관리에 관한 규정이다.

④ 지주와 전호가 신분적(인신적) 관계에서 경제적 관계로 바뀌어 갔다.

09 다음의 글이 보여주는 시기에 일어난 경제적 상황과 가장 관계가 없는 것은? [2008 지방직 9급]

> 배에 물건을 싣고 오가면서 장사하는 장사꾼은 반드시 강과 바다가 이어지는 곳에서 이득을 얻는다. 전라도 나주의 영산포, 영광의 법성포, 흥덕의 사진포, 전주의 사탄 등은 비록 작은 강이나 모두 바닷물이 통하므로 장삿배가 모인다. 충청도 은진의 강경포는 육지와 바다 사이에 위치하여 바닷가 사람과 내륙 사람이 모두 여기에서 서로의 물건을 교역한다.

① 전국적으로 장시는 1천여 개소였고, 보통 5일마다 열렸다.

② 시전 상인의 금난전권이 더욱 강화됨에 따라 도고 상업이 위축되었다.

③ 경강상인의 활동으로 한강 유역에는 나루터가 많이 늘어났다.

④ 덕대가 노동자를 고용하여 대규모 광산을 개발하였다.

정답 ②

🔖해설

'장삿배'가 모이는 영산포, 법성포, 사진포, 사탄, 강경포는 포구(浦口) 상업지역이다. 연해안이나 큰 강 유역에 형성된 포구 상업 지역은 인근의 장시와 연계하여 상권을 형성하였다. 특히 18세기에는 포구 상업이 조선 상업의 중심축이었다. 이 문제는 포구 상업이 발달한 '조선 후기'의 경제적 상황을 묻는 문제이다.

② 17세기에 시전 상인에게 금난전권이 부여되었으나, 18세기 후반 정조 때 육의전을 제외하고 시전 상인의 금난전권이 폐지되었다. 자유로운 상업활동이 가능해지자 서울과 지방에서 사상(私商)들이 활발한 활동을 전개하였다. 사상들은 점차 성장하여 종루, 칠패, 배오개, 송파 등지에서 활동하면서 시전의 상권까지 잠식하였으며, 점차 도고(都賈)로 성장하였다.

① 15세기 후반 삼남 지방에서 장시가 출현할 때는 15일장, 10일장이었으나 점차 5일장이 일반화되었으며, 18세기에는 전국 장시의 수효가 1천여 곳에 달하였다.

③ 경강상인도 한강을 중심으로 활동한 대표적인 포구상인이다. 한강과 서남 연해안을 오가며 미곡, 소금, 어물 등을 거래한 거상(巨商) 경강상인의 영향으로 한강에 나루터가 늘어났다.

④ 덕대(德大)란 사금 광산에서 광주(鑛主)와 계약을 맺고 채광하는 사람을 말한다. 덕대는 투자자인 광주와 계약을 맺고, 노동자를 고용하여 대규모 광산을 개발하였다. 이러한 덕대제 광업은 조선 후기에 나타난 광산 운영 방식이다.

 명호샘의 한마디!!

포구상업은 1) 조선 후기, 2) 18세기에 상업의 중심이 되었다. 이는 조선 후기 경제 상황을 묻는 대표적인 재료이니 꼭 알아두고, 2011년 기상직 9급에서 출제된 '포구상업' 자료도 확인하기 바란다. 다음과 같은 자료가 나오면 매우 빠른 속도로 '조선 후기!'라고 인식해야 한다. 시험이라는 것은 정확성만 가지고는 고득점을 얻을 수 없다. 숙달을 통해 신속하게 문제를 풀 수 있어야 한다.

> 객주나 여각은 각 지방의 선상이 물화를 싣고 포구에 들어오면 그 상품의 매매를 중개하고, 부수적으로 운송, 보관, 숙박, 금융 등의 영업도 하였다. 객주와 여각은 지방의 큰 장시에도 있었다.
>
> ● 「포구상업」 ● 2011 기상직 9급

---

10 다음의 자료에 보이는 시기의 경제 상황에 대한 설명으로 옳지 않은 것은?　[2017 국가직 9급]

> 황해도 관찰사의 보고에 따르면, 수안군에는 본래 금광이 다섯 곳이 있었다. 올해 여름에 새로 39개소의 금혈을 뚫었는데, 550여 명의 광꾼들이 모여들었다. 도내의 무뢰배들이 농사를 짓지 않고 다투어 모여들 뿐만 아니라 다른 지방에서 이익을 좇는 무리들도 소문을 듣고 몰려온다. …(중략)… 금점을 설치한 지 이미 여러 해가 된 곳에는 촌락이 즐비하고 상인들이 물품을 유통시켜 큰 도회지를 이루고 있다.

① 밭농사에서는 견종법이 보급되었다.

② 면화, 담배 등 상품 작물을 재배하였다.

③ 일부 지방에서 도조법으로 지대를 납부하였다.

④ 개간을 장려하기 위해 사패전을 부농층에 분급하였다.

정답 ④

조선 후기에는 청과의 무역으로 은의 수요가 증대하였고, 상업 자본 유입으로 '금광 개발'이 활발해졌다. 이 시기에는 개인의 채굴권을 허용하되, 금점(金店)을 설치하여 세금을 부과·징수하였다. 조선 후기에는 ① 견종법이 보급되었고, ② 상품 작물을 재배하였으며, ③ 일부 지방에서 도조법으로 지대를 납부하였다.

④ 사패(賜牌)란 임금이 내린 교지를 말하며, 사패전(賜牌田)은 그 사패에 따라서 신하 등에게 주어지는 토지이다. 사패전이 공을 세운 신하에게 주어지면 정상적일 수 있으나, 사패전은 고려 원간섭기 때 권문세족이 농장을 불법적으로 늘려가는 방법 중의 하나였다. 권문세족들은 민전을 한지(閑地)라고 속여 문서를 위조하고 국왕의 사패(賜牌)를 받아 자기 소유로 만들었다. 사패전이라는 표현은 일반적으로 '고려 후기'에 어울리는 말이며, 범위를 넓힌다면 '조선 초기'까지도 쓸 수 있다.

11 조선 후기 광업에 대한 설명으로 가장 옳지 않은 것은? [2020 서울시 지방직 9급]

① 정부의 통제 정책으로 잠채가 사라졌다.

② 자본과 경영이 분리된 생산 방식이었다.

③ 청과의 무역으로 은의 수요가 증가하였다.

④ 17세기 이후 민간인의 광산 채굴을 허용하였다.

정답 ①

조선 후기에는 정부의 통제 정책으로 인해 잠채가 성행하였다. 특히 18세기에 잠채가 유행하였다.

② '자본과 경영이 분리된 생산 방식'이란 자본가와 덕대의 관계를 말한다. 조선 후기에는 덕대제 광업이 유행하였다.

③ 조선 후기에는 청과의 무역으로 은의 수요가 증가하였다.

④ 조선 후기에는 '민간인의 광산 채굴을 허용'하면서 설점수세제라는 제도가 시행되었다.

12 다음에서 묘사하고 있는 시기의 역사적 사실로 옳지 않은 것은? [2012 국가직 9급]

> 허생은 안성의 한 주막에 자리 잡고서 밤, 대추, 감, 귤 등의 과일을 모두 값을 배로 주고 사들였다. 그가 과일을 도고하자, 온 나라가 제사나 잔치를 치르지 못할 지경에 이르렀다. 따라서 과일값은 크게 폭등하였다. 그는 이에 10배의 값으로 과일을 되팔았다. 이어서 그는 그 돈으로 곧 호미, 삼베, 명주 등을 사 가지고 제주도로 들어가 말총을 모두 사들였다. 말총은 망건의 재료였다. 얼마 되지 않아 망건 값이 10배나 올랐다. 이렇게 하여 그는 50만 냥에 이르는 큰 돈을 벌었다.

① 보부상들을 보호할 목적으로 혜상공국이 설치되었다.

② 특정 상품들을 독점 판매하는 도고상업이 성행하였다.

③ 상업이 활성화되면서 선박을 이용한 운수업도 발전하였다.

④ 전국적으로 발달한 장시를 토대로 한 사상들이 성장하였다.

정답 ①

박지원은 18세기 후반에 활동하였던 실학자이다. 제시된 자료는 박지원의 '허생전'의 일부이다. 물품을 사 모았다가 가격이 폭등하면 되팔아 폭리를 취했던 허생의 모습이 보인다. 박지원이 살았던 18세기를 전후한 '조선 후기'의 경제 상황을 묻는 문제이다. 이 시기에는 허생처럼 특정상품을 '도고'하는 사람이 많았고, 포구상업이 발달하면서 선박을 이용한 운수업도 발전하였다. 전국적으로 1,000여 개에 달하는 장시를 토대로 보부상뿐만이 아니라 사상들도 성장하였다.

① 1882년에 임오군란의 결과 청과 일본에 내지무역을 허용하게 되었다. 타격을 입게 된 보부상들을 보호하기 위해 조선 정부는 혜상공국을 설치하였다(1883). 이것은 더 이상 '국내 상인들의 경쟁'이 아닌 '외세의 상권 침입'으로 조선 시장의 양상이 달라진 19세기 후반의 상황이다.

13 다음 자료에 나타난 시기의 경제 상황으로 옳지 않은 것은?
[2011·2013 국가직 7급]

> 이현(梨峴)과 칠패(七牌)는 모두 난전(亂廛)이다. 도고행위는 물론 집방(執房)하여 매매하는 것이 어물전의 10배에 이르렀다. 또 이들은 누원점의 도고 최경윤, 이성노, 엄차기 등과 체결하여 동서 어물이 서울로 들어오는 것을 모두 사들여 쌓아두었다가 이현과 칠패에 보내서 난매(亂賣) 하였다.
> 「각전기사」

① 사상과 난전의 발호로 시전 상인의 특권이 위협받았다.
② 강경포, 원산포 지역이 새로운 상업 중심지로 성장하였다.
③ 포구를 이용하여 경강상인이 선상(船商) 활동을 활발히 하였다.
④ 중개무역을 하던 송상이 운송업, 조선업을 지배하면서 거상으로 성장하였다.
⑤ 의주의 만상은 대중국무역을 주도하면서 재화를 많이 축적하였다.

정답 ④

이현, 칠패 등 '난전'이 생겨난 시기는 조선 후기이다. 조선 후기에 사상들은 점차 성장하여 종루(종로 일대), 칠패(남대문 밖), 배오개(이현, 동대문 부근), 송파 등지에서 활동하면서 시전의 상권을 잠식하였으며, 점차 도고(都賈)로 성장하였다.

④ 개성지역에서 무역활동을 하는 상인을 송상이라고 한다. 송상은 전국에 '송방'이라는 지점을 설치하였고 인삼을 직접 재배하여 판매하는 등 상업적 농업에도 관심을 두었다. 이들은 대외무역에도 관심이 있어 만상의 대청 무역과 내상의 대일 무역을 중개하였다. 그러나 '운송업, 조선업을 지배하면서 거상으로 성장'한 상인은 '경강상인'이다.

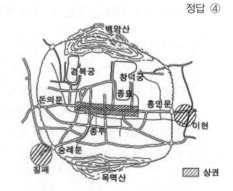

조선 후기 상권 형성 ◐ 2017 법원직 9급

명호샘의 한마디!!

개성의 '송상'과 한강의 '경강상인'은 반드시 구분해야 한다. 다음 자료의 (가)는 '송상'이다.

왕조 초기부터 행상에 종사하여 성장한 <u>(가)</u> 은/는 전국의 상품 생산지와 집산지를 연결할 수 있는 조직적 연락망과 유통망을 갖추고 있었다. 전국에 송방이라는 지점망을 설치할 수 있었던 것은 장기간에 걸친 상업 활동의 결과였다.

송 상	경강상인
1) 개성(송악)	1) 한강, 서남해안(경기, 충청 일대)
2) 인삼 재배(상업적 농업)	2) 미곡, 소금, 어물 거래
3) 대외무역에 관심(만상과 내상을 중계)	3) 운송업, 조선업

14 다음 자료의 밑줄 친 부분에 대한 설명으로 옳지 않은 것은?

[2017 기상직 9급]

> ㉠ 조선 전기에는 은을 제련하는 획기적인 기술이 개발되었다. 그러나 ㉡ 조선의 은광 개발이 본격화된 것은 17세기 이후 ㉢ 청과의 무역에서 은의 수요가 늘어나면서부터였다. ㉣ 이 시기 조선의 광산 개발에서는 근대적 생산 방식이 나타나고 있었다.

① ㉠: 연은분리법(회취법)이라 부른다.

② ㉡: 단천(端川) 은광이 대표적이다.

③ ㉢: 사행 무역, 개시·후시 무역의 방식이 있었다.

④ ㉣: 정부가 농민을 역에 동원하여 채굴하는 방식이다.

해설

정답 ④

조선 후기에 나타난 근대적인 광산 개발 방식이란 '덕대제 광업'을 말한다. 덕대(德大)가 물주에게 자본을 조달받아 채굴업자(혈주), 채굴 노동자, 제련 노동자 등을 고용하는 방식으로 광산 경영이 이루어졌으며, 분업에 토대를 둔 협업으로 진행되었다. 덕대제 광업은 '광산 개발에 있어 근대적 생산 방식'이며, '자본주의적 생산 관계'를 보여준다.

①, ② 연은분리법(鉛銀分離法)은 연산군 때 단천 은광이 재개되면서 발견된 은 제련술이라고 알려져 있다. 그러나 어떤 이들은 태종 초부터 이미 연은분리법이 있었다고 말한다. 어떻게 보더라도, 연은분리법은 '조선 전기'에 개발된 제련술이다.

③ 조선 후기 청과의 무역은 북경(연경)을 왕래한 사행(使行)을 통해 많이 이루어졌다. 한편 17세기 중엽 이후 의주의 중강과 봉황의 책문 등 국경지대에서는 공식무역인 개시와 사무역인 후시가 열렸다. 사무역이 허용되면서 의주의 만상, 동래의 내상, 개성의 송상 등이 대청 무역 및 대일 무역에서 활약하였다.

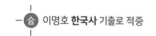

15 역대 화폐의 발달을 설명한 내용으로 옳은 것은?

[2009 국가직 7급]

① 고려 시대에는 상업 활동의 융성으로 인하여 활구(闊口)가 유행하였다.

② 고려 말에 출현한 지폐인 저화는 조선 건국과 함께 유통이 금지되었다.

③ 조선 숙종 때부터 주조되기 시작한 상평통보는 교환 및 재산축적의 수단으로 기능하였다.

④ 조선 후기에 전황(錢荒)에도 불구하고 소작료를 화폐로 지불하는 현상이 발생하였다.

해설

정답 ④

전황(錢荒)이란 동전을 많이 발행했지만 제대로 유통되지 않고 (집에 쌓아두어) 시중에 화폐가 부족한 현상을 말한다. 그럼에도 불구하고 소작료의 금납화가 발생하였다. 모두가 조선 후기에 발생한 현상이다.

① 고려 숙종 때 '입구가 넓다'는 뜻의 고액화폐 활구(闊口)가 만들어졌지만, '유행'한 것은 아니었다.

② 저화는 고려 말 공양왕 때, 조선 태종 때(1401) 만들어졌지만 유통이 부진하였다. 그러나 유통이 부진했을 뿐, 유통이 '금지'되었다고 표현해서는 안 된다. 태종 때의 저화, 세종 때의 조선통보, 세조 때의 전폐(팔방통화)는 모두 재정정책적인 면에서나 의의가 있었을 뿐이고 널리 유통되지는 못하였다.

③ 상평통보는 조선 숙종 때 유일한 법화(法貨)로 채택되어(1678) 이후 전국적으로 유통되었다. 그러나 상평통보가 처음 주조된 것은 1633년 인조 때이다.

명호샘의 한마디!!

상평통보는 1633년 인조 때 상평청을 설치하고 처음 주조되었다. 이때는 앞면에 '常平通寶'라고 적혀 있지만, 뒷면에는 아무런 글자도 없는 무배자전(無背字錢)이었다. 인조 때의 상평통보는 유통이 잘 되지 않아, 곧 중지되었다. 그러다가 1678년 숙종 때 상평통보가 법화로 채택되었고, 이때는 상평통보 뒷면에 이 동전을 주조한 관청(주전소)을 영(營, 어영청이 발행했을 때), 금(禁, 금위영이 발행했을 때) 등으로 표시했다. 한자 하나가 표시되었다고 해서 이것을 단자전(單字錢)이라 한다. 이후 흥선 대원군 집권기인 1866년에 경복궁 중건을 위한 재정을 마련하기 위해 상평통보 당백전(當百錢)이 주조되었고, 1883년에는 상평통보 당오전(當五錢)이 주조되었다.

오랜 기간 조선의 유일한 법화로서 교환 및 재산축적의 수단으로 활용되었던 상평통보는 시험에서 출제될 가능성이 높다. 숙종실록에 기록된 상평통보의 기록을 숙지해 두기 바란다. 특히 처음 시작하는 말인 '숙종 4년'이라는 말과 끝 부분의 '돈 4백 문을 은 1냥의 값으로 정하여 시중에 유통하게 하였다'는 그대로 암기해 두길. 숙종이 1674년에 즉위하였으므로 숙종 4년이면 '1678년'이다.

> 숙종 4년 …… 돈은 천하에 통행(通行)하는 재화(財貨)인데 오직 우리나라에서는 조종조(祖宗朝)로부터 누차 행하려고 하였으되 행할 수 없었던 것은, 대개 동전(銅錢)이 토산(土産)이 아닌데다 또 민속(民俗)이 중국(中國)과 달라 막히고 방해되어 행하기 어려운 폐단이 있었다. 이에 이르러 대신(大臣) 허적(許積)·권대운(權大運) 등이 시행하기를 청하매, 임금이 군신(群臣)에게 물어, 군신으로서 입시(入侍)한 자가 모두 그 편리함을 말하였다. 임금이 그대로 따르고, 호조(戶曹)·상평청(常平廳)·진휼청(賑恤廳)·어영청(御營廳)·사복시(司僕寺)·훈련도감(訓鍊都監)에 명하여 상평통보(常平通寶)를 주조하여 돈 4백 문(文)을 은(銀) 1냥(兩)의 값으로 정하여 시중(市中)에 유통하게 하였다.
>
> ◈ 「숙종실록」

이와 함께 상평통보와 관련된 다음의 세 문장을 기억하도록 한다.

1) 상평통보 이전에는 팔분체 조선통보가 주조·유통되었다. (○)

> 상평통보 이전에는 '조선통보'가 있었다. 조선통보는 세종 때 처음 주조되었는데, 인조 때 동전에 새겨진 조선통보라는 글씨의 서체를 예서체와 전서체를 섞어서 만든 '팔분서'로 바꾸었기 때문에 이것을 '팔분서(팔분체) 조선통보'라고 한다.

2) 1678년 주조된 상평통보가 점차 전국적으로 유통되었으며, 환이나 어음 같은 신용 화폐도 사용되었다. (○)

3) 이익은 화폐 사용이 백성들의 삶에 크게 유익하다는 주장을 제기하였다. (×)

> 화폐가 전국적으로 유통되자, 사치·고리대 등 그 폐단이 적지 않았는데, 실학자 이익은 소농민을 몰락시키는 가장 직접적인 요인이 화폐의 유통이라고 보아 '폐전론'을 주장하였다. 실학자 중 화폐의 유통을 강조한 사람은 '박지원'이다.

16 화폐의 발행된 시기가 이른 순서대로 나열된 것은?　　　　　　　　[2016 기상직 9급]

① 팔방통보 – 해동통보 – 당백전 – 대동폐

② 해동통보 – 팔방통보 – 당백전 – 대동폐

③ 팔방통보 – 해동통보 – 대동폐 – 당백전

④ 해동통보 – 팔방통보 – 대동폐 – 당백전

해설　　　　　　　　　　　　　　　　　　　　　　　　　　　　　정답 ②

해동통보는 1102년(고려 숙종 7년)에 주조된 동전이다. 팔방통보(팔방통화, 전폐, 유엽전)는 15세기 세조 때 화살촉 모양으로 만든 철전이다. 당백전은 1866년(고종 3년)에 경복궁 중건을 위해 발행되어 약 6개월간 유통되었던 동전이다. 대동폐는 1882년(고종 19년)에 은으로 만든 근대적 화폐로, 대동일전·대동이전·대동삼전 등이 있었으나 1883년(고종 20년)에 주조가 중단되었다.

 명호쌤의 한마디!!

화폐의 발행 순서는 다음과 같다.

시대	시기	발행된 화폐
고려	성종	건원중보
	숙종	해동통보, 삼한통보, 은병
	공양왕	저화
조선	태종	저화
	세종	조선통보
	세조	팔방통보
	인조, 숙종	상평통보
근대	흥선 대원군	당백전
	민씨 정부	대동폐, 당오전
	1892년	백동화

04 근세의 문화

01 민족 문화의 융성

01 다음의 밑줄 친 '왕'의 재위 기간에 있었던 사실로 가장 적절한 것은?

[2013 경찰]

> 왕의 명으로 이 책을 완성하였다. 그 내용은 제사에 대한 길례, 왕실의 관례와 혼례에 대한 가례, 사신접대에 대한 빈례, 군사 의식에 대한 군례, 상례의식에 대한 흉례이다.

① 「이륜행실도」가 간행되었다.

② 「동국여지승람」이 편찬되었다.

③ 「신찬팔도지리지」가 편찬되었다.

④ 「천상열차분야지도」가 제작되었다.

해설

정답 ②

조선 왕조가 주력한 편찬 사업 중의 하나는 예서(禮書)의 간행이었다. 이 중 국가례에 해당하는 길(吉), 가(嘉), 빈(賓), 군(軍), 흉(凶)의 5례는 세종 때부터 중국 역대의 예서와 고려의 예서를 두루 참작하여 국가의식의 규범으로 정리하였고, 마침내 성종 때(1474) 「국조오례의(國朝五禮儀)」로 간행되었다. 밑줄 친 '왕'은 성종(1469~1494)이다. 이때 서거정, 강희맹 등은 군현의 연혁, 지세, 인물, 풍속, 산물, 교통, 성씨, 고적 등을 자세히 수록한 지리지인 「동국여지승람」을 편찬하였다.
① 중종 때, ③ 세종 때, ④ 태조 때

02 밑줄 친 '국왕'의 재위 기간에 있었던 일로 옳은 것은?

[2018 국가직 9급]

> 지금 국왕께서 풍속을 바꾸려는 데에 뜻이 있으므로 신은 지극하신 뜻을 받들어 완악한 풍속을 고치고자 합니다. … (중략) …『이륜행실(二倫行實)』로 말하면 신이 전에 승지가 되었을 때에 간행할 것을 청했습니다. 삼강이 중한 것은 아무리 어리석은 부부라도 모두 알고 있으나, 붕우·형제의 이륜에 이르러서는 평범한 사람들이 제대로 모르는 경우가 있습니다.

① 주세붕이 백운동 서원을 세웠다.

② 김시습이 『금오신화』를 저술하였다.

③ 『국조오례의』가 편찬되고 『동국여지승람』이 만들어졌다.

④ 문화와 제도를 유교식으로 갖추기 위해 집현전을 창설하였다.

해설

1518년(중종 13년) 조신은 왕명에 따라 연장자와 연소자, 친구 사이에 지켜야 할 윤리를 강조하기 위해 『이륜행실도(二倫行實圖)』를 간행하였다. 제시된 자료에서 '이륜행실(二倫行實)'이라는 직접적인 언급이 있을 뿐만이 아니라, '붕우·형제의 이륜'이라고 표현하여 그 이륜이 무엇을 의미하는지 명확히 하였다. 『이륜행실도』는 2016년 국회직 9급, 2013년 경찰 시험 등에서 '성종 때 편찬된 서적'의 오답으로 출제되었고, 같은 해 기상직 9급에서는 '세종 때 간행된 서적'의 오답으로 출제되었다. 『이륜행실도』는 늘 이렇게 '간행 시기'가 출제되었다는 것을 알아야 한다. 『이륜행실도』의 포인트는 두 가지이다. 첫째는 간행 시기이며, 또 다른 하나는 사료에서 '삼강행실도'와 구분하는 것이다.

① 중종 말기(1543년)에 주세붕이 안향을 기리기 위해 백운동 서원을 세웠다.

② 김시습(1435~1493)은 그의 나이 31세에서 37세까지 경주 금오산에 머물면서 『금오신화』를 저술하였다(추정). 아마도 예종 때이거나 성종 때일 것이나, 확실하지는 않다. 그러므로 <u>『금오신화』는 '조선 초기'로 이해하면 된다.</u>

③ '오례(五禮)'에 관한 책은 세종이 편찬하라고 지시하였고, 세조 때 완성하려고 하였으나 완성하지 못하였다. 성종 때가 되어서야 신숙주·정척 등이 『국조오례의(國朝五禮儀)』를 완성하였다(1474). 성종은 노사신·양성지·강희맹·서거정 등에게 명(明)의 『대명일통지(大明一統志)』와 조선에서 제작했던 『신찬팔도지리지(新撰八道地理志)』를 참고하여 새로운 지리서를 편찬하도록 지시했다. 이 작업의 결과 『동국여지승람(東國輿地勝覽)』이라는 관찬 지리서가 완성되었다(1481).

④ 세종은 문화와 제도를 유교식으로 갖추기 위해 집현전을 창설하였다. 집현전이라는 명칭은 고려 때부터 써 왔으나, 집현전을 확대하여 실제적인 연구 기관으로 개편한 것이 세종 때이므로 <u>'세종 때 집현전이 설치되었다(창설되었다).'</u>라는 표현을 일반적으로 쓰고 있다.

---

03 [보기]의 백과사전(유서)을 편찬한 순서대로 바르게 나열한 것은? [2018 서울시 9급]

[보기]	
㉠ 대동운부군옥	㉡ 지봉유설
㉢ 성호사설	㉣ 오주연문장전산고

① ㉠ → ㉡ → ㉢ → ㉣

② ㉡ → ㉢ → ㉣ → ㉠

③ ㉠ → ㉢ → ㉡ → ㉣

④ ㉠ → ㉣ → ㉢ → ㉡

해설

「대동운부군옥」은 16세기 말, 「지봉유설」은 17세기 초, 「성호사설」은 18세기 중엽, 「오주연문장전산고」는 19세기에 편찬되었다. 편찬연대가 명확하지 않은 책이 포함되어 있지만, 저자의 생존 시기가 뚜렷하게 차이가 나므로 분명히 선후 관계를 판단할 수 있다.

㉠ 「대동운부군옥(大東韻府群玉)」은 우리나라[大東]의 지리, 역사, 인물, 문학, 동식물 등의 다양한 주제를 운별로 배열한 백과사전[韻府群玉]이다. 이 책은 선조 때(1589년) 권문해가 편찬하였다.

㉡ 「지봉유설(芝峰類說)」은 이수광[芝峰]이 쓴 백과사전[類說]이다. 이수광은 광해군에 의해 영창대군이 죽임을 당하는 계축옥사가 일어나자 관직을 버리고 은거 생활을 시작하면서 많은 저술을 남겼다. 그 가운데 첫 번째 저술이 광해군 때(1614년)의 「지봉유설」이다.

㉢ 「성호사설(星湖僿說)」은 이익[星湖]이 쓴 자잘하고 사소한 이야기들[僿說], 즉 백과사전이다. 이 책은 천지문(天地門), 만물문(萬物門), 인사문(人事門), 경사문(經史門), 시문문(詩文門)의 다섯 문(門)으로 구성되어 있다. 이 책은 이익이 40세 전후부터 지속적으로 기록한 것이므로 정확한 연대를 말하기는 어렵지만, 이익(1681~1763)의 말년에 정리된 것으로 계산하면 18세기 중엽을 편찬 시기로 보면 되겠다.

㉣ 「오주연문장전산고(五洲衍文長箋散稿)」는 이덕무의 손자인 이규경[五洲]이 쓴 백과사전이다. 그 저술 연대가 명확하지 않으나, 이규경(1788~1863[추정])의 생몰년을 고려해 볼 때, 19세기 헌종 대에 편찬한 것으로 추정된다.

04 조선 후기에 전개된 국학 연구에 대한 설명으로 옳지 않은 것은? [2017 서울시 9급]

① 유희는 「언문지」를 지어 우리말의 음운을 연구하였다.

② 이의봉은 「고금석림」을 편찬하여 우리의 어휘를 정리하였다.

③ 한치윤은 「기언」을 지어 토지제도의 개혁을 주장하였다.

④ 이종휘는 「동사」를 지어 고구려사에 대한 관심을 고조시켰다.

📝**해설**   정답 ③

「기언(記言)」을 저술한 인물은 '허목'이다.

① 유희는 1824년 순조 때 한글 및 한자음의 관계를 연구한 음운 연구서 「언문지(諺文志)」를 지었다.

② 이의봉은 1789년 정조 때 방언 및 외국어 등의 어휘를 연구한 「고금석림(古今釋林)」을 지었다.

④ 이종휘는 영조 때 「동사(東史)」를 지어 고구려사에 대한 관심을 고조시켰다.

05 다음은 어떤 책의 서문이다. 이 책에 대한 설명으로 옳은 것은? [2012 지방직 9급]

> 세조께서 일찍이 말씀하셨다. "우리 조종의 심후하신 인덕과 크고 아름다운 규범이 훌륭한
> 전장(典章)에 퍼졌으니 … (중략) … 또 여러 번 내린 교지가 있어 법이 아름답지 않은 것은
> 아니지만, 관리들이 재주가 없고 어리석어 제대로 받들어 행하지 못한다. … (중략) … 이제
> 손익을 헤아리고 회통할 것을 산정하여 만대 성법을 만들고자 한다."

① 국가 통치 규범을 확립한 「경국대전」이다.

② 국가 행사 때 사용될 의례 규범서인 「국조오례의」이다.

③ 후대에 모범이 될 만한 역대 국왕의 행적을 기록한 「국조보감」이다.

④ 효자, 충신, 열녀 등의 사례를 뽑아서 만든 백성들의 윤리서인 「삼강행실도」이다.

📝**해설**   정답 ①

'크고 아름다운 규범이 훌륭한 전장에 퍼졌으니', '만대 성법을 만들고자 한다' 등의 표현을 통해 법전과 관련된 자료임을
알 수 있다. 세조 때 만세불변의 법전을 만들기 위해 편찬이 시작되어 ➡ 2019 서울시 9급, 성종 때 완성된 「경국대전」에 대한
설명이다. 경국대전은 이·호·예·병·형·공전으로 나뉘어 정리되었다. ➡ 2019 서울시 9급

명호샘의 한마디!!

경국대전 기출 사료

천지가 광대하여 만물이 덮여 있고 실려 있지 않은 것이 없으며, 사시의 운행으로 만물이 생육되지 않은 것이 없으며, 성인이 제도를 만드심에 만물이 기쁘게 보이지 않은 것이 없으니, 진실로 성인이 제도를 만드심은 천지 · 사시와 같은 것이다. ◐「경국대전」서문 ◐ 2014 사회복지직

세조께서 "우리나라 법의 조목이 너무 번잡하고 앞뒤가 맞지 않는 부분도 많아 관리들이 제대로 받들어 행하지 못하므로 이제 이를 정리하여 만대를 이어갈 법전을 만들고자 한다."라고 말씀하셨습니다. 이어 신 등으로 하여금 여러 조목을 한데 모아 정리하게 하고, '경국대전'이라는 이름을 내려 주셨습니다. ◐ 2016 사회복지직

이것은 조선 시대 법령의 기본이 된 법전이다. 조선 건국 초의 법전인 경제육전의 원전과 속전, 그리고 그 뒤의 법령을 종합하여 만든 통치의 기본이 되는 통일 법전이다. (……) 편제와 내용은 경제육전과 같이 6분 방식에 따랐고, 각 전마다 필요한 항목으로 분류하여 균정하였다. ◐ 2019 서울시 9급

서얼의 자손들이 과거에 응시하고 벼슬에 진출하지 못하게 하는 것은 우리나라의 옛 법이 아니다. …… 영락 13년 우대언 서선 등이 아뢰기를 "서얼의 자손은 현직에 서용하지 말아 적서의 분별을 하소서."라고 하였으니, 이것으로 본다면 영락 13년 이전에는 현직에도 서용되었던 것이며, 그 이후에는 다만 과거에 응시하고 정반(正班)에 진출하는 것만을 허락하지 않았을 뿐이다. 그런데 '경국대전'을 편찬한 뒤로부터 금고(禁錮)를 가하기 시작했으니, 현재 아직 백 년도 되지 못한다. ◐「패관잡기」◐ 2021 경찰

06 조선 시대의 법전에 대한 설명으로 옳지 않은 것은? [2016 국가직 7급]

① 「경국대전」 – 성종대 육전체제의 법전으로 완성하였다.
② 「대전회통」 – 법규교정소에서 만국공법에 기초하여 제정하였다.
③ 「대전통편」 – 18세기까지의 법령을 모아 원 · 속 · 증 표식으로 체계화하였다.
④ 「속대전」 – 영조가 직접 서문을 지어 간행하였다.

┌───┐
│해설│ 정답 ②
└───┘
「대전회통」은 1865년(고종 2년) 흥선 대원군 집권기에 영의정 조두순 등이 「대전통편」을 보충하여 교서관(校書館)에서 출판하였다.
② 대한제국은 대한국국제를 제정하기 위해 1899년 교전소(校典所)를 법규교정소(法規校正所)로 개편하였다.

02 사상과 종교의 발달

01 조선의 성리학에 대한 다음 설명 중 옳은 것은? [2012 서울시 9급]

① 조선에 들어온 성리학은 '사람이 곧 하늘이다.'를 강조하는 사상이다.

② 서원은 주세붕이 성리학을 도입한 정몽주를 기리기 위해 세운 백운동 서원이 시초이다.

③ 이이는 도덕적 행위의 근거로서 심성을 중시하고, 근본적이며 이상주의적인 성격이 강하였다.

④ 이황은 이이에 비해 현실적이고 개혁적인 성격을 지녔다.

⑤ 16세기 중반부터 성리학 연구가 심화되면서 학설과 지역적 차이에 따라 서원을 중심으로 학파가 형성되기 시작하였다.

🖐해설 정답 ⑤

16세기 중반에 '학파'가 먼저 생기고, 그에 따라 16세기 후반 '붕당'이 생겨났다. 16세기 중반부터 이황 학파(퇴계학파, 영남학파), 이이 학파(기호학파), 서경덕 학파(화담학파), 조식 학파(남명학파) 등이 생겨났으며, 이들이 동인과 서인으로 양분된 것이 1575년의 을해당론(동인, 서인으로 갈라짐)이다.

① '사람이 곧 하늘이다'[人乃天]는 동학의 교리이다.

② 백운동 서원은 중종 말기 주세붕이 '안향'을 제사 지내기 위해 세운 것이다.

③, ④ 이황은 주리론의 입장에서 '도덕적 행위'를 중시하고 '근본적', '이상주의적'이었다. 이이는 주기론의 입장에서 '현실적', '개혁적'이었다.

02 조선 성리학의 학설이나 동향을 시기순으로 바르게 나열한 것은? [2018 국가직 9급]

> ⊙ 현실 세계를 구성하는 기를 중시하여 경장(更張)을 주장하였다.
> ⓒ 우주를 무한하고 영원한 기로 보는 '태허(太虛)설'을 제기하였다.
> ⓒ 정지운의 『천명도』 해석을 둘러싸고 사단칠정 논쟁이 시작되었다.
> ⓔ 향약 보급 운동과 함께 일상에서의 실천 윤리가 담긴 『소학』을 중시하였다.

① ⓒ → ⊙ → ⓔ → ⓒ 　　　　　② ⓒ → ⓔ → ⊙ → ⓒ

③ ⓔ → ⓒ → ⓒ → ⊙ 　　　　　④ ⓔ → ⓒ → ⓒ → ⊙

🖐해설 정답 ③

이 문제는 '중종 전반기의 조광조 등 기묘사림' → '중종 말과 명종 초의 서경덕과 이언적의 연구' → '명종 대의 이황과 기대승의 사단칠정 논쟁' → '선조 대의 이이의 경장 사상'의 순서를 묻고 있다.

ⓔ 향약 보급 운동과 함께 일상에서의 실천 윤리가 담긴 『소학』을 중시하였다.

> 조선 중종 때의 조광조(1482~1519), 김안국 등의 '기묘사림'은 인(仁)과 덕(德)에 의한 왕도정치를 수행하기 위해서는 군주가 현인의 경지에 이르러야 한다는 현철군주론(賢哲君主論)을 주장하고 그를 위해 경연활동을 강화하였다. 또한 기묘사림은 영남사림과 마찬가지로 『소학』을 학문의 시작으로 여기며 매우 중시하였다. 영남사림들이 이 책을 개인적인 실천 차원에서 중시하였다면 기묘사림들은 사회적인 차원까지 확대해 사회 구성원 모두에게 보급하려고 노력하였다. 동시에 『소학』에 실려 있는 여씨향약(呂氏鄕約)을 보급하는 운동도 적극적으로 벌였다.

ⓒ 우주를 무한하고 영원한 기로 보는 '태허(太虛)설'을 제기하였다.

> 기묘사림의 도전과 개혁이 기묘사화로 인하여 실패한 이후, 훈구파의 계속적인 탄압 속에서 사림들은 자신들의 근거지를 중심으로 서원 건립을 추진해 나갔다. 그 결과 성리학적 세계관과 이기심성론(理氣心性論)을 본격적으로 다룬 연구가 나오기 시작하였으니, 그 대표적인 인물은 서경덕(1489~1546)과 이언적(1491~1553)이다. 서경덕은 조선 성리학에서 기일원론(氣一元論)의 선구적인 위치를, 이언적은 이기이원론(理氣二元論)의 선구적인 위치를 차지하고 있다.
> 서경덕은 우주가 끊임없이 생성·변화·소멸하는 현상세계인 후천(後天)과 그 변화를 가능하게 하는 궁극적 본체인 선천(先天)으로 구성되어 있으며 양자 모두 기(氣)로 이루어져 있다고 보았다. 죽기 전에 그는 죽음을 예감하고서 몇 편의 글을 남겼다. 연보에 의하면 〈원이기(原理氣)〉, 〈이기설(理氣說)〉, 〈태허설(太虛說)〉, 〈귀신사생론(鬼神死生論)〉 등 네 편의 글이 이때 지어졌다. 이 글들은 서경덕 이기론의 핵심을 담고 있다.

ⓒ 정지운의 『천명도』 해석을 둘러싸고 사단칠정 논쟁이 시작되었다.

> 서경덕과 이언적의 학문적 성과를 바탕으로 하여 바로 다음 시기에 오면 이기심성론에 대한 연구와 논쟁이 활발히 이루어졌는데, 이황과 이이를 비롯하여 조식·정지운·이항·김인후·노수신·기대승·성혼 등이 그 이론적 심화에 기여하였다.
> 특히 이황과 기대승 사이에 벌어진 사단칠정논쟁(四端七情論爭)은 조선 학자들의 주자성리학에 대한 이해 수준을 한 단계 높이고 나아가 그들이 독자적인 사상체계를 구축하는 데 결정적인 역할을 하였다. 명종 14년(1559)부터 21년까지 8년 동안 지속된 이 논쟁의 발단은, 정지운이 권근의 『입학도설』과 권채의 『작성도』 등의 영향을 받아 작성한 『천명도(天命圖)』를 이황이 수정하면서였다.
> 즉 4단은 이(理)에서 발한 것이고 7정은 기에서 발한 것이다(四端發於理 七情發於氣)라고 정지운이 써놓은 것을 이황은 4단은 이가 발한 것이고 7정은 기가 발한 것이다(四端理之發 七情氣之發)라고 수정할 것을 요구하였으며, 이에 정지운도 이황의 견해를 받아들여 새로 『천명신도(天命新圖)』를 작성하였다. 여기에 기대승이 자신의 견해를 담은 서신을 이황에게 보냄으로써 논쟁이 시작되었던 것이다. 기대승은, 4단은 7정에 포함되는 것이므로 양자를 구분해서 보는 것은 잘못이며 마찬가지로 이와 기도 서로 떨어져 존재하는 것이 아니므로 4단과 7정을 이와 기에 분속하는 것은 잘못이라고 주장하였다.

ⓐ 현실 세계를 구성하는 기를 중시하여 경장(更張)을 주장하였다.

> 이황의 사상은 인간의 심성을 강조하고 근본적, 이상주의적 성격을 지녔는데, 이것은 16세기의 사회적 문제들에 대해 적극적으로 대처할 수 없다는 문제가 제기되었다. 이 과제를 대신 수행한 것이 이이의 사상이었다. 주자의 학설에 입각해 있으면서도 현실적 필요성에 의해 이기의 분리나 이(理)의 운동성을 강조했던 이황과는 달리 이이는 경장(更張)을 주장하며 당시의 문제를 풀어나가려고 하였다. 이황이 기대승과의 이기심성논쟁을 통해서 자신의 사상을 체계화시켜 갔듯이 이이도 성혼과의 이기심성논쟁을 통해서 자신의 사상을 체계화시켜 갔다.
> 선조 5년(1572)부터 6년간 계속된 이 논쟁에서 성혼이 이황의 이기호발설에 동조하여 이발(理發)을 인정하고 도심(道心)과 인심(人心)을 구분하여 각각 4단과 7정에 분속시키려고 한 데 반하여, 이이는 4단과 7정이 구별되어 있는 것이 아니라 7정 가운데 선한 부분이 4단이며 이 4단·7정 모두 기가 발하고 이가 그것을 타는 것이라는 기발이승일도설(氣發理乘一途說)을 주장하였다.

03 다음 중 조선 시대 성리학의 변화에 대한 설명으로 가장 적절하지 않은 것은? [2012 경찰]

① 정도전, 권근 등 관학파는 「주례」를 국가의 통치이념으로 중요하게 여겼다.

② 이황을 계승한 남인들은 인간과 사물의 본성에 관한 문제를 두고 호락논쟁을 벌였다.

③ 서경덕과 조식은 노장사상에 포용적이었다.

④ 소론 성리학자들은 양명학이나 노장사상 등을 수용하였다.

해설   정답 ②

'인간과 사물의 본성에 관한 문제'란 인물성동이론 논쟁(호락 논쟁)을 말한다. 이 논쟁은 서울·경기 지역의 노론과 충청 지역 노론 사이의 논쟁이다. 즉 '노론 내부'의 논쟁이다.

① 훈구파(관학파)는 유교경전 중에 「주례」를, 사림파는 「춘추」를 중요하게 여겼다.

훈구파	「주례(周禮)」	주(周) 왕실의 관직 제도와 전국시대 각 국의 제도를 기록한 책으로, 중앙 직제를 천관, 지관, 춘관, 하관, 추관, 동관으로 나누어 놓았는데, 6조(六曹)의 직제는 「주례」의 영향을 받은 것이었다.
사림파	「춘추(春秋)」	유학의 5경(五經) 중 하나로 공자가 직접 쓴 것으로 알려진 중국의 역사서이다. 춘추시대의 노(魯)나라의 역사를 쓴 이 책은 단순히 역사적 사실만을 전달하는 것이 아니라, 대의명분(大義名分)을 중시하여 천하의 질서를 바로 세우려고 하였다. 춘추필법(春秋筆法)이란 명분(名分)에 따라 엄격하게 기록하는 것을 말한다.

③ 서경덕과 조식은 노장사상에 포용적이었다. 이들의 유학은 '동방의 주자'라고 불릴 만큼 주자의 교리에 충실하였던 이황과 근본적으로 다른 부분이 있었다. 그래서 동인이 분리될 때 서경덕과 조식의 제자는 '북인'을 형성하고, 이황의 제자는 '남인'을 형성하였다. 2008년 지방직 9급에서는 '주로 서경덕 학파와 조식 학파로 구성된 북인은 서인보다 성리학적 의리명분론에 구애를 덜 받았다.'고 표현하였다.

④ 상당기간 동안 정치적으로도 소외되어 있었던 소론 학자들은 양명학과 노장사상에 포용적이었다. 특히 양명학은 '소론의 가학(家學)'이라고 부를 만큼 소론이 중심적으로 연구하였다.

 명호샘의 한마디!!

조선의 성리학과 관련된 다음의 어려운 문장들도 정리해 두기 바란다.

1. 조광조를 비롯한 기묘 사림들은 '소학'과 '근사록'을 중시하였다. (○) – 소학(小學)은 성리학 초급 교재이며, 근사록(近思錄)은 주희가 친구 여조겸과 함께 엮은 성리학서이다.
2. 이황과 기대승의 사단칠정(四端七情) 논쟁은 조선의 성리학 이해 수준을 고양시켰다. (○)
3. 이황은 기대승과의 논쟁에서 이기호발설(理氣互發說)을 주장하였다. (○)
4. 주로 서경덕 학파, 이황 학파, 조식 학파가 동인을 형성하였고, 이이 학파, 성혼 학파가 서인을 형성하였다. (○)
5. 서경덕은 이기이원론의 선구적 업적을 남겼다. (×) – 대부분의 성리학자들은 '이와 기가 다른 것을 인정하는' 이기이원론(理氣二元論)을 주장하였다. 그러나 서경덕은 기(氣)만을 중시하는 독자적인 기일원론(氣一元論)을 완성하여 주기론(主氣論)의 선구자가 되었다.

04 다음 자료를 저술한 사람에 대한 설명으로 옳은 것은?

[2017 기상직 9급]

후세 임금들은 천명을 받아 임금의 자리에 오른 만큼 그 책임이 지극히 무겁고 크지만, 자신을 다스리는 도구는 하나도 갖추어지지 않았습니다. … 바라옵건대 밝으신 임금께서는 이러한 이치를 깊이 살피시어, 먼저 뜻을 세워 "순임금은 어떤 사람이고 나는 어떤 사람인가? 노력하면 나도 순임금처럼 될 수 있다."라고 생각하십시오.

① 기호학파의 학문적 시조가 되는 사람이다.
② 아동들의 수신서인 「격몽요결」을 편찬했다.
③ 사회 문제 해결 방안으로 수미법 실시를 적극 주장하였다.
④ 이(理)는 만물의 근본이며 기(氣)를 이끈다고 주장하였다.

해설

정답 ④

제시된 그림과 글은 「성학십도(聖學十圖)」이다. '성학십도'는 이황(1501~1570)이 1567년(선조 즉위년)에 왕으로서 알아야 할 학문의 요체를 정리하여 『진성학십도차병도(進聖學十圖箚并圖)』라는 이름으로 올린 상소문이다. 이것을 짧게 줄여 '성학십도'라고 부른다. '성학십도'는 서론격인 「진성학십도차(進聖學十圖箚)」를 비롯하여 10개의 도표와 그 해설로 되어 있다.
① 기호학파의 중심 인물은 '이이'이다.
② 「격몽요결」은 이이의 저술이다.
③ 이이도 (대공)수미법 실시를 주장하였다.

05 다음과 관련된 유학자에 대한 설명으로 가장 적절하지 않은 것은?

[2013 경찰]

그는 우주만물의 본질은 순수하고 착한 형이상의 이(理)로서 모든 만물은 그 점에서 모두 착하고 평등하다고 보았다. 그런데 이가 형이하로 발현되는 것이 기(氣)로서, 기의 세계는 천차만별의 불평등으로 나타난다고 주장했다. 그의 학설은 주자의 견해를 철학적으로 심화시킨 것으로, 결과적으로 형이상학적인 원칙과 규범과 명분을 존중하는 학문으로 발전하게 되었다.

① 이언적의 철학을 발전시켜 주리설(主理說)을 수립하였다.
② 그의 학설은 성혼, 송익필, 김장생 등의 기호지방 학자들에게 주로 계승되었다.
③ 「성학십도」를 저술하여 당시 임금인 선조에게 바쳤다.
④ 주자의 중요한 서찰을 뽑아 「주자서절요」를 편찬하였다.

정답 ②

이황은 인간의 심성 문제를 해석함에 있어 이(理)는 선(善)한 것이고, 기(氣)는 선할 수도 있고 악할 수도 있다고 보았다. 즉 이(理)에 절대적인 가치를 부여하고 있다. 이러한 해석은 '이언적'에서 시작되어 '이황'에서 집대성되었다. 이언적은 기(氣)보다는 이(理)를 중심으로 자신의 이론을 전개하여 후대에 큰 영향을 끼쳤다. ◎ 2015 경찰

② 이황의 학설은 김성일, 유성룡 등 주로 영남지방 학자들에게 계승되었다. 기호지방 학자들에게 계승된 것은 이이의 학설이다.

③, ④ 「성학십도」와 「주자서절요」는 모두 이황의 저술이다.

06 다음 글을 쓴 인물에 대한 설명으로 옳은 것은?   [2014 지방직 9급]

> 이제 이 도(圖)와 해설을 만들어 겨우 열 폭밖에 되지 않는 종이에 풀어 놓았습니다만, 이것을 생각하고 익혀서 평소에 조용히 혼자 계실 때에 공부하소서. 도(道)가 이룩되고 성인이 되는 요체와 근본을 바로잡아 나라를 다스리는 근원이 모두 여기에 갖추어져 있사오니, 오직 전하께서는 이에 유의하시어 여러 번 반복하여 공부하소서.

① 일본의 성리학 발전에 크게 영향을 끼쳤다.

② 방납의 폐단을 개선하기 위해 수미법을 주장하였다.

③ 노장 사상을 포용하고 학문의 실천성을 주장하였다.

④ 성리학을 중심에 두면서도 양명학의 심성론을 인정하였다.

정답 ①

'도(道)가 이룩되고 성인이 되는 요체와 근본을 바로잡아 나라를 다스리는 근원'을 연구하는 것이 '성학(聖學)'이다. '열 폭'이 되는 '도(圖)와 해설'을 두 글자로 쓰면 '십도(十圖)'이다. 「성학십도」는 17세의 어린 나이로 왕위에 오른 선조에게 68세의 할아버지 이황이 올린 상소문으로, 군주 스스로가 성학을 따를 것을 바라는 내용이다. '혼자 계실 때에 공부하소서'와 '여러 번 반복하여 공부하소서'라는 말에서 성학에 대한 이황의 태도를 볼 수 있다. 율곡 이이가 자신과 같은 현명한 신하가 군주에게 성학을 가르쳐야 한다고 생각했던 반면에, 퇴계 이황은 군주가 스스로 공부할 것을 바랐다.

① 이황은 <u>일본의 성리학 발달에 영향을 주었다.</u> ◎ 2021 소방 이것은 임진왜란 때 이황의 제자들이 포로로 많이 잡혀갔다는 뜻이기도 하다.

② 방납의 폐단을 개선하기 위해 (대공)수미법을 주장한 사람은 조광조, 이이, 유성룡 등이다. 이 문제에서는 '이이'와 혼동하라고 넣어 놓은 것이다.

③ 성리학자이면서도 노장 사상을 포용하고 학문의 실천성을 주장한 인물은 '조식'이다. 그러나 양명학과 노장 사상을 수용하여 성리학 이해에 탄력성을 보인 '소론'에게도 이 문장을 적용할 수 있다. 다만, 이 문제는 '인물' 문제이니 '조식'으로 이해하는 것이 좋겠다.

④ 성리학을 중심에 두면서도 양명학의 심성론을 인정한 인물을 한 사람으로 정하여 말하기는 어렵다. 그러므로 ②, ③과는 달리 이 지문은 이황에 대해 오히려 반대로 설명한 것이어서 틀린 것으로 이해해야 한다. 이황은 자신의 저술 「전습록논변(傳習錄論辨)」에서 양명학을 사문난적으로 비판하였다.

07 밑줄 친 '이 사람'에 대한 설명으로 옳은 것은?

[2016 국가직 9급]

> 이 사람은 34세에 문과에 급제하여 관직 생활을 시작하였지만 곧 모친상을 당하여 3년간 상복을 입었다. 삼년상이 끝나고 관직에 복귀하였으나 을사사화 등으로 조정이 어지러워지자 이내 관직 생활의 뜻을 접고, 1546년 40대 중반의 나이에 향리로 퇴거하여 학문 연구에 전념하였다. 이후 경상도 풍기군수로 있으면서 주세붕이 창설한 백운동서원에 대한 사액을 청원하여 실현을 보게 되었으니, 이것이 조선 왕조 최초의 사액서원인 '소수서원'이다.

① 서리망국론을 부르짖으며 당시 서리의 폐단을 강력하게 비판하였다.

② 아홉 차례의 과거 시험에 모두 장원하여 '구도장원공'이라는 별칭을 얻었다.

③ 주희의 성리설을 받아들였으며, 이기철학에서 이(理)의 절대성을 주장하였다.

④ 우주자연은 기(氣)로 구성되어 있으며, 기는 영원불멸하면서 생명을 낳는다고 보았다.

🔍 **해설**　　　　　　　　　　　　　　　　　　　　　　　　　　　　정답 ③

을사사화(1545)를 경험하였고, 풍기군수를 역임하였으며, 백운동서원에 사액을 청원하여 소수서원을 만든 인물은 이황(1501~1570)이다. 이황은 주희(주자)의 성리설을 받아들였으며, 주리론을 내세웠다.

① 1568년 「무진봉사(戊辰封事)」에서 서리망국론(胥吏亡國論)을 주장한 인물은 조식(1501~1572)이다.

② 구도장원공(九度壯元公)이라는 별칭을 얻은 인물은 이이(1536~1584)이다.

④ 만물의 근원을 기(氣)로 설명한 인물은 서경덕(1489~1546)이다.

08 다음과 같이 주장한 인물에 대한 설명으로 옳은 것은?

[2018 국가직 7급]

> 예로부터 나라의 역사가 중기에 이르면 인심이 반드시 편안만 탐해 나라가 점점 쇠퇴한다. 그때 현명한 임금이 떨치고 일어나 천명을 연속시켜야만 국운이 영원할 수 있다. 우리나라도 200여 년을 지내 지금 중쇠(中衰)에 이미 이르렀으니, 바로 천명을 연속시킬 때이다.

① 경과 의를 근본으로 하는 실천적 성리학풍을 창도하였다.

② 왕이 지켜야 할 왕도정치 규범을 체계화한 『성학십도』를 지었다.

③ 삼강오륜의 윤리를 설명하고 중국과 우리나라의 역사를 적은 『동몽선습』을 지었다.

④ 우리 역사에서 기자의 행적을 주목하고 그 전통을 계승하기 위해 『기자실기』를 지었다.

해설

정답 ④

이이(李珥)의 호는 율곡(栗谷), 석담(石潭), 우재(愚齋)이다. 이이는 내외의 요직을 두루 경험하면서 직접 보고 들은 것들을 기록하고 자신의 의견을 덧붙인 일기를 남겼는데, 그것을 「경연일기(經筵日記)」라 한다. 「경연일기」는 이이의 문집인 「율곡전서」에 전해지고, 조선 시대의 야사집인 『대동야승(大東野乘)』에도 전해지는데 『대동야승』에서는 이이의 호를 따라 「석담일기」라는 제목으로 전해진다. 제시된 사료는 바로 「경연일기」 즉 「석담일기」의 일부이다.

사료를 보면 '우리나라도 200여 년을 지내 지금 중쇠에 이미 이르렀'다고 했는데, '지금'이란 이이가 왕성하게 활동했던 16세기 후반을 말한다. 이이는 이 시기를 침체의 시기를 의미하는 "중쇠(中衰)"로 보았다. 이이는 경장론을 주창하여 군주의 자기 혁신과 신료 집단의 각성을 촉구하고 제도를 개선할 것을 강조하였는데, 이를 통해 보국안민(保國安民)을 실현하고 조선왕조 중쇠기(中衰期)의 침체와 위기를 벗어나 다시 중흥기를 맞이하자고 주장하였다.

④ 16세기에는 사림의 존화주의적, 왕도주의적 정치 의식과 문화 의식을 반영하는 새로운 사서가 편찬되었다. 그들은 단군보다도 기자를 더 높이 숭상하면서 기자 조선에 대한 연구를 심화하였다. 1580년에 이이가 쓴 「기자실기(箕子實記)」는 그 대표적 저술이다.

① 경(敬)과 의(義)를 근본으로 하는 경의사상(敬義思想)을 근본으로 하는 실천적 성리학풍을 강조한 인물은 '조식'이다. ◑ 2017 서울시 9급 조식은 칼과 방울을 의(義)와 경(敬)의 상징으로 차고 다녔다. ◑ 2017 지방직 7급

② 왕의 수신 교과서인 「성학십도」를 편찬한 인물은 '이황'이다. ◑ 2014 서울시 7급 이황은 「성학십도」를 저술하여 당시 임금인 선조에게 바쳤다. ◑ 2013 경찰

③ 성리학적 사회 질서의 보급을 위해 아동용인 「동몽선습」을 저술한 인물은 '박세무'이다. ◑ 2017 지방직 교행

---

09 밑줄 친 '이 책'의 저자에 대한 설명으로 옳은 것은?

[2017 서울시 9급]

> <u>이 책</u>은 왕과 사대부를 위해 왕도정치의 규범을 체계화한 것으로 통설, 수기, 정가, 위정, 성현도통 등으로 구성되어 있다. <u>이 책</u>은 성리학의 정치 이론서인 「대학연의」를 보완함으로써 조선의 사상계에 널리 영향을 미쳤다.

① 경과 의를 근본으로 하는 실천적 성리학풍을 강조하였다.

② 기대승과 8차례 편지를 통해 4단과 7정에 대한 논쟁을 벌였다.

③ 이보다 기를 중심으로 세계를 이해하고 노장사상에 개방적이었다.

④ 사림이 추구하는 왕도정치가 기자에서 시작되었다는 평가를 담은 「기자실기」를 저술하였다.

해설

정답 ④

서론인 통설(統說), 본론인 수기(修己), 정가(正家), 위정(爲政), 결론인 성현도통(聖賢道統)으로 구성된 책은 율곡 이이가 저술한 「성학집요」이다. 이 책의 전체적인 구도는 「대학」을 따랐고, 성리학의 정치 이론서인 「대학연의」를 보완함으로써 조선의 사상계에 널리 영향을 미쳤다.

> 그는 성리학의 정치 이론서인 대학연의가 간결하지 못한 점을 비판하고, 군주가 성학(聖學)을 이해하는 데 신하의 역할을 중시하는 입장을 담은 책을 저술하였다. 이 책은 통설, 수기, 정가, 위정, 성현도통 등으로 구성되어 있으며, 이후 사상계에 널리 영향을 미쳤다. ◑ 2017 지방직 교행

④ 윤두수의 「기자지」는 일정한 체계가 없다며 이를 다시 정리한 책이 1580년(선조 때) '율곡 이이'의 「기자실기」이다. 「기자실기」, 「기자지」, 「동사찬요」는 모두 기자를 추앙하는 책이다.

① '조식'은 경(敬)과 의(義)를 근본으로 하는 경의사상(敬義思想)을 근본으로 하는 실천적 성리학풍을 강조하였다. 조식은 칼과 방울을 의(義)와 경(敬)의 상징으로 차고 다녔다. ◑ 2017 기상직 7급

② 기대승과 4단과 7정에 대한 논쟁을 벌인 인물은 '이황'이다.

③ 이(理)보다 기(氣)를 중심으로 세계를 이해하고 노장사상에 개방적이었던 인물은 '서경덕'이다.

10 밑줄 친 '저'에 대한 설명으로 옳은 것은?

[2022 지방직 9급]

> 올해 초가을에 비로소 <u>저</u>는 책을 완성하여 그 이름을 『성학집요』라고 하였습니다. 이 책에는 임금이 공부해야 할 내용과 방법, 정치하는 방법, 덕을 쌓아 실천하는 방법과 백성을 새롭게 하는 방법이 실려 있습니다. 또한 작은 것을 미루어 큰 것을 알게 하고 이것을 미루어 저것을 밝혔으니, 천하의 이치가 여기에서 벗어나지 않을 것입니다. 따라서 이것은 <u>저</u>의 글이 아니라 성현의 글이옵니다.

① 예안향약을 만들었다.

② 「동호문답」을 저술하였다.

③ 백운동서원을 건립하였다.

④ 왕자의 난 때 죽임을 당했다.

해설
정답 ②

『성학집요』를 지어 선조에게 바친 '저'는 율곡 이이(1536~1584)이다. 자료에서 '올해'란 『성학집요』가 완성된 1575년이다. 이 책은 '임금이 공부해야 할 내용과 방법' 등 제왕(帝王)의 학(學)을 다루고 있다.
② 율곡 이이는 「동호문답」을 저술하였다(1569).
① 퇴계 이황은 예안향약을 만들었다. 율곡 이이는 해주향약과 파주향약을 만들었다.
③ 주세붕은 백운동서원을 건립하였다. 퇴계 이황은 백운동서원을 사액서원으로 발전시켜 '소수서원'이라 이름 지었다.
④ 정도전, 박포 등이 제1차 왕자의 난, 제2차 왕자의 난 때 죽임을 당했다.

 명호샘의 한마디!!

이(理)와 기(氣)라는 추상적인 개념을 비교하는 것처럼 보이지만, 주리론/주기론 문제는 결국 이황/이이 인물 비교 문제이다.

인 물	퇴계 이황(1501~1570)	율곡 이이(1536~1584)
학 파	영남학파	기호학파
당 파	동인 → 남인	서인 → 노론
이 론	주리론(主理論)	주기론(主氣論)
	이기호발설(理氣互發說)	기발이승일도설(氣發理乘一途說)
	이기이원론(理氣二元論)	일원론적 이기이원론(理氣二元論)
	이존기비(理尊氣卑)	이통기국(理通氣局)
지폐 모델	1,000원	5,000원(엄마는 5만원)
성 향	도덕적 원리 강조, 근본적, 이상주의적	현실적, 개혁적
영 향	위정척사, 의병운동에 영향	실학, 개화사상, 동학사상에 영향
	일본성리학에 영향	×
향 약	예안향약	파주향약, 해주향약
서 원	소수서원(사액서원), 도산서원(이황 사후 설립)	자운서원
저 서	성학십도, 주자서절요, 전습록논변	성학집요, 기자실기, 격몽요결 ○ 2014 서울시 7급, 동호문답 ○ 2017 지방직 교행, 만언봉사 ○ 2019 국가직 9급

다음과 같이 자료가 주어졌을 때에도 이황/이이를 구분할 수 있어야 한다.

퇴계 이황	율곡 이이
〈학문의 성격〉 주자의 이론에 조선의 현실을 반영하여 나름대로의 체계를 세우고자 하였다. 그의 사상은 도덕적 행위의 근거로서 인간 심성을 중시하고, 근본적이며 이상주의적인 성격이 강하였다.	〈학문의 성격〉 현실적이고 개혁적인 모습을 보였다. 16세기 조선 사회의 모순을 극복하는 방안으로 통치 체제의 정비와 수취제도의 개혁 등 다양한 개혁방안을 제시하였다.
〈이기호발설〉 사단(四端)은 이가 발한 것이며 칠정(七情)은 기가 발한 것입니다.	〈기발이승일도설〉 이(理)는 형체가 없고 기(氣)는 형체가 있으며, 이는 작용이 없고 기는 작용이 있는 것으로 구분됩니다.
〈이존기비〉 '이'는 원리적 개념으로서 절대적으로 선한 것이고 '기'는 현상적 개념으로 선과 악이 함께 섞여 있는 것이라고 보았다. 따라서 순선한 '이'는 존귀하고 선악이 함께 내재한 '기'는 비천한 것이라고 주장하였다.	〈이통기국〉 '이(理)'는 보편적이고 '기(氣)'는 특수한 것이므로 '이'는 통하고 '기'는 국한된다. 그러므로 인간을 포함한 모든 사물의 특성이 제각기 다른 것은 '기'의 국한성 때문이라고 보았다.
〈이황의 성학군주론〉 그는 여러 성리학자들의 도식과 설명 가운데 중요한 것을 고르고 일부는 자신이 작성하여 책으로 엮어 왕에게 바쳤다. 여기서 그는 군주 스스로가 성학(聖學)을 따를 것을 제시하였다.	〈이이의 성학군주론〉 그는 치도(治道)의 근원이 「대학」에 있다고 보고, 그 요지에 해당하는 것을 경전과 사서에서 골라 책을 엮어 왕에게 바쳤다. 여기서 그는 현명한 신하가 군주에게 성학(聖學)을 가르쳐 그 기질을 변화시켜야 한다고 주장하였다. ➲ 2017 지방직 9급

11 다음 중 조선 시대 성리학자에 대한 설명으로 틀린 것은 모두 몇 개인가?　　[2016 경찰]

> ㉠ 이황은 군주 스스로가 성학을 따라야 한다는 「성학집요」를 저술하였다.
> ㉡ 이이의 저서 「주자사절요」는 임진왜란 이후 일본에 전해져 일본 성리학 발달에 많은 영향을 주었다.
> ㉢ 서경덕은 이(理)보다는 기(氣)를 중심으로 세계를 이해하고 불교와 노장사상에 대해서 개방적인 태도를 지녔다.
> ㉣ 이언적은 이(理)보다는 기(氣)를 중심으로 자신의 이론을 전개하여 후대에 큰 영향을 끼쳤다.
> ㉤ 조식은 노장 사상에 포용적이었으며 학문의 실천성을 특히 강조하였다.

① 1개　　　　　　　　　② 2개

③ 3개　　　　　　　　　④ 4개

해설　　　　　　　　　　　　　　　　　　　　　　　　　　　　정답 ③

㉠ 이황은 군주 스스로가 성학을 따라야 한다는 「성학십도」를 저술하였다. 「성학집요」는 이이의 저서이다.
㉡ 이황의 저서 「주자사절요」는 일본 성리학 발달에 많은 영향을 주었다.
㉢ 서경덕은 이(理)보다는 기(氣)를 중심으로 세계를 이해하고 불교와 노장사상에 대해서 개방적인 태도를 지녔다. (○)
㉣ 이언적은 주희(朱熹)의 주리론적 입장을 정통으로 확립하여 이황에게 전해주었다.
㉤ 조식은 노장 사상에 포용적이었으며 학문의 실천성을 특히 강조하였다. (○)

12 다음 반정(反正)을 도모한 정치 세력의 대외인식을 반영한 것으로 가장 적절한 것은?

[2013 경찰]

> 적신 이이첨과 정인홍(鄭仁弘) 등이 또 그의 악행을 종용하여 임해군(臨海君)과 영창 대군을 해도(海島)에 안치하여 죽이고... 대비를 서궁(西宮)에 유폐하고 대비의 존호를 삭제하는 등 그 화를 헤아릴 수 없었다. 선왕조의 구신들로서 이의를 두는 자는 모두 추방하여 당시 어진 선비가 죄에 걸리지 않으면 초야로 숨어버림으로써 사람들이 모두 불안해하였다. 또 토목 공사를 크게 일으켜 해마다 쉴 새가 없었고, 간신배가 조정에 가득 차고... 임금이 윤리와 기강이 이미 무너져 종묘사직이 망해가는 것을 보고 개연히 난을 제거하고 반정(反正)할 뜻을 두었다.
>
> ➡ 「조선왕조실록」

① 명나라 신종에게 재조지은(再造之恩)을 갚기 위해 만동묘를 설치하였다.

② 광해군 집권 당시에는 중립외교를 적극적으로 주장하였다.

③ 명의 원군요청에 적절히 대처하고 후금과 친선을 도모하였다.

④ 대의명분보다 실리를 중요시하는 외교정책을 제시하였다.

🔍**해설**   정답 ①

형제인 임해군과 영창대군을 죽이고 인목대비를 유폐하였으며(폐모살제), 무리한 토목 공사를 한 왕은 '광해군'이다. 광해군이 실정을 거듭하자 이귀, 김자점, 이괄 등의 서인 세력은 광해군 및 대북파를 몰아내고 인조를 왕으로 세웠다(1623). 존명배청의 사고를 가진 서인은 임진왜란 때의 '재조지은'을 갚아야 한다며 명나라 신종을 제사 지내는 만동묘를 설치했다.

13 다음은 조선 후기 호락논쟁에 관련된 글이다. ㉠사상과 ㉡사상에 대한 설명으로 옳은 것을 고르면?

[2008 법원직 9급, 2012 해양경찰]

> 호락논쟁은 '인간과 사람의 본성이 다르다'는 인물성이론을 주장한 충청도 지역의 호론과 '인간과 사물의 본성이 같다'는 인물성동론을 주장한 서울·경기 지역의 낙론 사이의 논쟁이다. 뒤에 호론은 ㉠으로 연결되었으며, 낙론은 ㉡으로 연결되었다.

> (가) ㉠ - 흥선 대원군의 대외 정책을 지지하였다.
>
> (나) ㉡ - 의병 항쟁의 사상적 바탕이 되었다.
>
> (다) ㉠ - 박규수, 오경석 등에게 영향을 주었다.
>
> (라) ㉡ - 청의 문물을 수용하고자 주장하였다.

① (가), (나)   ② (나), (다)

③ (가), (라)   ④ (다), (라)

정답 ③

호론(湖論)은 충청 지역 노론이 주장한 인물성이론(人物性異論)으로, 인간의 주체성과 도덕의식 함양에 큰 관심을 가진다. 과학 기술 존중과 이용후생 사상으로 이어진 것은 낙론(洛論), 즉 인물성동론(人物性同論)을 말한다.

구 분	지 역	주 장	관 심	영 향
호론(湖論)	충청 지역 노론	인물성이론	인간의 주체성과 도덕의식 함양에 더 큰 관심을 가짐	• 북벌론에 영향 • 위정척사 사상에 영향
낙론(洛論)	서울, 경기 지역 노론	인물성동론	물질(物性)을 인성의 수준으로 인식하여 물질과 현실에 더 큰 관심을 가짐	• 북학사상에 영향 • 개화사상에 영향

 명호샘의 한마디!!

호론은 북벌과 위정척사로, 낙론은 북학과 개화로 이어졌다. 호락 논쟁 시험 문제의 포인트가 여기에 있다. 2013년 국가직 9급, 2011년 지방직 9급 등에서 다뤄졌던 정답과 오답을 정리해보면, 호락논쟁의 흐름이 잡힐 것이다.

대표적인 오답	1. 호론은 북학파의 과학 기술 존중과 이용후생 사상으로 이어졌다. (×) 2. 낙론은 대의명분을 강조한 북벌론으로 발전되어 갔다. (×) 3. 호락 논쟁은 인성과 물성이 같다고 주장하는 노론과, 다르다고 주장하는 소론 사이의 논쟁이다. (×)
맞는 말	1. 18세기 중엽 노론 내부에 주기설과 주리설의 분파가 생겨 일어났다. (○) 2. 호론은 인성과 물성이 다르다고 보는 인물성이론을 내세웠다. (○) 3. 낙론은 인성과 물성이 같다는 인물성동론을 주장하였다. (○) 4. 북학사상은 인물성동론을 철학적 기초로 하였다. (○) 5. 인물성이론은 대체로 충청도 지역 노론학자들이 주장했다. (○)

14 다음 밑줄 친 '인물성동론(人物性同論)'에 기초하여 나타난 사상계의 동향으로 가장 적절한 것은?

[2007 국가직 9급]

18세기 초 노론학계 내에서는 호락논쟁(湖洛論爭)이 벌어졌다. 이 논쟁은 송시열의 직계 제자들이 벌인 사상 논쟁인데, 권상하와 그의 제자 한원진이 중심이 된 충청도 지방의 학자들이 주장한 이론을 호론이라고 한다. 이 이론은 사람의 본성인 인성(人性)과 물질의 본성인 물성(物性)이 본질적으로 다르다는 것이다. 한편 권상하의 제자인 이간과 김창협이 중심이 된 낙론은 인성과 물성이 같다는 인물성동론(人物性同論)을 말한다.

① 양명학의 도입   ② 동학사상의 대두

③ 북학사상의 형성   ④ 화이론적 사유체계 확립

정답 ③

영조 때에 한원진과 윤봉구로 대표되는 충청도 노론은 인성(人性)과 물성(物性)은 다르다고 보는 '인물성이론(人物性異論)'을 내세웠다. 한편 이간, 김창협 등으로 대표되는 서울 중심의 노론은 인성과 물성이 같다는 '인물성동론(人物性同論)'을 주장하였다. ○ 2018 경찰 인물성동론은 북학사상의 형성에 영향을 주어, 북학파의 과학기술 존중과 이용후생사상으로 이어졌다.

📢 **명호샘의 한마디!!**

인물성동론을 주장한 대표적인 학자, 즉 낙론의 대표는 '이간'이다. 그는 다음과 같이 주장하였다.

> 하늘이라는 절대의 관점에서 보면 사람과 사물은 균등하다. 인간의 관점에 집착하여 사물을 천하게 보고 인간을 가장 귀한 존재로 보는 생각이야말로 진리를 해치는 가장 근본 요인이다.

15 밑줄 친 '이 사람'에 대한 설명으로 옳은 것은?

[2017 서울시 7급]

> <u>이 사람</u>은 1501년에 출생하여 1572년에 타계한 경상우도를 대표하는 유학자이다. 그의 학문 사상 지표는 경(敬)과 의(義)이다. 마음이 밝은 것을 '경(敬)'이라 하고 밖으로 과단성 있는 것을 '의(義)'라고 하였다. 이러한 그의 주장은 바로 '경'으로써 마음을 곧게 하여 수양하는 기본으로 삼고 의로써 외부 생활을 처리하여 나간다는 생활 철학을 표방한 것이었다.

① 문인들이 주로 북인이 되었다.

② 이황과 사단칠정 논쟁을 벌였다.

③ 「동호문답」, 「만언봉사」 등을 저술하였다.

④ 일본의 성리학 발전에 큰 영향을 끼쳤다.

🔍 **해설**

정답 ①

남명(南冥) 조식(曺植, 1501~1572)은 경상남도 합천과 산청을 중심으로 활동하여 많은 제자를 길러냈는데, 이들은 이황을 따르는 '퇴계학파(退溪學派)'와 구분하여 '남명학파(南冥學派)'라고 불린다. 남명학파는 경(敬)과 의(義)를 모두 중시하여 타협하지 않는 절개와 실천으로 유명한데, 이 때문에 임진왜란 때 남명학파 출신의 의병장이 다수 나왔다.

정철의 건저의 문제 및 정철에 대한 처벌 수준 문제에서 정철을 사형시키자는 과격파와 귀양 보내는 것으로 수습하자는 온건파가 대립하면서 동인이 남인과 북인으로 갈라질 때, 과격파는 주로 '경상우도' 출신의 조식 문하생들이었고, 온건파는 주로 '경상좌도' 출신의 이황 문하생들이었다.

② '기대승'은 이황과 사단칠정 논쟁을 벌였다.

③ '이이'는 「동호문답」, 「만언봉사」 등을 저술하였다.

④ '이황'은 일본의 성리학 발전에 큰 영향을 끼쳤다.

16 다음과 같은 계보를 가진 학파에 대한 설명으로 틀린 것은?

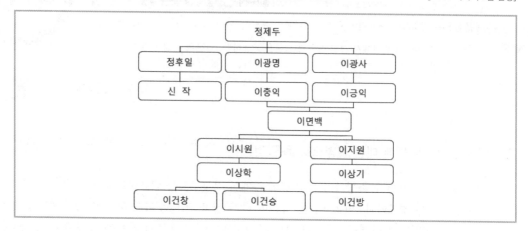

① 누구나 양지를 가지고 있음을 주장하였다.

② 소론과 불우한 종친들을 중심으로 연구되었다.

③ 수레·선박의 이용을 주장한 북학파에 영향을 미쳤다.

④ 지행합일의 실천성을 중시하였다.

⑤ 한말 이후 박은식, 정인보 등에게 영향을 끼쳤다.

 해설

정답 ③

18세기 초 하곡(霞谷) 정제두는 양명학을 집대성하여 강화학파로 발전시켰다. 그림은 강화학파의 계보이다. 정제두, 이광사, 이긍익, 이건창 정도는 외워둬야 한다. 이들은 치양지(누구나 양지를 가지고 있음), 지행합일을 강조하였고, 현실과 실리를 중시하였다.

> 본래 사람의 생리 속에는 밝게 깨닫는 능력이 있기 때문에 스스로 두루 잘 통해서 어둡지 않게 된다. 따라서, 불쌍히 여길 줄 알고 부끄러워하거나 미워할 줄 알며 사양할 줄 알고 옳고 그름을 가릴 줄 아는 것 가운데, 어느 한 가지도 못하는 것이 없다. 이것이 본래 가지고 있는 덕이며 이른바 양지(良知)라고 하는 것이니, 또한 인(仁)이라고도 한다.
>
> ➡ 2017 경찰간부

양명학은 16세기 중종 때 전래되어 서경덕 학파 및 왕실 종친을 중심으로 확산되다가, 17세기 후반 소론 학자들에 의해 본격적으로 수용되었다. 구한말과 일제강점기에는 박은식, 정인보가 양명학을 연구하였다. 특히 박은식은 양명학에 입각하여 유교를 개혁하고 이를 기반으로 국권을 회복하자는 '유교구신론'을 서북학회 월보에 게재하였다(1909).

③ 북학파에 직접적인 영향을 준 것은 '인물성동론'이다.

명호샘의 한마디!!

> 양명학을 묻는 문제의 형태는 여러 가지일 수 있지만, 그 정답은 교리에서 나올 가능성이 높다. '양명학은 누구나 양지를 가지고 있음을 주장하고, 지행일치를 강조하였다.'는 문장을 잘 외워두기 바란다. 2011년 지방직 7급과 2005년 국가직 9급에서 동일하게 출제되었던 문장이다. 또 다시 정답이 될 것이다.

17 다음과 같이 주장한 학자에 대한 설명으로 옳은 것은?　　　　　　　　[2017 국가직 7급]

> 나의 학문은 안에서만 구할 뿐이고 밖에서는 구하지 않는다. …(중략)… 그런데 오늘날 주자를 말하는 자들로 말하면, 주자를 배우는 것이 아니라 다만 주자를 빌리는 것이요, 주자를 빌릴 뿐만 아니라 곧 주자를 부회해서 자기들의 뜻을 성취하려 하고 주자를 끼고 위엄을 지어 자기들의 사욕을 달성하려 할 뿐이다.

① 양지와 양능의 본체성을 근거로 지행합일을 긍정하였다.
② 교조화된 주자학을 비판하다가 사문난적으로 몰리어 죽음을 당하였다.
③ 서인의 영수로서 왕과 사족·서민은 예가 같아야 한다고 주장하였다.
④ 유교문명 이외에도 유럽·회교·불교 문명권을 소개하여 시야를 넓혀 주었다.

해설　　　　　　　　　　　　　　　　　　　　　　　　　　　　정답 ①

성리학의 절대화와 형식화를 비판하며 실천성을 강조한 양명학은 중종 때에 조선에 전래되었다. 학자들 사이에 관심을 끌어가던 양명학은 이황이 정통 주자학 사상과 어긋난다며 비판하면서 이단으로 간주되었다. 18세기 초에 정제두는 몇몇 소론 학자가 명맥을 이어가던 양명학을 체계적으로 연구하여 학파로 발전시켰다. 제시된 자료는 정제두의 「하곡집」에 수록된 내용으로, 성리학을 이용하여 사욕을 챙기려는 자들을 비판하고 있다.
② 교조화된 주자학을 비판하다가 사문난적으로 몰려 죽임을 당한 인물은 윤휴(1617~1680), 박세당(1629~1703) 등이다.
③ 서인의 영수로서 왕과 사족·서민은 예가 같아야 한다고 주장한 인물은 송시열(1607~1689)이다.
④ 유교문명 이외에도 유럽·회교·불교 문명권을 소개하여 시야를 넓혀 준 대표적인 인물은 이수광(1563~1628)이다.

18 다음은 조선 후기 실학자의 활동을 설명한 것이다. 밑줄 친 ㉠의 주장으로 가장 적절한 것은?　　　　　　　　[2013 경찰]

> ㉠은(는) 천지, 만물, 인사, 경사, 시문 등 5개 부문으로 나누어 우리나라 및 중국의 문화를 백과사전식으로 소개·비판한 책을 지었다. ㉠은(는) 붕당이 선비들의 먹이다툼에서 생겼다고 보고 선비들도 농사를 짓고, 과거시험의 주기를 3년에서 5년으로 늘려 합격자를 줄일 것을 주장했다.

① 호구에 부과하던 역역을 토지에 일괄 부과함으로써 민생 안정과 국가재정을 충실히 할 것을 내세웠다.
② 은광의 개발, 화폐의 유통, 선박과 수레의 사용 등을 주장하여 유통경제의 활성화를 주장하였다.
③ 부세를 완화하고, 서얼 허통을 방지하며, 호포제 실시를 반대하였다.
④ 농가경제를 안정시키는 방법으로 매 호마다 영업전(永業田)을 갖게 하고, 그 나머지 토지는 매매를 허락하여 토지균등을 이루자고 주장하였다.

해설

정답 ④

㉠은 실학자 성호 이익(1681~1763)이다. '천지, 만물, 인사, 경사, 시문 등 5개 부문으로 나누어 우리나라 및 중국의 문화를 백과사전식으로 소개·비판한 책'은 이익의「성호사설(星湖僿說)」이다. 이 책은 비변사의 폐지, 서얼 차별의 폐지, 과거제도 의 문제점과 개선안, 지방통치 제도의 개혁안, 토지 소유의 제한, 화폐 제도의 폐지, 환곡 제도의 폐지, 노비 제도 개혁안 등 다양한 내용을 담고 있다. 이익은 당쟁의 원인을 과거로 보았다. 관직의 수는 일정한데 관직을 탐하는 자가 많은 데서 붕당의 다툼이 생긴다고 주장하였다. 그러므로 이를 극복하기 위해서는 과거 시험의 주기를 3년에서 5년으로 늘려 합격자 를 줄이고, 선비들도 (과거에만 매달리지 말고) 농사를 짓고, 천거제도를 병행하여 재야 인사를 등용하여야 한다고 주장하였다.

④ 매 호마다 매매가 불가능한 영업전(永業田)을 분배하자는 이익의 주장을 '한전론(限田論)'이라 한다.

① 유형원(1622~1673)에 대한 설명이다.

② 김육(1580~1658)에 대한 설명이다. 김육은 은광의 개발을 주장하였으며, 상평통보의 주조를 건의하여 인조 때(1633) 상평통보가 처음 주조되기도 하였다. 수차와 수레를 이용한 생산력 증대, 대동법의 확대 시행 등을 주장하였다.

③ 허목(1595~1682)에 대한 설명이다. 허목은 부세의 완화, 호포제 실시 반대, 서얼 허통 방지, 사상(私商)의 난전금지, 북벌 정책의 폐단 시정, 왕과 6조의 기능 강화를 통한 붕당 정치의 폐단 시정 등을 주장하였다.

19 다음 주장을 한 조선 후기 실학자에 대한 설명으로 옳지 않은 것은?

[2010 국가직 7급]

> 농사를 힘쓰지 않는 자 중에 그 좀[蠹]이 여섯 종류가 있는데, 장사꾼은 그 중에 들어가지 않는다. 첫째가 노비요, 둘째가 과거요, 셋째가 벌열이요, 넷째가 기교요, 다섯째가 승니요, 여섯째가 게으름뱅이들이다. 저 장사꾼은 본래 사민(四民)의 하나로서 그래도 통화의 이익을 가져온다. 소금·철물·포백 같은 종류는 장사가 아니면 운반할 수 없지만, 여섯 종류의 해로 움은 도둑보다도 더한다.

① 유통 경제의 발전을 통해 농촌 경제를 활성화시키고자 하였다.

② 자영농 육성을 위한 토지제도 개혁론으로 한전론을 주장하였다.

③ 역사에서 고금의 흥망이 시세(時勢)에 따라 이루어진다고 파악하였다.

④ 관직은 적은데 과거에 응시한 사람이 많은데서 붕당이 생긴다고 보았다.

해설

정답 ①

제시된 자료는 이익의 '6좀 비판'이다. 이익은 중농학파로서 토지분배를 통한 자영농 육성과 지주전호제 극복을 목표로 한 다. '유통 경제의 발전'은 중상학파의 주장이다.

② 이익은 각 호마다 영업전을 지급하고 영업전 이외의 토지만 매매할 수 있도록 하는 한전론을 주장하였다.

③ 이익은 역사를 움직이는 힘을 시세(時勢), 행불행(幸不幸), 시비(是非)의 순서로 봄으로써 도덕 중심 사관을 비판하였다.

④ 이익이 나라를 좀 먹는 6좀 중 하나로 지목한 것이 '과거'이다. 과거가 붕당의 원인이 된다고 보았기 때문이다.

 명호샘의 한마디!!

성호 이익은 소수의 권력자가 대토지를 소유하는 것이 당시의 문제였으므로, 이를 해결하기 위해 토지의 국유화 (國有化)를 원칙으로 하고 개인 등의 토지 소유에 일정한 한계(限界)를 두어야 한다고 주장하였다. 가정[戶]마다 소요되는 기준량을 정하여 영업전(永業田)이라는 토지를 주고, 이를 매매하지 못하도록 하였다. 다만 영업전 이외 의 전지는 매매할 수 있었다. 즉 한전론의 핵심 단어는 '영업전'인데, 다음과 같이 '영업전'이라는 단어를 전혀 쓰지 않고도 한전론을 물을 수 있으니「곽우록」에서 뽑아낸 다음의 자료를 주의해서 보기 바란다.

> 가난한 백성으로 하여금 농토를 팔지 못하도록 하면 파는 사람이 적을 것이다. 그렇게 되면 겸병하는 자도 감소 될 것이다. 가난한 백성이 혹 지혜와 능력이 있어 농토를 사게 되면, 한 자의 땅을 산든, 한 치의 땅을 사든, 사들이기는 해도 파는 일은 없으므로 쉽게 부흥하게 된다. 부유한 백성은 농토가 비록 많으나 혹은 자손들이 많아 나누어 소유하거나, 우매한 자손이 가산을 탕진하여 불과 몇 대 만에 평민들과 동등해지기도 한다.

20 다음 주장을 펼친 인물에 대한 설명으로 가장 옳은 것은?

[2023 법원직 9급]

> 국가는 마땅히 한 집의 생활에 맞추어 재산을 계산해서 토지 몇 부(負)를 1호의 영업전으로
> 한다. 땅이 많은 자는 빼앗아 줄이지 않고 미치지 못하는 자도 더 주지 않으며, 돈이 있어
> 사고자 하는 자는 비록 천백 결이라도 허락하여 주고, 땅이 많아서 팔고자 하는 자는 다만
> 영업전 몇 부 이외에는 허락하여 준다.

① 한국사의 독자적인 정통론을 체계화하였다.

② '목민심서'와 '경세유표' 등의 저술을 남겼다.

③ 나라를 좀먹는 여섯 가지의 폐단을 지적하였다.

④ 신분에 따라 차등 있게 토지를 분배하는 균전론을 내세웠다.

해 설

정답 ③

영업전 이외의 토지만 매매할 수 있게 하자는 주장을 한 실학자는 이익(1629~1690)이다. 이익은 나라를 좀먹는 여섯 개의
폐단을 지적하였다(6좀 비판).

① '한국사의 독자적인 정통론을 체계화'한 인물은 여럿이지만, 역사 서술 분야에서 삼한정통론을 내세워 독자적인 정통론
을 체계화한 인물은 안정복이다.

② '목민심서'와 '경세유표' 등의 저술을 남긴 인물은 정약용이다.

④ 신분에 따라 차등 있게 토지를 분배하는 균전론을 내세운 인물은 유형원이다.

21 조선 시대 실학자들에 대한 설명으로 가장 적절한 것은?

[2016 경찰]

① 유형원은 '반계수록'을 저술하였고, 결부법 대신에 경무법을 사용할 것을 주장하였다.

② 정약용은 '경세유표'에서 형옥의 임무를 맡은 관리들이 유의할 사항을 예로 들어 설명하
였다.

③ 이익은 노비 제도, 과거 제도, 양반 문벌 제도, 사치와 미신 숭배, 성리학, 게으름 등 여섯
가지를 '나라의 좀'이라고 규정하여 그 시정을 주장하였다.

④ 허목은 '기언'을 저술하였고, 붕당 정치와 북벌정책의 폐단을 시정하기 위해 왕과 육조의
기능 약화, 호포제의 적극적인 실시 등을 주장하였다.

해 설

정답 ①

유형원(1622~1673)은 반계수록을 저술하였고, 균전론을 제시하였으며, 노비의 세습을 비판하였다. 또한 결부법 대신에
경무법을 사용할 것을 주장하였다. 결부법(結負法)은 수확량을 기준으로 토지 면적을 책정하는 것으로 토지의 실제 면적을
알 수는 없다. 그러나 경무법(頃畝法)은 토지의 면적을 단위로 계량하므로, 유형원은 경무법이 더 합리적이라고 판단하였다.

② 정약용이 형옥의 임무를 맡은 관리들이 유의할 사항을 예로 들어 설명한 형법서는 「흠흠신서(欽欽新書)」(1822)이다.

③ 이익이 나라의 좀으로 규정한 6좀은 '노비 제도, 과거 제도, 양반 문벌 제도, 사치와 미신 숭배, 승려, 게으름'이다.

④ 허목은 '기언(記言)'을 저술하였다. 허목은 '왕권 강화'를 주장하였고 '호포제'는 반대하였다.

22 다음과 같은 토지 개혁론을 주장한 인물의 활동에 대한 설명으로 가장 옳지 않은 것은?

[2006 해양경찰, 2010 경찰]

> 이제 농사를 짓는 사람에게는 토지를 갖게 하고 농사짓지 않는 사람에게는 토지를 갖지 못하게 하려면 여전제를 실시해야 한다. … 산곡과 하천을 기준으로 구역을 획정하여 경계를 삼고, 그 경계선 안에 포괄되어 있는 지역을 1여로 한다. … 이때 국가에 바치는 세를 먼저 제하고, 다음에는 여장의 봉급을 제하며, 그 나머지를 가지고 장부에 의거하여 노동량에 따라 여민에게 분배한다.

① 「반계수록」을 써서 결부법 대신 경무법 사용을 주장하였다.

② 토지제도 개혁안으로 정전론을 제기하였다.

③ 화성 축조에 이용된 거중기를 설계하였다.

④ 「마과회통」에서 종두법을 소개하였다.

⑤ 천원지방설을 논박하고 지원설을 내세웠다.

해설   정답 ①

여전제(閭田制, 여전론)는 '산곡과 하천을 기준으로' 즉, 자연지형을 경계로 '여(閭)'라는 단위를 만들고, 그 안에서 공동농장 제도를 운영하는 방안을 말한다. 이것은 정약용의 토지 개혁론이다.

② 정약용은 이후 여전론의 대안으로 정전론(井田論)을 주장하였는데, 이것은 전국의 토지를 정(井)자 모양으로 구획하고, 그 중 1/9을 공전으로 하여 국가에 세금을 내자는 토지개혁론이다. 정전론 실시의 주장을 '정전제를 현실에 맞게 실시할 것을 주장하였다'라고 표현하기도 한다. ➡ 2017 국회직 9급

③ 정약용은 「기기도설」을 참조하여 거중기를 설계하고 이것을 화성 축조에 사용하였다. 거중기는 도르래의 원리를 이용한 기기인데, 도르래를 활차(滑車)라고 한다.

> 활차(滑車)를 이용하여 무거운 물건을 운반하는 것은 두 가지 편리한 점이 있으니 첫째는 사람의 힘을 줄이는 것이고, 둘째는 무거운 물건을 떨어뜨리지 않고 안전하게 운반하는 것입니다. …… 크고 작은 바퀴가 서로 통하고 서로 튕기는 방법을 이용하면 천하에 무거운 물건이 없습니다. ➡ 「여유당전서」'기중도설' ➡ 2021 경찰

④ 정약용은 「마과회통」에서 영국인 제너가 발명한 종두법을 소개하였다. 정약용은 남인 시파로서 정조의 정치에 기여하였으나, 정조 사후에 신유박해(1801)로 인하여 강진에서 유배생활을 하였다. 그곳에서 당시 조선 사회의 현실에 대하여 직접적인 분석과 비판을 가하는 많은 저서를 남겨 실학 최대의 학자로 불리고 있다.

⑤ 정약용은 전통적인 천원지방설(天圓地方說)을 논박하고 서학과 지리학에 대한 지식을 바탕으로 지원설(地圓說)에 관해 논증했다. 천원지방설이란 하늘은 둥글고 땅은 사각형 모양이라는 주장이다. 정약용은 서학과 지리학을 연구하여 지원설을 증명하였다.

① 유형원은 「반계수록」에서 토지 측량 단위로서 종래의 결부법(結負法, 수확량 단위) 대신에 경무법(頃畝法, 면적 단위)을 쓰고, 호구에 부과하던 역역(力役)을 토지에 일괄부과함으로써 민생안정과 국가재정을 충실히 할 것을 내세웠다. 그리하여 자영농을 바탕으로 병농일치의 국방체제를 수립하고, 사농일치의 교육제도를 마련해야 한다고 하였다. 그리고 양반 문벌·과거제도·노비제도 등의 모순도 지적하였다.

명호샘의 한마디!!

정약용의 여전론(閭田論)은 일종의 공동농장 제도로서 1) 공동 소유, 2) 공동 경작, 3) 공동 분배를 골자로 한다. 자연지형을 경계로 한 여(閭) 안에서 공동 경작을 하자는 주장은 결국 '놀고 먹는 양반 사회에 대한 비판의식'이 포함되어 있는 것이다. 같은 시기에 서유구도 유사한 구상을 하였는데, 서유구는 국영농장의 경영을 내용으로 하는 둔전론(屯田論)을 제시하였다. 정약용과 서유구의 농업개혁론은 기존의 지주전호제를 극복하고 새로운 토지소유와 농업경영 방식을 제기한 탁월한 개혁안이었다.

여(閭)에는 여장(閭長)을 두며 여민들이 공동으로 경작한다. 내 땅 네 땅의 구분이 없으며 오직 여장의 명령만 따르며, 개인별 노동량은 매일 여장이 기록하고, 수확물은 모두 여장의 집에서 모은다. 분배할 때는 공세(公稅)와 여장 녹봉을 빼고서 일역부(日役簿) 기록에 따라 공정하게 분배한다.

▶「전론(田論)」

---

23 밑줄 친 '그'의 저술로 옳은 것은?

[2014 계리직]

그는 이익의 실학사상을 계승하였으며, 삼정의 문란을 폭로하는 '애절양(哀絶陽)'이라는 시를 남겼고, 마진(痲疹)에 대한 연구를 진전시켜 의서(醫書)를 편찬하였다.

① 「과농소초」
② 「의방유취」
③ 「의산문답」
④ 「흠흠신서」

해설 　　　　　　　　　　　　　　　　　　　　　　　　　　　　　　　　　　　　　정답 ④

'그'는 정약용(1762~1836)이다. 정약용은 이익 등 선배 남인 학자의 실학을 계승하면서도 이용후생을 강조하는 북학사상의 영향도 받아 19세기 전반기의 학자로서는 가장 포괄적이고 진보적인 개혁안을 내놓았다. 정약용은 삼정의 문란을 폭로하는 한시 '애절양'에서 백골징포, 황구첨정 등의 문란 상황을 그렸고, 마진(홍역)에 대한 연구를 진전시켜 「마과회통」을 지었다. 「흠흠신서」는 정약용이 쓴 형옥(刑獄)·형정(刑政)에 관한 법률 지침서이다.
① 박지원, ② 김예몽·유성원·김수온 등, ③ 홍대용

---

24 ㉠~㉢에 들어갈 책의 이름이 옳은 것은?

[2017 지방직 7급]

- (㉠)에서는 「주례」에 나타난 주나라 제도를 모범으로 하여 중앙과 지방의 정치제도를 개혁할 것을 제안했다.
- (㉡)는 수령들이 백성을 수탈하는 도적으로 변한 현실을 바로잡기 위해 백성을 기르는 목민관으로서 지켜야 할 규범을 제시한 일종의 수신교과서이다.
- (㉢)는 백성들이 억울한 벌을 받지 않도록 형법을 신중하게 집행하기 위해 지은 책이다.

	㉠	㉡	㉢		㉠	㉡	㉢
①	경세유표	목민심서	흠흠신서	②	목민심서	경세유표	흠흠신서
③	흠흠신서	목민심서	경세유표	④	경세유표	흠흠신서	목민심서

🔍**해설**

㉠ 「경세유표(經世遺表)」는 정약용이 조선 후기의 혼란한 상황을 바로잡고 부국강병을 이룩하기 위해 「서경(書經)」과 「주례(周禮)」의 이념을 근간으로 하여 조선 사회의 개혁안을 저술한 책이다. 「주례」와 「경국대전(經國大典)」의 체제와 같이 육전 체제(六典體制)로 구성되어 있다. 이(吏), 호(戶), 예(禮), 병(兵), 형(刑), 공(工) 체제에 맞추어서 6조의 조직 구성, 담당 업무와 개혁 방향을 저술하였다. 「경세유표」의 내용 가운데 정약용의 생각이 가장 집약적으로 들어가 있는 부분은 농업 문제라고 할 수 있다. 특히 토지의 배분과 관련한 정약용의 생각을 표현한 지관수제(地官修制)에서는 고대 중국의 정전제(井田制)를 이상적인 제도로 상정하고 있다.

㉡ 「목민심서(牧民心書)」는 정약용이 1818년(순조 18년)에 목민관(牧民官), 곧 수령의 기본자세를 다룬 책이다. '목민'이란 백성을 다스린다는 뜻이며, '심서(心書)'란 정약용이 실제로 목민관으로 재직할 때 목민할 마음을 가졌지만 실천할 수 없었던 현실을 담아내어 지은 이름이라고 밝히고 있다.

> 목자(牧者)가 백성을 위하여 있는가, 백성이 목자를 위하여 있는가. 백성이라는 것은 곡식과 피륙을 제공하여 목자를 섬기고, 또 가마와 말을 제공하여 목자를 송영하는 것이다. 결국 백성은 피와 살과 정신까지 바쳐 목자를 살찌게 하는 것이니, 이것으로 보자면 백성이 목자를 위하여 존재하는 것이 아닌가. **▶「원목(原牧)」**

> 오늘날 백성을 다스리는 자는 백성에게서 걷어들이는 데만 급급하고 백성을 부양하는 방법은 알지 못한다. …… '심서(心書)'라고 이름 붙인 까닭은 무엇인가? 백성을 다스릴 마음은 있지만 몸소 실행할 수 없기 때문에 그렇게 이름 붙인 것이다. **▶「목민심서(牧民心書)」 ▶ 2017 지방직 9급**

㉢ 「흠흠신서(欽欽新書)」는 정약용이 1819년(순조 19년)에 완성한 형법서이다. 내용은 경사요의(經史要義) 3권, 비상전초(批詳雋抄) 5권, 의율차례(擬律差例) 4권, 상형추의(詳刑追議) 15권, 전발무사(剪跋蕪詞) 3권으로 구성되어 있다.

25 다음 주장을 한 실학자가 쓴 책은?

[2022 국가직 9급]

> 토지를 겸병하는 자라고 해서 어찌 진정으로 빈민을 못살게 굴고 나라의 정치를 해치려고 했겠습니까? 근본을 다스리고자 하는 자라면 역시 부호를 심하게 책망할 것이 아니라 관련 법제가 세워지지 않은 것을 걱정해야 할 것입니다. …(중략)… 진실로 토지의 소유를 제한하는 법령을 세워, "어느 해 어느 달 이후로는 제한된 면적을 초과해 소유한 자는 더는 토지를 점하지 못한다. 이 법령이 시행되기 이전부터 소유한 것에 대해서는 아무리 광대한 면적이라 해도 불문에 부친다. 자손에게 분급해 주는 것은 허락한다. 만약에 사실대로 고하지 않고 숨기거나 법령을 공포한 이후에 제한을 넘어 더 점한 자는 백성이 적발하면 백성에게 주고, 관(官)에서 적발하면 몰수한다."라고 하면, 수십 년이 못 가서 전국의 토지 소유는 균등하게 될 것입니다.

① 반계수록

② 성호사설

③ 열하일기

④ 목민심서

정답 ③

해설

'중략' 이후를 보면, '진실로 토지의 소유를 제한하는 법령'을 세우자고 하였다. 또 '제한된 면적을 초과해 소유'하는 것을 금지한다는 것은 '토지 소유의 상한선'을 정하자는 주장이다. 연암 박지원은 한전론(限田論)을 제안하였는데, 토지 소유의 상한선을 정하면 토지 소유의 양극화를 해소할 수 있다고 생각하였다. ◐ 2016 서울시 7급 제시된 자료는 한전론을 소개한 「한민명전의」라는 글이다.

① 유형원은 17세기 후반에 활약한 중농 실학의 선구자로 일생 동안 농촌에 살면서 학문연구에 몰두하고 『반계수록』을 저술하였다. ◐ 2020 경찰간부

② 『성호사설』은 성호 이익의 글이다. 성호 이익도 한전론을 주장했지만, 박지원의 한전론과는 사뭇 다르다. 성호 이익은 농가를 안정시키는 방법으로 매 호마다 영업전(永業田)을 갖게 하고, 그 이외의 토지는 매매를 허락하여 점진적으로 토지 균등을 이루어 나가자고 주장하였다. ◐ 2016 서울시 7급

③ 연암 박지원은 청에 다녀와 『열하일기』를 저술하고 상공업의 진흥을 강조하면서 수레와 선박의 이용, 화폐 유통의 필요성 등을 주장하였다. ◐ 2017 경찰

④ 다산 정약용은 『목민심서』, 『경세유표』 등을 저술하였다. ◐ 2021 경찰

---

26 다음과 관련된 인물의 주장으로 옳은 것은 [보기]에서 모두 고른 것은? [2020 법원직 9급]

> 비유컨대, 재물은 대체로 우물과 같은 것이다. 퍼내면 차고, 버려두면 말라 버린다. 그러므로 비단옷을 입지 않아서 나라에 비단을 짜는 사람이 없게 되면 여공이 쇠퇴하고, 찌그러진 그릇을 싫어하지 않고 기교를 숭상하지 않아서 장인이 작업하는 일이 없게 되면 기예가 망하게 된다.

[보기]

ㄱ. 수레와 선박의 이용을 확대해야 한다.

ㄴ. 사농공상은 직업적으로 평등해야 한다.

ㄷ. 청에서 행해지는 국제 무역에 참여해야 한다.

ㄹ. 자영농을 중심으로 군사와 교육 제도를 재정비해야 한다.

---

① ㄱ, ㄴ   ② ㄱ, ㄷ

③ ㄴ, ㄷ   ④ ㄷ, ㄹ

해설

정답 ②

제시된 자료는 박제가의 '소비론'이다. 박제가(1750~1805)는 그가 저술한 『북학의』(1778)에서 생산과 소비와의 관계를 우물에 비유하면서 생산을 자극하기 위해서는 절약보다 소비를 권장해야 한다고 주장하였다. 박제가는 청나라의 풍속과 제도를 시찰하고 돌아와서 '수레와 선박의 이용'을 강조하였고, '청과의 통상 강화'를 주장하였다. ◐ 2024 지방직 9급

> 우리나라는 검소함 때문에 쇠약해졌습니다. 왜냐하면 비단옷을 입지 않기 때문에 국가에 비단 짜는 기계가 없어 여공이 폐지되었으며, 음악을 숭상하지 않기 때문에 오음(五音)과 육률(六律)이 맞지 않습니다. ◐ 2006 국가직 9급

ㄴ. 사농공상의 직업적 평등화와 전문화를 주장한 인물은 유수원(1694~1755)이다.

ㄹ. 자영농을 중심으로 군사와 교육 제도를 재정비한 인물은 유형원(1622~1673)이다.

명호샘의 한마디!!

박제가(1750~1805)의 키워드는 1)「북학의」저술, 2) 소비론, 3) 청과의 통상 강화, 4) 수레와 선박의 이용, 5) 서양 선교사 초빙(과학기술을 배울 것을 제안), 6) (정약용과 함께) 종두법 연구, 7) 규장각 검서관, 8) 중상학파이다.

1. 「북학의」를 저술하였다. ◐ 2019 서울시 7급
   = 「북학의」를 저술하여 청의 선진 기술을 적극적으로 수용할 것과 상공업 육성 등을 역설하였다.
   ◐ 2021 지방직 9급, 2015 국가직 7급
   = 「북학의」에서 벽돌의 사용을 강조하였다. ◐ 2020 서울시 9급, 2007 광주시 9급
2. 소비와 생산과의 관계를 우물[井] 물에 비유하여 절약보다 소비촉진을 강조하였다. ◐ 2011 경찰
   = 소비의 중요성을 강조하며 상공업 진흥을 주장하였다. ◐ 2018 하반기 소방
3. '청에서 행해지는 국제무역에 참여해야 한다.'고 주장하였다. ◐ 2020 법원직 9급
   = 청나라와의 통상을 강화하기 위해 무역선을 활용할 것을 건의하였다. ◐ 2015 소방
4. '수레와 선박의 이용을 확대해야 한다.'고 주장하였다. ◐ 2020 법원직 9급
5. 서양 선교사를 초빙하여 서양의 과학·기술을 배우자고 제안하였다. ◐ 2017 국가직 7급 하반기
6. 종두법을 연구하여 실험하기도 했다 ◐ 2011 수능
7. 서얼 출신으로 규장각 검서관에 등용되었다. ◐ 2016 사회복지직
8. 상공업을 육성하고 선박, 수레, 벽돌 등 발달된 청의 기술을 적극적으로 수용하자고 제안하였다.
   ◐ 2020 서울시 9급

우리 나라는 면적이 작고 백성은 가난하다. 이제 농사를 짓는 데 현명한 재사(才士)를 쓰고 상공(商工)을 통하도록 하여 나라 안의 이익을 모조리 융통하게 하더라도 오히려 부족하고 걱정될 것이다. 반드시 먼 지역의 물자를 교통한 후에야 재화가 늘고 백 가지 일용품이 생겨날 것이다. …… 이제 배로써 통상하려면 왜놈들은 간사하여 늘 이웃 나라를 엿보고 있어 좋지 않고, 안남(安南)·유구·대만 등은 길이 멀고 험하여 가히 통상할 수 없으니 다만 중국만이 그 대상이 될 수 있을 것 같다. …… 다만 중국의 배와 통상하고 해외의 여러 나라와 통상하지 않는 것은 역시 임시 방편의 고식적인 방책이요 정론이 아니다. 국력이 강해지고 백성의 직업이 안정된 다음에 마땅히 통상하여야 할 것이다. ◐「북학의」

27 다음과 같이 양반 사회를 비판한 실학자에 대한 설명으로 옳지 않은 것은? [2013 국가직 7급]

양반이란 사족(士族)을 높여서 일컫는 말이다. 정선(旌善) 고을에 어떤 양반이 살고 있었는데, 어질고 책 읽기를 좋아하였다. 고을 군수가 부임할 적마다 방문하여 인사하였는데, 살림이 무척 가난하였다. 그래서 관가에서 내주는 환자(還子)를 타서 먹었는데 결국 큰 빚을 졌다. 그러자 마을 부자가 양반의 위세를 부러워해서 양반을 사겠노라 권유하니 그 양반은 기뻐하며 승낙하였다.

① 「한민명전의」에서 한전법을 주장하였다.
② 「호질」을 통해 양반의 위선을 풍자하였다.
③ 「과농소초」를 통해 농기구의 개량을 주장하였다.
④ 「중용주해」에서 주자 학설 중심의 성리학을 비판하였다.
⑤ 개혁을 위한 선비의 자각을 강조하였다.

정답 ④

'고을 군수가 부임할 적마다 방문하여 인사'하는 양반이었지만, 경제적으로는 궁핍하였던 모양이다. 자료에서 '환자'는 환곡을 말한다. 환곡(還穀) = 환자(還子) = 환상(還上), 모두 같은 말이다. (옛말에 '원님도 보고 환자도 탄다'는 말이 있다. 두 가지 일을 동시에 이루려고 할 때 쓴 말이다.) 그런데 '마을 부자'(조선 후기 부농층)가 '양반을 사겠노라'(족보 매입, 환부역조)하니 양반이 기뻐하였다. 박지원의 한문 소설 「양반전」의 내용이다.

①, ③ 박지원은 「한민명전의」와 「과농소초」에서 한전법(한전론)을 소개하고, 농기구 개량을 주장하였다.

②, ⑤ 박지원은 한문 소설 「양반전」, 「허생전」, 「호질」 등을 통해 양반의 위선을 풍자하고, 개혁을 위한 선비의 자각을 강조하였다.

④ 「중용주해」는 윤휴의 저서이다. 윤휴는 이 책에서 주자와는 다른 독자적인 경전 해석을 내놓아서, 송시열에 의해 사문난적으로 비난 받았다.

---

28 다음은 조선 후기 실학자에 대한 설명이다. 그의 주장으로 가장 적절한 것은? [2013 경찰]

> 그는 청을 왕래하면서 얻은 경험을 토대로 여러 가지 저술을 남겼다. 그는 저술 속에서 성인 남자에게 2결의 토지를 나누어 주고 병농일치의 군대조직을 제안하였다. 그리고 실옹(實翁)과 허자(虛子)의 문답 형식을 빌어 지금까지 믿어온 고정관념을 상대주의 논법으로 비판하였다.

① 사·농·공·상 모두에게 차등을 두어 토지를 재분배함으로써 모든 국민을 자영농으로 안정시키고자 하였다.

② 지구자전설을 주장하고 인간이 다른 생명체보다도 우월하지 않다는 것 등 파격적인 우주관을 피력하였다.

③ 영농방법의 혁신, 상업적 농업의 장려, 농기구의 개량 등 경영과 기술적인 측면의 개선을 통해 농업을 발전시키고자 하였다.

④ 상업에 있어서는 상인 간의 합자를 통한 경영 규모의 확대와 상인이 생산자를 고용하여 생산과 판매를 주관할 것을 주장하였다.

정답 ②

의산문답(醫山問答)은 1766년 홍대용이 베이징을 다녀와 자신의 경험과 사상을 토대로 쓴 과학 사상서이다. 이 책은 '실옹(實翁)과 허자(虛子)의 문답 형식'을 취하고 있다. 전통적인 음양오행 사상에 근본적인 의문을 가지고 지구자전설을 비롯하여 물질과 우주에 대한 자신의 생각을 적은 문헌이라고 표현할 수도 있다.

① 신분별 차등을 두어 토지를 재분배하자는 주장은 유형원의 균전론이다.

③ 박지원의 주장이다.

④ 유수원의 주장이다.

29 정치적 입장이 노론이었던 학자가 쓴 책의 주요 내용을 바르게 소개한 것은?

① 실옹과 허자의 문답 형식을 빌려 고정관념을 상대적 논법으로 비판했다.
② 부안 우반동에서 농촌 사회의 안정을 위해 공전제와 토지 재분배를 주장했다.
③ 첨성촌에 은거하면서 견문한 내용들을 백과사전식으로 저술했다.
④ 야사 400여 종을 참고해 조선정치사를 객관적 입장에서 기술했다.

해설 정답 ①
노론 가문에서 출생한 홍대용(1731~1783)은 성리학자 김원행에게 배웠으며, 북학파 실학자인 박지원·박제가와도 깊은 친분을 유지하였다. 홍대용은 실옹과 허자의 문답 형식을 빌려 『의산문답』을 지었다.
② 병자호란이 끝난 후 조부를 봉양하기 위해 부안 땅을 자주 왕래하던 유형원은 부안 우반동에 은거하기 시작해 20년간 이곳에서 여생을 보내다가 죽었다. 유형원은 고대 정전제(井田制)의 정신에 입각한 토지 개혁을 주장하였는데, 그는 정전제의 이상이 바로 공전(公田)에 있다고 보고 개인의 이욕만을 위한 사전(私田)을 배격하였다. 그가 『반계수록』에서 밝힌 이러한 토지 개혁론을 '균전제(均田制)'라고 하는데, 그는 모든 토지를 국유화하여 신분에 따라 재분배할 것을 주장하였다. 유형원은 정치적으로 북인에 속했으나, 사상적으로는 남인에 가까웠으므로, 학계에서는 유형원을 '북인계 남인'이라고 표현하기도 한다.
③ 몰락한 남인 가정에서 태어난 이익은 벼슬을 단념하고 경기도 광주군 첨성촌(지금의 경기도 안산시 상록구 일동)에 은거하면서 실학 연구에 전념하여 『성호사설』이라는 백과사전을 비롯한 여러 저술을 남기고, 많은 제자들을 길러 내어 성호학파를 형성하였다.
④ 400여 야사(野史)를 참고하여 지은 야사총서로, 조선정치사 및 조선문화사를 다룬 역사서는 이긍익이 쓴 『연려실기술』이다. 양명학자 이긍익의 당파는 소론이다.

30 다음과 같은 내용을 주장한 실학자에 대한 설명으로 옳은 것은?

> 중국은 서양과 180도 정도 차이가 난다. 중국인은 중국을 중심으로 삼고 서양을 변두리로 삼으며, 서양인은 서양을 중심으로 삼고 중국을 변두리로 삼는다. 그러나 실제는 하늘을 이고 땅을 밟는 사람은 땅에 따라서 모두 그러한 것이니 중심도 변두리도 없이 모두가 중심이다.

① 「동국지리지」를 저술하여 역사지리 연구의 단서를 열어놓았다.
② 「임하경륜」을 통해서 성인 남자들에게 2결의 토지를 나누어 줄 것을 주장하였다.
③ 「동사」에서 조선의 자연환경과 풍속, 인성의 독자성을 강조하였다.
④ 「동국지도」를 만들어 지도 제작의 과학화에 기여하였다.

해설 정답 ②
홍대용 문제에서 가장 출제가 많이 되는 문장은 '중국은 서양과 180도 정도 차이가 난다'이다. 중국의 반대편에 서양이 있으니, 누구도 중심이 아니며, 이에 따라 중국도 서양에서 보면 '변두리'에 불과하다는 「의산문답」에서의 주장이다.
② 홍대용은 「임하경륜」에서 균전제(균전론)를 주장하였다. 이 균전제는 유형원의 균전론과는 달리 성인 남자들에게 각각 2결의 토지를 지급하는 진정한 균등분배 방식의 토지 개혁론이다.
① 역사지리지인 「동국지리지」를 저술한 인물은 '한백겸'이다.
③ 역사서인 「동사」에서 조선의 자연환경과 풍속, 인성의 독자성을 강조한 인물은 '허목'이다.
④ 「동국지도」는 세조 때의 동국지도와 영조 때의 동국지도가 있다. 지도 제작의 '과학화'와 어울리는 시기는 조선 후기이므로, 제시된 「동국지도」는 영조 때의 것으로 보면 된다. 제작자는 '정상기'이다.

명호샘의 한마디!!

홍대용(1731~1783) 문제의 기출 문장을 정리한다.

1) 「임하경륜」을 통해서 성인 남자들에게 2결의 토지를 나누어 줄 것을 주장하였다.
⮞ 2017 국가직 9급, 2014 국가직 9급

2) 지구자전설을 주장하고 인간이 다른 생명체보다도 우월하지 않다는 것 등 파격적인 우주관을 피력하였다.
⮞ 2013 경찰

= 지전설을 주장하며 중국 중심의 세계관 극복과 민족의 주체성을 강조하였다. ⮞ 2020 해경

= 혼천의를 제작하고 지전설과 무한 우주론을 주장하였다. ⮞ 2018 계리직 9급

3) 지구가 우주의 중심이 아니라는 무한 우주론을 내놓았다. ⮞ 2010 국가직 7급

4) '실옹'과 '허자'의 문답형식을 빌어 지금까지 믿어 온 고정관념을 상대주의 논법으로 비판하였다.
⮞ 2018 서울시 7급, 2010 국가직 7급

= 의산문답에서 실옹(實翁)과 허자(虛子)의 대화를 통해 고정관념을 비판하였다. ⮞ 2021 소방간부

5) 「주해수용」을 저술하여 우리나라, 중국, 서양 수학의 연구 성과를 정리하였다. ⮞ 2019 기상직 9급, 2017 경기도 9급

6) 신분이 아니라 재능과 학식의 여부로 사람을 평가해야 한다고 하였다. ⮞ 2010 국가직 7급

7) 정치적 입장이 노론이었다. ⮞ 2018 서울시 7급

천체가 운행하는 것이나 지구가 자전하는 것은 그 세가 동일하니, 분리해서 설명할 필요가 없다. 다만, 9만 리의 둘레를 한 바퀴 도는 데 이처럼 빠르며, 저 별들과 지구와의 거리는 겨우 반경(半徑)밖에 되지 않는데도 몇 천만 억의 별들이 있는지 알 수 없다. 하물며 천체들이 서로 의존하고 상호작용하면서 이루고 있는 우주공간의 세계밖에도 또 다른 별들이 있다. …… 칠정(七政 : 태양, 달, 화성, 수성, 목성, 금성, 토성)이 수레바퀴처럼 자전함과 동시에, 맷돌을 돌리는 나귀처럼 둘러싸고 있다. 지구에서 가까이 보이는 것을 사람들은 해와 달이라 하고, 지구에서 멀어 작게 보이는 것을 사람들은 오성(五星 : 수성, 금성, 화성, 목성, 토성)이라 하지만, 사실은 모두가 동일한 것이다.
⮞ 「담헌집」

아홉 도의 전답(田畓)을 고루 나누어 3분의 1을 취해서 아내가 있는 남자에 한해서는 각각 2결(結)을 받도록 한다. (그 자신에 한하며 죽으면 8년 후에 다른 사람에게 옮겨 준다.) 전원(田園) 울타리 밑에 뽕나무와 삼[麻]을 심도록 하며, 심지 않는 자에게는 벌로 베[布]를 받는데 부인이 3명이면 베[布] 1필, 부인이 5명이면 명주[帛] 1필을 상례(常例)로 정한다.
⮞ 2019 기상직 9급

31 다음 중 조선 후기 실학자와 그들이 주장하는 바에 대한 설명이다. 옳지 않은 것을 모두 고른 것은?

[2014 서울시 9급]

㉠ 정약용 : 농업 중심 개혁론의 선구자로 균전론을 제시하였다.

㉡ 홍대용 : 무역선을 파견하여 청에서 행해지는 국제무역에도 참여해야 한다고 주장하였다.

㉢ 유수원 : 「우서」를 저술하여 상공업의 진흥을 위한 사농공상의 직업적 평등과 전문화를 주장하였다.

㉣ 유형원 : 자영농 육성을 위한 토지제의 개혁뿐만 아니라 양반문벌제도, 과거제, 노비제의 모순도 지적하였다.

① ㉠, ㉡
② ㉠, ㉢
③ ㉡, ㉢
④ ㉡, ㉣
⑤ ㉢, ㉣

정답 ①
㉠ '농업 중심 개혁론의 선구자', 즉 초기 중농학파 실학자이며 균전론(均田論)을 제시한 인물은 유형원(1622~1673)이다.
㉡ 무역선을 파견하여 청에서 행해지는 국제무역에도 참여해야 한다(청과의 통상을 강화해야 한다)고 주장한 실학자는 박제가(1750~1805)이다.

---

03 과학 기술의 발달

01 조선 전기의 농업 관련 서적에 대한 설명 중 옳지 않은 것은?   [2012 경찰간부]

① 강희맹은 금양(시흥) 지방의 농사경험을 토대로 「금양잡록」을 저술하였다.

② 홍만선은 조선 전기의 농업 서적을 종합하여 「농가집성」을 편찬하였다.

③ 강희안은 원예서인 「양화소록」을 저술하여 다양한 화초재배 방법을 소개하였다.

④ 정초 등은 전국 각지의 노농(老農)들의 실제 경험을 수집하여 「농사직설」을 편찬하였다.

정답 ②
「농가집성(農家集成)」은 효종 때(1655) 신속이 편찬한 농서이다. 「농가집성」은 1) 「농사직설」의 농학을 계승하였으며, 2) 벼농사 중심의 농법을 소개하였다. 3) 「농사직설」과 「금양잡록」 등에 저자의 견해를 더하여 편찬하였으며(기존의 '농사직설, 금양잡록, 사시찬요초, 구황촬요' 등을 합본한 종합적인 농업서적), 4) 이앙법과 견종법으로의 기술적인 전환과 그 보급을 목표로 한 농서였다.
② 조선 숙종 때 홍만선이 편찬한 농서는 「산림경제」이다.

---

02 다음에서 (㉠)과 (㉡)에 들어갈 내용을 바르게 짝지은 것은?   [2022 계리직 9급]

> 조선 전기에 (㉠)이/가 저술한 (㉡)은/는 예로부터 사람들이 감상하고 길러온 꽃과 나무 몇십 종에 대한 재배법과 이용법을 설명하고 있으며, 또한 꽃과 나무의 품격과 그 의미, 상징성을 논하고 있다.

	㉠	㉡
①	강희안	『양화소록』
②	양성지	『농잠서』
③	강희맹	『금양잡록』
④	신속	『농가집성』

정답 ①
'꽃과 나무 몇십 종에 대한 재배법과 이용법을 설명'한 조선 전기의 책은 강희안의 『양화소록』이다. 강희안의 원예농서인 『양화소록』과 그 동생인 강희맹의 『금양잡록』을 구분해야 한다. 신속의 『농가집성』은 조선 후기의 농서이다.

03 다음 자료에 해당하는 서적으로 옳은 것은?

[2022 소방]

<농서 소개>

• 1492년(성종 23)에 간행

• 곡물 이름을 이두와 한글로 표기

• 저자가 직접 농사를 지어 보고 저술

• 당시 경기도 지역의 관행 농법을 정리
---

① 구황촬요   ② 금양잡록

③ 농사직설   ④ 농상집요

해설   정답 ②

성종 때 간행했으며, 시흥 지방을 중심으로 한 경기 지방의 농사법을 정리한 책은 『금양잡록(衿陽雜錄)』이다. 이 책은 강희맹(1424~1483)이 저술하였다.

① 구황촬요(救荒撮要): 명종 때, 구황 방법을 제시하기 위해 발간한 책이다.

③ 농사직설(農事直說): 세종 때, 늙은 농부의 경험을 담아 발간한 농서이다.

④ 농상집요(農桑輯要): 고려 원간섭기에 이암이 원으로부터 수입한 농서이다.

---

04 다음 사실을 시기 순으로 바르게 나열한 것은?

[2022 법원직 9급]

(가) 강희맹이 경기 지역의 농사 경험을 토대로 『금양잡록』을 편찬하였다.

(나) 신속이 벼농사 중심의 수전 농법을 소개한 『농가집성』을 편찬하였다.

(다) 이암이 중국 화북 지역의 농사법을 반영한 『농상집요』를 도입하였다.

(라) 정초, 변효문 등이 왕명에 의해 우리나라 풍토에 맞는 농법을 정리한 『농사직설』을 편찬하였다.
---

① (가) – (다) – (나) – (라)   ② (나) – (다) – (라) – (가)

③ (다) – (라) – (가) – (나)   ④ (다) – (라) – (나) – (가)

해설   정답 ③

(다) 이암은 원간섭기(충정왕 때) 원의 농서인 『농상집요』를 도입하였다.

(라) 정초와 변효문은 세종 때 『농사직설』을 편찬하였다.

(가) 강희맹은 성종 때 『금양잡록』을 편찬하였다.

(나) 신속은 효종 때 『농가집성』을 편찬하였다.

05 (가), (나)에 들어갈 내용을 옳게 짝지은 것은?

[2016 법원직 9급]

15세기 과학 기술의 발달		
분 야	천문학과 역법의 발달	농서의 편찬
사 례	(가)	(나)

	(가)	(나)
①	천상열차분야지도 제작	농상집요
②	칠정산 개발	농사직설
③	수시력 도입	임원경제지
④	태양력 도입	곽우록

해설   정답 ②

① '천상열차분야지도'는 15세기 태조 때 제작되었다. 그러나 '농상집요'는 14세기에 원으로부터 도입한 농서이다.

② '칠정산'과 '농사직설'은 모두 15세기 세종 때 완성되었다.

③ 원의 수시력은 14세기 충선왕 때 최성지의 노력으로 도입되었다. '임원경제지'는 서유구가 19세기 초에 쓴 책이다.

④ 태양력은 1895년 을미개혁 때부터 사용되기 시작하였다. '곽우록'은 18세기에 이익이 국가 제도 전반에 대한 의견을 제시한 책이다.

06 다음 지도에 관한 설명으로 옳지 않은 것은?

[2012 경찰간부]

천하는 지극히 넓다. 이것을 줄여서 수 척의 폭으로 지도를 만들면 자세하게 그리기 어렵다. 이제 중국에서 만든 지도에 우리나라를 상세히 그려 넣어 새로운 지도를 만들었다. 지도를 보고 지리를 아는 것 또한 나라를 다스리는 데 도움이 되는 것이다.

① 「곤여만국전도(坤與萬國全圖)」라고 불리기도 한다.

② 한·중·일 삼국 이외에 유럽과 아프리카도 그려져 있다.

③ 1402년(태종 2년) 이회가 제작하고 권근이 발문을 지었다.

④ 아라비아 지도학의 영향을 받은 중국의 세계지도를 참고하였다.

⑤ 이회, 이무, 김사형 등이 제작에 관여하였다.

해설 　　　　　　　　　　　　　　　　　　　　　　　　　　　　　　　　　　정답 ①

제시된 지도는 현존하는 동양 최고(最古)의 세계 지도인 「혼일강리역대국도지도」이다. 「곤여만국전도(坤與萬國全圖)」는 이탈리아 선교사 마테오 리치가 북경에서 제작한 것을 1708년(숙종 때) 조선에서 모사한 서양식 세계지도이다.

07 밑줄 친 '이 지도'에 대한 설명으로 옳지 않은 것은?

[2018 국가직 9급]

> 1402년 제작된 이 지도는 조선 학자들에 의해 제작된 세계 지도이다. 권근의 글에 의하면 중국에서 수입한 '성교광피도'와 '혼일강리도'를 기초로 하고, 우리나라와 일본의 지도를 합해서 제작하였다고 한다.

① 유럽과 아프리카 대륙까지 묘사하였다.

② 중국이 세계의 중심이라는 중화사상이 반영되었다.

③ 이 지도의 작성에는 이슬람 지도학의 영향이 있었다.

④ 우리나라에 해당하는 부분은 백리척을 사용하여 과학화에 기여하였다.

해설 　　　　　　　　　　　　　　　　　　　　　　　　　　　　　　　　　　정답 ④

1402(태종 때) 제작된 세계 지도이며, 권근이 발문을 썼고, 중국의 '성교광피도'와 '혼일강리도'를 들여와 우리나라와 일본을 추가하여 편집한 지도는 혼일강리역대국도지도(混一疆理歷代國都之圖)이다. 이 지도는 김사형, 이무, 이회 등이 제작한 현존하는 동양에서 가장 오래된 세계 지도이다. 현재 그 원본은 없지만 모사본이 일본 류코쿠 대학에 소장되어 있다.

➔ 2018 서울시 7급

①, ② 혼일강리역대국도지도의 중앙에는 중국이 크게 그려져 있어 '중국이 세계의 중심이라는 중화사상이 반영'되어 있음을 알 수 있다. 중국 다음으로 우리나라가 크게 그려져 있다. 아프리카·유럽은 작게 그려져 있고, 아메리카 대륙은 아직 발견되지 않았던 때이므로 반영되어 있지 않다.

③ 이슬람 지도학은 동서 문화 교류에 의해 중국 사회로 전파되었고, 중국에서는 이택민과 같은 학자에 의해 중국식 지도로 편집·제작되었다. 그 결과 만들어진 지도가 혼일강리역대국도지도의 기반이 되었던 '성교광피도'이다. 따라서 혼일강리역대국도지도에 수록된 유럽과 아프리카의 모습은 중국을 거쳐 들여온 이슬람 지도학이 반영된 것이라 할 수 있다. 지도의 아프리카 부분에 그려진 나일강의 모습과 지명들은 이슬람 지도학의 영향에 대한 증거로 제시되고 있다.

④ 혼일강리역대국도지도의 우리나라에 해당하는 부분이 현재의 우리나라의 모습과 흡사한 것은 놀라운 일이다. 그러나 '백리척을 사용하여 과학화에 기여'했다는 표현은 쓸 수 없다. '지도의 과학화'는 조선 후기에 어울리는 말이며, 최초의 백리척 지도는 영조 때 정상기가 제작한 동국지도(東國地圖)이므로 혼일강리역대국도지도에는 '백리척'이라는 수식을 붙일 수 없다.

08 조선 시대의 지도에 대한 설명으로 옳지 않은 것은?   [2017 국회직 9급]

① 세계지도인 「혼일강리역대국도지도」는 중국과 조선을 크게 그렸다는 특징이 있다.

② 「요계관방지도」에는 우리나라 북방지역과 만주, 만리장성을 포함하여 중국 동북지방의 군사
   요새지가 상세히 그려져 있다.

③ 정상기의 「동국지도」는 최초로 100리척을 사용한 과학적인 지도이다.

④ 「팔도도」는 양성지 등이 세조 때 완성하였으며, 북방영토를 실측하여 만들었다.

⑤ 「대동여지도」는 산맥, 하천, 포구, 도로망을 정밀하게 표시하고 거리를 알 수 있도록 10리마다
   눈금을 표시하였으며, 목판으로 인쇄하였다.

해설   정답 ④

양성지·정척 등이 세조 때 완성하였으며, 북방영토를 실측하여 만든 지도는 「동국지도(東國地圖)」이다. 세조는 즉위 후 양
성지에게 지리지 편찬과 지도 제작을 명하였는데, 이에 세조 9년(1463년)에 양성지는 정척과 함께 동국지도를 완성하였다.
이는 그가 세조의 지시를 받은 후 10년 만에 이룩한 업적이고, 정척이 세종의 명을 받고 산천형세를 살피기 시작한 지 27년
만에 이루어진 지도이다. 이 동국지도는 고려 시대의 '5도양계도', 태종 때 이회의 '팔도도', 세종 때 정척의 '팔도도' 등을
참고하였고, 또 정척이 이북 3도를, 양성지가 하3도의 산천형세를 조사한 결과를 종합하여 제작한 조선 초기 지도의 완성편
이라 할 수 있다.

① 「혼일강리역대국도지도」의 중앙에 중국이 크게 그려져 있고, 우리나라가 그 다음으로 크게 그려져 있다.

② 숙종 때 우참찬 이이명은 「요계관방지도(遼薊關防地圖)」를 제작하여 바쳤다(1706). 이 지도의 제작에는 국방 강화라는
   군사적 목적도 있지만 대형의 병풍으로 제작하여 올린 것은 임금으로 하여금 항상 환난을 염려하며, 공검하고 절약해서
   백성의 생활을 넉넉하게 하여 선왕이 다하지 못한 지사(志事)를 추구하도록 하는 문화적인 목적도 있었다. 무엇보다도
   이 지도는 백두산정계비가 세워진 1712년 이전에 만들어진 지도로, 당시 만주와 조선의 국경 지대에 대한 지리적 인식을
   보여준다.

③ 영조 때 정상기가 제작한 「동국지도」는 1자(척), 10리를 1치(촌)로 표시하는 최초의 백리척 축척의 지도이다.

⑤ 철종 때 김정호가 제작한 「대동여지도」는 산맥, 하천, 포구, 도로망을 정밀하게 표시하고, 거리를 알 수 있도록 10리마다
   눈금을 표시하였다. 목판으로 인쇄하여 지도의 대중화에 기여하였으며, 서양 과학 기술인 확대 축소법과 범례인 지도표
   를 사용하여 만들었다. 그동안 '대동여지도가 완성되자 나라의 기밀을 누설시킬 우려가 있다고 하여 판목이 압
   수 소각되었다'고 오해하고 있었으나, 대동여지도의 판목은 현재 국립 중앙 박물관에 소장되어 있다. ➡ 2019 서울시 9급

---

09 조선 시대 지도와 천문도에 대한 설명으로 옳지 않은 것은?   [2023 국가직 9급]

① 대동여지도는 거리를 알 수 있도록 10리마다 눈금을 표시하였다.

② 혼일강리역대국도지도는 중국에서 들여온 곤여만국전도를 참고하였다.

③ 천상열차분야지도는 하늘을 여러 구역으로 나누고 별자리를 표시한 그림이다.

④ 동국지도는 정상기가 실제 거리 100리를 1척으로 줄인 백리척을 적용하여 제작하였다.

해설   정답 ②

혼일강리역대국도지도는 태종 때 제작된 세계 지도이다. 곤여만국전도는 1603년 선조 때 중국을 통해 국내에 반입되었고,
1708년 숙종 때 모사된 세계 지도이다. 그러므로 혼일강리역대국도지도가 곤여만국전도를 참고할 수는 없다.

① 김정호가 제작한 대동여지도는 거리를 알 수 있도록 10리마다 눈금을 표시하였다.

③ 태조 때 제작된 천상열차분야지도는 하늘을 여러 구역으로 나누고 별자리를 표시한 그림이다.

④ 영조 때의 동국지도는 정상기가 실제 거리 100리를 1척으로 줄인 백리척을 적용하여 제작하였다.

10 다음 내용이 실린 책에 대한 설명으로 옳은 것은?

> 대저 살 곳[可居地]을 잡는 데는 지리(地理)가 첫째이고, 생리(生利)가 다음이다. 그다음은 인심(人心)이며, 다음은 아름다운 산수(山水)가 있어야 한다. 이 네 가지 중 하나라도 모자라면 살기좋은 땅이 아니다.

① 최초로 100리 척을 이용한 지도를 수록하였다.

② 우리나라 각 지역의 인문 지리적 특성을 제시하였다.

③ 중국의 역사서 등을 참고하여 지리적 관점에서 우리 역사를 체계화하였다.

④ 군현별로 채색 읍지도를 첨부하여 읍의 형편을 일목요연하게 파악할 수 있게 하였다.

해설 정답 ②

택리의 기준으로 지리(地理), 생리(生利), 인심(人心), 산수(山水)를 든 지리지는 이중환의 「택리지」이다(1751, 영조 때). 이 지리지는 각 지방의 자연환경, 풍속, 인물, 경제생활 등을 기록한 '인문 지리지'이다.

① 최초의 100리척 축척의 지도는 정상기의 '동국지도'이다.

③ 「전한서(前漢書)」의 조선전, 「후한서(後漢書)」의 고구려전·부여전 등을 인용하여 우리 역사를 체계화한 지리는 한백겸의 '동국지리지'이다.

④ 읍지도는 군현의 지도를 말한다. 읍지도를 첨부하여 읍의 형편을 일목요연하게 파악할 수 있는 대표적인 지도는 '여지도서'이다.

11 다음 글에서 설명하는 역법서를 편찬하기 위한 일련의 사업과 관련이 없는 것은?

> • 한양을 기준으로 천체 운동을 정확하게 계산한 역법서
> • 한양의 위도를 기준으로 하여 매일의 일출입(日出入) 시각과 주야(晝夜) 시각을 계산
> • 조선의 자주적 역법체계를 확립한 역법서로 평가됨

① 서운관(書雲觀)의 이름을 관상감(觀象監)으로 고치고 관원들의 명칭과 인원을 조정했다.

② 문신들에게 당(唐)의 선명력(宣明曆)과 원(元)의 수시력(授時曆) 등의 차이점을 교정하게 하였다.

③ 「대통력일통궤(大統曆日通軌)」를 비롯한 6종의 통궤(通軌)를 교정·편찬하였다.

④ 「회회력법(回回曆法)」을 대조·검토하여 중국 역관(曆官)에게 오류가 있음을 알게 되었다.

해설 　　　　　　　　　　　　　　　　　　　　　　　　　　　　　　　　　　　　　　　정답 ①

'한양을 기준으로 천체 운동을 정확하게 계산한 역법서'는 칠정산이다. 칠정산(七政算)은 15세기 세종 때 편찬된 역법(曆法)에 관한 책으로, 『세종실록』 156~163권에 실려 있다. 칠정산은 당의 '선명력', 원의 '수시력'과 아라비아의 '회회력'을 참조하여 내편과 외편으로 완성되었다. 칠정산 편찬을 위해 세종 때 이순지와 김담이 왕명을 받아 편찬한 역법서인 『대통력일통궤(大統曆日通軌)』 및 태양통궤, 태음통궤, 교식통궤, 오성통궤, 사여전도통궤의 '6종의 통궤'를 교정 및 편찬하였다.

① 고려 시대의 천문 관서는 사천대(司天臺)였는데, 이후 서운관(書雲觀)으로 이름을 바꾸었다. 조선 초기에도 여전히 서운관이라는 명칭을 사용하였으나 1466년(세조 12년)에 이를 관상감(觀象監)으로 개칭하였다. 즉 칠정산이 편찬된 이후에 관상감으로 개칭하였으므로, 이것은 칠정산 편찬과 관련된 사업으로 볼 수가 없다.

12 밑줄 친 '이것'이 제작된 시기의 문화에 대한 설명으로 옳은 것은? 　　　　　[2013 법원직 9급]

> 이것을 혜정교와 종묘 앞에 처음으로 설치하여 해 그림자를 관측하였다. 집현전 직제학 김돈이 명을 짓기를, '… 구리를 부어서 그릇을 만들었는데, 모양이 가마솥과 같다. 지름에는 둥근 송곳을 설치하여 북에서 남으로 마주 대하게 했고, 움푹 파인 곳에서 (선이) 휘어서 돌게 했으며, 점을 깨알같이 찍었는데, 그 속에 도(度)를 새겨서 반주천(半周天)을 그렸다. … 길가에 설치한 것은 보는 사람이 모이기 때문이다. 이로부터 백성도 이것을 만들 줄 알게 되었다.'라고 하였다.

① 의학 백과사전인 「의방유취」를 편찬하였다.

② 100리척을 사용한 동국지도를 제작하였다.

③ 상감법을 개발하여 자기 제작에 활용하였다.

④ 역대 문물을 정리한 「동국문헌비고」를 편찬하였다.

해설 　　　　　　　　　　　　　　　　　　　　　　　　　　　　　　　　　　　　　　　정답 ①

'혜정교와 종묘 앞'에 처음으로 설치하여 '해 그림자를 관측'한 해시계는 '앙부일구'이다. 앙부일구는 세종 때 노비 출신 과학자인 장영실이 만들었다. 동양 최대의 의학 백과사전인 「의방유취」도 세종 때 편찬되었다.

② 영조 때 정상기가 '백리척을 사용한 동국지도'를 제작하였다. 세조 때 만들어진 정척·양성지의 동국지도와 구분해야 한다.

③ 12세기 중엽부터 고려가 강화도에 도읍을 두었던 13세기 중엽까지는 고려의 독창적 기법인 상감법이 자기에 활용되어 청자의 새로운 경지를 열었다.

④ 영조 때 홍봉한이 「동국문헌비고」를 저술하였다.

13 조선 시대 과학기술의 발전에 대한 다음의 설명 중 옳지 않은 것은?　　　　[2014 서울시 9급]

① 조선 초기 농업기술의 발전 성과를 반영한 영농의 기본 지침서는 세종대 편찬된 「농가집성」이었다.

② 세종대 해와 달 그리고 별을 관측하기 위해 간의대(簡儀臺)라는 천문대를 운영하였다.

③ 세종대 동양 의학에 관한 서적과 이론을 집대성한 의학 백과사전인 「의방유취」가 편찬되었다.

④ 문종대 개발된 화차(火車)는 신기전이라는 화살 100개를 설치하고 심지에 불을 붙이는 일종의 로켓포였다.

⑤ 조선 초기 140여 명의 인쇄공이 소속된 최대 인쇄소는 교서관이었다.

📘**해설**　　　　　　　　　　　　　　　　　　　　　　　　　　　　　　　정답 ①

조선 초기 세종 때 편찬된 영농의 기본 지침서는 「농사직설」이었다.

② 간의(簡儀)는 혼천의를 간소화한 천문 관측 기구이다. 세종 때 경복궁 경회루 북쪽에 돌로 쌓은 천문대가 설치되었는데, 이를 간의대(簡儀臺)라고 불렀다.

③ 「의방유취」는 세종 때 왕명에 의해 편찬된 의서이다. 김예몽, 유성원, 김수온 등이 제작에 참여하였다.

④ 한 번에 화살 100개를 쏠 수 있는 신기전(神機箭)은 세종 때 이미 만들어졌다. 왕자 시절부터 병기 제작에 관심이 많았던 문종은 즉위하자마자 화차(火車)를 제작하였고, 여기에 이미 개발된 신기전을 올려 발사하였다. 이것을 붙여 읽어서 '신기전기화차'라고도 한다.

⑤ 태조 때 인쇄 기관으로 교서감(校書監)을 만들었고, 이것이 태종 때 이름이 바뀌어 교서관(校書館)이 되었다.

---

14 다음 보기 중 옳은 것은?　　　　[2014 서울시 7급]

① 불국사 다보탑에서 발견된 「무구정광대다라니경」은 현존하는 목판 인쇄물로 세계에서 가장 오래된 것이다.

② 청주 흥덕사에서 간행된 「직지심체요절」은 현존하는 세계에서 가장 오래된 금속 활자 인쇄물로, 오랫동안 프랑스에 소장되어 있다가 조선왕조 의궤와 함께 국내로 환수되었다.

③ 조선왕조 건국의 정당성을 천문학을 통하여 확립하고자 했던 시도의 일환으로 제작된 「천상열차분야지도」는 고구려 때의 천문도를 기반으로 만들어졌다고 알려져 있다.

④ 「칠정산」 내외편은 원나라의 수시력과 아랍의 회회력을 바탕으로 유럽의 역법까지 수용하여 편찬되었다.

⑤ 조선 세종 대에는 고려 시대 이래 의약학의 전통과 중국 의약학의 정보를 집대성하여 「향약구급방」과 「의방유취」를 편찬하였다.

해설 정답 ③

조선은 건국 초기부터 천문도를 만들었다. 태조 때에는 고구려의 천문도를 바탕으로 「천상열차분야지도」를 돌에 새겼다. 천문기상학은 농업과의 관련 때문에 중요하게 다뤄졌을 뿐만이 아니라, 왕도는 천도·천리와 합일된다는 유교적 정치사상에 따라 더욱 중요하게 여겨졌다.

① 「무구정광대다라니경」은 현존하는 목판 인쇄물로 세계에서 가장 오래된 것이다. 그러나 다보탑이 아닌 '석가탑'에서 발견되었다.

② 「직지심체요절」은 세계에서 가장 오래된 금속 활자 인쇄물이다. 조선왕조 의궤는 국내로 환수되었지만, 「직지심체요절」은 환수되지 않았다. 현재 프랑스 국립도서관 동양문헌실에 보관되어 있는데, 상권은 없고 하권만 있다.

④ 「칠정산」 내외편은 원나라의 수시력과 아랍의 회회력을 바탕으로 편찬되었다. 그러나 유럽의 역법까지 수용한 것은 아니었다.

⑤ 세종 때 편찬된 의서는 「향약집성방」과 「의방유취」이다.

15 조선 후기 과학 문화에 대한 설명으로 옳지 않은 것은?
[2012 국가직 9급 변형]

① 유클리드 기하학을 중국어로 번역한 기하원본이 도입되기도 하였다.

② 지석영은 서양의학의 성과를 토대로 서구의 종두법을 최초로 소개하였다.

③ 곤여만국전도 같은 세계지도가 전해짐으로써 보다 과학적이고 정밀한 지리학의 지식을 가지게 되었다.

④ 서호수는 우리 고유의 농학을 중심에 두고 중국 농학을 선별적으로 수용하여 한국 농학의 새로운 체계화를 시도하였다.

⑤ 정약전은 어류에 대한 연구를 통해 어류학의 신기원을 이룩하였다.

해설 정답 ②

종두법은 1) 정약용의 「마과회통」에서 처음으로 소개되었고, 2) 박제가가 함께 연구하였으며 ○ 2015 국가직 7급, 3) 지석영이 시행하였고, 4) 을미개혁 때 시행되었다.

① 수학의 발달을 보면, 조선 후기에는 마테오 리치가 유클리드의 「기하학 원론」을 한문으로 번역한 「기하원본」이 도입되었다. 홍대용은 「주해수용」을 저술하여 우리나라, 중국, 서양 수학의 연구 성과를 정리하였다.

③ 곤여만국전도는 이탈리아 선교사 마테오 리치가 북경에서 제작한 것이다. 이 지도는 선조 때 국내에 반입되었고, 숙종 때 모사되어 사람들로 하여금 과학적이고 정밀한 지리학의 지식을 갖게 하였다.

④ 서호수는 한국 농학의 새로운 체계화를 시도하여, <u>정조 때 「해동농서」를 편찬하였다.</u> ○ 2018 국가직 9급

⑤ 정약전은 유배지인 흑산도에서 어류를 연구하여 「자산어보」를 저술하였다.

16 다음 의학 이론을 담고 있는 서적은?
[2011 국가직 9급]

> 사람의 체질을 태양인·태음인·소양인·소음인으로 구분하여 치료하는 체질 의학 이론으로, 오늘날까지도 한의학계에서 통용되고 있다.

① 동의보감　　　　　　　　② 방약합편

③ 마과회통　　　　　　　　④ 동의수세보원

해설

정답 ④

고종 때(1894) 이제마는 사람의 체질을 태양인·태음인·소양인·소음인으로 구분하여 치료하는 체질 의학 이론을 「동의수세보원」에서 소개하였다.

> 사람이 타고난 천품의 대소 생리가 네 가지로 각자가 같지 않다. 폐가 크고 간이 작은 자는 태양인이라고 하고, 간이 크고 폐가 작은 자는 태음인이라고 하고, 비가 크고 신이 작은 자는 소양인이라고 하고, 신이 크고 비가 작은 자는 소음인이라고 한다. (중략) 태양인은 노하는 마음이 불끈 일어나고, 애를 쓰는 마음은 깊이 하니 조심하지 않으면 안 되고, 소양인은 애를 쓰는 마음이 불끈 일어나고 노하는 마음은 깊이 하니 조심하지 않으면 안 되고, 태음인은 함부로 즐기고 깊이 기뻐하니 조심하지 않으면 안 되고, 소음인은 함부로 기뻐하고 깊이 즐기니 조심하지 않으면 안 된다.

04 문학과 예술의 발달

01 다음에서 서술하는 인물 ㉠에 대한 설명으로 옳은 것은?

[2014 계리직]

> 이 책은 (㉠)이/가 1443년의 계해약조 이후 조금씩 이완되는 일본에 대한 통제를 다시 강화하기 위하여 성종 때에 편찬하였다. 일본과 유구국(琉球國)의 지리·국정·풍속 외에도 교빙(交聘)의 연혁이나 통상에 관한 규정을 모아, 조선 초기의 일본에 대한 인식을 정리한 것이다.

① 집현전 출신 학자로, 「해동제국기」라는 책을 편찬하였다.

② 소격서를 폐지하여 도교적 의식을 거행하지 못하도록 하였다.

③ 사육신 가운데 한 인물로, 단종의 복위운동에 참여하였다가 죽임을 당하였다.

④ 중국의 이상적인 정치 규범인 「주례」를 참조하여 「조선경국전」을 편찬하였다.

해설

정답 ①

'일본과 유구국'은 우리나라 입장에서 '바다 동쪽의 여러 나라'이므로 해동제국(海東諸國)이라고 표현할 수 있다. 세종 때 일본의 여러 나라를 다녀와 성종 때 편찬한 '일본 견문록'은 신숙주의 「해동제국기」이다.

② 소격서를 폐지한 인물은 조광조이다.

③ 사육신(死六臣)이란 세조 때(1456) 단종 복위를 꾀하다가 죽은 여섯 명의 신하를 말한다. 박팽년, 성삼문, 이개, 하위지, 유성원, 유응부를 말하며, 신숙주는 여기에 포함되지 않는다.

④ 「주례」를 참조하여 「조선경국전」을 편찬한 인물은 정도전이다. 「조선경국전」은 한양천도를 하던 해(1394)에 정도전이 지어 왕에게 바친 사찬(私撰) 법전이다. 경국(經國)이란 나라를 다스린다는 의미이다. 이 법전은 치전(治典, 이전)·부전(賦典, 호전)·예전(禮典)·정전(政典, 병전)·헌전(憲典, 형전)·공전(工典)의 6전 체제로 되어 있는데, 이것은 중국 주(周) 왕실의 관직 제도와 전국시대의 제도를 기록한 책인 「주례」의 체제를 참조한 것이다.

02 다음 서사시가 간행되어 보급되던 시기에 만들어진 것은 모두 몇 개인가? [2012 경찰]

> 불휘 기픈 남ᄀᆞᆫ ᄇᆞᄅᆞ매 아니 뮐ᄊᆡ 곶 됴코 여름하ᄂᆞ니
>
> 스ᅵ미기픈 므른 ᄀᆞ마래 아니 그츨ᄊᆡ 내히 이러 바ᄅᆞ래 가ᄂᆞ니 ◑「용비어천가」

㉠ 칠정산내외편	㉡「향약구급방」
㉢「농사직설」	㉣「상정고금예문」
㉤ 자격루	㉥「의방유취」

① 2개 ② 3개
③ 4개 ④ 5개

해설 정답 ③

「용비어천가」는 1) 왕실의 조상의 덕을 찬양하기 위해, 2) 조선 왕조의 창업 과정을 수록한, 3) 한글로 간행된 책으로, 4) 조선 세종 때 편찬되었다. 제시된 자료는 「용비어천가」의 제2장이다.

㉡「향약구급방」은 1236년 몽골 침입 중에 간행되었다. 세종 때 간행된 자주적 의학서는 「향약집성방」이다.

㉣「상정고금예문」은 1234년 몽골 침입 중에 인쇄되었다. '최초의 금속 활자 인쇄본(상정고금예문)'과 '현존하는 가장 오래된 금속 활자 인쇄본(직지심체요절)'은 고려 시대이다. 세종 때의 인쇄 역사에 특이한 점은 1) 갑인자 주조, 2) 식자판 조립 방식이다.

03 다음 글을 지은 인물이 속했던 조선 시대 정치 세력[붕당]에 대한 설명으로 가장 적절한 것은? [2020 경찰]

> 내 버디 몇치나 ᄒᆞ니 水石(수석)과 松竹(송죽)이라.
>
> 東山(동산)의 ᄃᆞᆯ오르니 긔 더옥 반갑고야.
>
> 두어라 이 다ᄉᆞᆺ밧긔 또 더ᄒᆞ야 머엇ᄒᆞ리.

① 예송에서 왕의 예는 일반 사대부와 다르다고 주장하였다.

② 효종의 비가 죽었을 때 시어머니인 자의대비가 대공복을 입어야 한다고 주장하였다.

③ 자신들의 학문적 정통성을 확립하기 위하여 조식을 높이고 이언적과 이황을 폄하하였다.

④ 경종이 즉위하자 그가 병약하다는 이유를 들어 이복동생 연잉군을 세제로 책봉할 것을 요구하였다.

해설

제시된 시가는 1642년(인조 20년)에 윤선도(1587~1671)가 지은 「오우가(五友歌)」로 『고산유고(孤山遺稿)』에 수록되어 있다. 윤선도의 많은 작품 중 '산중신곡'은 병자호란 때 왕을 호종하지 않았다는 죄목으로 경상도 영덕에서 2년 간의 유배를 마친 뒤 고향인 전라도 해남에 은거할 당시 지은 작품이며 「오우가」도 바로 '산중신곡'에 수록되어 있다. 물, 돌, 소나무, 대나무, 달의 다섯 가지 자연물을 벗으로 선택하는 이유는 그 청결성, 항상성, 강직성, 중용성, 침묵성 등 때문이다.

① 윤선도가 속했던 붕당은 '남인'이었다. 윤선도는 1차 예송 때 남인의 입장에서 '왕의 예는 일반 사대부와 다르다'고 주장하다가 유배를 가게 되었다.

② '효종의 비가 죽었을 때'란 갑인예송(1674)이 일어났을 때를 말한다. 이 때 자의대비가 대공복(9개월복)을 입어야 한다고 주장한 당파는 서인이다.

③ 조식을 높이고 이언적과 이황을 폄하한 당파는 북인이다. 남명학파(조식학파)가 광해군대에 정권을 잡자 정인홍이 회재 이언적과 퇴계 이황의 학문을 비판하고 남명 조식의 학문을 치켜세운 사건을 회퇴변척(晦退辨斥)이라 한다.

④ 연잉군을 세제로 책봉할 것을 요구한 당파는 노론이다. 노론의 지지를 힘입어 왕위에 오른 연잉군은 영조이다.

명호샘의 한마디!!

윤선도의 '오우가(五友歌)'는 수(水), 석(石), 송(松), 죽(竹), 달(月)의 다섯 가지 자연물을 의인화하여 표현한 시조이다. '오우가'는 두 가지 문제로 사용될 수 있는 사료이다. 이 시가 병자호란 직후에 쓰였으므로 1) 병자호란 문제가 될 수 있고, 이 시를 쓴 인물은 병자호란 때 인조를 호종하지 않은 2) 남인이라는 당파 문제가 될 수 있다.

나의 벗이 몇이나 있느냐 헤아려 보니 물과 돌과 소나무, 대나무로다
동산에 달 오르니 그것 참 더욱 반갑구나
두어라! 이 다섯이면 그만이지 또 더하여 무엇 하리

구름 빛이 좋다 하나 검기를 자주 한다
바람 소리 맑다 하나 그칠 때가 하도 많다
깨끗하고도 그치지 않은 것은 물뿐인가 하노라

꽃은 무슨 일로 피자마자 빨리 지고
풀은 어이하여 푸르다가 누래지는가
아마도 변치 않는 것은 바위뿐인가 하노라

더우면 꽃이 피고 추우면 잎 지거늘
솔아 너는 어찌 눈서리 모르는가
구천(九泉)에 뿌리 곧은 줄 그로하여 아노라

나무도 아닌 것이 풀도 아닌 것이
곧기는 누가 시키며 속은 어찌 비었는가
저리하고도 사시(四時)에 푸르니 그를 좋아하노라

작은 것이 높이 떠서 만물을 다 비추니
한밤중에 밝은 것이 너만 한 것 또 있느냐
보고도 말 아니하니 내 벗인가 하노라

◐『고산유고』, 산중신곡, 「오우가」

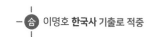

04 조선 시대의 미술 작품에 대한 설명이다. 바르게 연결한 것은? [2010 국가직 9급]

> • 창덕궁과 창경궁의 전모를 그려낸 (㉠)는 기록화로서의 정확성과 정밀성이 뛰어날 뿐
> 아니라 배경산수의 묘사가 극히 예술적이다.
> • 강희안의 (㉡)는 무념무상에 빠진 선비의 모습을 그린 작품으로 간결하고 과감한 필치로
> 인물의 내면세계를 느낄 수 있게 표현하였다.
> • 노비 출신으로 화원에 발탁된 이상좌의 (㉢)는 바위틈에 뿌리를 박고 모진 비바람을 이겨내
> 고 있는 나무를 통하여 강인한 정신과 군센 기개를 표현하였다.

	㉠	㉡	㉢		㉠	㉡	㉢
①	동궐도	송하보월도	금강전도	②	동궐도	고사관수도	송하보월도
③	서궐도	송하보월도	금강전도	④	서궐도	고사관수도	송하보월도

해설 정답 ②

㉠ 세도정치 기간에 정확성과 정밀성이 뛰어난 궁궐 그림이 그려졌다. 그 중 '동궐도'는 창덕궁과 창경궁을 그린 것이고, '서궐도'는 경희궁을 그린 것이다.
㉡ 높은 곳의 선비가[高士] (멍하니) 아래의 물을 바라보는[觀水] 그림인 '고사관수도'는 인물의 내면 세계를 느끼게 표현하였다.
㉢ 바위틈에 뿌리를 박고 모진 비바람을 이겨내고 있는 나무 아래[松下]로 달밤에 걷고 있는[步月] 그림인 '송하보월도'는 노비 출신이지만 그림 실력이 뛰어나 화원(그림 그리는 관료)이 된 이상좌의 작품이다.

05 다음 중 조선의 문화·예술에 대한 설명으로 가장 적절한 것은? [2011 경찰]

① 아악의 종류로는 가사, 시조, 가곡 외에 각 지방의 민요와 판소리 등이 있었다.
② 안견은 몽유도원도를 통해 우리나라 산천의 아름다움을 사실적으로 그렸다.
③ 궁궐, 관아, 성문, 학교 건축이 발달했던 고려 시대와 대조적으로 사원 건축이 발달하였다.
④ 15세기에 고려자기의 비법을 계승한 분청사기가 유행하였으나, 16세기에는 백자가 유행하였다.

해설 정답 ④

분청사기는 고려 말 사회 혼란 속에서 상감청자가 쇠퇴하면서 등장하여, '원 간섭기~고려 초기'에 유행하다가, 16세기부터 세련된 백자가 본격적으로 생산되면서 점차 그 생산이 줄었다.
① 아악이란 송의 음악을 받아들여 궁중음악으로 발전시킨 것으로 민요, 판소리 등과는 관련이 없다.
② 안견의 몽유도원도는 안평대군의 꿈을 그린 것으로 자연스러운 현실 세계와 환상적인 이상 세계를 능숙하게 처리한 작품으로 '관념적'인 산수화이다. '우리나라 산천의 아름다움을 사실적'으로 그린 사람은 18세기 정선이다.
③ 조선 전기에는 사원 위주의 고려 건축과는 달리 궁궐, 관아, 성문, 학교 등 국가와 왕실 등의 공공건물을 중심으로 건축되었다.

06 밑줄 친 '이 농서'가 처음 편찬된 시기의 문화에 대한 설명으로 옳은 것은? [2014 국가직 9급]

> 「농상집요」는 중국 화북 지방의 농사 경험을 정리한 것으로서 기후와 토질이 다른 조선에는 도움이 될 수 없었다. 이에 농사 경험이 풍부한 각 도의 농민들에게 물어서 조선의 실정에 맞는 농법을 소개한 이 농서가 편찬되었다.

① 현실 세계와 이상 세계를 표현한 「몽유도원도」가 그려졌다.
② 선종의 입장에서 교종을 통합한 조계종이 성립되었다.
③ 윤휴는 주자의 사상과 다른 모습을 보여 사문난적으로 몰렸다.
④ 진경산수화와 풍속화가 유행하였다.

해설 정답 ①
'조선' 시대에 농민의 '경험'을 인터뷰하여 '조선의 실정(기후, 땅, 풍토)'에 맞게 편찬한 농서는 「농사직설」이다. 물론 세종 때이다. 현실과 이상을 함께 표현한 안견의 「몽유도원도」는 세종의 아들인 '안평대군'의 꿈을 그린 것으로 이 또한 세종 때이다.
② 조계종은 고려 무신정권 때 성립되었다.
③ 윤휴는 조선 숙종 때 활동하였던 인물이다.
④ 진경산수화와 풍속화가 '유행'한 것은 18세기~19세기이다.

07 다음 중 해외로 유출된 우리 문화재는? [2014 지방직 9급]

① 신윤복의 미인도　　　　　② 안견의 몽유도원도
③ 정선의 인왕제색도　　　　④ 강희안의 고사관수도

해설 정답 ②
몽유도원도는 세종 때 안견이 그린 그림이다. 그런데 그 유출 시기가 명확하지는 않으나, 일본으로 유출이 되고 말았다. 현재는 일본의 덴리(天理)대학에 소장되어 있다. ◆ 2018 기상직 9급

① 신윤복의 미인도는 '간송 미술관'에 보관되어 있다.
③ 정선의 인왕제색도는 '삼성미술관 리움'에 보관되어 있다.
④ 강희안의 고사관수도는 '국립 중앙박물관'에 보관되어 있다.

08 다음 그림의 도자기는 특정 시기에 주로 생산된 양식으로 작품성이 매우 뛰어났다. 그 생산된 시대에 관한 설명으로 옳은 것은?

[2009 지방직 7급 변형]

① 독자적인 연호(年號)인 광덕, 준풍 등을 사용하였다.
② 「주자가례」에 의해 집에 가묘(家廟)를 세우고 제사를 지내는 사람들이 있었다.
③ 인재 양성을 위해 양현고(養賢庫)라는 일종의 장학재단을 설치하였다.
④ 서울의 중인들은 통청운동(通淸運動)을 벌이기도 하였다.

해설 　　　　　　　　　　　　　　　　　　　　　　　　　　　　　　　　　　　정답 ②
분청사기는 '원 간섭기~조선 초기'에 유행하였다. 이런 문제는 대략 '14세기~15세기'의 사건을 묻는 문제로 해석하여 풀면 된다. 이 시기에 '가묘'를 세우고 제사를 지내는 사람들이 생겨났다. 성리학이 도입되었다는 의미이다.
① 광덕, 준풍은 고려 광종이 사용하였던 연호이다(10세기).
③ 양현고는 고려 예종이 관학진흥책의 일환으로 세운 장학재단이다(12세기).
④ 서울의 중인들이 대대적으로 통청운동을 벌인 시기는 조선 철종 때이다(19세기).

09 괄호에 들어갈 내용으로 가장 거리가 먼 것은?

[2008 국가직 9급]

> 조선 후기의 상공업 발달과 농업 생산력의 증대를 배경으로 서민의 경제적 · 신분적 지위가 향상되었다. 이에 서당 교육이 보급되고 (　)와 같은 서민 문화가 성장하였다.

① 판소리　　　　　　　　　　② 탈놀이
③ 사설시조　　　　　　　　　④ 진경산수화

해설 　　　　　　　　　　　　　　　　　　　　　　　　　　　　　　　　　　　정답 ④
'서민 문화의 성장'은 1) 조선 후기의 상공업 발달, 2) 농업 생산력의 증대, 3) 서민의 경제적 · 신분적(사회적) 지위 향상, 4) 서당 교육 보급과 관련되어 있다. 진경산수화는 서민 문화와는 거리가 멀다.

명호샘의 한마디!!

서민 문화의 범주에 들어가는 대표적인 것들은 다음과 같다.

1. 판소리
2. 탈놀이(산대놀이)
3. 사설시조
4. 한글소설
5. 민화
6. 서민 주제의 풍속화
7. 청화백자
8. 옹기

민화(까치와 호랑이)

서당도(김홍도)

10 다음 그림이 그려진 시기의 문화 예술에 대한 설명으로 옳은 것을 모두 고르면?

[2007 세무직 9급]

[보기]

㉠ 구양순체가 서예의 주류를 이루었다.
㉡ 목공예가 크게 발전하여 장롱, 책상, 문갑 등이 많이 생산되었다.
㉢ 독자적인 화풍이 개발되어 일본 무로마치 시대 미술에 많은 영향을 주었다.
㉣ 청화백자가 민간에서도 사용되었고 제기와 문방구 등 생활용품이 제작되었다.

① ㉠, ㉡   ② ㉠, ㉢   ③ ㉡, ㉢   ④ ㉡, ㉣

해설

제시된 그림은 김홍도의 '씨름도'와 '무동'이다. 김홍도(1745~1806)는 주로 18세기 후반에 활동하였다. 이 시기에는 장롱, 책상, 문갑 등의 수요가 늘어 목공예가 크게 발달하였고, 청화백자가 민간에까지 유행하게 되었다. (청화백자용 푸른색 안료가 국내에서 생산되어 청화백자가 발달하는 계기가 되었다.)

㉠ 구양순체는 신라 말부터 고려 초까지 유행하였다. 신라 말의 요극일, 고려 초의 탄연이 유명하다.

㉢ 일본 무로마치 시대 미술에 많은 영향을 준 것은 조선 초기이다. 조선 초기에는 화원이 직접 일본에 건너가서 창작을 하기도 하고, 사신들이 가서 그림과 글씨를 남기고 돌아오기도 하였다.

명호쌤의 한마디!!

'조선 후기'를 뜻하는 작품을 제시하고, 조선 후기의 상황을 묻는 문제가 많다.

단오풍정(신윤복)

자리짜기(김홍도)

위와 같은 '조선 후기'의 작품이 제시되었을 때 다음과 같은 문장들이 '조선 후기 문학과 예술의 새로운 경향' 문제의 정답이 된다.

1. 『어우야담』을 비롯한 야담·잡기류가 성행하였다. ➡ 2020 국가직
2. 양반의 위선을 풍자한 탈춤이 유행하였다. ➡ 2013 수능
3. 직업적인 광대나 기생이 산조와 잡가 등을 창작하여 발전시켰다. ➡ 2015 경찰
4. 도시 상인층의 지원에 의해 산대놀이가 민중 오락으로 정착되었다. ➡ 2007 국가직 9급
5. 위항인(委巷人)들의 문학 활동이 활발해진다. ➡ 2008 계리직
6. 중인층을 중심으로 시사(詩社)가 결성되어 문학 활동을 벌였다. ➡ 2020 국가직 9급
7. 우리의 고유한 자연을 그린 진경산수화가 유행하였다. ➡ 2007 국가직 9급
8. 김홍도는 정조의 화성행차와 관련된 병풍, 행렬도, 의궤 등 궁중풍속도를 그렸다. ➡ 2005 국가직 7급
9. 신윤복은 도시인의 풍류생활과 부녀자의 풍속을 해학적으로 표현하였다. ➡ 2001 사회복지직 9급
10. 강세황은 서양화 기법을 반영하여 사물을 실감나게 표현하였다. ➡ 2011 사회복지직 9급
11. 정선은 바위산을 선으로 묘사하고, 흙산을 묵으로 묘사하는 기법을 활용하였다. ➡ 2011 사회복지직 9급
12. 유서(類書)로 불리는 백과사전이 널리 편찬되었다. ➡ 2020 국가직 9급

11 조선 후기 중인층과 서얼은 자신들의 기록물을 남겼다. 이에 해당하는 저술만을 가장 바르게 나열한 것은?

① 연조귀감(掾曹龜鑑) – 방경각외전(放璚閣外傳)

② 지봉유설(芝峯類說) – 호산외기(壺山外記)

③ 풍요삼선(風謠三選) – 의산문답(醫山問答)

④ 규사(葵史) – 이향견문록(里鄕見聞錄)

해설

정답 ④

중인층과 서얼의 문학을 흔히 '위항문학'이라고 한다.

① 이진흥이 지은 연조귀감(掾曹龜鑑)은 중인층의 하나인 '향리'의 전기이다. 그러나 방경각외전(放璚閣外傳)은 박지원이 지은 단편소설집으로 위항문학으로 분류하기 어렵다.

② 이수광이 지은 지봉유설(芝峯類說)은 위항문학이 아니다. 그러나 조희룡이 지은 별난 중인들의 이야기인 호산외기(壺山外記)는 (일부 내용은 중인의 이야기가 아니지만) 위항문학으로 분류할 수 있다.

③ 중인층과 서민층의 문학 창작 활동이 활발해지면서 동인들이 모여 시사(詩社)를 조직하였다. 대표적인 시사에는 천수경이 조직한 '옥계시사'와 최경흠이 조직한 '직하시사'가 있다. 직하시사의 유재건, 최경흠 등이 펴낸 위항시집을 풍요삼선(風謠三選)이라고 한다. 그러나 홍대용이 지은 의산문답(醫山問答)은 위항문학으로 분류하기 어렵다.

④ 이진택이 지은 규사(葵史)는 서얼의 이야기이다. 유재건이 지은 이향견문록(里鄕見聞錄)은 중인층 이하의 인물의 행적을 적은 책이다. 두 작품 모두 위항문학에 분류할 수 있다.

12 밑줄 친 '시집'에 해당하는 것으로 옳은 것은?

> 위항인들은 인왕산, 삼청동, 청계천, 광교 등의 지역에 많은 시사를 결성하여 문학 활동을 벌이면서 자신들의 위상을 높여 갔다. 그리고 문학을 하는 능력에는 신분의 귀천이 없음을 주장하면서 자신들의 시를 집성한 <u>시집</u>을 편찬하였다.

① 어우야담

② 연조귀감

③ 호산외기

④ 소대풍요

해설

정답 ④

위항(委巷)은 여항(閭巷)이라고도 하는데, 서울의 뒷골목을 가리킨다. 조선 시대 양반들이 주로 서촌이나 북촌, 남촌에 살았던 반면 중인들은 그 가운데인 청계천 주변과 인왕산 부근에 살았는데, 위항은 바로 이곳이라고 할 수 있다. 양반의 한문학과는 다른 중인의 한문학은 '뒷골목 문학', 곧 '위항 문학'이라는 이름을 얻었다. 위항 문학은 대개 중인들이 많이 참여하였지만, 서얼과 노비까지 다양한 계층에서 문학을 주도하였기 때문에 양반이 아니면서 문학을 주도했던 이들을 묶어 '위항인'이라고 했다.

④ 조선 후기에 중인, 상민, 천인 들이 문학 활동에 참여하면서 시인 동우회인 시사를 조직하였는데, 대표적인 시사로는 천수경 등의 옥계 시사, 최경흠 등의 직하 시사, 박윤묵 등의 서원 시사 등이 있었다. 이들 <u>시사에서는 동인지로서 『소대풍요(昭代風謠)』, 『풍요속선(風謠續選)』 등의 '시집'을 간행하기도 하였다. 이 중 특히 『소대풍요(昭代風謠)』는 1737년</u> 영조 때 편찬된 시집으로, 고시언(高時彦)이 편찬하여 문학사 정리에 크게 이바지하였다.

① 유몽인의 『어우야담(於于野談)』은 17세기 초에 발간된 설화집(야담집)으로, 유몽인은 중인이 아니라 양반이었다. <u>조선 후기에는 『어우야담』을 비롯한 야담·잡기류가 성행하였다.</u> ● 2020 지방직 9급

②, ③ 이진흥의 『연조귀감』, 조희룡의 『호산외기』, 이진택의 『규사』 등은 중인신분층의 역사서로, 자신들을 속박하는 신분제에 대한 비판과 개혁의지를 담은 저술이다. 『소대풍요』와 함께 위항문학으로 분류할 수 있지만, '시집'은 아니다.

13 다음 자료가 보여 주는 시기의 문화 현상에 대한 설명으로 가장 적절한 것은? [2015 경찰 변형]

> 이항인(里巷人)들은 일컬을 만한 경학이나 내세울 만한 공훈도 없다. 시사(詩社)를 조직하여 기록할 만한 시나 문장을 남긴 사람이 있다 하더라도 널리 알려지지 않았다. 아! 슬프다. 내가 여러 문집에 있는 사람은 찾아내고, 기록되지 아니한 사람은 직접 써서, 이 책을 간행한 까닭이 바로 여기에 있다.

① 새로운 시가인 경기체가가 창작되었다.

② 아악이 체계적인 궁중 음악으로 발전하였다.

③ 구양순체와 송설체의 글씨체가 주류를 이루었다.

④ 윤리서와 농서를 번역 편찬하여 한글 보급에 노력하였다.

⑤ 소원 성취를 기원하고 생활 공간을 장식하는 민화가 유행하였다.

해설   정답 ⑤

조선 후기에 중인층과 서민층의 문학 창작 활동이 활발해지면서 동인들이 모여 시사(詩社)라는 문학 창작 모임을 조직하였다. 이 시기에는 1) 민중의 미적 감각을 잘 나타낸, 2) 소박한 우리 정서가 짙게 배어 있는, 3) 소원 성취를 기원하고 생활 공간을 장식하는, 4) 벽사화와 길상화가 근간을 이루는 민화(民畵)가 유행하였다.

① '고려 후기'에 신진사대부들은 향가 형식을 계승하여 새로운 시가인 경기체가를 창작하였다.

② 아악은 '고려 시대'에 송에서 수입된 대성악이 궁중 음악으로 발전한 것이다.

③ 구양순체는 중국 당나라 초 구양순의 서체로서 우리나라에서는 '신라 말부터 고려 초까지' 유행하였다. 한편 송설체는 중국 원나라 조맹부의 서체로 우리나라에서는 '고려 말과 조선 전기'에 유행하였다.

④ '세종'은 정음청을 두어 한글 서적을 편찬하였는데 이 시기에 윤리서인 「삼강행실도 언해본」과 농서인 「농사직설」이 한글로 번역·편찬되었다.

---

14 우리나라의 토기 및 도자기에 대한 설명으로 옳지 않은 것은? [2011 지방직 9급 변형]

① 신라 토기는 규산(석영) 성분의 태토를 구워 만드는데, 유약을 사용하지 않는 것이 원칙이다.

② 고려청자는 물에는 묽어지고 불에는 굳어지는 자토로 모양을 만들고 무늬를 새긴 후 유약을 발라 대략 1,250~1,300도 사이의 온도로 구워서 만든다.

③ 분청사기는 청자에 백토의 분을 칠한 것으로, 조선 후기까지 생산되어 생활용품으로 널리 사용되었다.

④ 조선 백자는 규산(석영)과 산화알루미늄을 주성분으로 한 태토로 모양을 만들고 그 위에 유약을 발라 대략 1,300~1,350도에서 구워 만든다.

⑤ 왜란과 호란으로 청화안료의 수입이 어려워지자 17세기에는 철화안료로 무늬를 그린 철화백자가 생산되었다.

분청사기는 16세기부터 세련된 백자가 본격적으로 생산되면서 점차 그 생산이 줄었다.

고려(청자)					조선(백자)				
10세기	11세기	12세기	13세기	14세기	15세기	16세기	17세기	18세기	19세기
송나라 자기의 영향	순청자 (독자적인 경지 개척)	상감 청자 (독창적 상감법 활용)		분청사기 (청자의 빛깔 퇴조)		순백자	청화백자 철화백자 진사백자 (민간에까지 널리 사용, 다양한 안료)		
초기	중기	무신 정권기		원 간섭기 ~ 조선 초기		중기	후기		

---

15 [보기]에서 조선 전기 건축물을 모두 고른 것은?

[2018 서울시 9급]

[보기]

㉠ 무위사 극락전   ㉡ 법주사 팔상전
㉢ 금산사 미륵전   ㉣ 해인사 장경판전

① ㉠, ㉣   ② ㉡, ㉣
③ ㉢, ㉣   ④ ㉠, ㉢

㉠ 무위사 극락전은 1430년(세종 12년)에 목조로 만들어진 것으로, 조선 초기의 주심포(柱心包) 양식을 보여주는 건축물이다.
㉣ 해인사 장경판전은 고려시대 제작된 팔만대장경을 보관하고 있는 건축물로 장경판고라고도 불리는데, 경남 합천군 가야면 치인리 가야산 중턱에 자리한 해인사에 위치한다. 기록에 따르면, 1481년(성종 12년)에 고쳐 짓기 시작하여 1488년(성종 19년)에 완공되었다.
㉡, ㉢ 법주사 팔상전, 금산사 미륵전, <u>화엄사 각황전은 17세기의 대표적인 건축물이다.</u> ➡ 2024 국가직 9급

---

16 다음 서적들의 편찬 시기가 바르게 나열된 것은?

[2011 국가직 7급]

㉠ 동국이상국집   ㉡ 불씨잡변
㉢ 임원경제지   ㉣ 해동제국기

① ㉠ - ㉡ - ㉢ - ㉣   ② ㉠ - ㉡ - ㉣ - ㉢
③ ㉡ - ㉠ - ㉢ - ㉣   ④ ㉡ - ㉠ - ㉣ - ㉢

동국이상국집(이규보, 무신정권기) → 불씨잡변(정도전, 조선 태조 때) → 해동제국기(신숙주, 조선 성종 때) → 임원경제지(서유구, 조선 순조 때)

17 조선 시대에 편찬된 서적과 관련된 설명으로 옳은 것을 [보기]에서 모두 고른 것은?

[2018 서울시 지방직 9급]

> [보기]
> ㉠ 『경국대전』: 조선의 통치 규범과 법을 정리하였다.
> ㉡ 『동문선』: 우리 풍토에 맞는 약재와 치료법을 정리하였다.
> ㉢ 『동의수세보원』: 중국과 일본의 자료를 참고하여 민족사 인식을 확대하였다.
> ㉣ 『금석과안록』: 북한산비가 진흥왕 순수비임을 밝혔다.

① ㉠, ㉡

② ㉡, ㉢

③ ㉠, ㉣

④ ㉡, ㉣

해설

정답 ③

㉠ 『경국대전』은 세조 때 편찬이 시작되어 성종 때 완료·반포된 조선의 기본법전으로, 조선의 통치 규범과 법을 정리하였다.

㉣ 1816년 김정희가 김경연과 함께 북한산비를 조사하고, 이듬해 조인영과 자세히 조사하여 북한산비가 진흥왕 순수비임을 밝혔다. 김정희는 1) 북한산 순수비를 고증하고, 2) 『금석과안록』을 저술하였으며, 3) '고금의 필법을 두루 연구'하여 새로운 서체인 추사체를 완성하였다. 4) 세한도와 묵죽도를 그렸으며, 5) 그의 문하에서 배출된 인물들은 개화 운동을 전개하였다.

> 그는 사신으로 청에 다녀온 후 금석 자료의 수집 및 연구에 몰두하였다. 특히 북한산에 있는 진흥왕 순수비의 실체를 밝혀냄으로써 그때까지 막연하게 조선 초기의 승려 무학(無學)이 세운 비라고 여겼던 기존의 설을 뒤집었다. 그러한 연구 결과를 집대성하여 '금석과안록'을 저술하기도 하였다.

㉡ 『동문선』은 1478년 성종의 지시에 따라 서거정 등이 우리나라 역대의 명문(名文)과 명시(名詩) 등을 선별·수록해 편찬한 시문선집이다. / '우리 풍토에 맞는 약재와 치료법을 정리하였다'는 표현에 어울리는 의서는 세종 때 편찬된 『향약집성방』이다.

㉢ 『동의수세보원』은 1894년에 이제마가 사상 의학(四象醫學)을 바탕으로 저술한 의서이다. / '중국과 일본의 자료를 참고하여 민족사 인식을 확대하였다'는 표현에 어울리는 역사서는 한치윤이 쓴 『해동역사』이다.

18 조선 후기의 문화에 대한 설명으로 옳지 않은 것은?

[2016 사회복지직]

① 주자학에 대한 비판이 높아짐에 따라 역사서술에서 강목체는 사라졌다.

② '진경산수'가 유행하여 우리 산천에 대한 사실적인 묘사가 많아졌다.

③ 서양인이 제작한 세계지도의 전래로 조선인들의 세계관이 확대되었다.

④ 판소리나 탈춤이 유행하여 서민들의 문화생활을 풍요롭게 하였다.

해설

정답 ①

강목체는 편년체와 같이 시간 순서대로 기술하지만, 여기에 '성리학적 평가'가 개입되어 글씨 크기를 '강'과 '목'으로 달리한다. 17세기에 고려사를 강목체로 다시 기술한 유계의 '여사제강', 동국통감을 강목체로 다시 기술한 홍여하의 '동국통감제강'과 18세기에 안정복이 지은 '동사강목'을 볼 때, 조선 후기에 강목체가 사라졌다는 표현은 옳지 않다.

19 조선 시대 미술에 대한 설명으로 가장 적절하지 <u>않은</u> 것은? [2016 경찰]

① 18세기에 들어 중국의 화풍을 배격하고 우리의 고유한 자연과 풍속을 있는 그대로 묘사한 진경산수(眞景山水)의 화풍이 등장했으며, 정선은 진경산수화의 대가로 '금강전도', '인왕제색도' 등을 그렸다.

② 김홍도는 섬세하고 정교한 필치로 정조의 화성 행차와 관련된 병풍, 행렬도, 의궤 등 궁중 풍속을 많이 남겼다.

③ 신윤복은 주로 도시인의 풍류생활과 부녀자의 풍속, 남녀 사이의 애정 등을 감각적이고 해학적인 필치로 묘사하였다.

④ 김정희의 '묵란도', '세한도', 장승업의 '홍백매도', '군마도' 등은 19세기의 대표적인 작품들이다.

해설 정답 ①

진경산수화는 중국 남종과 북종 화법을 고루 수용하여 우리의 고유한 자연과 풍속에 맞춘 새로운 화법으로 창안한 것이다. 그러므로 ①에서 '중국의 화풍을 배격하고'라는 표현은 지워야 한다.

---

20 다음 책에 대한 설명으로 옳은 것을 모두 고른 것은? [2017 서울시 7급]

> ㉠ 「칠정산내편」은 이슬람 달력인 회회력을 개정 증보하여 번역해 놓은 것이다.
> ㉡ 「원생몽유록」은 사육신과 단종의 사후 생활을 그려 은연 중에 세조를 비판하였다.
> ㉢ 이종휘는 「동사」를 지어서 고구려사에 대한 관심을 높였다.
> ㉣ 「박통사언해」는 일본에 포로로 잡혀갔었던 강우성이 만든 일본어 학습서이다.

① ㉠, ㉡   ② ㉡, ㉢

③ ㉡, ㉣   ④ ㉢, ㉣

해설 정답 ②

㉡ 조선 중기의 임제(1549~1587)는 「원생몽유록」과 함께 「화사」, 「수성지」 등 다양한 형태의 소설을 남겼다. 그 중 「원생몽유록」은 현실의 모순을 직설적으로 드러내 비판하는 몽유록 작품군의 표본이 된다.

> 그는 일찍이 고대의 역사를 즐겨 읽었는데, 일대의 왕조가 패망하여 나라의 운명이 다하고 국세가 꺾이는 대목에 이르면, 책을 덮고 흐느껴 울지 않은 적이 없었다. 마치 자신의 몸이 그 때에 처한 듯하여, 서두르고 애써 보아도 패망해 가는 나라를 지탱할 아무런 힘도 없는 듯하였기 때문이다. ○ 임제, 「원생몽유록」

여기에 묘사된 것처럼 강개한 성격의 선비인 원자허(元子虛)가 꿈 속에서 단종과 사육신(死六臣)을 만나 그들의 원한 섞인 시를 듣다가 꿈에서 깨는 것이 내용이다. 임제는 이 작품을 통해 사육신과 단종의 사후 생활을 그려 은연 중에 세조를 비판하였다. 소망스러운 이념과 역사의 실재가 결코 합치되지 못하는 데 대한 절망이 이 작품에 반영되어 있다.

㉢ 이종휘는 「동사(東史)」를 지어서 고구려사에 대한 관심을 높였다. 「동사(東史)」는 이종휘의 문집 '수산집' 안에 수록되어 있는 역사서로, '단군-기자-마한-고구려'로 이어지는 삼한 정통론을 도입하였다.

㉠ 「칠정산내편」은 원의 수시력(授時曆)을 바탕으로 했다. 수시력은 원대에 만들어진 역법이지만 중국의 전통 역법으로는 가장 정확한 것이었기 때문이다. 「칠정산외편」은 칠정산에 대한 밖에서의 이론과 계산을 그 내용으로 한 것이다. 이것은 이슬람(아라비아)의 회회력(回回曆)을 바탕으로 해서 엮은, 이슬람 천문·역법의 한역본(漢譯本)과도 같은 책이다. 「칠정산내편」과 「칠정산외편」의 완성으로 조선의 역법은 완전히 정비되고 자주적 역법체계가 확립되었다.

ⓔ 조선 중기에 나타난 언해본으로 외국어 학습서들이 있다. 「노걸대언해(老乞大諺解)」·「박통사언해(朴通事諺解)」 등은 중국어 회화교재이며, 「노박집람(老朴集覽)」·「어록해(語錄解)」 등은 중국어 어휘나 어귀 중심으로 풀이된 회화교재의 보충편이고, 「역어류해(譯語類解)」는 한·한(漢韓) 대역사전의 성격을 지닌 어휘집이다. 「첩해신어(捷解新語)」는 왜어 (일본어) 회화교재이다. 이러한 외국어 학습서들의 간행은 조선 후기로 이어지면서 더욱 활기를 띠게 되었다.

21 사림의 문화를 반영한 16~17세기 그림에 해당하지 않는 것은?
[2017 국가직 7급]

① 이정의 풍죽도
② 심사정의 초충도
③ 어몽룡의 월매도
④ 황집중의 묵포도도

해설 정답 ②

16~17세기에 활동한 황집중(1533~?), 이정(1554~1626), 어몽룡(1566~?)은 각각 포도 그림, 대나무 그림, 매화 그림으로 유명하다. 이들을 삼절(三絶)이라고 한다.

② 심사정(1707~1769)은 조선 후기의 화가로 산수화, 인물화 등을 주로 그렸으며, 그 외에 화훼초충과 영모화를 그리기도 하였다.

22 다음 주장이 제기된 시기의 문화적 특징으로 옳은 것을 [보기]에서 모두 고른 것은?
[2023 법원직 9급]

폐를 끼치는 것으로는 담배만한 것이 없습니다. 추위를 막지도 못하고 요깃거리도 못 되면서 심는 땅은 반드시 기름져야 하고 흙을 덮고 김매는 수고는 대단히 많이 드니 어찌 낭비가 아니겠습니까? 그리고 장사치들이 왕래하며 팔고 있어 이에 쓰는 돈이 적지 않습니다. 조정에서 전황(錢荒)에 대해 걱정하고 있는데, 그 근원을 따져 보면 여기에서 비롯된 것이 아니라고는 장담할 수 없습니다. 만약 담배 재배를 철저히 금한다면 곡물을 산출하는 땅이 더욱 늘어나고 농사에 힘쓰는 백성들이 더욱 많아질 것입니다.

[보기]
ㄱ. 문화 인식의 폭이 확대되어 백과 사전류의 저서가 편찬되었다.
ㄴ. 격식에 구애받지 않고 감정을 표현하는 사설시조가 유행하였다.
ㄷ. 주자소가 설치되어 계미자를 비롯한 다양한 활자를 주조하였다.

① ㄱ
② ㄱ, ㄴ
③ ㄴ
④ ㄴ, ㄷ

해설 정답 ②

'담배'는 조선 후기에 전래된 작물이다. '전황'도 조선 후기에 나타난 현상이다. 조선 후기에는 백과사전류의 저서가 많이 편찬되었고, 사설시조가 유행하였다.

ㄷ. 주자소가 설치되어 계미자를 주조한 시기는 조선 전기 태종 때이다.

2025 대비 최신개정판

해커스공무원
이명호
한국사

기출로
적중 1

개정 5판 1쇄 발행 2024년 9월 2일

지은이	이명호
펴낸곳	해커스패스
펴낸이	해커스공무원 출판팀

주소	서울특별시 강남구 강남대로 428 해커스공무원
고객센터	1588-4055
교재 관련 문의	gosi@hackerspass.com
	해커스공무원 사이트(gosi.Hackers.com) 교재 Q&A 게시판
	카카오톡 플러스 친구 [해커스공무원 노량진캠퍼스]
학원 강의 및 동영상강의	gosi.Hackers.com

ISBN	1권: 979-11-7244-131-9 (14910)
	세트: 979-11-7244-130-2 (14910)
Serial Number	05-01-01

공무원 교육 1위,
해커스공무원 gosi.Hackers.com
해커스공무원

· 이명호 선생님의 **본 교재 인강**(교재 내 할인쿠폰 수록)
· 정확한 성적 분석으로 약점 극복이 가능한 **합격예측 온라인 모의고사**(교재 내 응시권 및 해설강의 수강권 수록)
· 해커스 스타강사의 **공무원 한국사 무료 특강**